吉米多维奇

Борис Павлович Демидович

数学分析习题集题解

总主编　郭柏灵　张天德
主　编　丁彦恒

（第5版）

2

山东科学技术出版社
·济南·

图书在版编目（CIP）数据

吉米多维奇数学分析习题集题解. 2 / 丁彦恒主编.
5 版. -- 济南 : 山东科学技术出版社, 2024. 7.
ISBN 978-7-5723-2100-9

Ⅰ. 017-44

中国国家版本馆 CIP 数据核字第 20244QS338 号

吉米多维奇数学分析习题集题解　2

JIMIDUOWEIQI SHUXUE FENXI XITIJI TI JIE 2

责任编辑：段　琰
装帧设计：孙　佳

主管单位：山东出版传媒股份有限公司
出 版 者：山东科学技术出版社
地址：济南市市中区舜耕路517号
邮编：250003　电话：(0531) 82098088
网址：www.lkj.com.cn
电子邮件：sdkj@sdcbcm.com
发 行 者：山东科学技术出版社
地址：济南市市中区舜耕路517号
邮编：250003　电话：(0531) 82098067
印 刷 者：山东华立印务有限公司
地址：山东省济南市莱芜高新区钱塘江街019号
邮编：271100　电话：(0531) 76216033

规格：16 开（184 mm × 260 mm）
印张：16.5　**字数**：410千
版次：2024年7月第5版　**印次**：2024年7月第20次印刷
定价：28.00元

序

在数学的广袤天地中，数学分析占据着举足轻重的地位。它是数学专业的基础课程之一，对于学习后续课程如复变函数、实变函数与泛函分析、微分方程、微分几何、计算方法、概率论与数理统计发挥着重要的基础作用。它更是深入研究工程力学、物理、经济等众多学科不可或缺的工具。在科研方面，数学和其他许多相关学科的新思想和新应用都源于对数学分析的深入研究。因此，数学分析不仅是数学研究的重要基础，也是其他自然科学领域研究的关键工具。

众所周知，学好数学需要通过不断的练习和思考，才能真正掌握其精髓。科学地做题不仅节省时间，而且能事半功倍。在这样一个背景下，一本优质的数学分析习题集就显得尤为重要。

我读大学时，全国的数学系学生做《吉米多维奇数学分析习题集》蔚然成风。这本书对培养人的数学思维功不可没，甚至可以说不亚于当年数学专业学生几乎人手一套的多卷本课外参考书、苏联数学家菲赫金哥尔茨的《微积分学教程》。在大学4年里，我做了逾2万道题，其中就包含了《吉米多维奇数学分析习题集》全部的4462道题。至今我仍清楚地记得，书中约有四分之一的题难度相当大，我和我的同窗们也正是通过攻下这些难题而逐步练就出解决数学分析难题的真功夫，为以后从事数学研究打下坚实的基础。如今我已经从教40年，在我的学生当中有被誉为“北京大学数学黄金一代”的80后数学家，也有新近在国际数学界脱颖而出的90后数学家，他们很多人都做过《吉米多维奇数学分析习题集》，可见理解和做完这本习题集中题目的价值和作用。

1980年，《吉米多维奇数学分析习题集题解》首版由山东科学技术出版社出版，当时是国内第一次对《吉米多维奇数学分析习题集》中的全部习题进行了一一解答。历经40余年，这套图书仍受到大家的喜爱，很令人欣喜。得知出版社近期对这套图书做了改版，增加了新的内容，希望能赋予这套图书新的活力，更好地适应现在的教育教学模式。

我衷心地希望各位读者能够从本书中受益，并在攀登数学分析这座山峰的旅途中取得更好的成绩和更大的进步！

中国科学院院士

2024年7月于北京大学怀宁园

第5版前言

《吉米多维奇数学分析习题集》是国内外高校最为经典的数学分析习题集之一，作者是白俄罗斯籍数学家吉米多维奇（Б.П.ДЕМИДОВИЧ）。本书自20世纪50年代引进以来，对我国数学分析、高等数学和微积分的教与学产生了重大影响。从事高等数学教学的教师，常以该书中的习题，作为检验学生是否掌握高等数学基本知识和基本技能的一项重要手段。长久以来，该书只有习题，没有解答，让不少初学者望而却步。

山东科学技术出版社于1980年策划出版了《吉米多维奇数学分析习题集题解》，对《吉米多维奇数学分析习题集》中的4462道习题逐一进行解答，成为国内第一套数学分析题解类图书，受到了广大读者的喜爱，先后于1999年、2005年和2012年三次再版，陪伴数以百万计的数学爱好者走过了四十余载春秋。从《吉米多维奇数学分析习题集》到《吉米多维奇数学分析习题集题解》，虽然只有两字之差，但后者包含了一代代数学大师们无数的心血，也让该书在数学分析、高等数学和微积分领域牢牢占据一席之地。

加强基础研究是建设科技强国和教育强国的关键要素。2023年4月，教育部启动了包括数学在内的基础学科“101计划”。为响应国家号召，助力核心课程建设，加之《吉米多维奇数学分析习题集题解》第4版出版距今已十余年，书中不少解题方法已不适用于现代教学，为此，山东科学技术出版社启动《吉米多维奇数学分析习题集题解》再版工作。

在多位专家的悉心指导和广大读者的热情支持下，第5版的再版工作得以顺利完成。我们深知，每一次更新迭代都是对知识深度和广度的双重挑战，因此，我们始终秉承对知识的敬畏和对读者的承诺，在再版过程中倾注大量心血，不断精益求精，力求将最完美的解答过程和最容易让读者理解的解题方法，呈现给热爱数学的读者，确保本书能够继续作为数学分析学习的黄金标准。

今天，我们荣幸地推出《吉米多维奇数学分析习题集题解》第5版，这不仅是对经典的传承，更是对未来的展望。根据读者反馈和实际教学中发现的问题，本书较第4版改动较大，主要体现在以下几个方面：

1. 对全书4462道习题进行了重新验算和解答，答题步骤、方法更贴合日常教学和考研标准，并在部分题目中增加了一题多解、方法总结等有助于读者发散思维的点拨。

2. 每章增加了本章概括和知识图谱，以帮助读者更好地把握整章知识脉络，在更高的维度上理解知识的前后逻辑关系。

3. 每节增加了知识点预览和知识拓展。知识点预览介绍本节知识点对应的题目序号，能够让读者快速检索题目所在的位置；知识拓展则可以帮助读者回忆类型题目所用到的公式、定理，为解题打下良好基础。

4. 题目按知识点模块化。将原有题目顺序进行微调，按照知识点重新分类，将同类题目模块化，有助于读者更清晰地了解每个知识点的考查方式和难易程度，更准确地查找相应题目进行练习，从而更有效地进行教学和复习。

5. 题目和解答字号大小有别。题目字号适当放大，解答字号则保持不变，使题目和解答可以明显区分开来，这样的改动方便读者先看题目、自己验算，再对照解答进行验证、勘误。

6. 每册图书最后增加各高校考研真题和解析，方便读者进行过关检测，在夯实知识的同时，保证学以致用、学有所得。

本书不仅适用于数学专业数学分析的学习，也同样适用于非数学专业理工科学生学习高等数学及微积分等科目。在历届大学生数学竞赛、硕士研究生招生入学考试中不乏出现本书原题，比如2019年全国硕士研究生入学招生考试数学一中第17题，即为本书第2410题的原题复现。

华东交通大学费定晖教授、山东大学周学圣教授对前4版的编写做出了突出贡献，对此深表感谢。清华大学邹文明教授，中国科学院数学与系统科学研究院丁彦恒研究员，中国科学技术大学李平教授，曲阜师范大学栾世霞教授、孙钦福副教授，海军航空大学刘波副教授为本书再版工作倾注了很多心血，在此一并表示感谢。感谢许多阅读了本书，并向我们分享见解的读者们，以及为本书付出努力的审稿专家和编辑们，谢谢你们！

本书虽然历经40余年的反复修订，但因规模庞大，编者水平有限，书中难免有错误和不当之处，敬请各位专家、同仁和广大读者批评指正，不胜感激。

中国科学院院士 郭柏灵

山东大学数学学院教授 张天德

2024年6月

第4版前言

本书自1980年出版发行以来，历经30多个春秋，一直畅销不衰，深得读者厚爱。在郭大钧教授的帮助和指导下，我们本着对读者高度负责的态度，对全书不断进行修订和补充，力求本书一直保持其先进性、完整性和准确性。读者通过学习本书，在掌握数学分析的基本知识、基础理论和基本技能方面，感到获益匪浅，赞誉其为学习数学分析“不可替代”之图书，对此我们倍感欣慰，鞭策我们为读者做出更多的奉献。

这次受山东科学技术出版社的邀请，并在郭大钧教授的大力支持下，我们进行本书第4版的改版工作，主要包括以下几方面：

第一，为全书4462题中的近三成的习题，根据题型的不同，在原题解的前面或给出提示，或给出解题思路，或给出证明思路。希望能启发读者怎样分析该题，怎样下手求解；启发读者怎样总结解题的规律；启发读者怎样正确使用有关的数学公式、概念和理论，开拓视野，活跃思路；帮助读者逐步解决学习中的困难，为他们在学习过程中提供一个良师益友。这是本次改版的主要工作。

第二，根据当前的语言习惯，对全书的文字做了较多的润色，使其表述更加准确，更加简洁。

第三，改正了第3版中的个别印刷错误，修正了函数图像中的个别问题和个别习题的答案。

第四，根据国家相关标准，规范了有关术语和数学公式的表达，并对全书使用的外国人名按照现行标准或通用译法重新翻译。

第五，对全书的版面和开本进行了调整，使其更富有时代的色彩。

我们殷切期望使用本书的读者，懂得只有通过个人的独立思考，加上勤学苦练才能取得成功。读者使用本书最好是不要先看题解，而是自己先对照教材中的有关概念、公式和理论独立进行思考，必要时可参照书中的提示、解题思路或证明思路独立完成解题，然后再查看书中是怎样解答的，比较自己的解答和书中解答的异同，从中找出差距，找出自己的问题所在，甚至找出书中解答的错误和不足之处，进而找到更为简洁的解答。只有这样才能提高自己的思维能力和创造才能，任何削弱独立思考的做法都是违背我们出版本书的初衷的。

山东科学技术出版社颜秀锦、宋德万、胡新蓉等老一代资深编辑为本书前三版的出版和发行付出了艰辛努力，责任编辑宋涛为本书第4版怎样提高质量倾注了不少心血，在此我们一并表示感谢。同时感谢山东大学、华东交通大学、山东师范大学等兄弟学校对本书出版的支持。感谢社会各界同仁对本书的支持。虽然历经30余年的反复修订，面对如此庞大的图书，限于作者水平，书中难免有错误和不当之处，敬请各位专家、同仁和广大读者批评指正，不胜感激。

编者

2012年5月

第3版前言

这套书自1980年出版发行以来，20余年一直畅销不衰，读者称其为学习数学分析“不可替代”之图书，我们对此倍感欣慰。

本次改版主要做了如下改动：

第一，修正了部分题目的解法，使其更加注重科学性、规范性和简明性。

第二，改正了第2版的个别印刷错误。

第三，在文字上进行了些润色，力求文字更加准确。

第四，对版面和开本进行了调整，突出了时代感。

本次改版得到山东科学技术出版社的大力支持，责任编辑宋德万、胡新蓉等对该书的再版付出了艰辛的劳动，在此深表感谢。

在第3版修改过程中由费定晖逐章逐题予以校阅，不当之处恳请指正。

编者

2005年1月

第2版前言

《吉米多维奇数学分析习题集》一书内容丰富，覆盖面广泛，是数学分析的经典之作。从事数学分析教学的老师也常以《吉米多维奇数学分析习题集》中的题目，作为检验学生掌握数学分析基本知识和基本技能的一项重要手段。

《吉米多维奇数学分析习题集》共4462道题目，涵盖了数学分析的全部主题，为了适应我国广大数学爱好者学习，我们将全书4462道题目一一解答，编写了《吉米多维奇数学分析习题集题解》，分六册出版。本书自1980年出版以来，一直畅销不衰，读者称其为学习数学分析“不可替代”之图书，我们对此倍感欣慰。

第2版较第1版主要做了如下改动：

第一，修正了部分题目的解法，使其更加注重了科学性、规范性和简明性。

第二，改正了个别印刷错误。

第三，在文字上进行润色，力求表述更加准确。

本次再版得到山东科学技术出版社的大力支持，在此深表感谢。

编者

1999年3月

首版前言

《吉米多维奇数学分析习题集》一书的中译本，自20世纪50年代初在我国翻译出版以来，在全国各大高校师生中引起巨大反响。凡从事数学分析教学的老师，常以该习题集中的习题，作为检验学生是否掌握数学分析基本知识和基本技能的一项重要手段。二十多年来，对我国数学分析的教学工作是甚为有益的。

该书四千多道习题，数量多，内容丰富，由浅入深，部分题目难度大。内容涉及函数与极限，单变量函数的微分学，不定积分，定积分，级数，多变量函数的微分学，带参变量积分以及重积分与曲线积分、曲面积分等等，涵盖了数学分析的全部主题。当前，我国广大读者，特别是肯于刻苦自学的广大数学爱好者，处在为四个现代化而勤奋学习的热潮中，迫切需要对一些疑难习题有一个较明确的回答。鉴于此，我们将全书4462题一一解答，汇辑成书，分六册出版。本书可以作为高等院校的教学参考用书，同时也可作为广大读者在自学数学分析过程中的参考用书。

众所周知，《吉米多维奇数学分析习题集》中所涉及的题目数量众多，其中不少习题如果认真习作的话，既可以深刻地巩固我们所学到的基本概念，又可以有效地提高我们的运算能力，特别是有些难题还可以使我们学会综合分析的思维方法。正由于这样，我们殷切期望初学数学分析的读者，一定要刻苦钻研，千万不要轻易查抄本书的解答，因为任何削弱独立思索的做法，都是违背我们出版此书的本意。何况作者所作解答并非标准解法，仅作参考而已。如有某些误解、差错也在所难免，恳请读者指正，不胜感谢。

本书承蒙潘承洞教授对部分难题进行了审校。特请郭大钧教授、邵品琮副教授对全书做了仔细审校。其中相当数量的高难度习题，是由郭大钧、邵品琮亲自作解。

楼世拓、姚琦、陈兆宽同志参加了本书的审校工作，黄春朝同志参加了本书的编演工作。本书在编审过程中，还得到山东大学、山东工学院、山东师范学院和曲阜师范学院的领导和同志们的大力支持，特在此一并致谢。

编者

1979年4月

目 录

第2章　一元函数微分学

第2章 一元函数微分学

本章概括

本章为一元函数微分学，包括807道习题，涵盖了显函数的导数、反函数的导数、参数方程的导数、隐函数的导数、函数的微分、高阶导数、中值定理、凹凸性与拐点、不定式的极限、泰勒公式、函数的极值与最值、函数的作图法、曲率、方程的近似解等15节内容.

微分学中最重要的两个概念就是导数与微分. 导数从本质上看是一类特殊形式的极限，是函数变化率的度量；微分是函数增量的线性主部及近似表示. 微分与导数密切相关，它们之间存在着等价关系. 导数与微分都有实际背景，都可以给出几何解释，因而它们都有广泛的实际应用，在解决几何问题、寻求函数的极值与最值、寻求方程的近似根等有重要作用. 导数应用的理论基础是微分中值定理，重要应用有函数的多项式逼近 —— 泰勒公式，求未定式的极限的方法 —— 洛必达法则，函数单调性和凹凸性的研究，函数图形的描绘，函数的极值和最值的求法，某些函数恒等式或不等式的证明以及曲率的计算等. 本章内容为考研及数学竞赛中必考模块，在计算题中出现频率较高，需引起大家的重视.

知识图谱

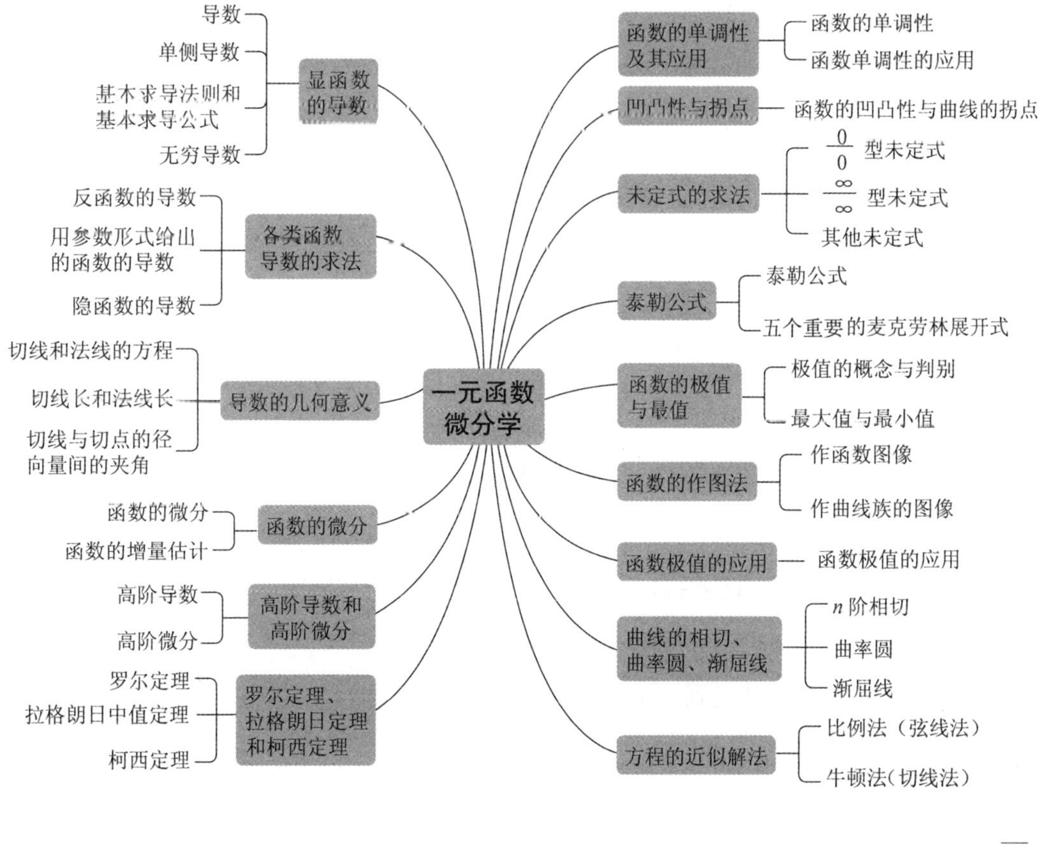

第1节 显函数的导数（习题821—1033）

知识点预览

序号	知识点	题目序号	所在页码
1	导数	821—833	P2
2	单侧导数	834—845	P6
3	基本求导法则和基本求导公式	846—1002	P10
4	无穷导数	1003—1033	P36

知识点1 导 数

1. 导数的定义 设函数 $y=f(x)$ 在点 x_0 的某邻域内有定义，若极限

$$\lim_{x\to x_0}\frac{f(x)-f(x_0)}{x-x_0} \qquad ①$$

存在，则称函数 $f(x)$ 在点 x_0 可导，并称该极限为函数 $f(x)$ 在点 x_0 的导数，记作$f'(x_0)$，或 $y'(x_0)$，或$\frac{\mathrm{d}y}{\mathrm{d}x}\Big|_{x=x_0}$.

记 $\Delta x=x-x_0$，称为自变量 x(在点 x_0) 的增量或改变量，相应的函数 y(在点 x_0) 的增量记为

$$\Delta y=f(x)-f(x_0)=f(x_0+\Delta x)-f(x_0).$$

于是，① 式可改写为

$$\lim_{\Delta x\to 0}\frac{\Delta y}{\Delta x}=\lim_{\Delta x\to 0}\frac{f(x_0+\Delta x)-f(x_0)}{\Delta x}=f'(x_0).$$

2. 导数的几何意义 $f'(x_0)$ 表示曲线 $y=f(x)$ 在点(x_0,y_0) 的切线的斜率. 若α表示这条切线与Ox 轴正向的夹角，则 $f'(x_0)=\tan\alpha$(图 2.1).

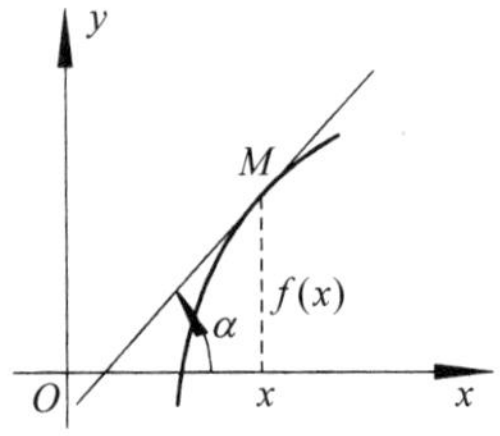

图 2.1

习题 821—827 函数的增量

【821】 若 x 由 1 变到 1 000，求自变量 x 的增量 Δx 和函数 $y=\lg x$ 的相应增量 Δy.

解 $\Delta x=1\,000-1=999$，$\Delta y=\lg 1\,000-\lg 1=3$.

【822】 若 x 由 0.01 变到 0.001，求自变量 x 的增量 Δx 和函数 $y=\frac{1}{x^2}$ 的相应增量 Δy.

解 $\Delta x=0.001-0.01=-0.009$，$\Delta y=\frac{1}{(0.001)^2}-\frac{1}{(0.01)^2}=990\,000$.

【823】 设:(1)$y=ax+b$;(2)$y=ax^2+bx+c$;(3)$y=a^x$,若自变量x的增量为Δx,求增量Δy.

解 (1)$\Delta y=[(ax+a\Delta x)+b]-(ax+b)=a\Delta x$;

(2)$\Delta y=[a(x+\Delta x)^2+b(x+\Delta x)+c]-(ax^2+bx+c)=(2ax+b)\Delta x+a(\Delta x)^2$;

(3)$\Delta y=a^{x+\Delta x}-a^x=a^x(a^{\Delta x}-1)$.

【824】 证明:(1)$\Delta[f(x)+g(x)]=\Delta f(x)+\Delta g(x)$;

(2)$\Delta[f(x)g(x)]=g(x+\Delta x)\Delta f(x)+f(x)\Delta g(x)$.

证 (1)
$$\begin{aligned}\Delta[f(x)+g(x)]&=[f(x+\Delta x)+g(x+\Delta x)]-[f(x)+g(x)]\\&=[f(x+\Delta x)-f(x)]+[g(x+\Delta x)-g(x)]\\&=\Delta f(x)+\Delta g(x),\end{aligned}$$
于是$\Delta[f(x)+g(x)]=\Delta f(x)+\Delta g(x)$.

(2)
$$\begin{aligned}\Delta[f(x)g(x)]&=f(x+\Delta x)g(x+\Delta x)-f(x)g(x)\\&=[f(x+\Delta x)-f(x)]g(x+\Delta x)+[g(x+\Delta x)-g(x)]f(x)\\&=\Delta f(x)g(x+\Delta x)+\Delta g(x)f(x),\end{aligned}$$
于是$\Delta[f(x)g(x)]=g(x+\Delta x)\Delta f(x)+f(x)\Delta g(x)$.

同样,(2)的结果还可写成$\Delta[f(x)g(x)]=f(x+\Delta x)\Delta g(x)+g(x)\Delta f(x)$.

【825】 过曲线$y=x^2$上的两点$A(2,4)$和$A'(2+\Delta x,4+\Delta y)$引割线$AA'$,求此割线的斜率,设:

(1)$\Delta x=1$; (2)$\Delta x=0.1$; (3)$\Delta x=0.01$; (4)Δx为任意小量,

在该曲线上A点的切线的斜率等于什么?

解 割线AA'的斜率$k_{AA'}=\dfrac{(2+\Delta x)^2-4}{\Delta x}=4+\Delta x$,于是有

(1)$k_{AA'}=5$; (2)$k_{AA'}=4.1$; (3)$k_{AA'}=4.01$; (4)$k_{AA'}=4+\Delta x$.

因此,在A点的切线斜率为$k_A=\lim\limits_{A'\to A}k_{AA'}=\lim\limits_{\Delta x\to 0}(4+\Delta x)=4$.

【826】 利用函数$y=x^3$把Ox轴上的线段$1\leqslant x\leqslant 1+h$映射到$Oy$轴上,求其平均伸长系数.设:

(1)$h=0.1$; (2)$h=0.01$; (3)$h=0.001$,

计算此系数的值.当$x=1$时伸长的系数等于什么?

解 平均伸长系数$\bar{l}=\dfrac{(1+h)^3-1^3}{h}=3+3h+h^2$,于是有

(1)$\bar{l}=3+3\times 0.1+0.1^2=3.31$;

(2)$\bar{l}=3+3\times 0.01+0.01^2=3.0301$;

(3)$\bar{l}=3+3\times 0.001+0.001^2=3.003001$.

因此,$l\big|_{x=1}=\lim\limits_{h\to 0}\bar{l}=3$.

【827】 动点沿Ox轴运动的规律由$x=10t+5t^2$给出,其中t为以s(秒)计的时间,x为以m(米)计的距离.求在$20\leqslant t\leqslant 20+\Delta t$时间内运动的平均速度.设:

(1)$\Delta t=1$; (2)$\Delta t=0.1$; (3)$\Delta t=0.01$,

计算此速度的值.当$t=20$时运动的速度等于什么?

解 平均速度
$$\bar{v}=\{[10(20+\Delta t)+5(20+\Delta t)^2]-(10\times 20+5\times 20^2)\}\div\Delta t=210+5\Delta t(\text{m/s}).$$
(1)$\bar{v}=210+5\times 1=215(\text{m/s})$;

(2)$\bar{v}=210.5(\text{m/s})$；

(3)$\bar{v}=210.05(\text{m/s})$.

于是 $v|_{t=20}=\lim\limits_{\Delta t\to 0}(210+5\Delta t)=210(\text{m/s})$.

习题 828—833 函数导数的定义

【828】 根据导数的定义，直接求下列函数的导数：

(1)x^2；(2)x^3；(3)$\dfrac{1}{x}$；(4)$\sqrt{x}$；(5)$\sqrt[3]{x}$；

(6)$\tan x$；(7)$\cot x$；(8)$\arcsin x$；(9)$\arccos x$；(10)$\arctan x$.

解 (1)$y'=\lim\limits_{\Delta x\to 0}\dfrac{\Delta y}{\Delta x}=\lim\limits_{\Delta x\to 0}\dfrac{(x+\Delta x)^2-x^2}{\Delta x}=\lim\limits_{\Delta x\to 0}(2x+\Delta x)=2x$.

(2)$y'=\lim\limits_{\Delta x\to 0}\dfrac{\Delta y}{\Delta x}=\lim\limits_{\Delta x\to 0}\dfrac{(x+\Delta x)^3-x^3}{\Delta x}=\lim\limits_{\Delta x\to 0}[3x^2+3x\Delta x+(\Delta x)^2]=3x^2$.

(3)$y'=\lim\limits_{\Delta x\to 0}\dfrac{\Delta y}{\Delta x}=\lim\limits_{\Delta x\to 0}\dfrac{\dfrac{1}{x+\Delta x}-\dfrac{1}{x}}{\Delta x}=-\lim\limits_{\Delta x\to 0}\dfrac{1}{x(\Delta x+x)}=-\dfrac{1}{x^2}$.

(4)$y'=\lim\limits_{\Delta x\to 0}\dfrac{\Delta y}{\Delta x}=\lim\limits_{\Delta x\to 0}\dfrac{\sqrt{x+\Delta x}-\sqrt{x}}{\Delta x}=\lim\limits_{\Delta x\to 0}\dfrac{1}{\sqrt{x+\Delta x}+\sqrt{x}}=\dfrac{1}{2\sqrt{x}}$.

(5)$y'=\lim\limits_{\Delta x\to 0}\dfrac{\Delta y}{\Delta x}=\lim\limits_{\Delta x\to 0}\dfrac{\sqrt[3]{x+\Delta x}-\sqrt[3]{x}}{\Delta x}=\lim\limits_{\Delta x\to 0}\dfrac{1}{\sqrt[3]{(x+\Delta x)^2}+\sqrt[3]{x(x+\Delta x)}+\sqrt[3]{x^2}}=\dfrac{1}{3\sqrt[3]{x^2}}$.

(6)$y'=\lim\limits_{\Delta x\to 0}\dfrac{\Delta y}{\Delta x}=\lim\limits_{\Delta x\to 0}\dfrac{\tan(x+\Delta x)-\tan x}{\Delta x}=\lim\limits_{\Delta x\to 0}\dfrac{\dfrac{\tan x+\tan\Delta x}{1-\tan x\tan\Delta x}-\tan x}{\Delta x}$

$=\lim\limits_{\Delta x\to 0}\dfrac{\tan\Delta x(1+\tan^2 x)}{\Delta x(1-\tan x\tan\Delta x)}=\lim\limits_{\Delta x\to 0}\dfrac{\tan\Delta x\sec^2 x}{\Delta x(1-\tan x\tan\Delta x)}=\sec^2 x$.

(7)$y'=\lim\limits_{\Delta x\to 0}\dfrac{\Delta y}{\Delta x}=\dfrac{\cot(x+\Delta x)-\cot x}{\Delta x}=\lim\limits_{\Delta x\to 0}\dfrac{\dfrac{\cot x\cot\Delta x-1}{\cot x+\cot\Delta x}-\cot x}{\Delta x}$

$=\lim\limits_{\Delta x\to 0}\dfrac{-1-\cot^2 x}{\Delta x(\cot x+\cot\Delta x)}=-\lim\limits_{\Delta x\to 0}\dfrac{\csc^2 x}{\Delta x(\cot x+\cot\Delta x)}=-\csc^2 x$.

(8)$y'=\lim\limits_{\Delta x\to 0}\dfrac{\Delta y}{\Delta x}=\lim\limits_{\Delta x\to 0}\dfrac{\arcsin(x+\Delta x)-\arcsin x}{\Delta x}$

$=\lim\limits_{\Delta x\to 0}\dfrac{\arcsin[(x+\Delta x)\sqrt{1-x^2}-\sqrt{1-(x+\Delta x)^2}x]}{\Delta x}$

$=\lim\limits_{\Delta x\to 0}\dfrac{\arcsin[(x+\Delta x)\sqrt{1-x^2}-x\sqrt{1-(x+\Delta x)^2}]}{(x+\Delta x)\sqrt{1-x^2}-x\sqrt{1-(x+\Delta x)^2}}\cdot\dfrac{(x+\Delta x)\sqrt{1-x^2}-x\sqrt{1-(x+\Delta x)^2}}{\Delta x}$

$=\lim\limits_{\Delta x\to 0}\dfrac{\arcsin t}{t}\cdot\dfrac{(x+\Delta x)\sqrt{1-x^2}-x\sqrt{1-(x+\Delta x)^2}}{\Delta x}$

$=\lim\limits_{\Delta x\to 0}\dfrac{\arcsin t}{t}\cdot\dfrac{2x+\Delta x}{(x+\Delta x)\sqrt{1-x^2}+x\sqrt{1-(x+\Delta x)^2}}$

$=\lim\limits_{t\to 0}\dfrac{\arcsin t}{t}\cdot\lim\limits_{\Delta x\to 0}\dfrac{2x+\Delta x}{(x+\Delta x)\sqrt{1-x^2}+x\sqrt{1-(x+\Delta x)^2}}=\dfrac{1}{\sqrt{1-x^2}}$,

其中 $t=(x+\Delta x)\sqrt{1-x^2}-x\sqrt{1-(x+\Delta x)^2}$，从而 $\lim\limits_{\Delta x\to 0}t=0$.

(9)$y'=\lim\limits_{\Delta x\to 0}\dfrac{\Delta y}{\Delta x}=\lim\limits_{\Delta x\to 0}\dfrac{\arccos(x+\Delta x)-\arccos x}{\Delta x}$

$$= \lim_{\Delta x\to 0}\frac{\arcsin[x\sqrt{1-(x+\Delta x)^2}-(x+\Delta x)\sqrt{1-x^2}]}{\Delta x}$$

$$= \lim_{\Delta x\to 0}\frac{\arcsin t}{t}\cdot\frac{-(2x+\Delta x)}{(x+\Delta x)\sqrt{1-x^2}+x\sqrt{1-(x+\Delta x)^2}}$$

$$= \lim_{t\to 0}\frac{\arcsin t}{t}\cdot\lim_{\Delta x\to 0}\frac{-(2x+\Delta x)}{(x+\Delta x)\sqrt{1-x^2}+x\sqrt{1-(x+\Delta x)^2}} = -\frac{1}{\sqrt{1-x^2}},$$

其中 $t=(x+\Delta x)\sqrt{1-x^2}-x\sqrt{1-(x+\Delta x)^2}$，从而 $\lim\limits_{\Delta x\to 0} t=0$.

$$(10)y'=\lim_{\Delta x\to 0}\frac{\Delta y}{\Delta x}=\lim_{\Delta x\to 0}\frac{\arctan(x+\Delta x)-\arctan x}{\Delta x}=\lim_{\Delta x\to 0}\frac{\arctan\dfrac{\Delta x}{1+x(x+\Delta x)}}{\Delta x}$$

$$=\lim_{\Delta x\to 0}\frac{\arctan\dfrac{\Delta x}{1+x(x+\Delta x)}}{\dfrac{\Delta x}{1+x(x+\Delta x)}}\cdot\frac{1}{1+x(x+\Delta x)}=\frac{1}{1+x^2},$$

其中利用 $\lim\limits_{t\to 0}\dfrac{\arctan t}{t}=\lim\limits_{u\to 0}\dfrac{u}{\tan u}=1$.

【829】 设 $f(x)=(x-1)(x-2)^2(x-3)^3$，求 $f'(1)$，$f'(2)$ 和 $f'(3)$.

解　方法一　$f'(1)=\lim\limits_{x\to 1}\dfrac{f(x)-f(1)}{x-1}=\lim\limits_{x\to 1}(x-2)^2(x-3)^3=-8$,

$$f'(2)=\lim_{x\to 2}\frac{f(x)-f(2)}{x-2}=\lim_{x\to 2}(x-1)(x-2)(x-3)^3=0,$$

$$f'(3)=\lim_{x\to 3}\frac{f(x)-f(3)}{x-3}=\lim_{x\to 3}(x-1)(x-2)^2(x-3)^2=0.$$

方法二　$f'(x)=(x-2)^2(x-3)^3+2(x-1)(x-2)(x-3)^3+3(x-1)(x-2)^2(x-3)^2$

$$=2(x-2)(x-3)^2(3x^2-11x+9).$$

于是 $f'(1)=-8$，$f'(2)=f'(3)=0$.

【830】 设 $f(x)=x^2\sin(x-2)$，求 $f'(2)$.

解　方法一　$f'(2)=\lim\limits_{x\to 2}\dfrac{f(x)-f(2)}{x-2}=\lim\limits_{x\to 2}\dfrac{x^2\sin(x-2)}{x-2}=4.$

方法二　$f'(x)=2x\sin(x-2)+x^2\cos(x-2)$，于是 $f'(2)=4$.

【831】 设 $f(x)=x+(x-1)\arcsin\sqrt{\dfrac{x}{x+1}}$，求 $f'(1)$.

解　方法一　利用导数的定义，可得

$$f'(1)=\lim_{x\to 1}\frac{f(x)-f(1)}{x-1}=\lim_{x\to 1}\frac{x+(x-1)\arcsin\sqrt{\dfrac{x}{x+1}}-1}{x-1}$$

$$=\lim_{x\to 1}\left(1+\arcsin\sqrt{\frac{x}{x+1}}\right)=1+\frac{\pi}{4}.$$

方法二　用复合函数求导法，可得

$$f'(x)=1+\arcsin\sqrt{\frac{x}{x+1}}+\frac{x-1}{2(x+1)\sqrt{x}}.$$

于是 $f'(1)=1+\arcsin\dfrac{1}{\sqrt{2}}=1+\dfrac{\pi}{4}$.

【832】 设函数 $f(x)$ 在 a 点可微，求 $\lim\limits_{x\to a}\dfrac{f(x)-f(a)}{x-a}$.

解　设 $\Delta x=x-a$，则当 $x\to a$ 时，$\Delta x\to 0$. 于是，得

$$\lim_{x\to a}\frac{f(x)-f(a)}{x-a}=\lim_{\Delta x\to a}\frac{f(a+\Delta x)-f(a)}{\Delta x}=f'(a).$$

【833】 证明:若函数 $f(x)$ 可微,n 为正整数,则

$$\lim_{n\to\infty} n\left[f\left(x+\frac{1}{n}\right)-f(x)\right]=f'(x). \qquad ①$$

反之,若对函数 $f(x)$ 有极限 ① 存在,则可否断定此函数有导数?研究狄利克雷函数的例子.

证 $\lim\limits_{n\to\infty} n\left[f\left(x+\frac{1}{n}\right)-f(x)\right]=\lim\limits_{n\to\infty}\dfrac{f\left(x+\frac{1}{n}\right)-f(x)}{\frac{1}{n}}=f'(x).$

反之,不成立.例如,狄利克雷函数 $D(x)=\begin{cases}1, & x\in\mathbf{Q},\\ 0, & x\in\mathbf{Q}^C\end{cases}$ 在任一有理点是不连续的,当然其导数也不存在.但由于 $x+\frac{1}{n}$ 仍为有理数,故当 x 为有理数时,

$$D\left(x+\frac{1}{n}\right)-D(x)=1-1=0,$$

从而 $\lim\limits_{n\to\infty} n\left[D\left(x+\frac{1}{n}\right)-D(x)\right]=0$ 存在.

知识点 2 单侧导数

1. 单侧导数的定义 设函数 $f(x)$ 在点 x_0 的某右邻域$[x_0,x_0+\delta)$ 上有定义,若右极限

$$\lim_{\Delta x\to 0^+}\frac{\Delta y}{\Delta x}=\lim_{\Delta x\to 0^+}\frac{f(x_0+\Delta x)-f(x_0)}{\Delta x}(0<\Delta x<\delta)$$

存在,则称该极限值为函数 $f(x)$ 在 x_0 点的右导数,记作 $f'_+(x_0)$.

类似的,左导数 $f'_-(x_0)=\lim\limits_{\Delta x\to 0^-}\dfrac{f(x_0+\Delta x)-f(x_0)}{\Delta x}$.

左导数和右导数统称为单侧导数.

2. 导数存在的充要条件 设函数 $f(x)$ 在点 x_0 的某邻域内有定义,则 $f'(x_0)$ 存在的充分必要条件是 $f'_-(x_0)=f'_+(x_0)$.

习题 834—845 单侧导数

【求下列函数 $f(x)$ 的左导数 $f'_-(x)$ 和右导数 $f'_+(x)$(834—842)】

【834】 $f(x)=|x|$.

解 $f(x)=|x|=\begin{cases}x, & x\geqslant 0,\\ -x, & x<0.\end{cases}$

则当 $x\neq 0$ 时,

$$f'_+(x)=f'_-(x)=f'(x)=\begin{cases}1, & x>0,\\ -1, & x<0.\end{cases}$$

当 $x=0$ 时,

$$f'_-(0)=\lim_{x\to 0^-}\frac{f(x)-f(0)}{x}=\lim_{x\to 0^-}\frac{-x}{x}=-1,$$

$$f'_+(0)=\lim_{x\to 0^+}\frac{f(x)-f(0)}{x}=\lim_{x\to 0^+}\frac{x}{x}=1.$$

所以 $f'_-(0)=-1, f'_+(0)=1$.

【 835 】 $f(x)=[x]\sin \pi x$.

解 当 x 不等于整数时，

$$f'_-(x)=f'_+(x)=\pi[x]\cos \pi x.$$

当 $x=k$ 为整数时，从定义出发得

$$f'_+(k)=\lim_{\Delta x\to 0^+}\frac{[k+\Delta x]\sin \pi(k+\Delta x)}{\Delta x}=\lim_{\Delta x\to 0^+}\frac{k\cos k\pi\sin(\pi\Delta x)}{\Delta x}=k\pi(-1)^k,$$

$$f'_-(k)=\lim_{\Delta x\to 0^-}\frac{[k+\Delta x]\sin \pi(k+\Delta x)}{\Delta x}=\lim_{\Delta x\to 0^-}\frac{(k-1)\cos k\pi\sin(\pi\Delta x)}{\Delta x}=(k-1)\pi(-1)^k.$$

【 836 】 $f(x)=\begin{cases}x\left|\cos\dfrac{\pi}{x}\right|, & x\neq 0,\\ 0, & x=0.\end{cases}$

解 当 $x\neq\dfrac{2}{2k+1}$（k 为整数）时（即使 $\cos\dfrac{\pi}{x}\neq 0$ 的 x 值），

$$f'_-(x)=f'_+(x)=\left|\cos\frac{\pi}{x}\right|+\frac{\pi}{x}\frac{\left|\cos\frac{\pi}{x}\right|}{\cos\frac{\pi}{x}}\sin\frac{\pi}{x}=\left(\cos\frac{\pi}{x}+\frac{\pi}{x}\sin\frac{\pi}{x}\right)\operatorname{sgn}\left(\cos\frac{\pi}{x}\right).$$

当 $x=\dfrac{2}{2k+1}$ 时，从定义出发易得

$$f'_-\left(\frac{2}{2k+1}\right)=\lim_{x\to\left(\frac{2}{2k+1}\right)^-}\frac{x\left|(-1)^{k+1}\sin\left(\frac{\pi}{x}-\frac{(2k+1)\pi}{2}\right)\right|}{x-\frac{2}{2k+1}}=\lim_{x\to\left(\frac{2}{2k+1}\right)^-}\frac{x\left|\sin\frac{(2k+1)\pi}{2x}\left(\frac{2}{2k+1}-x\right)\right|}{x-\frac{2}{2k+1}}$$

$$=\lim_{x\to\left(\frac{2}{2k+1}\right)^-}\frac{\left|\sin\frac{(2k+1)\pi}{2x}\left(\frac{2}{2k+1}-x\right)\right|}{-\frac{(2k+1)\pi}{2x}\left(\frac{2}{2k+1}-x\right)}\cdot\frac{(2k+1)\pi}{2}=-\frac{2k+1}{2}\pi(k\in\mathbf{Z}).$$

类似可得 $f'_+\left(\dfrac{2}{2k+1}\right)=\dfrac{2k+1}{2}\pi(k\in\mathbf{Z})$.

【 837 】 $f(x)=\sqrt{\sin x^2}$.

解 定义域为 $\{x\,|\,\sqrt{2k\pi}\leqslant|x|\leqslant\sqrt{(2k+1)\pi}(k\in\mathbf{N})\}$.

当 $\sqrt{2k\pi}<|x|<\sqrt{(2k+1)\pi}(k\in\mathbf{N})$ 时，$f'_-(x)=f'_+(x)=\dfrac{x\cos x^2}{\sqrt{\sin x^2}}$.

当 $x=0$ 时，

$$f'_+(0)=\lim_{x\to 0^+}\frac{f(x)-f(0)}{x}=\lim_{x\to 0^+}\frac{\sqrt{\sin x^2}}{x}=\lim_{x\to 0^+}\sqrt{\frac{\sin x^2}{x^2}}=1,$$

$$f'_-(0)=\lim_{x\to 0^-}\frac{f(x)-f(0)}{x}=\lim_{x\to 0^-}\frac{\sqrt{\sin x^2}}{x}=-\lim_{x\to 0^-}\sqrt{\frac{\sin x^2}{x^2}}=-1.$$

当 $x=\sqrt{2k\pi}(k=1,2,\cdots)$ 时，有

$$f'_+(\sqrt{2k\pi})=\lim_{\Delta x\to 0^+}\frac{\Delta f}{\Delta x}=\lim_{\Delta x\to 0^+}\frac{\sqrt{\sin(\sqrt{2k\pi}+\Delta x)^2}}{\Delta x}$$

$$=\lim_{\Delta x\to 0^+}\left[\sqrt{\frac{\sin[2\Delta x\sqrt{2k\pi}+(\Delta x)^2]}{2\Delta x\sqrt{2k\pi}+(\Delta x)^2}}\cdot\sqrt{\frac{2\sqrt{2k\pi}}{\Delta x}+1}\right]=+\infty.$$

同理可得 $f'_-(-\sqrt{2k\pi})=-\infty, f'_-(\sqrt{(2k+1)\pi})=-\infty, f'_+(-\sqrt{(2k+1)\pi})=+\infty, k=1,2,\cdots$.

【838】 $f(x)=\begin{cases}\dfrac{x}{1+e^{\frac{1}{x}}}, & x\neq 0,\\ 0, & x=0.\end{cases}$

解 当 $x\neq 0$ 时，$f'_-(x)=f'_+(x)=\dfrac{1+\left(1+\dfrac{1}{x}\right)e^{\frac{1}{x}}}{(1+e^{\frac{1}{x}})^2}$.

当 $x=0$ 时，

$$f'_-(x)=\lim_{x\to 0^-}\frac{f(x)-f(0)}{x}=\lim_{x\to 0^-}\frac{1}{1+e^{\frac{1}{x}}}=1,$$

$$f'_+(x)=\lim_{x\to 0^+}\frac{f(x)-f(0)}{x}=\lim_{x\to 0^+}\frac{1}{1+e^{\frac{1}{x}}}=0.$$

【839】 $f(x)=\sqrt{1-e^{-x^2}}$.

解 当 $x\neq 0$ 时，$f'_-(x)=f'_+(x)=\dfrac{xe^{-x^2}}{\sqrt{1-e^{-x^2}}}$.

当 $x=0$ 时，$f'_-(0)=\lim\limits_{x\to 0^-}\dfrac{f(x)-f(0)}{x}=\lim\limits_{x\to 0^-}\dfrac{\sqrt{1-e^{-x^2}}}{x}=-\lim\limits_{x\to 0^-}\sqrt{\dfrac{1-e^{-x^2}}{x^2}}=-1$.

同理可得 $f'_+(0)=1$.

【840】 $f(x)=|\ln|x||\ (x\neq 0)$.

解 $f(x)=|\ln|x||=\begin{cases}\ln|x|, & |x|\geqslant 1,\\ -\ln|x|, & 0<|x|<1.\end{cases}$ 则

$$f'_-(x)=f'_+(x)=\begin{cases}\dfrac{1}{x}, & |x|>1,\\ -\dfrac{1}{x}, & 0<|x|<1.\end{cases}$$

当 $|x|=1$ 时，

$$f'_-(1)=\lim_{x\to 1^-}\frac{f(x)-f(1)}{x-1}=\lim_{x\to 1^-}\frac{|\ln|x||}{x-1}=\lim_{x\to 1^-}\frac{-\ln x}{x-1}$$

$$=-\lim_{x\to 1^-}\frac{\ln[1+(x-1)]}{x-1}=-\lim_{x\to 1^-}\frac{x-1}{x-1}=-1.$$

同理可得 $f'_+(1)=1$，$f'_-(-1)=-1$，$f'_+(-1)=1$.

【841】 $f(x)=\arcsin\dfrac{2x}{1+x^2}$.

解 当 $|x|\neq 1$ 时，

$$f'_-(x)=f'_+(x)=\frac{1}{\sqrt{1-\left(\dfrac{2x}{1+x^2}\right)^2}}\cdot\frac{2(1+x^2)-4x^2}{(1+x^2)^2}$$

$$=\frac{2(1-x^2)}{(1+x^2)\sqrt{(1-x^2)^2}}=\frac{2}{1+x^2}\operatorname{sgn}(1-x^2).$$

当 $x=1$ 时，

$$f'_-(1)=\lim_{\Delta x\to 0^-}\frac{f(1+\Delta x)-f(1)}{\Delta x}=\lim_{\Delta x\to 0^-}\frac{\arcsin\dfrac{2(1+\Delta x)}{1+(1+\Delta x)^2}-\arcsin 1}{\Delta x}$$

$$=\lim_{\Delta x\to 0^-}\frac{\arcsin\dfrac{(1+\Delta x)^2-1}{1+(1+\Delta x)^2}}{\Delta x}=\lim_{\Delta x\to 0^-}\frac{\dfrac{(1+\Delta x)^2-1}{1+(1+\Delta x)^2}}{\Delta x}=\lim_{\Delta x\to 0^-}\frac{\Delta x+2}{1+(1+\Delta x)^2}=1.$$

同理可得 $f'_+(1)=-1$，$f'_-(-1)=-1$，$f'_+(-1)=1$.

【842】 $f(x)=\begin{cases}(x-2)\arctan\dfrac{1}{x-2}, & x\neq 2,\\ 0, & x=2.\end{cases}$

解 当 $x\neq 2$ 时，

$$f'_-(x)=f'_+(x)=\arctan\frac{1}{x-2}+\frac{x-2}{1+\left(\frac{1}{x-2}\right)^2}\left[-\frac{1}{(x-2)^2}\right]$$

$$=\arctan\frac{1}{x-2}-\frac{x-2}{(x-2)^2+1}.$$

当 $x=2$ 时，

$$f'_-(2)=\lim_{x\to 2^-}\frac{f(x)-f(2)}{x-2}=\lim_{x\to 2^-}\arctan\frac{1}{x-2}=-\frac{\pi}{2}.$$

同理可得 $f'_+(2)=\frac{\pi}{2}$.

【843】 证明：函数 $f(x)=\begin{cases}x\sin\dfrac{1}{x}, & x\neq 0,\\ 0, & x=0\end{cases}$ 在点 $x=0$ 连续，但在此点既无左导数，又无右导数.

证 由于 $\lim\limits_{x\to 0}f(x)=\lim\limits_{x\to 0}x\sin\dfrac{1}{x}=0=f(0)$，所以 $f(x)$ 在点 $x=0$ 连续.

其次，由于 $\lim\limits_{x\to 0}\dfrac{f(x)-f(0)}{x}=\lim\limits_{x\to 0}\sin\dfrac{1}{x}$，不论 x 从左侧还是从右侧趋于零，此极限均不存在. 因此，$f(x)$ 在点 $x=0$ 既无左导数，也无右导数.

【844】 设 $f(x)=\begin{cases}x^2, & x\leqslant x_0,\\ ax+b, & x>x_0,\end{cases}$ 为使函数 $f(x)$ 在点 $x=x_0$ 处连续且可微，应当如何选取系数 a 和 b？

解 $f(x_0)=x_0^2=f(x_0-0)$，$f(x_0+0)=ax_0+b$.

当 $x_0^2=ax_0+b$ 时，函数 $f(x)$ 在点 x_0 连续. 又因

$$f'_-(x_0)=2x_0,\ f'_+(x_0)=a,$$

故当 $a=2x_0$ 时，函数在点 x_0 处可微. 从而得 $x_0^2=2x_0^2+b$，即 $b=-x_0^2$.

于是，所求的系数为 $a=2x_0$，$b=-x_0^2$.

【845】 设 $F(x)=\begin{cases}f(x), & x\leqslant x_0,\\ ax+b, & x>x_0,\end{cases}$ 其中函数 $f(x)$ 在 $x=x_0$ 为左可微的，应当如何选择系数 a 和 b，使函数 $F(x)$ 在点 x_0 处连续并且可微？

解 $F(x_0)=F(x_0-0)=f(x_0)$，$F(x_0+0)=ax_0+b$.

当 $f(x_0)=ax_0+b$ 时，函数 $F(x)$ 在点 x_0 处连续. 又因

$$F'_-(x_0)=f'_-(x_0),\ F'_+(x_0)=a,$$

故当 $a=f'_-(x_0)$ 时，函数 $F(x)$ 在点 x_0 处可微.

解方程组 $\begin{cases}a=f'_-(x_0),\\ f(x_0)=ax_0+b,\end{cases}$ 即得所求的系数为 $a=f'_-(x_0)$，$b=f(x_0)-x_0f'_-(x_0)$.

注 上题为本题的特例.

知识点3 基本求导法则和基本求导公式

1. 基本求导法则 若 c 为常数且函数 $u=u(x),v=v(x),w=w(x)$ 都有导数,则

(1)$c'=0$; (2)$(cu)'=cu'$; (3)$(u\pm v)'=u'\pm v'$; (4)$(uv)'=u'v+v'u$;

(5)$\left(\dfrac{u}{v}\right)'=\dfrac{u'v-v'u}{v^2}(v\neq 0)$; (6)$(u^n)'=nu^{n-1}u'$($n$ 为常数);

(7) 若函数 $y=f(u)$ 及 $u=\varphi(x)$ 都有导数,则$\dfrac{\mathrm{d}y}{\mathrm{d}x}=\dfrac{\mathrm{d}y}{\mathrm{d}u}\cdot\dfrac{\mathrm{d}u}{\mathrm{d}x}=f'(u)\varphi'(x)$.

2. 基本求导公式 若 x 为自变量,则

(1)$(x^n)'=nx^{n-1}$(n 为常数);

(2)$(\sin x)'=\cos x$;

(3)$(\cos x)'=-\sin x$;

(4)$(\tan x)'=\dfrac{1}{\cos^2 x}=\sec^2 x$;

(5)$(\cot x)'=-\dfrac{1}{\sin^2 x}=-\csc^2 x$;

(6)$(\arcsin x)'=\dfrac{1}{\sqrt{1-x^2}}$;

(7)$(\arccos x)'=-\dfrac{1}{\sqrt{1-x^2}}$;

(8)$(\arctan x)'=\dfrac{1}{1+x^2}$;

(9)$(\operatorname{arccot} x)'=-\dfrac{1}{1+x^2}$;

(10)$(a^x)'=a^x\ln a(a>0),(\mathrm{e}^x)'=\mathrm{e}^x$;

(11)$(\log_a x)'=\dfrac{1}{x\ln a}(a>0,a\neq 1),(\ln x)'=\dfrac{1}{x}$;

(12)$(\operatorname{sh} x)'=\operatorname{ch} x$;

(13)$(\operatorname{ch} x)'=\operatorname{sh} x$;

(14)$(\operatorname{th} x)'=\dfrac{1}{\operatorname{ch}^2 x}$;

(15)$(\operatorname{coth} x)'=-\dfrac{1}{\operatorname{sh}^2 x}$.

习题 846—983 基本求导法则和基本求导公式

【846】 $y=2+x-x^2$. 问 $y'(0),y'\left(\dfrac{1}{2}\right),y'(1),y'(-10)$ 等于什么?

解 由于 $y'(x)=1-2x$,故得 $y'(0)=1,y'\left(\dfrac{1}{2}\right)=0,y'(1)=-1,y'(-10)=21$.

【847】 $y=\dfrac{x^3}{3}+\dfrac{x^2}{2}-2x$,当 x 为何值时:

(1)$y'(x)=0$; (2)$y'(x)=-2$; (3)$y'(x)=10$?

解 $y'(x)=x^2+x-2$.

(1) 令 $y'(x)=0$,得 $x^2+x-2=0$. 于是 $x=-2$ 或 $x=1$.

(2) 令 $y'(x)=-2$,得 $x^2+x=0$. 于是 $x=-1$ 或 $x=0$.

(3) 令 $y'(x)=10$,得 $x^2+x-12=0$. 于是 $x=-4$ 或 $x=3$.

【利用导数表,求下列函数的导数(848—855)】

【848】 $y=a^5+5a^3x^2-x^5$.

解 $y'=10a^3x-5x^4$.

【849】 $y=\dfrac{ax+b}{a+b}$.

解 $y'=\dfrac{a}{a+b}$.

【850】 $y=(x-a)(x-b)$.

解 $y'=x-b+x-a=2x-a-b$.

【851】 $y=(x+1)(x+2)^2(x+3)^3$.

解 $$\begin{aligned}y'&=(x+2)^2(x+3)^3+2(x+1)(x+2)(x+3)^3+3(x+1)(x+2)^2(x+3)^2\\&=(x+2)(x+3)^2[(x+2)(x+3)+2(x+1)(x+3)+3(x+1)(x+2)]\\&=2(x+2)(x+3)^2(3x^2+11x+9).\end{aligned}$$

【852】 $y=(x\sin\alpha+\cos\alpha)(x\cos\alpha-\sin\alpha)$.

解 $y'=\sin\alpha(x\cos\alpha-\sin\alpha)+\cos\alpha(x\sin\alpha+\cos\alpha)=x\sin2\alpha+\cos2\alpha$.

【853】 $y=(1+nx^m)(1+mx^n)$.

解 $y'=mnx^{m-1}(1+mx^n)+mnx^{n-1}(1+nx^m)=mn[x^{m-1}+x^{n-1}+(m+n)x^{m+n-1}]$.

【854】 $y=(1-x)(1-x^2)^2(1-x^3)^3$.

解 $$\begin{aligned}y'&=-(1-x^2)^2(1-x^3)^3-4x(1-x)(1-x^2)(1-x^3)^3-9x^2(1-x)(1-x^2)^2(1-x^3)^2\\&=-(1-x)^2(1-x^2)(1-x^3)^2(1+6x+15x^2+14x^3)\\&=-(1-x)^5(1+x)(1+2x)(1+4x+7x^2)(1+x+x^2)^2.\end{aligned}$$

【855】 $y=\dfrac{1}{x}+\dfrac{2}{x^2}+\dfrac{3}{x^3}$.

解 $y'=-\left(\dfrac{1}{x^2}+\dfrac{4}{x^3}+\dfrac{9}{x^4}\right)$.

【856】 证明公式：$\left(\dfrac{ax+b}{cx+d}\right)'=\dfrac{\begin{vmatrix}a&b\\c&d\end{vmatrix}}{(cx+d)^2}$.

证 $\left(\dfrac{ax+b}{cx+d}\right)'=\dfrac{a(cx+d)-c(ax+b)}{(cx+d)^2}=\dfrac{ad-bc}{(cx+d)^2}=\dfrac{\begin{vmatrix}a&b\\c&d\end{vmatrix}}{(cx+d)^2}$.

【求下列函数的导数(857—983)】

【857】 $y=\dfrac{2x}{1-x^2}$.

解 $y'=\dfrac{2(1-x^2)+4x^2}{(1-x^2)^2}=\dfrac{2(1+x^2)}{(1-x^2)^2}$.

【858】 $y=\dfrac{1+x-x^2}{1-x+x^2}$.

解 由于 $y=\dfrac{2}{1-x+x^2}-1$，故 $y'=\dfrac{2(1-2x)}{(1-x+x^2)^2}$.

【859】 $y=\dfrac{x}{(1-x)^2(1+x)^3}$.

解 $$\begin{aligned}y'&=\frac{(1-x)^2(1+x)^3-x[3(1+x)^2(1-x)^2-2(1-x)(1+x)^3]}{(1-x)^4(1+x)^6}\\&=\frac{1-x+4x^2}{(1-x)^3(1+x)^4}.\end{aligned}$$

【860】 $y=\dfrac{(2-x^2)(3-x^3)}{(1-x)^2}$.

解 $y'=\dfrac{(1-x)^2[-2x(3-x^3)-3x^2(2-x^2)]+2(1-x)(2-x^2)(3-x^3)}{(1-x)^4}$

$=\dfrac{12-6x-6x^2+2x^3+5x^4-3x^5}{(1-x)^3}$.

【861】 $y=\dfrac{(1-x)^p}{(1+x)^q}$.

解 $y'=\dfrac{-p(1-x)^{p-1}(1+x)^q-q(1+x)^{q-1}(1-x)^p}{(1+x)^{2q}}$

$=-\dfrac{(1-x)^{p-1}[(p+q)+(p-q)x]}{(1+x)^{q+1}}$.

【862】 $y=\dfrac{x^p(1-x)^q}{1+x}$.

解 $y'=\dfrac{[px^{p-1}(1-x)^q-qx^p(1-x)^{q-1}](1+x)-x^p(1-x)^q}{(1+x)^2}$

$=\dfrac{x^{p-1}(1-x)^{q-1}}{(1+x)^2}[p-(q+1)x-(p+q-1)x^2]$.

【863】 $y=x+\sqrt{x}+\sqrt[3]{x}$.

解 $y'=1+\dfrac{1}{2\sqrt{x}}+\dfrac{1}{3\sqrt[3]{x^2}}$.

【864】 $y=\dfrac{1}{x}+\dfrac{1}{\sqrt{x}}+\dfrac{1}{\sqrt[3]{x}}$.

解 $y'=-\left(\dfrac{1}{x^2}+\dfrac{1}{2x\sqrt{x}}+\dfrac{1}{3x\sqrt[3]{x}}\right)$.

【865】 $y=\sqrt[3]{x^2}-\dfrac{2}{\sqrt{x}}$.

解 $y'=\dfrac{2}{3\sqrt[3]{x}}+\dfrac{1}{x\sqrt{x}}$.

【866】 $y=x\sqrt{1+x^2}$.

解 $y'=\sqrt{1+x^2}+\dfrac{x^2}{\sqrt{1+x^2}}=\dfrac{1+2x^2}{\sqrt{1+x^2}}$.

【867】 $y=(1+x)\sqrt{2+x^2}\sqrt[3]{3+x^3}$.

解 $y'=\sqrt{2+x^2}\sqrt[3]{3+x^3}+(1+x)\dfrac{x}{\sqrt{2+x^2}}\sqrt[3]{3+x^3}+(1+x)\sqrt{2+x^2}\dfrac{x^2}{\sqrt[3]{(3+x^3)^2}}$

$=\dfrac{6+3x+8x^2+4x^3+2x^4+3x^5}{\sqrt{2+x^2}\sqrt[3]{(3+x^3)^2}}$.

【868】 $y=\sqrt[m+n]{(1-x)^m(1+x)^n}$.

解 $y'=\dfrac{-m(1-x)^{m-1}(1+x)^n+n(1+x)^{n-1}(1-x)^m}{(m+n)\sqrt[m+n]{[(1-x)^m(1+x)^n]^{m+n-1}}}=\dfrac{(n-m)-(n+m)x}{(m+n)\sqrt[m+n]{(1-x)^n(1+x)^m}}$.

【869】 $y=\dfrac{x}{\sqrt{a^2-x^2}}$.

解 $y'=\dfrac{\sqrt{a^2-x^2}+\dfrac{x^2}{\sqrt{a^2-x^2}}}{a^2-x^2}=\dfrac{a^2}{\sqrt{(a^2-x^2)^3}}$.

【870】 $y=\sqrt[3]{\dfrac{1+x^3}{1-x^3}}$.

解 $y'=\dfrac{1}{3\sqrt[3]{\left(\dfrac{1+x^3}{1-x^3}\right)^2}}\cdot\dfrac{3x^2(1-x^3)+3x^2(1+x^3)}{(1-x^3)^2}=\dfrac{2x^2}{1-x^6}\sqrt[3]{\dfrac{1+x^3}{1-x^3}}$.

【871】 $y=\dfrac{1}{\sqrt{1+x^2}(x+\sqrt{1+x^2})}$.

解 $y'=-\dfrac{1}{(1+x^2)(x+\sqrt{1+x^2})^2}\left(\sqrt{1+x^2}+\dfrac{x^2}{\sqrt{1+x^2}}+2x\right)=-\dfrac{1}{(1+x^2)^{\frac{3}{2}}}$.

【872】 $y=\sqrt{x+\sqrt{x+\sqrt{x}}}$.

解 $y'=\dfrac{1}{2\sqrt{x+\sqrt{x+\sqrt{x}}}}\left[1+\dfrac{1}{2\sqrt{x+\sqrt{x}}}\left(1+\dfrac{1}{2\sqrt{x}}\right)\right]=\dfrac{1+2\sqrt{x}+4\sqrt{x}\sqrt{x+\sqrt{x}}}{8\sqrt{x}\sqrt{x+\sqrt{x}}\sqrt{x+\sqrt{x+\sqrt{x}}}}$.

【873】 $y=\sqrt[3]{1+\sqrt[3]{1+\sqrt[3]{x}}}$.

解 $y'=\dfrac{1}{3\sqrt[3]{(1+\sqrt[3]{1+\sqrt[3]{x}})^2}}\cdot\dfrac{1}{3\sqrt[3]{(1+\sqrt[3]{x})^2}}\cdot\dfrac{1}{3\sqrt[3]{x^2}}=\dfrac{1}{27\sqrt[3]{x^2(1+\sqrt[3]{x})^2}\sqrt[3]{(1+\sqrt[3]{1+\sqrt[3]{x}})^2}}$.

【874】 $y=\cos 2x-2\sin x$.

解 $y'=-2\sin 2x-2\cos x=-2\cos x(1+2\sin x)$.

【875】 $y=(2-x^2)\cos x+2x\sin x$.

解 $y'=-2x\cos x-(2-x^2)\sin x+2\sin x+2x\cos x=x^2\sin x$.

【876】 $y=\sin(\cos^2 x)\cos(\sin^2 x)$.

解 $y'=-2\sin x\cos x\cos(\cos^2 x)\cos(\sin^2 x)-2\sin x\cos x\sin(\cos^2 x)\sin(\sin^2 x)$

$=-\sin 2x[\cos(\cos^2 x)\cos(\sin^2 x)+\sin(\cos^2 x)\sin(\sin^2 x)]$

$=-\sin 2x\cos(\cos^2 x-\sin^2 x)=-\sin 2x\cos(\cos 2x)$.

【877】 $y=\sin^n x\cos nx$.

解 $y'=n\sin^{n-1}x\cos x\cos nx-n\sin^n x\sin nx$

$=n\sin^{n-1}x(\cos x\cos nx-\sin x\sin nx)=n\sin^{n-1}x\cos(n+1)x$.

【878】 $y=\sin[\sin(\sin x)]$.

解 $y'=\cos x\cdot\cos(\sin x)\cdot\cos[\sin(\sin x)]$.

【879】 $y=\dfrac{\sin^2 x}{\sin x^2}$.

解 $y'=\dfrac{2\sin x(\cos x\sin x^2-x\sin x\cos x^2)}{\sin^2 x^2}$.

【880】 $y=\dfrac{\cos x}{2\sin^2 x}$.

解 $y'=\dfrac{-2\sin^3 x-4\sin x\cos^2 x}{4\sin^4 x}=-\dfrac{1+\cos^2 x}{2\sin^3 x}$.

【881】 $y=\dfrac{1}{\cos^n x}$.

解 $y'=-\dfrac{1}{\cos^{2n}x}(-n\cos^{n-1}x\sin x)=\dfrac{n\sin x}{\cos^{n+1}x}$.

【882】 $y=\dfrac{\sin x-x\cos x}{\cos x+x\sin x}$.

解 $y'=\dfrac{(x\sin x-\cos x+\cos x)(\cos x+x\sin x)-(\sin x-\sin x+x\cos x)(\sin x-x\cos x)}{(\cos x+x\sin x)^2}$

$=\dfrac{x^2}{(\cos x+x\sin x)^2}$.

【883】 $y=\tan\dfrac{x}{2}-\cot\dfrac{x}{2}$.

解 $y'=\dfrac{1}{2}\sec^2\dfrac{x}{2}+\dfrac{1}{2}\csc^2\dfrac{x}{2}=\dfrac{2}{\sin^2 x}$.

【884】 $y=\tan x-\dfrac{1}{3}\tan^3 x+\dfrac{1}{5}\tan^5 x$.

解 $y'=\sec^2 x-\tan^2 x\sec^2 x+\tan^4 x\sec^2 x=1+\tan^6 x$.

【885】 $y=4\sqrt[3]{\cot^2 x}+\sqrt[3]{\cot^8 x}$.

解 $y'=\dfrac{8}{3}(\cot x)^{-\frac{1}{3}}(-\csc^2 x)+\dfrac{8}{3}(\cot x)^{\frac{5}{3}}(-\csc^2 x)=-\dfrac{8}{3\sin^4 x\sqrt[3]{\cot x}}$.

【886】 $y=\sec^2\dfrac{x}{a}+\csc^2\dfrac{x}{a}$.

解 $y'=\dfrac{2}{a}\sec^2\dfrac{x}{a}\tan\dfrac{x}{a}-\dfrac{2}{a}\csc^2\dfrac{x}{a}\cot\dfrac{x}{a}=\dfrac{2}{a}\left(\dfrac{\sin\frac{x}{a}}{\cos^3\frac{x}{a}}-\dfrac{\cos\frac{x}{a}}{\sin^3\frac{x}{a}}\right)$

$=\dfrac{2}{a}\cdot\dfrac{\sin^4\frac{x}{a}-\cos^4\frac{x}{a}}{\sin^3\frac{x}{a}\cos^3\frac{x}{a}}=\dfrac{16\left(\sin^2\frac{x}{a}-\cos^2\frac{x}{a}\right)}{a\left(2\sin\frac{x}{a}\cos\frac{x}{a}\right)^3}=\dfrac{-16\cos\frac{2x}{a}}{a\sin^3\frac{2x}{a}}$.

【887】 $y=\sin[\cos^2(\tan^3 x)]$.

解 $y'=\cos[\cos^2(\tan^3 x)][-2\cos(\tan^3 x)\sin(\tan^3 x)](3\tan^2 x\sec^2 x)$

$=-3\tan^2 x\sec^2 x\cdot\sin(2\tan^3 x)\cdot\cos[\cos^2(\tan^3 x)]$.

【888】 $y=e^{-x^2}$.

解 $y'=-2xe^{-x^2}$.

【889】 $y=2^{\tan\frac{1}{x}}$.

解 $y'=-\dfrac{1}{x^2}\sec^2\dfrac{1}{x}\cdot 2^{\tan\frac{1}{x}}\ln 2$.

【890】 $y=e^x(x^2-2x+2)$.

解 $y'=e^x(x^2-2x+2)+e^x(2x-2)=x^2e^x$.

【891】 $y=[\dfrac{1-x^2}{2}\sin x-\dfrac{(1+x)^2}{2}\cos x]e^{-x}$.

解 $y'=-e^{-x}\left[\dfrac{1-x^2}{2}\sin x-\dfrac{(1+x)^2}{2}\cos x\right]+$

$$e^{-x}\left[\frac{1-x^2}{2}\cos x - x\sin x + \frac{(1+x)^2}{2}\sin x - (1+x)\cos x\right]$$

$$= x^2 e^{-x}\sin x.$$

【892】 $y = e^x\left(1+\cot\frac{x}{2}\right)$.

解 $y' = e^x(1+\cot\frac{x}{2}) - \frac{1}{2}e^x\csc^2\frac{x}{2} = \dfrac{e^x(\sin x - \cos x)}{2\sin^2\frac{x}{2}}$.

【893】 $y = \dfrac{\ln 3\cdot\sin x + \cos x}{3^x}$.

解 $y' = \dfrac{3^x(\ln 3\cdot\cos x - \sin x) - 3^x\ln 3(\ln 3\cdot\sin x + \cos x)}{3^{2x}} = -\dfrac{(1+\ln^2 3)\sin x}{3^x}$.

【894】 $y = e^{ax}\dfrac{a\sin bx - b\cos bx}{\sqrt{a^2+b^2}}$.

解 $y' = \dfrac{1}{\sqrt{a^2+b^2}}e^{ax}[a(a\sin bx - b\cos bx) + (ab\cos bx + b^2\sin bx)] = \sqrt{a^2+b^2}\,e^{ax}\sin bx$.

【895】 $y = e^x + e^{e^x} + e^{e^{e^x}}$.

解 $y' = e^x[1+e^{e^x}(1+e^{e^{e^x}})]$.

【896】 $y = \left(\frac{a}{b}\right)^x\left(\frac{b}{x}\right)^a\left(\frac{x}{a}\right)^b (a>0, b>0)$.

解 两边取对数，得

$$\ln y = x\ln\frac{a}{b} + a(\ln b - \ln x) + b(\ln x - \ln a).$$

两边同时对 x 求导数，得

$$\frac{y'}{y} = \ln\frac{a}{b} - \frac{a}{x} + \frac{b}{x}.$$

于是

$$y' = y\left(\ln\frac{a}{b} - \frac{a}{x} + \frac{b}{x}\right) = \left(\frac{a}{b}\right)^x\left(\frac{b}{x}\right)^a\left(\frac{x}{a}\right)^b\left(\ln\frac{a}{b} - \frac{a}{x} + \frac{b}{x}\right).$$

【897】 $y = x^{a^a} + a^{x^a} + a^{a^x} (a>0)$.

解 $y' = a^a x^{a^a-1} + ax^{a-1}a^{x^a}\ln a + a^x\cdot a^{a^x}\ln^2 a$.

【898】 $y = \lg^3 x^2$.

解 方法一 $y' = 3\lg^2 x^2\cdot\frac{1}{x^2}2x\lg e = \frac{6}{x}\lg e\cdot\lg^2 x^2$.

方法二 $y = (\lg e\cdot\ln x^2)^3 = 8\lg^3 e\cdot\ln^3|x|$，两边求导数，有

$$y' = 24\lg^3 e\cdot\left(\frac{1}{x}\ln^2|x|\right).$$

【899】 $y = \ln[\ln(\ln x)]$.

解 $y' = \dfrac{1}{x\ln x\ln(\ln x)}$.

【900】 $y = \ln[\ln^2(\ln^3 x)]$.

解 $y' = \dfrac{1}{\ln^2(\ln^3 x)}\cdot 2\ln(\ln^3 x)\dfrac{1}{\ln^3 x}\cdot 3\ln^2 x\cdot\dfrac{1}{x} = \dfrac{6}{x\ln x\ln(\ln^3 x)}$.

【901】 $y=\frac{1}{2}\ln(1+x)-\frac{1}{4}\ln(1+x^2)-\frac{1}{2(1+x)}$.

解 $y'=\frac{1}{2}\cdot\frac{1}{1+x}-\frac{x}{2(1+x^2)}+\frac{1}{2(1+x)^2}=\frac{1}{(1+x)^2(1+x^2)}$.

【902】 $y=\frac{1}{4}\ln\frac{x^2-1}{x^2+1}$.

解 $y'=\frac{1}{4}[\ln(x^2-1)-\ln(x^2+1)]'=\frac{1}{4}(\frac{2x}{x^2-1}-\frac{2x}{x^2+1})=\frac{x}{x^4-1}$.

【903】 $y=\frac{1}{4(1+x^4)}+\frac{1}{4}\ln\frac{x^4}{1+x^4}$.

解 $y=\frac{1}{4(1+x^4)}+\ln|x|-\frac{1}{4}\ln(1+x^4)$,

$y'=-\frac{4x^3}{4(1+x^4)^2}+\frac{1}{x}-\frac{1}{4}\cdot\frac{1}{1+x^4}\cdot 4x^3=\frac{1}{x(1+x^4)^2}$.

【904】 $y=\frac{1}{2\sqrt{6}}\ln\frac{\sqrt{3}x-\sqrt{2}}{\sqrt{3}x+\sqrt{2}}$.

解 $y=\frac{1}{2\sqrt{6}}[\ln|\sqrt{3}x-\sqrt{2}|-\ln|\sqrt{3}x+\sqrt{2}|]$.

$y'=\frac{1}{2\sqrt{6}}\left(\frac{\sqrt{3}}{\sqrt{3}x-\sqrt{2}}-\frac{\sqrt{3}}{\sqrt{3}x+\sqrt{2}}\right)=\frac{1}{3x^2-2}$.

【905】 $y=\frac{1}{1-k}\ln\frac{1+x}{1-x}-\frac{\sqrt{k}}{1-k}\ln\frac{1+\sqrt{k}x}{1-\sqrt{k}x}(0<k<1)$.

解 $y'=\frac{1}{1-k}\left(\frac{1}{1+x}+\frac{1}{1-x}\right)-\frac{\sqrt{k}}{1-k}\left(\frac{\sqrt{k}}{1+\sqrt{k}x}+\frac{\sqrt{k}}{1-\sqrt{k}x}\right)=\frac{2}{(1-x^2)(1-kx^2)}$.

【906】 $y=\sqrt{x+1}-\ln(1+\sqrt{x+1})$.

解 $y'=\frac{1}{2\sqrt{x+1}}-\frac{1}{2\sqrt{x+1}(1+\sqrt{x+1})}=\frac{1}{2(1+\sqrt{x+1})}$.

【907】 $y=\ln(x+\sqrt{x^2+1})$.

解 $y'=\frac{1}{x+\sqrt{1+x^2}}\left(1+\frac{x}{\sqrt{x^2+1}}\right)=\frac{1}{\sqrt{x^2+1}}$.

【908】 $y=x\ln(x+\sqrt{1+x^2})-\sqrt{1+x^2}$.

解 $y'=\ln(x+\sqrt{1+x^2})+\frac{x}{\sqrt{1+x^2}}-\frac{x}{\sqrt{1+x^2}}=\ln(x+\sqrt{1+x^2})$.

【909】 $y=x\ln^2(x+\sqrt{1+x^2})-2\sqrt{1+x^2}\ln(x+\sqrt{1+x^2})+2x$.

解 $y'=\ln^2(x+\sqrt{1+x^2})+\frac{2x}{\sqrt{1+x^2}}\ln(x+\sqrt{1+x^2})-$

$\frac{2x}{\sqrt{1+x^2}}\ln(x+\sqrt{1+x^2})-2\sqrt{1+x^2}\cdot\frac{1}{\sqrt{1+x^2}}+2$

$=\ln^2(x+\sqrt{1+x^2})$.

【910】 $y=\frac{x}{2}\sqrt{x^2+a^2}+\frac{a^2}{2}\ln(x+\sqrt{x^2+a^2})$.

解 $y'=\frac{1}{2}\sqrt{x^2+a^2}+\frac{x^2}{2\sqrt{x^2+a^2}}+\frac{a^2}{2}\cdot\frac{1}{\sqrt{x^2+a^2}}=\sqrt{x^2+a^2}.$

【911】 $y=\frac{1}{2\sqrt{ab}}\ln\frac{\sqrt{a}+\sqrt{b}x}{\sqrt{a}-\sqrt{b}x}(a>0,b>0).$

解 $y'=\frac{1}{2\sqrt{ab}}\left(\frac{\sqrt{b}}{\sqrt{a}+\sqrt{b}x}+\frac{\sqrt{b}}{\sqrt{a}-\sqrt{b}x}\right)=\frac{1}{a-bx^2}.$

【912】 $y=\frac{2+3x^2}{x^4}\sqrt{1-x^2}+3\ln\frac{1+\sqrt{1-x^2}}{x}.$

解 $y'=\frac{6x^5-4x^3(2+3x^2)}{x^8}\sqrt{1-x^2}-\frac{x(2+3x^2)}{x^4\sqrt{1-x^2}}-\frac{x}{\sqrt{1-x^2}}\cdot\frac{3}{1+\sqrt{1-x^2}}-\frac{3}{x}$

$=-\frac{8}{x^5\sqrt{1-x^2}}.$

【913】 $y=\ln\tan\frac{x}{2}.$

解 $y'=\frac{1}{\tan\frac{x}{2}}\cdot\sec^2\frac{x}{2}\cdot\frac{1}{2}=\frac{1}{2\sin\frac{x}{2}\cos\frac{x}{2}}=\frac{1}{\sin x}.$

【914】 $y=\ln\tan\left(\frac{x}{2}+\frac{\pi}{4}\right).$

解 $y'=\frac{1}{\tan\left(\frac{x}{2}+\frac{\pi}{4}\right)}\cdot\sec^2\left(\frac{x}{2}+\frac{\pi}{4}\right)\cdot\frac{1}{2}=\frac{1}{2\sin\left(\frac{x}{2}+\frac{\pi}{4}\right)\cos\left(\frac{x}{2}+\frac{\pi}{4}\right)}$

$=\frac{1}{\sin\left(x+\frac{\pi}{2}\right)}=\frac{1}{\cos x}.$

【915】 $y=\frac{1}{2}\cot^2x+\ln\sin x.$

解 $y'=-\cot x\cdot\csc^2x+\frac{\cos x}{\sin x}=-\cot^3x.$

【916】 $y=\ln\sqrt{\frac{1-\sin x}{1+\sin x}}.$

解 $y'=\frac{1}{2}\left(\frac{-\cos x}{1-\sin x}-\frac{\cos x}{1+\sin x}\right)=-\frac{1}{\cos x}.$

【917】 $y=-\frac{\cos x}{2\sin^2x}+\ln\sqrt{\frac{1+\cos x}{\sin x}}.$

解 $y'=\frac{\sin^3x+2\sin x\cos^2x}{2\sin^4x}+\frac{1}{2}\left(\frac{-\sin x}{1+\cos x}-\frac{\cos x}{\sin x}\right)=\frac{\cos^2x}{\sin^3x}.$

【918】 $y=\ln\frac{b+a\cos x+\sqrt{b^2-a^2}\sin x}{a+b\cos x}(0\leqslant|a|<|b|).$

解 $y'=\frac{\frac{(-a\sin x+\sqrt{b^2-a^2}\cos x)(a+b\cos x)-(b+a\cos x+\sqrt{b^2-a^2}\sin x)(-b\sin x)}{a+b\cos x}}{b+a\cos x+\sqrt{b^2-a^2}\sin x}$

$=\frac{\sqrt{b^2-a^2}}{a+b\cos x}.$

【919】 $y=\frac{1}{x}(\ln^3x+3\ln^2x+6\ln x+6).$

解 $y' = -\frac{1}{x^2}(\ln^3 x + 3\ln^2 x + 6\ln x + 6) + \frac{1}{x}\left(\frac{3}{x}\ln^2 x + \frac{6}{x}\ln x + \frac{6}{x}\right) = -\frac{\ln^3 x}{x^2}.$

【920】 $y = \frac{1}{4x^4}\ln\frac{1}{x} - \frac{1}{16x^4}.$

解 $y' = -\frac{1}{x^5}\ln\frac{1}{x} - \frac{1}{4x^5} + \frac{1}{4x^5} = \frac{1}{x^5}\ln x.$

【921】 $y = \frac{3}{2}(1 - \sqrt[3]{1+x^2})^2 + 3\ln(1 + \sqrt[3]{1+x^2}).$

解 $y' = \frac{3}{2}\cdot 2(1 - \sqrt[3]{1+x^2})\left[-\frac{2x}{3\sqrt[3]{(1+x^2)^2}}\right] + \frac{3}{1+\sqrt[3]{1+x^2}}\cdot\frac{2x}{3\sqrt[3]{(1+x^2)^2}}$

$= \frac{2x}{1+\sqrt[3]{1+x^2}}.$

【922】 $y = \ln\left[\frac{1}{x} + \ln\left(\frac{1}{x} + \ln\frac{1}{x}\right)\right].$

解 $$y' = \frac{-\frac{1}{x^2} + \frac{1}{\frac{1}{x} + \ln\frac{1}{x}}\left(-\frac{1}{x^2} - \frac{1}{x}\right)}{\frac{1}{x} + \ln\left(\frac{1}{x} + \ln\frac{1}{x}\right)} = -\frac{1 + x + \frac{1}{x} + \ln\frac{1}{x}}{\left(1 + x\ln\frac{1}{x}\right)\left[1 + x\ln\left(\frac{1}{x} + \ln\frac{1}{x}\right)\right]}.$$

【923】 $y = x[\sin(\ln x) - \cos(\ln x)].$

解 $y' = [\sin(\ln x) - \cos(\ln x)] + x\cdot\frac{\cos(\ln x) + \sin(\ln x)}{x} = 2\sin(\ln x).$

【924】 $y = \ln\left(\tan\frac{x}{2}\right) - \cos x\ln(\tan x).$

解 $y' = \frac{1}{\tan\frac{x}{2}}\sec^2\frac{x}{2}\cdot\frac{1}{2} + \sin x\ln(\tan x) - \cos x\frac{1}{\tan x}\sec^2 x = \sin x\ln(\tan x).$

【925】 $y = \arcsin\frac{x}{2}.$

解 $y' = \frac{1}{\sqrt{1 - \left(\frac{x}{2}\right)^2}}\cdot\frac{1}{2} = \frac{1}{\sqrt{4 - x^2}}.$

【926】 $y = \arccos\frac{1-x}{\sqrt{2}}.$

解 $y' = -\frac{1}{\sqrt{1 - \left(\frac{1-x}{\sqrt{2}}\right)^2}}\cdot\left(-\frac{1}{\sqrt{2}}\right) = \frac{1}{\sqrt{1 + 2x - x^2}}.$

【927】 $y = \arctan\frac{x^2}{a}.$

解 $y' = \frac{1}{1 + \left(\frac{x^2}{a}\right)^2}\cdot\frac{2x}{a} = \frac{2ax}{a^2 + x^4}.$

【928】 $y = \frac{1}{\sqrt{2}}\operatorname{arccot}\frac{\sqrt{2}}{x}.$

解 $y' = -\frac{1}{\sqrt{2}}\cdot\frac{1}{1 + \left(\frac{\sqrt{2}}{x}\right)^2}\left(-\frac{\sqrt{2}}{x^2}\right) = \frac{1}{x^2 + 2}.$

【929】 $y=\sqrt{x}-\arctan\sqrt{x}$.

解 $y'=\dfrac{1}{2\sqrt{x}}-\dfrac{1}{2\sqrt{x}(1+x)}=\dfrac{\sqrt{x}}{2(1+x)}$.

【930】 $y=x+\sqrt{1-x^2}\arccos x$.

解 $y'=1-\dfrac{x}{\sqrt{1-x^2}}\arccos x-\dfrac{1}{\sqrt{1-x^2}}\sqrt{1-x^2}=-\dfrac{x}{\sqrt{1-x^2}}\arccos x$.

【931】 $y=x\arcsin\sqrt{\dfrac{x}{1+x}}+\arctan\sqrt{x}-\sqrt{x}$.

解 $y'=\arcsin\sqrt{\dfrac{x}{1+x}}+\dfrac{x}{\sqrt{1-\dfrac{x}{1+x}}}\cdot\dfrac{1}{2\sqrt{\dfrac{x}{1+x}}}\cdot\dfrac{1+x-x}{(1+x)^2}+\dfrac{1}{2\sqrt{x}(1+x)}-\dfrac{1}{2\sqrt{x}}$

$=\arcsin\sqrt{\dfrac{x}{1+x}}$.

【932】 $y=\arccos\dfrac{1}{x}$.

解 $y'=-\dfrac{1}{\sqrt{1-\left(\dfrac{1}{x}\right)^2}}\left(-\dfrac{1}{x^2}\right)=\dfrac{1}{|x|\sqrt{x^2-1}}$.

【933】 $y=\arcsin(\sin x)$.

解 $y'=\dfrac{\cos x}{\sqrt{1-\sin^2 x}}=\dfrac{\cos x}{|\cos x|}$.

【934】 $y=\arccos(\cos^2 x)$.

解 $y'=\dfrac{\sin 2x}{\sqrt{1-\cos^4 x}}=\dfrac{\sin 2x}{\sqrt{\sin^2 x(1+\cos^2 x)}}=\dfrac{\sin 2x}{|\sin x|\sqrt{1+\cos^2 x}}$.

【935】 $y=\arcsin(\sin x-\cos x)$.

解 $y'=\dfrac{\cos x+\sin x}{\sqrt{1-(\sin x-\cos x)^2}}=\dfrac{\sin x+\cos x}{\sqrt{\sin 2x}}$.

【936】 $y=\arccos\sqrt{1-x^2}$.

解 $y'=\dfrac{-1}{\sqrt{1-(1-x^2)}}\cdot\dfrac{-x}{\sqrt{1-x^2}}=\dfrac{x}{|x|\sqrt{1-x^2}}=\dfrac{\operatorname{sgn} x}{\sqrt{1-x^2}}$.

【937】 $y=\arctan\dfrac{1+x}{1-x}$.

解 $y'=\dfrac{1}{1+\left(\dfrac{1+x}{1-x}\right)^2}\cdot\dfrac{(1-x)+(1+x)}{(1-x)^2}=\dfrac{1}{1+x^2}$.

【938】 $y=\operatorname{arccot}\left(\dfrac{\sin x+\cos x}{\sin x-\cos x}\right)$.

解 $y'=\dfrac{-1}{1+\left(\dfrac{\sin x+\cos x}{\sin x-\cos x}\right)^2}\cdot\dfrac{(\cos x-\sin x)(\sin x-\cos x)-(\cos x+\sin x)^2}{(\sin x-\cos x)^2}=1$.

【939】 $y=\dfrac{2}{\sqrt{a^2-b^2}}\arctan\left(\sqrt{\dfrac{a-b}{a+b}}\tan\dfrac{x}{2}\right)(a>b\geqslant 0)$.

解 $y'=\dfrac{2}{\sqrt{a^2-b^2}}\cdot\dfrac{1}{1+\dfrac{a-b}{a+b}\tan^2\dfrac{x}{2}}\cdot\sqrt{\dfrac{a-b}{a+b}}\cdot\dfrac{1}{2}\cdot\sec^2\dfrac{x}{2}=\dfrac{1}{a+b\cos x}$.

【940】 $y=\arcsin\dfrac{1-x^2}{1+x^2}$.

解 $y'=\dfrac{1}{\sqrt{1-\left(\dfrac{1-x^2}{1+x^2}\right)^2}}\cdot\dfrac{-2x(1+x^2)-2x(1-x^2)}{(1+x^2)^2}=-\dfrac{2x}{|x|(1+x^2)}=-\dfrac{2\operatorname{sgn}x}{1+x^2}$.

【941】 $y=\dfrac{1}{\arccos^2(x^2)}$.

解 $y'=-\dfrac{2}{\arccos^3(x^2)}\cdot\dfrac{-2x}{\sqrt{1-x^4}}=\dfrac{4x}{\sqrt{1-x^4}\arccos^3(x^2)}$.

【942】 $y=\arctan x+\dfrac{1}{3}\arctan x^3$.

解 $y'=\dfrac{1}{1+x^2}+\dfrac{x^2}{1+x^6}=\dfrac{1+x^4}{1+x^6}$.

【943】 $y=\ln(1+\sin^2 x)-2\sin x\arctan(\sin x)$.

解 $y'=\dfrac{\sin 2x}{1+\sin^2 x}-2\cos x\cdot\arctan(\sin x)-\dfrac{\sin 2x}{1+\sin^2 x}=-2\cos x\cdot\arctan(\sin x)$.

【944】 $y=\ln\left(\arccos\dfrac{1}{\sqrt{x}}\right)$.

解 $y'=\dfrac{1}{\arccos\dfrac{1}{\sqrt{x}}}\cdot\dfrac{-1}{\sqrt{1-\dfrac{1}{x}}}\cdot\dfrac{-1}{2x\sqrt{x}}=\dfrac{1}{2x\sqrt{x-1}\arccos\dfrac{1}{\sqrt{x}}}$.

【945】 $y=\ln\dfrac{x+a}{\sqrt{x^2+b^2}}+\dfrac{a}{b}\arctan\dfrac{x}{b}$.

解 $y'=\dfrac{1}{x+a}-\dfrac{x}{x^2+b^2}+\dfrac{a}{b}\cdot\dfrac{1}{b\left(1+\dfrac{x^2}{b^2}\right)}=\dfrac{a^2+b^2}{(x+a)(b^2+x^2)}$.

【946】 $y=\dfrac{x}{2}\sqrt{a^2-x^2}+\dfrac{a^2}{2}\arcsin\dfrac{x}{a}\,(a>0)$.

解 $y'=\dfrac{1}{2}\sqrt{a^2-x^2}-\dfrac{x^2}{2\sqrt{a^2-x^2}}+\dfrac{a^2}{2}\cdot\dfrac{1}{\sqrt{a^2-x^2}}=\sqrt{a^2-x^2}$.

【947】 $y=\dfrac{1}{6}\ln\dfrac{(x+1)^2}{x^2-x+1}+\dfrac{1}{\sqrt{3}}\arctan\dfrac{2x-1}{\sqrt{3}}$.

解 $y'=\dfrac{1}{3}\cdot\dfrac{1}{x+1}-\dfrac{1}{6}\cdot\dfrac{2x-1}{x^2-x+1}+\dfrac{1}{\sqrt{3}}\cdot\dfrac{1}{1+\left(\dfrac{2x-1}{\sqrt{3}}\right)^2}\cdot\dfrac{2}{\sqrt{3}}=\dfrac{1}{1+x^3}$.

【948】 $y=\dfrac{1}{4\sqrt{2}}\ln\dfrac{x^2+\sqrt{2}x+1}{x^2-\sqrt{2}x+1}-\dfrac{1}{2\sqrt{2}}\arctan\dfrac{\sqrt{2}x}{x^2-1}$.

解 $y'=\dfrac{1}{4\sqrt{2}}\left(\dfrac{2x+\sqrt{2}}{x^2+\sqrt{2}x+1}-\dfrac{2x-\sqrt{2}}{x^2-\sqrt{2}x+1}\right)-\dfrac{1}{2\sqrt{2}}\cdot\dfrac{1}{1+\left(\dfrac{\sqrt{2}x}{x^2-1}\right)^2}\cdot\dfrac{\sqrt{2}(x^2-1)-2\sqrt{2}x^2}{(x^2-1)^2}$

$=\dfrac{1}{1+x^4}$.

【949】 $y=x\arcsin^2 x+2\sqrt{1-x^2}\arcsin x-2x$.

解 $y'=\arcsin^2 x+\dfrac{2x\arcsin x}{\sqrt{1-x^2}}-\dfrac{2x\arcsin x}{\sqrt{1-x^2}}+2-2=\arcsin^2 x$.

【950】 $y=\frac{\arccos x}{x}+\frac{1}{2}\ln\frac{1-\sqrt{1-x^2}}{1+\sqrt{1-x^2}}.$

解 $y'=\frac{-\frac{x}{\sqrt{1-x^2}}-\arccos x}{x^2}+\frac{1}{2}\left(\frac{1}{1-\sqrt{1-x^2}}\cdot\frac{x}{\sqrt{1-x^2}}+\frac{1}{1+\sqrt{1-x^2}}\cdot\frac{x}{\sqrt{1-x^2}}\right)$

$=-\frac{\arccos x}{x^2}.$

【951】 $y=\arctan\sqrt{x^2-1}-\frac{\ln x}{\sqrt{x^2-1}}.$

解 $y'=\frac{1}{1+(x^2-1)}\cdot\frac{x}{\sqrt{x^2-1}}-\frac{1}{x\sqrt{x^2-1}}+\frac{x\ln x}{(x^2-1)\sqrt{x^2-1}}=\frac{x\ln x}{(x^2-1)^{\frac{3}{2}}}.$

【952】 $y=\frac{\arcsin x}{\sqrt{1-x^2}}+\frac{1}{2}\ln\frac{1-x}{1+x}.$

解 $y'=\frac{1}{1-x^2}+\frac{x\arcsin x}{(1-x^2)^{\frac{3}{2}}}+\frac{1}{2}\left(-\frac{1}{1-x}-\frac{1}{1+x}\right)=\frac{x\arcsin x}{(1-x^2)^{\frac{3}{2}}}.$

【953】 $y=\frac{1}{12}\ln\frac{x^4-x^2+1}{(x^2+1)^2}-\frac{1}{2\sqrt{3}}\arctan\frac{\sqrt{3}}{2x^2-1}.$

解 $y'=\frac{1}{12}\left(\frac{4x^3-2x}{x^4-x^2+1}-\frac{4x}{x^2+1}\right)-\frac{1}{2\sqrt{3}}\frac{1}{1+\left(\frac{\sqrt{3}}{2x^2-1}\right)^2}\cdot\frac{-4\sqrt{3}x}{(2x^2-1)^2}=\frac{x^3}{1+x^6}.$

【954】 $y=\frac{x^6}{1+x^{12}}-\operatorname{arccot}x^6.$

解 $y'=\frac{6x^5(1+x^{12})-12x^{17}}{(1+x^{12})^2}+\frac{6x^5}{1+x^{12}}=\frac{12x^5}{(1+x^{12})^2}.$

【955】 $y=\ln\frac{1-\sqrt[3]{x}}{\sqrt{1+\sqrt[3]{x}+\sqrt[3]{x^2}}}+\sqrt{3}\arctan\frac{1+2\sqrt[3]{x}}{\sqrt{3}}.$

解 $y'=-\frac{1}{3\sqrt[3]{x^2}(1-\sqrt[3]{x})}-\frac{1}{2(1+\sqrt[3]{x}+\sqrt[3]{x^2})}\left(\frac{1}{3\sqrt[3]{x^2}}+\frac{2}{3\sqrt[3]{x}}\right)+\frac{\sqrt{3}}{1+\left(\frac{1+2\sqrt[3]{x}}{\sqrt{3}}\right)^2}\cdot\frac{2}{3\sqrt{3}\sqrt[3]{x^2}}$

$=-\frac{1}{(1-x)\sqrt[3]{x}}.$

【956】 $y=\arctan\frac{x}{1+\sqrt{1-x^2}}.$

解 $y'=\frac{1}{1+\left(\frac{x}{1+\sqrt{1-x^2}}\right)^2}\cdot\frac{1+\sqrt{1-x^2}+\frac{x^2}{\sqrt{1-x^2}}}{(1+\sqrt{1-x^2})^2}=\frac{1}{2\sqrt{1-x^2}}.$

【957】 $y=\operatorname{arccot}\frac{a-2x}{2\sqrt{ax-x^2}}(a>0).$

解 $y'=-\frac{1}{1+\frac{(a-2x)^2}{4(ax-x^2)}}\cdot\frac{1}{2}\cdot\frac{-2\sqrt{ax-x^2}-\frac{(a-2x)^2}{2\sqrt{ax-x^2}}}{ax-x^2}=\frac{1}{\sqrt{ax-x^2}}.$

【958】 $y=\frac{3-x}{2}\sqrt{1-2x-x^2}+2\arcsin\frac{1+x}{\sqrt{2}}.$

解 $y' = -\frac{1}{2}\sqrt{1-2x-x^2} - \frac{3-x}{2}\cdot\frac{1+x}{\sqrt{1-2x-x^2}} + 2\cdot\frac{1}{\sqrt{2}\sqrt{1-\left(\frac{1+x}{\sqrt{2}}\right)^2}}$

$= \frac{x^2}{\sqrt{1-2x-x^2}}$.

【959】 $y = \frac{1}{4}\ln\frac{\sqrt[4]{1+x^4}+x}{\sqrt[4]{1+x^4}-x} - \frac{1}{2}\arctan\frac{\sqrt[4]{1+x^4}}{x}$.

解 $y' = \frac{1}{4}\left\{\frac{1}{\sqrt[4]{1+x^4}+x}\left[1+\frac{x^3}{\sqrt[4]{(1+x^4)^3}}\right] - \frac{1}{\sqrt[4]{1+x^4}-x}\left[\frac{x^3}{\sqrt[4]{(1+x^4)^3}}-1\right]\right\} -$

$\frac{1}{2}\cdot\frac{1}{1+\left(\frac{\sqrt[4]{1+x^4}}{x}\right)^2}\cdot\frac{1}{x^2}\left[\frac{x^4}{\sqrt[4]{(1+x^4)^3}} - \sqrt[4]{1+x^4}\right]$

$= \frac{1}{\sqrt[4]{1+x^4}}$.

【960】 $y = \arctan(\tan^2 x)$.

解 $y' = \frac{1}{1+\tan^4 x}\cdot 2\tan x\sec^2 x = \frac{\sin 2x}{\sin^4 x+\cos^4 x}$.

【961】 $y = \sqrt{1-x^2}\ln\sqrt{\frac{1-x}{1+x}} + \frac{1}{2}\ln\frac{1-\sqrt{1-x^2}}{1+\sqrt{1-x^2}} + \sqrt{1-x^2} + \arcsin x$.

解 $y' = -\frac{x}{\sqrt{1-x^2}}\ln\sqrt{\frac{1-x}{1+x}} + \frac{1}{2}\sqrt{1-x^2}\left(-\frac{1}{1-x}-\frac{1}{1+x}\right) +$

$\frac{1}{2}\left[\frac{x}{(1-\sqrt{1-x^2})\sqrt{1-x^2}} + \frac{x}{(1+\sqrt{1-x^2})\sqrt{1-x^2}}\right] - \frac{x}{\sqrt{1-x^2}} + \frac{1}{\sqrt{1-x^2}}$

$= \frac{\sqrt{1-x^2}}{x} - \frac{x}{\sqrt{1-x^2}}\ln\sqrt{\frac{1-x}{1+x}}$.

【962】 $y = x\arctan x - \frac{1}{2}\ln(1+x^2) - \frac{1}{2}\arctan^2 x$.

解 $y' = \arctan x + \frac{x}{1+x^2} - \frac{x}{1+x^2} - \frac{1}{1+x^2}\arctan x = \frac{x^2}{1+x^2}\arctan x$.

【963】 $y = \ln(\mathrm{e}^x + \sqrt{1+\mathrm{e}^{2x}})$.

解 $y' = \frac{1}{\mathrm{e}^x+\sqrt{1+\mathrm{e}^{2x}}}\left(\mathrm{e}^x + \frac{\mathrm{e}^{2x}}{\sqrt{1+\mathrm{e}^{2x}}}\right) = \frac{\mathrm{e}^x}{\sqrt{1+\mathrm{e}^{2x}}}$.

【964】 $y = \arctan(x+\sqrt{1+x^2})$.

解 $y' = \frac{1}{1+(x+\sqrt{1+x^2})^2}\left(1+\frac{x}{\sqrt{1+x^2}}\right) = \frac{1}{2(1+x^2)}$.

【965】 $y = \arcsin\left(\frac{\sin\alpha\sin x}{1-\cos\alpha\cos x}\right)$.

解 $y' = \frac{1}{\sqrt{1-\left(\frac{\sin\alpha\sin x}{1-\cos\alpha\cos x}\right)^2}}\cdot\frac{\sin\alpha\cos x(1-\cos\alpha\cos x)-\sin\alpha\cos\alpha\sin^2 x}{(1-\cos\alpha\cos x)^2}$

$= \frac{1-\cos\alpha\cos x}{\sqrt{(\cos x-\cos\alpha)^2}}\cdot\frac{\sin\alpha\cdot(\cos x-\cos\alpha)}{(1-\cos\alpha\cos x)^2} = \frac{\sin\alpha\cdot\mathrm{sgn}(\cos x-\cos\alpha)}{1-\cos\alpha\cos x}$

【966】 $y = \frac{1}{4\sqrt{3}}\ln\frac{\sqrt{x^2+2}-\sqrt{3}x}{\sqrt{x^2+2}+\sqrt{3}x} + \frac{1}{2}\arctan\frac{\sqrt{x^2+2}}{x}$.

解 $y' = \frac{1}{4\sqrt{3}}\left[\frac{1}{\sqrt{x^2+2}-\sqrt{3}x}\left(\frac{x}{\sqrt{x^2+2}}-\sqrt{3}\right)-\frac{1}{\sqrt{x^2+2}+\sqrt{3}x}\left(\frac{x}{\sqrt{x^2+2}}+\sqrt{3}\right)\right]+$

$$\frac{1}{2}\frac{1}{1+\frac{x^2+2}{x^2}}\cdot\frac{\frac{x^2}{\sqrt{x^2+2}}-\sqrt{x^2+2}}{x^2}$$

$$=\frac{1}{(x^4-1)\sqrt{x^2+2}}.$$

【967】 $y=\frac{1}{2\sqrt{2}}\arctan\frac{\sqrt{2}x}{\sqrt{1+x^4}}-\frac{1}{4\sqrt{2}}\ln\frac{\sqrt{1+x^4}-\sqrt{2}x}{\sqrt{1+x^4}+\sqrt{2}x}.$

解 $y'=\frac{1}{2\sqrt{2}}\cdot\frac{1}{1+\frac{2x^2}{1+x^4}}\cdot\frac{\sqrt{2}\cdot\sqrt{1+x^4}-\frac{2\sqrt{2}x^4}{\sqrt{1+x^4}}}{1+x^4}-$

$$\frac{1}{4\sqrt{2}}\left[\frac{1}{\sqrt{1+x^4}-\sqrt{2}x}\left(\frac{2x^3}{\sqrt{1+x^4}}-\sqrt{2}\right)-\frac{1}{\sqrt{1+x^4}+\sqrt{2}x}\left(\frac{2x^3}{\sqrt{1+x^4}}+\sqrt{2}\right)\right]$$

$$=\frac{\sqrt{1+x^4}}{1-x^4}.$$

【968】 $y=\frac{x\sqrt{1-x^2}}{1+x^2}-\frac{3}{\sqrt{2}}\operatorname{arccot}\frac{\sqrt{2}x}{\sqrt{1-x^2}}.$

解 $y'=\frac{1}{(1+x^2)^2}\left[\left(\sqrt{1-x^2}-\frac{x^2}{\sqrt{1-x^2}}\right)(1+x^2)-2x^2\sqrt{1-x^2}\right]+$

$$\frac{3}{\sqrt{2}\left(1+\frac{2x^2}{1-x^2}\right)}\cdot\frac{\sqrt{2}\sqrt{1-x^2}+\frac{\sqrt{2}x^2}{\sqrt{1-x^2}}}{1-x^2}$$

$$=\frac{4}{(x^2+1)^2\sqrt{1-x^2}}.$$

【969】 $y=\arccos(\sin x^2-\cos x^2).$

解 $y'=-\frac{1}{\sqrt{1-(\sin x^2-\cos x^2)^2}}\cdot 2x(\cos x^2+\sin x^2)=-\frac{2x(\sin x^2+\cos x^2)}{\sqrt{\sin(2x^2)}}.$

【970】 $y=\arcsin(\sin x^2)+\arccos(\cos x^2).$

解 $y'=\frac{2x\cos x^2}{\sqrt{1-\sin^2 x^2}}+\frac{2x\sin x^2}{\sqrt{1-\cos^2 x^2}}=2x[\operatorname{sgn}(\cos x^2)+\operatorname{sgn}(\sin x^2)].$

【971】 $y=e^{m\arcsin x}[\cos(m\arcsin x)+\sin(m\arcsin x)].$

解 $y'=e^{m\arcsin x}\{\frac{m}{\sqrt{1-x^2}}[\cos(m\arcsin x)+\sin(m\arcsin x)]+$

$$\frac{m}{\sqrt{1-x^2}}[\cos(m\arcsin x)-\sin(m\arcsin x)]\}$$

$$=\frac{2m}{\sqrt{1-x^2}}e^{m\arcsin x}\cos(m\arcsin x).$$

【972】 $y=\arctan e^x-\ln\sqrt{\frac{e^{2x}}{e^{2x}+1}}.$

解 $y'=\frac{e^x}{1+e^{2x}}-\frac{1}{2}\left(2-\frac{2e^{2x}}{e^{2x}+1}\right)=\frac{e^x-1}{e^{2x}+1}.$

【973】 $y=x+x^x+x^{x^x}(x>0)$.

解 $(x^x)'=(e^{x\ln x})'=(\ln x+1)e^{x\ln x}=x^x(1+\ln x)$;

$$(x^{x^x})=(e^{x^x\ln x})'=\left[(x^x)'\ln x+x^x\frac{1}{x}\right]e^{x^x\ln x}=x^x\cdot x^{x^x}\left(\frac{1}{x}+\ln x+\ln^2 x\right);$$

$$\begin{aligned}y'&=1+x^x(1+\ln x)+x^{x^x}(x^x\ln x)'\\&=1+x^x(1+\ln x)+x^x\cdot x^{x^x}\left(\frac{1}{x}+\ln x+\ln^2 x\right).\end{aligned}$$

【974】 $y=x^{x^a}+x^{a^x}+a^{x^x}(a>0,x>0)$.

解 $(x^{x^a})'=(e^{x^a\ln x})'=e^{x^a\ln x}\left(ax^{a-1}\ln x+\dfrac{x^a}{x}\right)=x^{x^a}\left(ax^{a-1}\ln x+\dfrac{x^a}{x}\right)$;

$$(x^{a^x})'=(e^{a^x\ln x})'=e^{a^x\ln x}\left(a^x\ln a\cdot\ln x+\frac{a^x}{x}\right)=x^{a^x}\left(a^x\ln a\cdot\ln x+\frac{a^x}{x}\right);$$

$$(a^{x^x})'=a^{x^x}\cdot\ln a\cdot(x^x)'=a^{x^x}\cdot\ln a\cdot x^x(1+\ln x);$$

$$\begin{aligned}y'&=x^{x^a}\left(ax^{a-1}\ln x+\frac{x^a}{x}\right)+x^{a^x}\left(a^x\ln a\cdot\ln x+\frac{a^x}{x}\right)+a^{x^x}\cdot\ln a\cdot x^x(1+\ln x)\\&=x^{a-1}x^{x^a}(1+a\ln x)+a^xx^{a^x}\left(\frac{1}{x}+\ln a\ln x\right)+x^xa^{x^x}\ln a(1+\ln x).\end{aligned}$$

【975】 $y=\sqrt[x]{x}(x>0)$.

解 $y'=\left(e^{\frac{1}{x}\ln x}\right)'=x^{\frac{1}{x}}\dfrac{1-\ln x}{x^2}=x^{\frac{1}{x}-2}(1-\ln x)$.

【976】 $y=(\sin x)^{\cos x}+(\cos x)^{\sin x}$.

解 $y'=\left[e^{\cos x\ln(\sin x)}+e^{\sin x\ln(\cos x)}\right]'$

$$\begin{aligned}&=(\sin x)^{\cos x}\left(-\sin x\cdot\ln\sin x+\frac{\cos^2 x}{\sin x}\right)+(\cos x)^{\sin x}\left[\cos x\cdot\ln(\cos x)-\frac{\sin^2 x}{\cos x}\right]\\&=(\sin x)^{\cos x+1}(\cot^2 x-\ln\sin x)-(\cos x)^{\sin x+1}[\tan^2 x-\ln(\cos x)].\end{aligned}$$

【977】 $y=\dfrac{(\ln x)^x}{x^{\ln x}}$.

解 $y=\dfrac{(\ln x)^x}{x^{\ln x}}=\dfrac{e^{x\ln(\ln x)}}{e^{\ln^2 x}}=e^{x\ln(\ln x)-\ln^2 x}$.

$$\begin{aligned}y'&=\frac{(\ln x)^x}{x^{\ln x}}\{[x\ln(\ln x)]'-(\ln^2 x)'\}=\frac{(\ln x)^x}{x^{\ln x}}\left[\ln(\ln x)+\frac{1}{\ln x}-\frac{2\ln x}{x}\right]\\&=\frac{(\ln x)^{x-1}}{x^{\ln x+1}}[x\ln x\ln(\ln x)+x-2\ln^2 x].\end{aligned}$$

注 973－977题可用对数求导法求解.

【978】 $y=\lg_x e$.

解 $y=\dfrac{1}{\ln x},y'=-\dfrac{1}{x\ln^2 x}$.

【979】 $y=\ln(\operatorname{ch}x)+\dfrac{1}{2\operatorname{ch}^2 x}$.

解 $y'=\operatorname{th}x-\dfrac{\operatorname{sh}x}{\operatorname{ch}^3 x}=\operatorname{th}^3 x$.

【980】 $y=\dfrac{\operatorname{ch}x}{\operatorname{sh}^2 x}-\ln\left(\coth\dfrac{x}{2}\right)$.

解 $y'=\dfrac{\operatorname{sh}^3 x-2\operatorname{sh}x\operatorname{ch}^2 x}{\operatorname{sh}^4 x}+\dfrac{1}{2\operatorname{sh}^2\dfrac{x}{2}\cdot\coth\dfrac{x}{2}}=-\dfrac{2}{\operatorname{sh}^3 x}$.

【981】 $y=\arctan(\operatorname{th} x)$.

解 $y'=\dfrac{1}{1+\operatorname{th}^2 x}\cdot\dfrac{1}{\operatorname{ch}^2 x}=\dfrac{1}{\operatorname{ch} 2x}$.

【982】 $y=\arccos\left(\dfrac{1}{\operatorname{ch} x}\right)$.

解 $y'=-\dfrac{1}{\sqrt{1-\dfrac{1}{\operatorname{ch}^2 x}}}\left(-\dfrac{\operatorname{sh} x}{\operatorname{ch}^2 x}\right)=\dfrac{\operatorname{sgn}(\operatorname{sh} x)}{\operatorname{ch} x}$.

【983】 $y=\dfrac{b}{a}x+\dfrac{2\sqrt{a^2-b^2}}{a}\arctan\left(\sqrt{\dfrac{a-b}{a+b}}\operatorname{th}\dfrac{x}{2}\right)(0\leqslant|b|<a)$.

解 $y'=\dfrac{b}{a}+\dfrac{2\sqrt{a^2-b^2}}{a}\cdot\dfrac{1}{1+\dfrac{a-b}{a+b}\operatorname{th}^2\dfrac{x}{2}}\cdot\sqrt{\dfrac{a-b}{a+b}}\cdot\dfrac{1}{2\operatorname{ch}^2\dfrac{x}{2}}=\dfrac{b}{a}+\dfrac{a^2-b^2}{a(b+a\operatorname{ch} x)}$

$=\dfrac{a+b\operatorname{ch} x}{b+a\operatorname{ch} x}$.

习题 984—988 引入中间变量求导数

【984】 引入中间变量 $u=\cos^2 x$,求函数 $y=\ln(\cos^2 x+\sqrt{1+\cos^4 x})$ 的导数.

解 设 $u=\cos^2 x$,则 $y=\ln(u+\sqrt{1+u^2})$,由复合函数求导链式法则可得

$$\frac{\mathrm{d}y}{\mathrm{d}x}=\frac{\mathrm{d}y}{\mathrm{d}u}\cdot\frac{\mathrm{d}u}{\mathrm{d}x}=\frac{1}{\sqrt{1+u^2}}\cdot(-2\cos x\sin x)=-\frac{\sin 2x}{\sqrt{1+\cos^4 x}}.$$

【求下列函数的导数(985—988)】

【985】 $y=(\arccos x)^2\left[\ln^2(\arccos x)-\ln(\arccos x)+\dfrac{1}{2}\right]$.

解 设 $u=\arccos x$,则 $y=u^2\left(\ln^2 u-\ln u+\dfrac{1}{2}\right)$. 由复合函数求导链式法则可得

$$\frac{\mathrm{d}y}{\mathrm{d}x}=\frac{\mathrm{d}y}{\mathrm{d}u}\cdot\frac{\mathrm{d}u}{\mathrm{d}x}=\left[2u\left(\ln^2 u-\ln u+\frac{1}{2}\right)+u^2\left(\frac{2\ln u}{u}-\frac{1}{u}\right)\right]\cdot\left(-\frac{1}{\sqrt{1-x^2}}\right)$$

$$=2u\ln^2 u\cdot\left(-\frac{1}{\sqrt{1-x^2}}\right)=2\arccos x\cdot\ln^2(\arccos x)\cdot\left(-\frac{1}{\sqrt{1-x^2}}\right)$$

$$=-\frac{2}{\sqrt{1-x^2}}\arccos x\cdot\ln^2(\arccos x).$$

【986】 $y=\dfrac{1}{2}\arctan(\sqrt[4]{1+x^4})+\dfrac{1}{4}\ln\dfrac{\sqrt[4]{1+x^4}+1}{\sqrt[4]{1+x^4}-1}$.

解 设 $u=\sqrt[4]{1+x^4}$,则 $y=\dfrac{1}{2}\arctan u+\dfrac{1}{4}\ln\dfrac{u+1}{u-1}$. 由复合函数求导链式法则可得

$$\frac{\mathrm{d}y}{\mathrm{d}x}=\frac{\mathrm{d}y}{\mathrm{d}u}\cdot\frac{\mathrm{d}u}{\mathrm{d}x}=\left[\frac{1}{2(1+u^2)}+\frac{1}{4}\left(\frac{1}{u+1}-\frac{1}{u-1}\right)\right]\cdot\left[\frac{x^3}{\sqrt[4]{(1+x^4)^3}}\right]$$

$$=\frac{1}{1-u^4}\cdot\frac{x^3}{\sqrt[4]{(1+x^4)^3}}=-\frac{1}{x^4}\cdot\frac{x^3}{\sqrt[4]{(1+x^4)^3}}=-\frac{1}{x\sqrt[4]{(1+x^4)^3}}.$$

【987】 $y=\dfrac{\mathrm{e}^{-x^2}\arcsin(\mathrm{e}^{-x^2})}{\sqrt{1-\mathrm{e}^{-2x^2}}}+\dfrac{1}{2}\ln(1-\mathrm{e}^{-2x^2})$.

解 设 $u=\mathrm{e}^{-x^2}$，则 $y=\dfrac{u\arcsin u}{\sqrt{1-u^2}}+\dfrac{1}{2}\ln(1-u^2)$. 由复合函数求导链式法则可得

$$\frac{\mathrm{d}y}{\mathrm{d}x}=\frac{\mathrm{d}y}{\mathrm{d}u}\cdot\frac{\mathrm{d}u}{\mathrm{d}x}=\left[\frac{\left(\arcsin u+\dfrac{u}{\sqrt{1-u^2}}\right)\sqrt{1-u^2}+\dfrac{u^2\arcsin u}{\sqrt{1-u^2}}}{1-u^2}-\frac{u}{1-u^2}\right]\cdot(-2x\mathrm{e}^{-x^2})$$

$$=\frac{\arcsin u}{(1-u^2)^{\frac{3}{2}}}\cdot(-2x\mathrm{e}^{-x^2})=\frac{-2x\mathrm{e}^{-x^2}\arcsin(\mathrm{e}^{-x^2})}{(1-\mathrm{e}^{-2x^2})^{\frac{3}{2}}}.$$

【988】 $y=\dfrac{a^x}{1+a^{2x}}-\dfrac{1-a^{2x}}{1+a^{2x}}\operatorname{arccot}(a^{-x})$.

解 设 $u=a^x$，则 $y=\dfrac{u}{1+u^2}-\dfrac{1-u^2}{1+u^2}\operatorname{arccot}\dfrac{1}{u}$. 由复合函数求导链式法则可得

$$\frac{\mathrm{d}y}{\mathrm{d}x}=\frac{\mathrm{d}y}{\mathrm{d}u}\cdot\frac{\mathrm{d}u}{\mathrm{d}x}$$

$$=\left[\frac{(1+u^2)-2u^2}{(1+u^2)^2}-\frac{-2u(1+u^2)-2u(1-u^2)}{(1+u^2)^2}\cdot\operatorname{arccot}\frac{1}{u}-\frac{1-u^2}{1+u^2}\cdot\frac{1}{u^2\left(1+\dfrac{1}{u^2}\right)}\right]\cdot a^x\ln a$$

$$=\frac{4u\operatorname{arccot}\dfrac{1}{u}}{(1+u^2)^2}\cdot a^x\ln a=\frac{4a^x\cdot\operatorname{arccot}(a^{-x})}{(1+a^{2x})^2}\cdot a^x\ln a=\frac{4a^{2x}\ln a}{(1+a^{2x})^2}\operatorname{arccot}(a^{-x}).$$

习题 989—996 分段函数的导数及其图像

【989】 求函数的导数并作函数及其导数的图像，设：

(1) $y=|x|$； (2) $y=x|x|$； (3) $y=\ln|x|$.

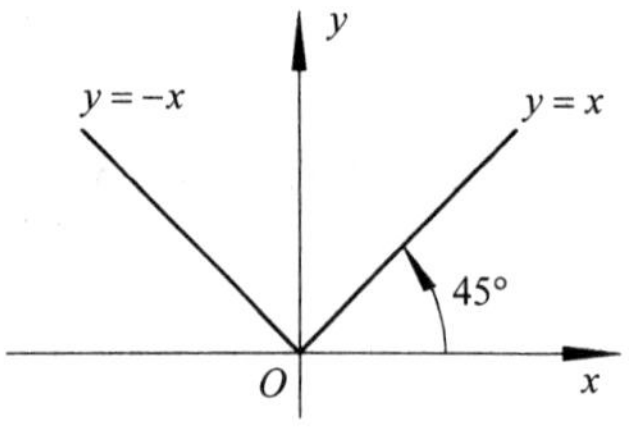

图 2.2

解 (1) $y=\begin{cases}x, & x\geqslant 0,\\ -x, & x<0,\end{cases}$ 图像见图 2.2.

$$y'=\begin{cases}1, & x>0,\\ -1, & x<0,\end{cases}$$

$$y'_+(0)=\lim_{x\to 0^+}\frac{y(x)-y(0)}{x}=\lim_{x\to 0^+}\frac{|x|}{x}=\lim_{x\to 0^+}\frac{x}{x}=1,$$

$$y'_-(0)=\lim_{x\to 0^-}\frac{y(x)-y(0)}{x}=\lim_{x\to 0^-}\frac{|x|}{x}=\lim_{x\to 0^-}\frac{-x}{x}=-1,$$

由于 $y'_+(0)\neq y'_-(0)$，所以 $y'(0)$ 不存在.

故 $y'=\begin{cases}1, & x>0,\\ \text{不存在}, & x=0,\\ -1, & x<0,\end{cases}$ 图像见图 2.3.

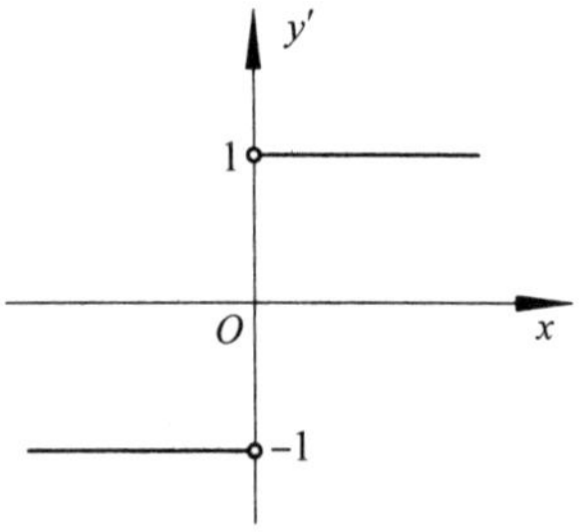

图 2.3

(2) $y=\begin{cases}x^2, & x\geqslant 0,\\ -x^2, & x<0,\end{cases}$ 图像见图 2.4.

$$y'=\begin{cases}2x, & x>0,\\ -2x, & x<0,\end{cases}$$

$$y'(0)=\lim_{x\to 0}\frac{y(x)-y(0)}{x}=\lim_{x\to 0}\frac{x|x|}{x}=\lim_{x\to 0}|x|=0,$$

故 $y'=\begin{cases}2x, & x\geqslant 0,\\ -2x, & x<0,\end{cases}$ 图像见图 2.5.

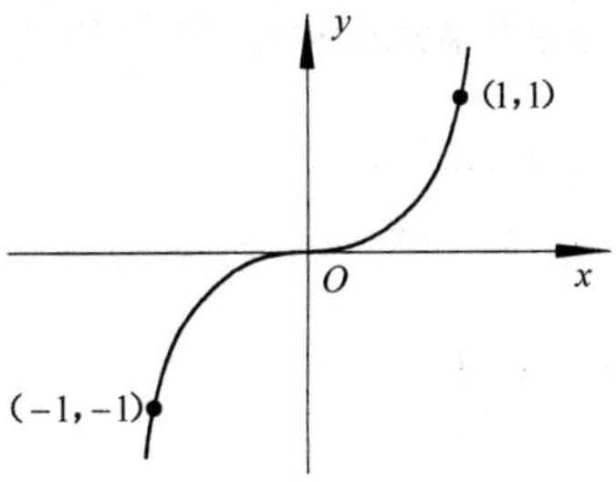

图 2.4

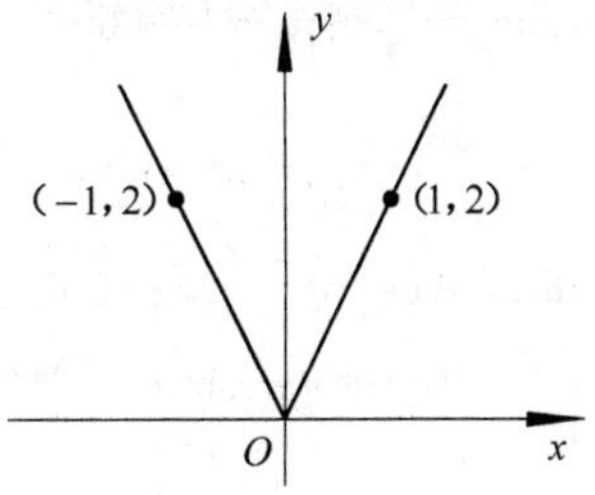

图 2.5

(3) $y=\ln|x|=\begin{cases}\ln x, & x>0,\\ \ln(-x), & x<0,\end{cases}$ 图像见图 2.6.

$y'=\begin{cases}\dfrac{1}{x}, & x>0,\\ \dfrac{1}{x}, & x<0,\end{cases}$ 显然 $y'(0)$ 不存在. 故 $y'=\dfrac{1}{x}\ (x\neq 0)$，图像见图 2.7.

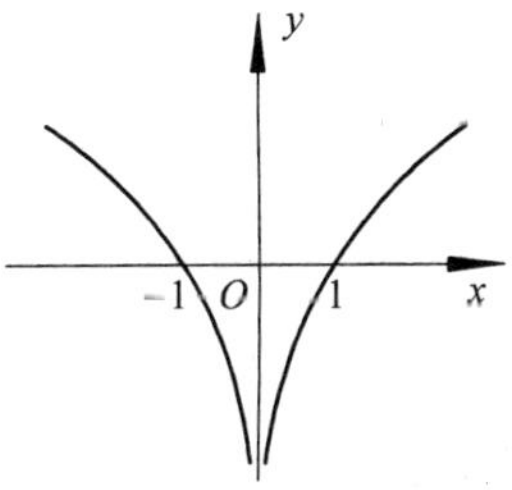

图 2.6

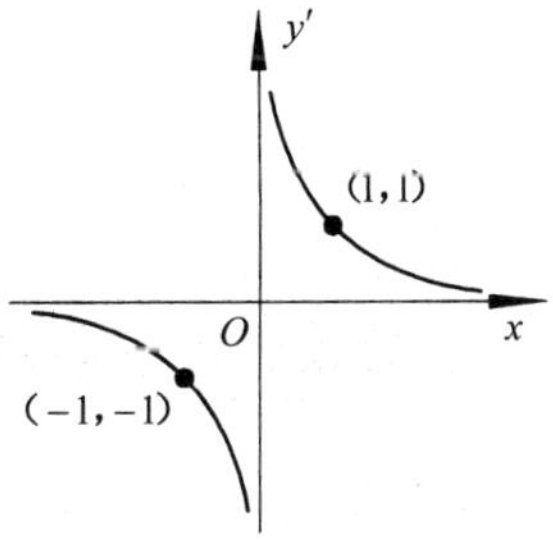

图 2.7

【990】 求下列函数的导数：

(1) $y=|(x-1)^2(x+1)^3|$；(2) $y=|\sin^3 x|$；(3) $y=\arccos\dfrac{1}{|x|}$；(4) $y=[x]\sin^2\pi x$.

解 (1) $y=|(x-1)^2(x+1)^3|=(x-1)^2(x+1)^2|x+1|$

$$=\begin{cases}(x-1)^2(x+1)^3, & x\geqslant -1,\\ -(x-1)^2(x+1)^3, & x<-1,\end{cases}$$

$$y'=\begin{cases}2(x-1)(x+1)^3+3(x-1)^2(x+1)^2, & x>-1,\\ -2(x-1)(x+1)^3-3(x-1)^2(x+1)^2, & x<-1\end{cases}$$

$$=\begin{cases}(x-1)(x+1)^2(5x-1), & x>-1,\\ -(x-1)(x+1)^2(5x-1), & x<-1.\end{cases}$$

又 $y'(-1)=\lim\limits_{x\to -1}\dfrac{y(x)-y(-1)}{x+1}=\lim\limits_{x\to -1}\dfrac{(x-1)^2(x+1)^2|x+1|}{x+1}$

$$=\lim_{x\to -1}(x-1)^2(x+1)|x+1|=0,$$

故 $y'=\begin{cases}(x-1)(x+1)^2(5x-1), & x\geqslant -1,\\ -(x-1)(x+1)^2(5x-1), & x<-1\end{cases}=(x-1)(x+1)^2(5x-1)\operatorname{sgn}(x+1).$

(2) $y=|\sin^3 x|=\sin^2 x\cdot|\sin x|=\begin{cases}\sin^3 x, & 2k\pi\leqslant x\leqslant(2k+1)\pi,\\ -\sin^3 x, & (2k+1)\pi<x<(2k+2)\pi.\end{cases}$

$$y'=\begin{cases}3\sin^2 x\cos x, & 2k\pi<x<(2k+1)\pi,\\ -3\sin^2 x\cos x, & (2k+1)\pi<x<(2k+2)\pi.\end{cases}$$

$$y'(k\pi)=\lim_{x\to k\pi}\frac{y(x)-y(k\pi)}{x-k\pi}=\lim_{x\to k\pi}\frac{\sin^2 x\cdot|\sin x|}{x-k\pi}\xlongequal{t=x-k\pi}\lim_{t\to 0}\frac{\sin^2(t+k\pi)\cdot|\sin(t+k\pi)|}{t}$$

$$=\lim_{t\to 0}\frac{\sin^2 t\cdot|\sin t|}{t}=\lim_{t\to 0}\frac{\sin t}{t}\cdot\lim_{t\to 0}(\sin t\cdot|\sin t|)=0.$$

故 $y'=\begin{cases}3\sin^2 x\cos x, & 2k\pi\leqslant x\leqslant(2k+1)\pi,\\ -3\sin^2 x\cos x, & (2k+1)\pi<x<(2k+2)\pi.\end{cases}$

(3) $y=\arccos\dfrac{1}{|x|}=\begin{cases}\arccos\dfrac{1}{x}, & x>1,\\ \arccos\left(-\dfrac{1}{x}\right), & x<-1.\end{cases}$

$$y'=\begin{cases}-\dfrac{1}{\sqrt{1-\dfrac{1}{x^2}}}\cdot\left(-\dfrac{1}{x^2}\right), & x>1,\\ -\dfrac{1}{\sqrt{1-\left(-\dfrac{1}{x}\right)^2}}\cdot\dfrac{1}{x^2}, & x<-1\end{cases}=\begin{cases}\dfrac{1}{x\sqrt{x^2-1}}, & x>1,\\ \dfrac{1}{x\sqrt{x^2-1}}, & x<-1\end{cases}=\frac{1}{x\sqrt{x^2-1}}(|x|>1).$$

(4) $y=[x]\sin^2\pi x$.

令 $y_1=[x]$，则 $y_1'=0(x\neq k,k\in\mathbf{Z})$.

当 $x\neq k(k\in\mathbf{Z})$ 时，$\{[x]\sin^2\pi x\}'=2\pi\sin\pi x\cos\pi x\cdot[x]=\pi[x]\sin 2\pi x$;

当 $x=k(k\in\mathbf{Z})$ 时，$y'(k)=\lim\limits_{x\to k}\dfrac{[x]\sin^2\pi x}{x-k}=\lim\limits_{x\to k}\dfrac{[x]\sin^2\pi(x-k)}{x-k}=0$.

综上，$\forall x\in\mathbf{R}$，有 $\{[x]\sin^2\pi x\}'=\pi[x]\sin 2\pi x$.

【求下列函数的导数并作出函数及其导数的图像(991—995)】

【991】 $y=\begin{cases}1-x, & -\infty<x<1,\\ (1-x)(2-x), & 1\leqslant x\leqslant 2,\\ -(2-x), & 2<x<+\infty.\end{cases}$ (图 2.8)

解
$$y'=\begin{cases}-1, & -\infty<x<1,\\ 2x-3, & 1<x<2,\\ 1, & 2<x<+\infty.\end{cases}$$

$$y'_-(1)=\lim_{x\to 1^-}\frac{y(x)-y(1)}{x-1}=\lim_{x\to 1^-}\frac{1-x}{x-1}=-1,$$

$$y'_+(1)=\lim_{x\to 1^+}\frac{y(x)-y(1)}{x-1}=\lim_{x\to 1^+}\frac{(1-x)(2-x)}{x-1}=-1,$$

所以 $y'(1)=-1$.

$$y'_-(2)=\lim_{x\to 2^-}\frac{y(x)-y(2)}{x-2}=\lim_{x\to 2^-}\frac{(1-x)(2-x)}{x-2}=1,$$

$$y'_+(2)=\lim_{x\to 2^+}\frac{y(x)-y(2)}{x-2}=\lim_{x\to 2^+}\frac{-(2-x)}{x-2}=1,$$

所以 $y'(2)=1$.

故 $y'=\begin{cases}-1, & -\infty<x<1,\\ 2x-3, & 1\leqslant x\leqslant 2,\\ 1, & 2<x<+\infty,\end{cases}$ 图像见图 2.9.

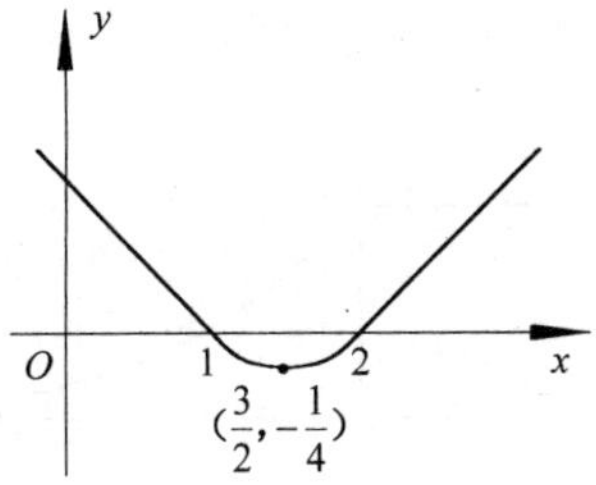

图 2.8

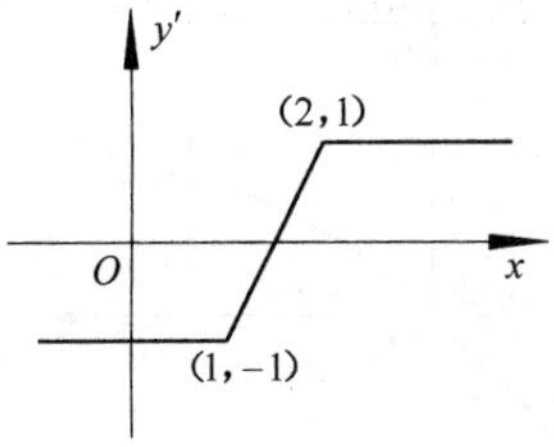

图 2.9

【992】 $y=\begin{cases}(x-a)^2(x-b)^2, & a\leqslant x\leqslant b,\\ 0, & x<a\text{ 或 }x>b.\end{cases}$（图 2.10）

解

$$y'=\begin{cases}2(x-a)(x-b)(2x-a-b), & a<x<b,\\ 0, & x<a\text{ 或 }x>b.\end{cases}$$

$$y'_+(a)=\lim_{x\to a^+}\frac{y(x)-y(a)}{x-a}=\lim_{x\to a^+}\frac{(x-a)^2(x-b)^2}{x-a}=\lim_{x\to a^+}(x-a)(x-b)^2=0,$$

$$y'_-(a)=\lim_{x\to a^-}\frac{y(x)-y(a)}{x-a}=\lim_{x\to a^-}\frac{0-0}{x-a}=0,$$

所以 $y'(a)=0$.

$$y'_-(b)=\lim_{x\to b^-}\frac{y(x)-y(b)}{x-b}=\lim_{x\to b^-}\frac{(x-a)^2(x-b)^2}{x-b}=\lim_{x\to b^-}(x-a)^2(x-b)=0,$$

$$y'_+(b)=\lim_{x\to b^+}\frac{y(x)-y(b)}{x-b}=\lim_{x\to b^+}\frac{0-0}{x-b}=0,$$

所以 $y'(b)=0$.

故 $y'=\begin{cases}2(x-a)(x-b)(2x-a-b), & a\leqslant x\leqslant b,\\ 0, & x<a\text{ 或 }x>b,\end{cases}$ 图像见图 2.11.

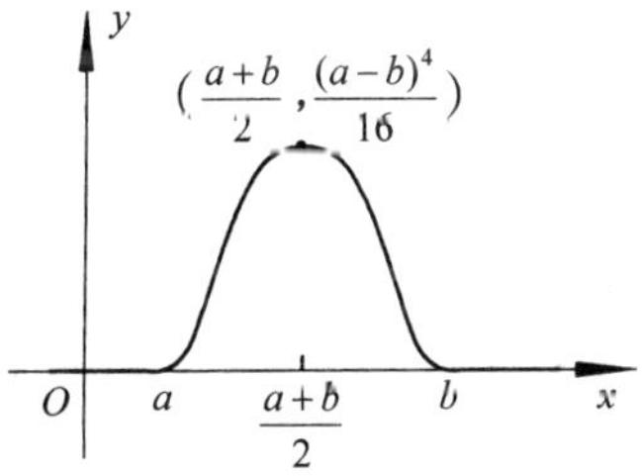

图 2.10

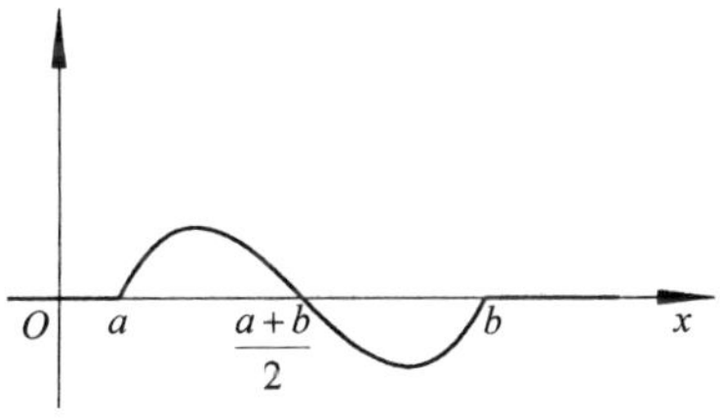

图 2.11

【993】 $y=\begin{cases}x, & x<0,\\ \ln(1+x), & x\geqslant 0.\end{cases}$（图 2.12）

解

$$y'=\begin{cases}1, & x<0,\\ \dfrac{1}{1+x}, & x>0.\end{cases}$$

$$y'_-(0)=\lim_{x\to 0^-}\frac{y(x)-y(0)}{x}=\lim_{x\to 0^-}\frac{x}{x}=1,$$

$$y'_+(0)=\lim_{x\to 0^+}\frac{y(x)-y(0)}{x}=\lim_{x\to 0^+}\frac{\ln(1+x)}{x}=1,$$

所以 $y'(0)=1$.

故 $y'=\begin{cases}1, & x<0,\\ \dfrac{1}{1+x}, & x\geqslant 0,\end{cases}$ 图像见图 2.13.

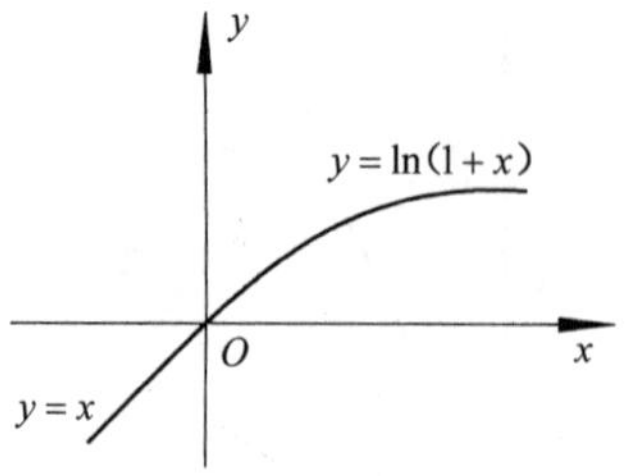

图 2.12

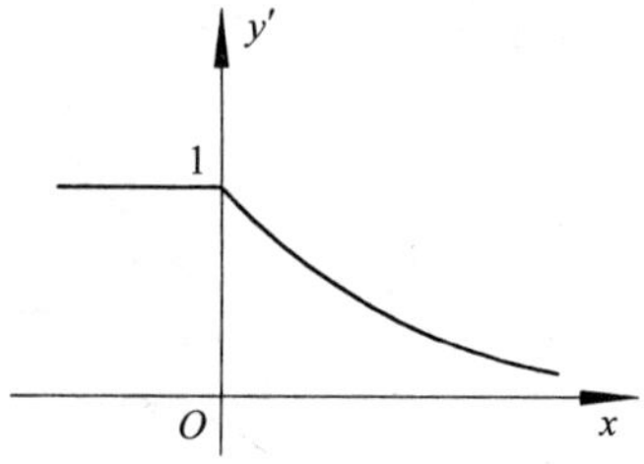

图 2.13

【994】 $y=\begin{cases}\arctan x, & |x|\leqslant 1,\\ \dfrac{\pi}{4}\operatorname{sgn} x+\dfrac{x-1}{2}, & |x|>1.\end{cases}$（图 2.14）

解

$$y'=\begin{cases}\dfrac{1}{1+x^2}, & -1<x<1,\\ \dfrac{1}{2}, & |x|>1.\end{cases}$$

$$y'_-(1)=\lim_{x\to1^-}\frac{y(x)-y(1)}{x-1}=\lim_{x\to1^-}\frac{\arctan x-\frac{\pi}{4}}{x-1}=\lim_{x\to1^-}\frac{\arctan x-\arctan 1}{x-1}$$

$$=\lim_{x\to1^-}\frac{\arctan\frac{x-1}{1+x\cdot1}}{x-1}=\lim_{x\to1^-}\frac{x-1}{(x-1)(1+x)}=\frac{1}{2},$$

$$y'_+(1)=\lim_{x\to1^+}\frac{y(x)-y(1)}{x-1}=\lim_{x\to1^+}\frac{\frac{\pi}{4}\operatorname{sgn} x+\frac{x-1}{2}-\frac{\pi}{4}}{x-1}=\lim_{x\to1^+}\frac{\frac{\pi}{4}+\frac{x-1}{2}-\frac{\pi}{4}}{x-1}=\frac{1}{2},$$

所以 $y'(1)=\dfrac{1}{2}$.

$$y'_-(-1)=\lim_{x\to-1^-}\frac{y(x)-y(-1)}{x-(-1)}=\lim_{x\to-1^-}\frac{\frac{\pi}{4}\operatorname{sgn} x+\frac{x-1}{2}+\frac{\pi}{4}}{x+1}=\lim_{x\to-1^-}\frac{-\frac{\pi}{4}+\frac{x-1}{2}+\frac{\pi}{4}}{x+1}=\infty,$$

所以 $y'(-1)$ 不存在.

故 $y'=\begin{cases}\dfrac{1}{1+x^2}, & -1<x\leqslant 1,\\ \text{不存在}, & x=-1,\\ \dfrac{1}{2}, & |x|>1,\end{cases}$ 图像见图 2.15.

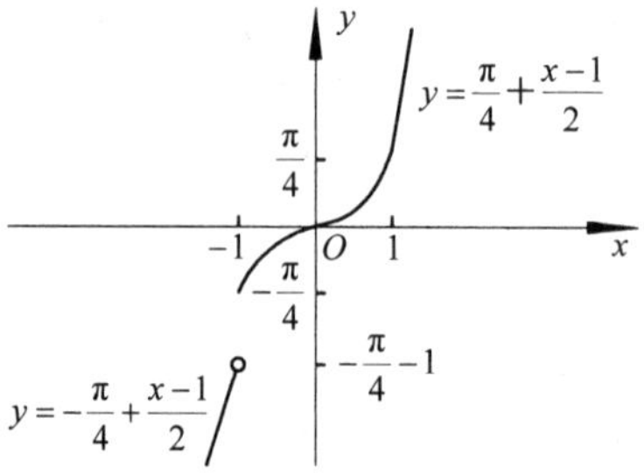

图 2.14

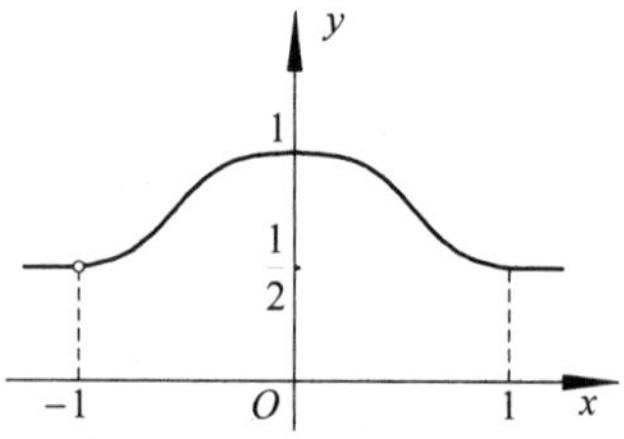

图 2.15

【995】 $y=\begin{cases}x^2e^{-x^2}, & |x|\leqslant 1,\\ \dfrac{1}{e}, & |x|>1.\end{cases}$（图 2.16）

解 $y' = \begin{cases} 2xe^{-x^2}(1-x^2), & |x|<1, \\ 0, & |x|>1. \end{cases}$

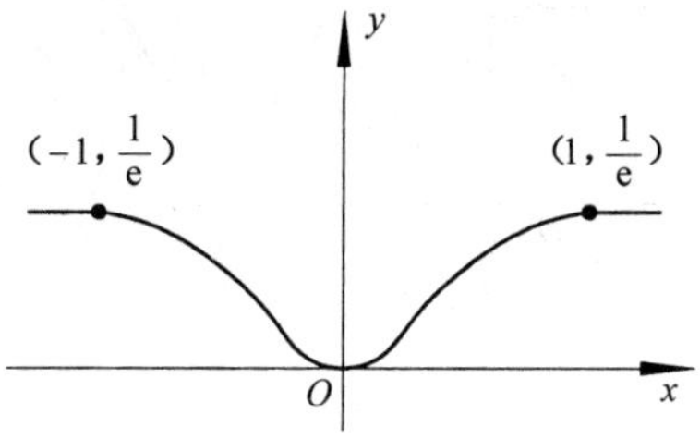

图 2.16

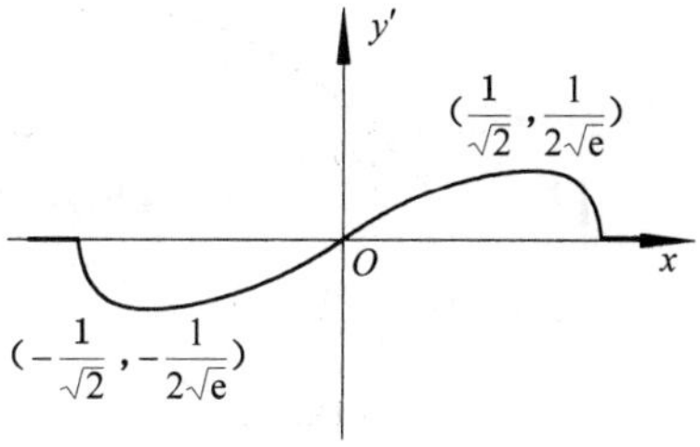

图 2.17

$$y'_-(1) = \lim_{x\to1^-}\frac{y(x)-y(1)}{x-1} = \lim_{x\to1^-}\frac{x^2e^{-x^2}-\frac{1}{e}}{x-1}$$

$$= \lim_{x\to1^-}\frac{(x^2-1)e^{-x^2}+e^{-x^2}-e^{-1}}{x-1} = 2e^{-1}+e^{-1}\lim_{x\to1^-}\frac{e^{1-x^2}-1}{x-1}$$

$$= 2e^{-1}+e^{-1}\lim_{x\to1^-}\frac{1-x^2}{x-1} = 2e^{-1}-2e^{-1}=0,$$

$y'_+(1) = \lim\limits_{x\to1^+}\dfrac{y(x)-y(1)}{x-1} = \lim\limits_{x\to1^+}\dfrac{\frac{1}{e}-\frac{1}{e}}{x-1} = 0$，所以 $y'(1)=0$.

$$y'_-(-1) = \lim_{x\to-1^-}\frac{y(x)-y(-1)}{x-(-1)} = \lim_{x\to-1^-}\frac{\frac{1}{e}-\frac{1}{e}}{x-(-1)} = 0,$$

类似 $y'_-(1)$ 的讨论，可得 $y'_+(-1)=0$，所以 $y'(-1)=0$.

故 $y' = \begin{cases} 2xe^{-x^2}(1-x^2), & |x|\leqslant1, \\ 0, & |x|>1, \end{cases}$ 图像见图 2.17.

【**996**】 已知函数的图像，近似地作出其导数的图像.

解 先由给定曲线 $y=f(x)$ 上一点 M，作出曲线 $y'=f'(x)$ 上的对应点 M'.

为清楚起见，作两个坐标系 Oxy 及 $O'x'y'$，取相同的单位，x 轴与 x' 轴平行，y 轴及 y' 轴平行且在一条直线上，如图 2.18 所示.

在 Oxy 系内画出曲线 $y=f(x)$，在曲线上任取一点 $M(x,f(x))$，并作曲线在点 M 处的切线 MN. 过 $O'x'y'$ 系内的点 $P(-1,0)$，作平行 MN 的直线 PQ，交 y' 轴于点 Q. 于是

$$O'Q = \tan\alpha = f'(x),$$

即线段 $O'Q$ 是对应于在点 x 的导数 $f'(x)$. 再过点 Q 引平行于 x 轴的直线，交过点 $(x,0)$ 且垂直于 x 轴的直线于点 M'，则点 M' 就是曲线 $y'=f'(x)$ 上对应于曲线 $y-f(x)$ 上点 M 的点.

由此，我们就可由已给曲线 $y=f(x)$ 作出曲线 $y'=f'(x)$，按上述方法，在曲线 $y=f(x)$ 上取若干点

$$M_i(x_i, f(x_i)), i=1,2,\cdots,n,$$

且在 $O'x'y'$ 系内作出相应点

$$M_i'(x_i, f'(x_i)), i=1,2,\cdots,n.$$

最后用光滑曲线连接 $M_1', M_2', \cdots, M_n'$ 各点，此即已给曲线 $y=f(x)$ 对应的导数 $y'=f'(x)$ 的图像，如图 2.19 所示.

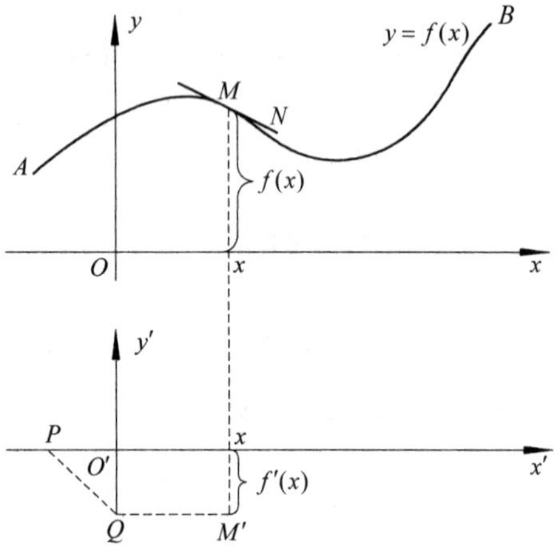

图 2.18

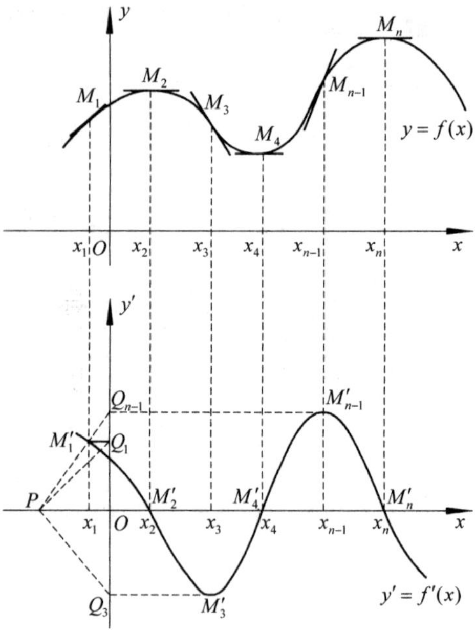

图 2.19

习题 997—997 对数导数

【997】 所给函数的对数的导数称为此函数的对数导数

$$\frac{\mathrm{d}}{\mathrm{d}x}\ln f(x)=\frac{f'(x)}{f(x)}(f(x)>0).$$

求下列函数 y 的对数导数：

(1) $y=x\sqrt{\frac{1-x}{1+x}}$；　　(2) $y=\frac{x^2}{1-x}\sqrt[3]{\frac{3-x}{(3+x)^2}}$；

(3) $y=(x-a_1)^{\alpha_1}(x-a_2)^{\alpha_2}\cdots(x-a_n)^{\alpha_n}$；　　(4) $y=(x+\sqrt{1+x^2})^n$.

解 (1) 由于 y 在对数符号内，故 $y=x\sqrt{\frac{1-x}{1+x}}>0$，从而 $0\leqslant x\leqslant 1$，于是

$$\ln y=\ln x+\frac{1}{2}\ln(1-x)-\frac{1}{2}\ln(1+x),$$

$$\frac{\mathrm{d}}{\mathrm{d}x}\ln y=\frac{1}{x}-\frac{1}{2(1-x)}-\frac{1}{2(1+x)}=\frac{1-x-x^2}{x(1-x^2)}.$$

(2) 由于 y 在对数符号内，故 $y=\frac{x^2}{1-x}\sqrt[3]{\frac{3-x}{(3+x)^2}}>0$，从而 $x<1$ 或 $x>3$，于是

$$\ln y=2\ln|x|-\ln|1-x|+\frac{1}{3}\ln|3-x|-\frac{2}{3}\ln|3+x|,$$

$$\frac{\mathrm{d}}{\mathrm{d}x}\ln y=\frac{2}{x}+\frac{1}{1-x}-\frac{1}{3(3-x)}-\frac{2}{3(3+x)}=\frac{54-36x-4x^2+2x^3}{3x(1-x)(9-x^2)}.$$

(3) 由于 $y=\prod_{i=1}^{n}(x-a_i)^{\alpha_i}$ 在对数符号内，故 $\prod_{i=1}^{n}(x-a_i)^{\alpha_i}>0$，从而有

$$\ln y=\ln\prod_{i=1}^{n}(x-a_i)^{\alpha_i}=\sum_{i=1}^{n}\alpha_i\ln|x-a_i|,$$

$$\frac{\mathrm{d}}{\mathrm{d}x}\ln y=\sum_{i=1}^{n}\frac{\alpha_i}{x-a_i}.$$

(4) 由 $y=(x+\sqrt{1+x^2})^n>0$ 得

$$\ln y=n\ln(x+\sqrt{1+x^2}),$$

$$\frac{\mathrm{d}}{\mathrm{d}x}\ln y=\frac{n}{\sqrt{1+x^2}}.$$

习题 998—999 抽象函数的导数

【998】 设 $\varphi(x)$ 及 $\psi(x)$ 为 x 的可微函数. 求下列函数 y 的导数：

(1) $y=\sqrt{\varphi^2(x)+\psi^2(x)}$； (2) $y=\arctan\dfrac{\varphi(x)}{\psi(x)}$；

(3) $y=\sqrt[\varphi(x)]{\psi(x)}\,[\varphi(x)\neq 0,\psi(x)>0]$； (4) $y=\log_{\varphi(x)}\psi(x)\,[\varphi(x)>0,\psi(x)>0]$.

解 (1) $y'=\dfrac{\varphi(x)\varphi'(x)+\psi(x)\psi'(x)}{\sqrt{\varphi^2(x)+\psi^2(x)}}\,(\varphi^2(x)+\psi^2(x)\neq 0)$.

(2) $y'=\dfrac{1}{1+\dfrac{\varphi^2(x)}{\psi^2(x)}}\cdot\dfrac{\varphi'(x)\psi(x)-\psi'(x)\varphi(x)}{\psi^2(x)}=\dfrac{\varphi'(x)\psi(x)-\psi'(x)\varphi(x)}{\varphi^2(x)+\psi^2(x)}\,(\psi(x)\neq 0)$.

(3) 由 $y=\sqrt[\varphi(x)]{\psi(x)}$ 得

$$\ln y=\frac{1}{\varphi(x)}\ln\psi(x),\ \frac{y'}{y}=\frac{\dfrac{\psi'(x)}{\psi(x)}\varphi(x)-\varphi'(x)\ln\psi(x)}{\varphi^2(x)},$$

于是

$$y'=\sqrt[\varphi(x)]{\psi(x)}\left[\frac{1}{\varphi(x)}\frac{\psi'(x)}{\psi(x)}-\frac{\varphi'(x)}{\varphi^2(x)}\ln\psi(x)\right].$$

(4) 由 $y=\log_{\varphi(x)}\psi(x)$ 得

$$y=\frac{\ln\psi(x)}{\ln\varphi(x)},$$

$$y'=\frac{\dfrac{\psi'(x)}{\psi(x)}\ln\varphi(x)-\dfrac{\varphi'(x)}{\varphi(x)}\ln\psi(x)}{\ln^2\varphi(x)}=\frac{\psi'(x)}{\psi(x)}\cdot\frac{1}{\ln\varphi(x)}-\frac{\varphi'(x)}{\varphi(x)}\cdot\frac{\ln\psi(x)}{\ln^2\varphi(x)}.$$

【999】 求 y'，设：

(1) $y=f(x^2)$； (2) $y=f(\sin^2x)+f(\cos^2x)$；

(3) $y=f(\mathrm{e}^x)\cdot\mathrm{e}^{f(x)}$； (4) $y=f\{f[f(x)]\}$，

其中 $f(u)$ 为可微函数.

解 (1) $y'=2xf'(x^2)$；

(2) $y'=2\sin x\cos xf'(\sin^2x)-2\sin x\cos xf'(\cos^2x)=\sin 2x[f'(\sin^2x)-f'(\cos^2x)]$；

(3) $y'=\mathrm{e}^xf'(\mathrm{e}^x)\cdot\mathrm{e}^{f(x)}+f(\mathrm{e}^x)\mathrm{e}^{f(x)}f'(x)=\mathrm{e}^{f(x)}[f'(x)f(\mathrm{e}^x)+\mathrm{e}^xf'(\mathrm{e}^x)]$；

(4) $y'=f'\{f[f(x)]\}f'[f(x)]f'(x)$.

习题 1000—1002 行列式确定函数的导数

【1000】 证明 n 阶行列式微分法：

$$\frac{\mathrm{d}}{\mathrm{d}x}\begin{vmatrix} f_{11}(x) & f_{12}(x) & \cdots & f_{1n}(x) \\ \vdots & \vdots & & \vdots \\ f_{i1}(x) & f_{i2}(x) & \cdots & f_{in}(x) \\ \vdots & \vdots & & \vdots \\ f_{n1}(x) & f_{n2}(x) & \cdots & f_{nn}(x) \end{vmatrix} = \sum_{i=1}^{n}\begin{vmatrix} f_{11}(x) & f_{12}(x) & \cdots & f_{1n}(x) \\ \vdots & \vdots & & \vdots \\ \frac{\mathrm{d}}{\mathrm{d}x}f_{i1}(x) & \frac{\mathrm{d}}{\mathrm{d}x}f_{i2}(x) & \cdots & \frac{\mathrm{d}}{\mathrm{d}x}f_{in}(x) \\ \vdots & \vdots & & \vdots \\ f_{n1}(x) & f_{n2}(x) & \cdots & f_{nn}(x) \end{vmatrix}. \quad ①$$

提示 从行列式的定义出发或利用数学归纳法予以证明.

证 方法一 从行列式的定义出发予以证明.

$$\frac{\mathrm{d}}{\mathrm{d}x}\begin{vmatrix} f_{11}(x) & f_{12}(x) & \cdots & f_{1n}(x) \\ \vdots & \vdots & & \vdots \\ f_{i1}(x) & f_{i2}(x) & \cdots & f_{in}(x) \\ \vdots & \vdots & & \vdots \\ f_{n1}(x) & f_{n2}(x) & \cdots & f_{nn}(x) \end{vmatrix}$$

$$= \frac{\mathrm{d}}{\mathrm{d}x}\sum_{j_1j_2\cdots j_n}(-1)^{\tau(j_1j_2\cdots j_n)}f_{1j_1}(x)f_{2j_2}(x)\cdots f_{nj_n}(x)$$

$$= \sum_{j_1j_2\cdots j_n}(-1)^{\tau(j_1j_2\cdots j_n)}\frac{\mathrm{d}}{\mathrm{d}x}[f_{1j_1}(x)f_{2j_2}(x)\cdots f_{nj_n}(x)]$$

$$= \sum_{j_1j_2\cdots j_n}(-1)^{\tau(j_1j_2\cdots j_n)}\sum_{i=1}^{n}f_{1j_1}(x)f_{2j_2}(x)\cdots\frac{\mathrm{d}}{\mathrm{d}x}f_{ij_i}(x)\cdots f_{nj_n}(x)$$

$$= \sum_{i=1}^{n}\sum_{j_1j_2\cdots j_n}(-1)^{\tau(j_1j_2\cdots j_n)}f_{1j_1}(x)f_{2j_2}(x)\cdots\frac{\mathrm{d}}{\mathrm{d}x}f_{ij_i}(x)\cdots f_{nj_n}(x)$$

$$= \sum_{i=1}^{n}\begin{vmatrix} f_{11}(x) & f_{12}(x) & \cdots & f_{1n}(x) \\ \vdots & \vdots & & \vdots \\ \frac{\mathrm{d}}{\mathrm{d}x}f_{i1}(x) & \frac{\mathrm{d}}{\mathrm{d}x}f_{i2}(x) & \cdots & \frac{\mathrm{d}}{\mathrm{d}x}f_{in}(x) \\ \vdots & \vdots & & \vdots \\ f_{n1}(x) & f_{n2}(x) & \cdots & f_{nn}(x) \end{vmatrix},$$

其中 $\tau(j_1j_2\cdots j_n)$ 表示排列 $j_1j_2\cdots j_n$ 的逆序数，$\sum\limits_{j_1j_2\cdots j_n}$ 表示对 $1,2,\cdots,n$ 的所有排列 $j_1j_2\cdots j_n$ 求和.

方法二 利用数学归纳法予以证明.

由于

$$\frac{\mathrm{d}}{\mathrm{d}x}\begin{vmatrix} f_{11}(x) & f_{12}(x) \\ f_{21}(x) & f_{22}(x) \end{vmatrix}$$

$$= \frac{\mathrm{d}}{\mathrm{d}x}[f_{11}(x)f_{22}(x) - f_{12}(x)f_{21}(x)]$$

$$= \left[f_{22}(x)\frac{\mathrm{d}}{\mathrm{d}x}f_{11}(x) - f_{21}(x)\frac{\mathrm{d}}{\mathrm{d}x}f_{12}(x)\right] + \left[f_{11}(x)\frac{\mathrm{d}}{\mathrm{d}x}f_{22}(x) - f_{12}(x)\frac{\mathrm{d}}{\mathrm{d}x}f_{21}(x)\right]$$

$$= \begin{vmatrix} \frac{\mathrm{d}}{\mathrm{d}x}f_{11}(x) & \frac{\mathrm{d}}{\mathrm{d}x}f_{12}(x) \\ f_{21}(x) & f_{22}(x) \end{vmatrix} + \begin{vmatrix} f_{11}(x) & f_{12}(x) \\ \frac{\mathrm{d}}{\mathrm{d}x}f_{21}(x) & \frac{\mathrm{d}}{\mathrm{d}x}f_{22}(x) \end{vmatrix},$$

故等式 ① 对 $n=2$ 时成立.

假定等式 ① 对于 $n=k$ 时成立,即

$$\frac{\mathrm{d}}{\mathrm{d}x}\begin{vmatrix} f_{11}(x) & f_{12}(x) & \cdots & f_{1k}(x) \\ \vdots & \vdots & & \vdots \\ f_{i1}(x) & f_{i2}(x) & \cdots & f_{ik}(x) \\ \vdots & \vdots & & \vdots \\ f_{k1}(x) & f_{k2}(x) & \cdots & f_{kk}(x) \end{vmatrix} = \sum_{i=1}^{k}\begin{vmatrix} f_{11}(x) & f_{12}(x) & \cdots & f_{1k}(x) \\ \vdots & \vdots & & \vdots \\ \frac{\mathrm{d}}{\mathrm{d}x}f_{i1}(x) & \frac{\mathrm{d}}{\mathrm{d}x}f_{i2}(x) & \cdots & \frac{\mathrm{d}}{\mathrm{d}x}f_{ik}(x) \\ \vdots & \vdots & & \vdots \\ f_{k1}(x) & f_{k2}(x) & \cdots & f_{kk}(x) \end{vmatrix}.$$

下证等式 ① 对于 $n=k+1$ 时也成立.事实上,有

$$\frac{\mathrm{d}}{\mathrm{d}x}\begin{vmatrix} f_{11}(x) & f_{12}(x) & \cdots & f_{1,k+1}(x) \\ \vdots & \vdots & & \vdots \\ f_{i1}(x) & f_{i2}(x) & \cdots & f_{i,k+1}(x) \\ \vdots & \vdots & & \vdots \\ f_{k+1,1}(x) & f_{k+1,2}(x) & \cdots & f_{k+1,k+1}(x) \end{vmatrix}$$

$$=\frac{\mathrm{d}}{\mathrm{d}x}\sum_{j=1}^{k+1}(-1)^{k+j+1}f_{k+1,j}(x)\begin{vmatrix} f_{11}(x) & \cdots & f_{1,j-1}(x) & f_{1,j+1}(x) & \cdots & f_{1,k+1}(x) \\ \vdots & & \vdots & \vdots & & \vdots \\ f_{i1}(x) & \cdots & f_{i,j-1}(x) & f_{i,j+1}(x) & \cdots & f_{i,k+1}(x) \\ \vdots & & \vdots & \vdots & & \vdots \\ f_{k1}(x) & \cdots & f_{k,j-1}(x) & f_{k,j+1}(x) & \cdots & f_{k,k+1}(x) \end{vmatrix}$$

$$=\sum_{j=1}^{k+1}(-1)^{k+1+j}\frac{\mathrm{d}}{\mathrm{d}x}\left[f_{k+1,j}(x)\begin{vmatrix} f_{11}(x) & \cdots & f_{1,j-1}(x) & f_{1,j+1}(x) & \cdots & f_{1,k+1}(x) \\ \vdots & & \vdots & \vdots & & \vdots \\ f_{i1}(x) & \cdots & f_{i,j-1}(x) & f_{i,j+1}(x) & \cdots & f_{i,k+1}(x) \\ \vdots & & \vdots & \vdots & & \vdots \\ f_{k1}(x) & \cdots & f_{k,j-1}(x) & f_{k,j+1}(x) & \cdots & f_{k,k+1}(x) \end{vmatrix}\right]$$

$$=\sum_{j=1}^{k+1}(-1)^{k+j+1}\left[\frac{\mathrm{d}}{\mathrm{d}x}f_{k+1,j}(x)\begin{vmatrix} f_{11}(x) & \cdots & f_{1,j-1}(x) & f_{1,j+1}(x) & \cdots & f_{1,k+1}(x) \\ \vdots & & \vdots & \vdots & & \vdots \\ f_{i1}(x) & \cdots & f_{i,j-1}(x) & f_{i,j+1}(x) & \cdots & f_{i,k+1}(x) \\ \vdots & & \vdots & \vdots & & \vdots \\ f_{k1}(x) & \cdots & f_{k,j-1}(x) & f_{k,j+1}(x) & \cdots & f_{k,k+1}(x) \end{vmatrix}+\right.$$

$$\left.f_{k+1,j}(x)\frac{\mathrm{d}}{\mathrm{d}x}\begin{vmatrix} f_{11}(x) & \cdots & f_{1,j-1}(x) & f_{1,j+1}(x) & \cdots & f_{1,k+1}(x) \\ \vdots & & \vdots & \vdots & & \vdots \\ f_{i1}(x) & \cdots & f_{i,j-1}(x) & f_{i,j+1}(x) & \cdots & f_{i,k+1}(x) \\ \vdots & & \vdots & \vdots & & \vdots \\ f_{k1}(x) & \cdots & f_{k,j-1}(x) & f_{k,j+1}(x) & \cdots & f_{k,k+1}(x) \end{vmatrix}\right]$$

$$=\begin{vmatrix} f_{11}(x) & \cdots & f_{1,k+1}(x) \\ \vdots & & \vdots \\ \frac{\mathrm{d}}{\mathrm{d}x}f_{k+1,1}(x) & \cdots & \frac{\mathrm{d}}{\mathrm{d}x}f_{k+1,k+1}(x) \end{vmatrix}+$$

$$\sum_{j=1}^{k+1}(-1)^{k+j+1}f_{k+1,j}(x)\sum_{i=1}^{k}\begin{vmatrix} f_{11}(x) & \cdots & f_{1,j-1}(x) & f_{1,j+1}(x) & \cdots & f_{1,k+1}(x) \\ \vdots & & \vdots & \vdots & & \vdots \\ \frac{\mathrm{d}}{\mathrm{d}x}f_{i1}(x) & \cdots & \frac{\mathrm{d}}{\mathrm{d}x}f_{i,j-1}(x) & \frac{\mathrm{d}}{\mathrm{d}x}f_{i,j+1}(x) & \cdots & \frac{\mathrm{d}}{\mathrm{d}x}f_{i,k+1}(x) \\ \vdots & & \vdots & \vdots & & \vdots \\ f_{k1}(x) & \cdots & f_{k,j-1}(x) & f_{k,j+1}(x) & \cdots & f_{k,k+1}(x) \end{vmatrix}$$

$$
=\begin{vmatrix} f_{11}(x) & \cdots & f_{1,k+1}(x) \\ \vdots & & \vdots \\ \frac{\mathrm{d}}{\mathrm{d}x}f_{k+1,1}(x) & \cdots & \frac{\mathrm{d}}{\mathrm{d}x}f_{k+1,k+1}(x) \end{vmatrix}+
$$

$$
\sum_{i=1}^{k}\sum_{j=1}^{k+1}(-1)^{k+j+1}f_{k+1,j}(x)\begin{vmatrix} f_{11}(x) & \cdots & f_{1,j-1}(x) & f_{1,j+1}(x) & \cdots & f_{1,k+1}(x) \\ \vdots & & \vdots & \vdots & & \vdots \\ \frac{\mathrm{d}}{\mathrm{d}x}f_{i,1}(x) & \cdots & \frac{\mathrm{d}}{\mathrm{d}x}f_{i,j-1}(x) & \frac{\mathrm{d}}{\mathrm{d}x}f_{i,j+1}(x) & \cdots & \frac{\mathrm{d}}{\mathrm{d}x}f_{i,k+1}(x) \\ \vdots & & \vdots & \vdots & & \vdots \\ f_{k1}(x) & \cdots & f_{k,j-1}(x) & f_{k,j+1}(x) & \cdots & f_{k,k+1}(x) \end{vmatrix}
$$

$$
=\begin{vmatrix} f_{11}(x) & \cdots & f_{1,k+1}(x) \\ \vdots & & \vdots \\ \frac{\mathrm{d}}{\mathrm{d}x}f_{k+1,1}(x) & \cdots & \frac{\mathrm{d}}{\mathrm{d}x}f_{k+1,k+1}(x) \end{vmatrix}+\sum_{i=1}^{k}\begin{vmatrix} f_{11}(x) & \cdots & f_{1,k+1}(x) \\ \vdots & & \vdots \\ \frac{\mathrm{d}}{\mathrm{d}x}f_{i1}(x) & \cdots & \frac{\mathrm{d}}{\mathrm{d}x}f_{i,k+1}(x) \\ \vdots & & \vdots \\ f_{k+1,1}(x) & \cdots & f_{k+1,k+1}(x) \end{vmatrix}
$$

$$
=\sum_{i=1}^{k+1}\begin{vmatrix} f_{11}(x) & \cdots & f_{1,k+1}(x) \\ \vdots & & \vdots \\ \frac{\mathrm{d}}{\mathrm{d}x}f_{i1}(x) & \cdots & \frac{\mathrm{d}}{\mathrm{d}x}f_{i,k+1}(x) \\ \vdots & & \vdots \\ f_{k+1,1}(x) & \cdots & f_{k+1,k+1}(x) \end{vmatrix},
$$

故等式 ① 对于 $n=k+1$ 时也成立.

于是,由数学归纳法知,等式 ① 对于一切正整数 n 均成立.

【1001】 设 $F(x)=\begin{vmatrix} x-1 & 1 & 2 \\ -3 & x & 3 \\ -2 & -3 & x+1 \end{vmatrix}$,求 $F'(x)$.

解 $F'(x)=\begin{vmatrix} 1 & 0 & 0 \\ -3 & x & 3 \\ -2 & -3 & x+1 \end{vmatrix}+\begin{vmatrix} x-1 & 1 & 2 \\ 0 & 1 & 0 \\ -2 & -3 & x+1 \end{vmatrix}+\begin{vmatrix} x-1 & 1 & 2 \\ -3 & x & 3 \\ 0 & 0 & 1 \end{vmatrix}$

$=(x^2+x+9)+(x^2-1+4)+(x^2-x+3)=3(x^2+5)$.

【1002】 设 $F(x)=\begin{vmatrix} x & x^2 & x^3 \\ 1 & 2x & 3x^2 \\ 0 & 2 & 6x \end{vmatrix}$,求 $F'(x)$.

解 $F'(x)=\begin{vmatrix} 1 & 2x & 3x^2 \\ 1 & 2x & 3x^2 \\ 0 & 2 & 6x \end{vmatrix}+\begin{vmatrix} x & x^2 & x^3 \\ 0 & 2 & 6x \\ 0 & 2 & 6x \end{vmatrix}+\begin{vmatrix} x & x^2 & x^3 \\ 1 & 2x & 3x^2 \\ 0 & 0 & 6 \end{vmatrix}$

$=0+0+6(2x^2-x^2)=6x^2$.

知识点 4 无穷导数

定义 若函数 $f(x)$ 在点 x 连续,且

$$
\lim_{\Delta x\to 0}\frac{f(x+\Delta x)-f(x)}{\Delta x}=\infty,
$$

则称函数 $f(x)$ 在点 x 有无穷导数. 在此种情形下，函数 $y=f(x)$ 的图像在 x 点的切线与 Ox 轴垂直.

习题 1003—1005 无穷导数

【1003】 函数 $y=x+\sqrt[3]{\sin x}$ 的图像在哪些点处有竖直切线？作出此图像.

解 $y'=1+\dfrac{\cos x}{3\sqrt[3]{\sin^2 x}}(x\neq k\pi;k=0,\pm1,\cdots)$.

当 $x=k\pi$ 时，容易算出

$$y'|_{x=k\pi}=\lim_{x\to k\pi}\frac{y(x)-y(k\pi)}{x-k\pi}=\lim_{x\to k\pi}\frac{x+\sqrt[3]{\sin x}-k\pi}{x-k\pi}$$

$$=1+\lim_{x\to k\pi}\frac{\sqrt[3]{\sin x}}{x-k\pi}$$

$$=1+\lim_{x\to k\pi}\frac{\sqrt[3]{(-1)^k\sin(x-k\pi)}}{x-k\pi}$$

$$=1+\lim_{x\to k\pi}\frac{\sqrt[3]{(-1)^k}(x-k\pi)^{\frac{1}{3}}}{x-k\pi}=\infty,$$

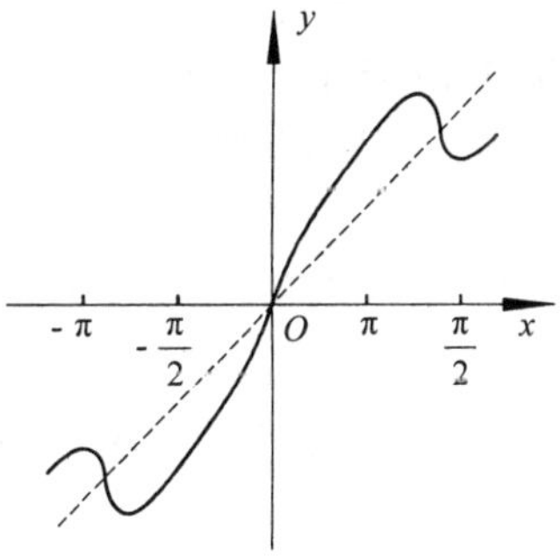

图 2.20

故当 $x=k\pi(k=0,\pm1,\pm2,\cdots)$ 时有竖直切线. 其图像如图 2.20 所示.

【1004】 函数 $f(x)$ 在其不连续点能否有：(1) 有限的导数；(2) 无穷的导数？

解 (1) 不能. 否则由此可推出其连续性.

(2) 能. 例如，$y=f(x)=\operatorname{sgn}x$ 在点 $x=0$ 不连续，但

$$\lim_{x\to0^+}\frac{f(x)-f(0)}{x}=\lim_{x\to0^+}\frac{\operatorname{sgn}x}{x}=\lim_{x\to0^+}\frac{1}{x}=+\infty,$$

$$\lim_{x\to0^-}\frac{f(x)-f(0)}{x}=\lim_{x\to0^-}\frac{\operatorname{sgn}x}{x}=\lim_{x\to0^-}\frac{-1}{x}=+\infty,$$

即 $f'(0)=+\infty$.

【1005】 若函数 $f(x)$ 在有限区间 (a,b) 内可微，且 $\lim\limits_{x\to a^+}f(x)=\infty$，问是否必有

(1) $\lim\limits_{x\to a^+}f'(x)=\infty$； (2) $\overline{\lim\limits_{x\to a^+}}|f'(x)|=+\infty$？

解 (1) 一般地说，不能保证 $\lim\limits_{x\to a^+}f'(x)=\infty$. 例如，对于 $\left(0,\dfrac{\pi}{2}\right)$ 内定义的函数

$$f(x)=\frac{1}{x}+\cos\frac{1}{x},$$

显然有 $\lim\limits_{x\to0^+}f(x)=\infty$. 但是 $f'(x)=-\dfrac{1}{x^2}+\dfrac{1}{x^2}\sin\dfrac{1}{x}$，对于特殊的一串数 $x_n=\dfrac{1}{2n\pi+\dfrac{\pi}{2}}(n=1,2,\cdots)$，有 $f'(x_n)=0$，所以 $\lim\limits_{n\to\infty}f'(x_n)=0$，因而 $\lim\limits_{x\to0^+}f'(x)=\infty$ 不成立.

(2) 必有 $\overline{\lim\limits_{x\to a^+}}|f'(x)|=+\infty$.

因 $f(x)$ 在 (a,b) 内连续，且 $\lim\limits_{x\to a^+}f(x)=\infty$，故 $f(x)$ 在点 $x=a$ 的右近旁保持定号，故有 $\lim\limits_{x\to a^+}f(x)=+\infty$ 或 $\lim\limits_{x\to a^+}f(x)=-\infty$，显然可设前者成立（否则，考察 $-f(x)$ 即化为前者）. 再对自变量作代换 $t=a+b-x$ 可知，只需证明下面的命题：

若函数 $f(x)$ 在有限区间 (A,B) 内可微，且

$$\lim_{x\to B^-}f(x)=+\infty, \qquad ①$$

则必有

$$\overline{\lim_{x\to B^-}}\ |f'(x)|=+\infty. \qquad ②$$

现在给出上述命题的证明如下：

由 ①，对于任给 $M_0>0$，存在 $\delta_0>0$，使当 $x\in[B-\delta_0,B)$ 时，有

$$f(x)\geqslant M_0(B_0\leqslant x<B,\ 其中\ B_0=B-\delta_0).$$

记 $P_0=(B_0,f(B_0))$，有 $f(B_0)\geqslant M_0$. 为证 ②，采用反证法. 设存在 $K>0$，使

$$|f'(x)|\leqslant K(x\in[B_0,B)),$$

则将引出矛盾. 论证如下：

今过 P_0 作斜率为 $2K$ 的直线

$$l:Y-f(B_0)=2K(x-B_0), \qquad ③$$

它与 $x=B$ 相交于一点 Q，其纵坐标为

$$y_Q=f(B_0)+2K(B-B_0)=f(B_0)+2K\delta_0.$$

记 $M_1=f(B_0)+2K\delta_0$，则 $y_Q=M_1$，它是直线 l 在$[B_0,B]$上的最大值.

对 M_1 而言，由 ① 可知，存在 $x_2\in(B_0,B)$ 使 $f(x_2)>M_1$，即点 $P_2=(x_2,f(x_2))$ 位于 l 线的上方.

另一方面，由 $f(x)$ 在 $x=B_0$ 点的可微性，在 $x=B_0$ 右侧邻域内，对于任给 $\varepsilon_1>0$(取 $\varepsilon_1<\frac{K}{2}$)，存在 $\delta>0$，使当 $0<|x-x_0|<\delta$ 时，有

$$\left|f'(B_0)-\frac{f(x)-f(B_0)}{x-B_0}\right|<\varepsilon_1<\frac{K}{2}.$$

于是，当 $0<|x-x_0|<\delta$ 时，有

$$\left|\frac{f(x)-f(B_0)}{x-B_0}\right|\leqslant|f'(B_0)|+\left|\frac{f(x)-f(B_0)}{x-x_0}-f'(B_0)\right|<K+\varepsilon_1<K+\frac{K}{2}=\frac{3}{2}K, \qquad ④$$

即在 r 曲线 $y=f(x)$ 上：当 $0<|x-B_0|<\delta$ 时，有

$$|f(x)-f(B_0)|<\frac{3}{2}K|x-B_0|.$$

今取 $x_1>B_0$，使 $x_1<x_2$，$x_1<B_0+\delta$. 于是，由 ③ 式和 ④ 式知

$$f(x_1)-f(B_0)<\frac{3}{2}K(x_1-B_0)<2K(x_1-B_0)=Y(x_1)-f(B_0),$$

故 $f(x_1)<Y(x_1)$，即点$(x_1,f(x_1))$ 位于直线 l 的下方. 考虑连续函数

$$G(x)=f(x)-Y(x),$$

取 $c=\inf\limits_{x\in[x_1,x_2]}\{x\mid G(x)>0\}$，则由 $G(x_1)<0$，$G(x_2)>0$，易见 c 是存在的，而且 $G(c)=0$. 它也是连续函数 $G(x)$ 的一个中间值点.

考虑 $x_2\geqslant x>c$，则有 $G(x)>0$，即在 c 点附近且 $x>c$ 时，有 $f(x)>Y(x)$. 从而

$$f(x)-f(c)>Y(x)-f(c)=Y(x)-Y(c).$$

注意到 $x-c>0$，故又有(当 $x>c$，且在 c 附近时)

$$\frac{f(x)-f(c)}{x-c}>\frac{Y(x)-Y(c)}{x-c},$$

上式两边取极限(让 $x\to c^+$)，并注意到函数的可微性，有 $f'_+(c)=f'(c)$，于是有

$$f'(c)\geqslant Y'(c)=2K.$$

此处 $c\in(x_1,x_2)\subset[B_0,B)$，这个不等式与 $|f'(x)|\leqslant K$ 式相矛盾. 因此 $f'(x)$ 在$[B_0,B)$上是无界的. 这就完成了(2) 的证明，命题得证.

注 若利用以后的拉格朗日中值定理，则可很简单地证明此结论.

习题 1006—1023 导数的存在性和连续性

【1006】 证明：函数 $f(x)=\begin{cases}x^2\sin\dfrac{1}{x}, & x\neq 0,\\ 0, & x=0\end{cases}$ 有不连续的导数.

证 当 $x\neq 0$ 时，$f'(x)=2x\sin\dfrac{1}{x}-\cos\dfrac{1}{x}$，而

$$f'(0)=\lim_{x\to 0}\frac{f(x)-f(0)}{x}=\lim_{x\to 0}x\sin\frac{1}{x}=0,$$

故 $f'(x)$ 在 $(-\infty,+\infty)$ 内处处存在.

但 $\lim\limits_{x\to 0}f'(x)=\lim\limits_{x\to 0}\left(2x\sin\dfrac{1}{x}-\cos\dfrac{1}{x}\right)$ 不存在，所以 $f'(x)$ 在点 $x=0$ 处不连续，这说明 $f(x)$ 有不连续的导数.

【1007】 在什么条件下，函数

$$f(x)=\begin{cases}x^n\sin\dfrac{1}{x}, & x\neq 0,\\ 0, & x=0\end{cases}$$

(1) 在 $x=0$ 处连续；(2) 在 $x=0$ 处可微；(3) 在 $x=0$ 处有连续导数？

解 (1) 当 $n>0$ 时，$\lim\limits_{x\to 0}f(x)=\lim\limits_{x\to 0}x^n\sin\dfrac{1}{x}=0=f(0)$，故 $f(x)$ 在 $x=0$ 处连续（当 $n=\dfrac{p}{q}$（p,q 互素）且 q 为偶数时，只考虑在 $x=0$ 处右连续）.

(2) 当 $n>1$ 时，$\lim\limits_{x\to 0}\dfrac{f(x)-f(0)}{x}=\lim\limits_{x\to 0}x^{n-1}\sin\dfrac{1}{x}=0$，于是 $f'(0)=0$，即 $f(x)$ 在 $x=0$ 处可微.

(3) 当 $n>2$ 时，由于

$$f'(x)=\begin{cases}nx^{n-1}\sin\dfrac{1}{x}-x^{n-2}\cos\dfrac{1}{x}, & x\neq 0,\\ 0, & x=0,\end{cases}$$

故 $\lim\limits_{x\to 0}f'(x)=\lim\limits_{x\to 0}\left(nx^{n-1}\sin\dfrac{1}{x}-x^{n-2}\cos\dfrac{1}{x}\right)=0=f'(0)$.

所以当 $n>2$ 时，$f'(x)$ 在 $x=0$ 处连续.

【1008】 在什么条件下，函数

$$f(x)=\begin{cases}|x|^n\sin\dfrac{1}{|x|^m}, & x\neq 0,\\ 0, & x=0\end{cases}\quad(m>0)$$

(1) 在坐标原点的邻域内有有界的导数？

(2) 在此邻域内有无穷导数？

解 (1) 当 $x\in(0,\delta)$ $(\delta>0)$ 时，

$$f'(x)=nx^{n-1}\sin\frac{1}{x^m}-\frac{m}{x^{m+1}}\cdot x^n\cdot\cos\frac{1}{x^m}=nx^{n-1}\sin\frac{1}{x^m}-mx^{n-m-1}\cos\frac{1}{x^m};$$

当 $x\in(-\delta,0)$ $(\delta>0)$ 时，

$$\begin{aligned}f'(x)&=n(-1)^nx^{n-1}\sin\frac{1}{|x|^m}-\frac{m}{x^{m+1}}\cdot x^n\cdot(-1)^{n-m}\cos\frac{1}{|x|^m}\\&=n(-1)^nx^{n-1}\sin\frac{1}{|x|^m}-mx^{n-m-1}\cdot(-1)^{n-m}\cos\frac{1}{|x|^m}.\end{aligned}$$

由于 $\sin\frac{1}{|x|^m}$，$\cos\frac{1}{|x|^m}$，$(-1)^{n-m-1}$，$(-1)^n$ 均为有界函数，于是当 $n\geqslant m+1$ 时，$f'(x)$ 为有界函数(易知此时 $f'(0)=0$).

(2) 在此邻域内，当 $n-(m+1)<0$(即 $n<m+1$) 时，$f'(x)$ 无界. 又当 $n>1$ 时 $f'(0)$ 才存在，因而所求的条件为 $1<n<m+1(m>0)$.

【1009】 设 $f(x)=(x-a)\varphi(x)$，其中函数 $\varphi(x)$ 在 $x=a$ 处连续，求 $f'(a)$.

解 $\lim\limits_{x\to a}\frac{f(x)-f(a)}{x-a}=\lim\limits_{x\to a}\frac{(x-a)\varphi(x)-0}{x-a}=\lim\limits_{x\to a}\varphi(x)$.

由于 $\varphi(x)$ 在 $x=a$ 处连续，故 $\lim\limits_{x\to a}\varphi(x)=\varphi(a)$. 故

$$\lim_{x\to a}\frac{f(x)-f(a)}{x-a}=\varphi(a)\text{，即 } f'(a)=\varphi(a).$$

【1010】 设 $f(x)=|x-a|\varphi(x)$，$\varphi(x)$ 为连续函数，$\varphi(a)\neq 0$，证明：$f(x)$ 在 a 点没有导数.

解
$$f'_+(a)=\lim_{x\to a^+}\frac{f(x)-f(a)}{x-a}=\lim_{x\to a^+}\frac{(x-a)\varphi(x)}{x-a}=\lim_{x\to a^+}\varphi(x)=\varphi(a),$$
$$f'_-(a)=\lim_{x\to a^-}\frac{f(x)-f(a)}{x-a}=\lim_{x\to a^-}\frac{(a-x)\varphi(x)}{x-a}=-\lim_{x\to a^-}\varphi(x)=-\varphi(a),$$

由于 $\varphi(a)\neq 0$，故 $f'_-(a)\neq f'_+(a)$，因此 $f(x)$ 在 a 点没有导数.

【1011】 举出在已知点：$a_1,a_2,\cdots,a_n$ 没有导数的连续函数的例子.

解 已知 $y=|x-a|$ 在 $x=a$ 处连续而无导数. 利用这一点，作函数 $y=\sum\limits_{k=1}^{n}|x-a_k|$，则它处处连续，但在 $a_1,a_2,\cdots,a_n$ 这些点均无导数.

【1012】 证明：函数 $f(x)=\begin{cases}x^2\left|\cos\frac{\pi}{x}\right|, & x\neq 0,\\ 0, & x=0\end{cases}$ 在点 $x=0$ 的任何邻域内都有不可微点，但在该点是可微的. 并作出此函数的略图.

证 对于函数 $f(x)$，有

$$\lim_{x\to 0}\frac{f(x)-f(0)}{x-0}=\lim_{x\to 0}\frac{x^2\left|\cos\frac{\pi}{x}\right|}{x}=\lim_{x\to 0}x\left|\cos\frac{\pi}{x}\right|=0,$$

故 $f'(0)=0$，即在 $x=0$ 处函数 $f(x)$ 是可微的.

下面指出在 $x=0$ 的任何邻域 $(-\delta,\delta)(\delta>0)$ 内，函数 $f(x)$ 总有不可微点. 事实上，令

$$x_n=\frac{1}{2n+\frac{1}{2}},\ y_n=\frac{1}{2n-\frac{1}{2}},$$

则当 n 充分大时，总可使 $0<x_n,y_n<\delta$，从而点 $x_n\in(-\delta,\delta)$. 对于这样的点 x_n，有

$$f'_-(x_n)=\pi, f'_+(x_n)=-\pi, f'_-(y_n)=-\pi, f'_+(y_n)=\pi,$$

所以 $f'_-(x_n)\neq f'_+(x_n)$，$f'_-(y_n)\neq f'_+(y_n)$. 于是，$f(x)$ 在点 x_n,y_n 处不可微.

函数的图像在 Ox 轴上方，包括原点；当 $x=\frac{2}{2n+1}$ 时，$f(x)=0$，且 $f'(x)$ 不存在.

此函数的略图如图 2.21 所示.

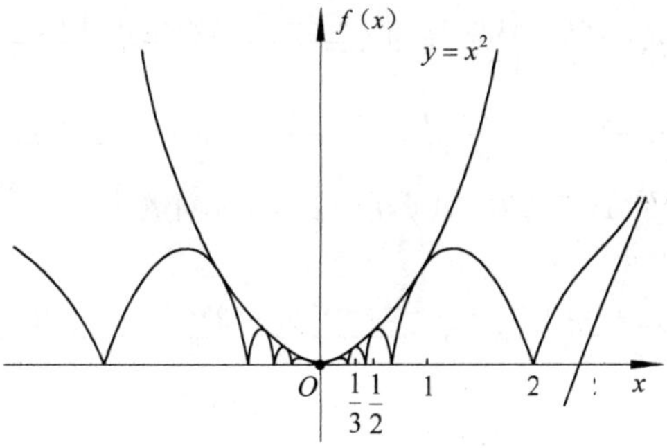

图 2.21

【1013】 证明：函数 $f(x)=\begin{cases}x^2, & x\in\mathbf{Q},\\ 0, & x\in\mathbf{Q}^C\end{cases}$ 仅在 $x=0$ 时有导数.

证　方法一　由于

$$\frac{f(x)-f(0)}{x}=\begin{cases}x, & x\in\mathbf{Q},\\ 0, & x\in\mathbf{Q}^C,\end{cases}$$

于是，有 $\lim\limits_{x\to0}\frac{f(x)-f(0)}{x}=0$，即 $f'(0)=0$. 也就是函数 $f(x)$ 在 $x=0$ 时有导数.

其次，对于任一点 $x\neq0$，分两种情形讨论函数的可微性：

(1) x 为有理数. 取一无理数数列 $\{x_n\}$，且 $\lim\limits_{n\to\infty}x_n=x$，则有

$$\lim_{n\to\infty}\frac{f(x_n)-f(x)}{x_n-x}=\lim_{n\to\infty}\frac{0-x^2}{x_n-x}=\infty.$$

由此可知，函数 $f(x)$ 在任一非零有理点不可微.

(2) x 为无理数. 取一异于零的有理数数列 $\{y_n\}$，使 $\lim\limits_{n\to\infty}y_n=x$，则有

$$\lim_{y_n\to x}\frac{f(y_n)-f(x)}{y_n-x}=\lim_{y_n\to x}\frac{y_n^2}{y_n-x}=\infty.$$

由此可知，函数 $f(x)$ 在任一无理点也不可微.

综上所述，函数 $f(x)$ 仅在 $x=0$ 时有导数.

方法二　对任意的 $x_0\neq0$，取一无理数数列 $\{x_n\}$，且 $\lim\limits_{n\to\infty}x_n=x_0$，则 $\lim\limits_{n\to\infty}f(x_n)=\lim\limits_{n\to\infty}0=0$；

取一有理数数列 $\{y_n\}$，且 $\lim\limits_{n\to\infty}y_n=x_0$，则 $\lim\limits_{n\to\infty}f(y_n)=\lim\limits_{n\to\infty}y_n^2=x_0^2\neq0$.

因而 $\lim\limits_{x\to x_0}f(x)$ 不存在，从而 $f(x)$ 在 $x_0\neq0$ 不可微.

【1014】 研究下列函数的可微性：

(1) $y=|(x-1)(x-2)^2(x-3)^3|$；　(2) $y=|\cos x|$；

(3) $y=|\pi^2-x^2|\sin^2x$；　(4) $y=\arcsin(\cos x)$；

(5) $y=\begin{cases}\dfrac{x-1}{4}(x+1)^2, & |x|\leqslant1,\\ |x|-1, & |x|>1.\end{cases}$

解　(1) $y=|(x-1)(x-2)^2(x-3)^3|=(x-2)^2(x-3)^2|(x-1)(x-3)|$，

显然当 $x\neq1$ 或 $x\neq3$ 时，函数均可微. 现在考虑在 $x=1$ 和 $x=3$ 处的可微性.

(ⅰ) 在 $x=1$ 处，由于

$$\begin{aligned}y'_+(1)&=\lim_{x\to1^+}\frac{y(x)-y(1)}{x-1}=\lim_{x\to1^+}\frac{(x-2)^2(x-3)^2|(x-1)(x-3)|}{x-1}\\&=\lim_{x\to1^+}\frac{-(x-1)(x-2)^2(x-3)^3}{x-1}=-\lim_{x\to1^+}(x-2)^2(x-3)^3=8,\end{aligned}$$

$$y'_-(1)=\lim_{x\to1^-}\frac{y(x)-y(1)}{x-1}=\lim_{x\to1^-}\frac{(x-2)^2(x-3)^2\,|(x-1)(x-3)|}{x-1}$$
$$=\lim_{x\to1^-}\frac{(x-1)(x-2)^2(x-3)^3}{x-1}=\lim_{x\to1^-}(x-2)^2(x-3)^3=-8.$$

由 $y'_-(1)\neq y'_+(1)$ 可知 $y'(1)$ 不存在，即 y 在点 $x=1$ 不可微.

（ⅱ）在 $x=3$ 处，由于

$$\lim_{x\to3}\frac{y(x)-y(3)}{x-3}=\lim_{x\to3}\frac{(x-2)^2(x-3)^2\,|(x-1)(x-3)|}{x-3}$$
$$=\lim_{x\to3}(x-2)^2(x-3)\,|(x-1)(x-3)|=0,$$

因而 $y'(3)=0$，即 y 在点 $x=3$ 可微.

(2) $y=|\cos x|=\begin{cases}\cos x, & 2k\pi-\frac{\pi}{2}\leqslant x\leqslant 2k\pi+\frac{\pi}{2},\\ -\cos x, & 2k\pi+\frac{\pi}{2}<x<2k\pi+\frac{3\pi}{2}\end{cases}$ $(k\in\mathbf{Z})$，显然在 $x\neq 2k\pi\pm\frac{\pi}{2}$ 时，函数均可微，现在考虑在 $x=2k\pi-\frac{\pi}{2}$ 和 $x=2k\pi+\frac{\pi}{2}$ 处的可微性.

（ⅰ）在 $x=2k\pi-\frac{\pi}{2}$ 处，有

$$y'_+\left(2k\pi-\frac{\pi}{2}\right)=\lim_{x\to(2k\pi-\frac{\pi}{2})^+}\frac{y(x)-y\left(2k\pi-\frac{\pi}{2}\right)}{x-\left(2k\pi-\frac{\pi}{2}\right)}=\lim_{x\to(2k\pi-\frac{\pi}{2})^+}\frac{\cos x}{x-\left(2k\pi-\frac{\pi}{2}\right)}$$
$$=\lim_{x\to(2k\pi-\frac{\pi}{2})^+}\frac{\sin\left[x-\left(2k\pi-\frac{\pi}{2}\right)\right]}{x-\left(2k\pi-\frac{\pi}{2}\right)}=1,$$

$$y'_-\left(2k\pi-\frac{\pi}{2}\right)=\lim_{x\to(2k\pi-\frac{\pi}{2})^-}\frac{y(x)-y\left(2k\pi-\frac{\pi}{2}\right)}{x-\left(2k\pi-\frac{\pi}{2}\right)}=\lim_{x\to(2k\pi-\frac{\pi}{2})^-}\frac{-\cos x}{x-\left(2k\pi-\frac{\pi}{2}\right)}$$
$$=-\lim_{x\to(2k\pi-\frac{\pi}{2})^-}\frac{\sin\left[x-\left(2k\pi-\frac{\pi}{2}\right)\right]}{x-\left(2k\pi-\frac{\pi}{2}\right)}=-1.$$

由 $y'_-\left(2k\pi-\frac{\pi}{2}\right)\neq y'_+\left(2k\pi-\frac{\pi}{2}\right)$ 可知，函数在 $x=2k\pi-\frac{\pi}{2}$ $(k\in\mathbf{Z})$ 点不可微.

（ⅱ）同理可证函数在 $x=2k\pi+\frac{\pi}{2}$ $(k\in\mathbf{Z})$ 点也不可微.

综上，函数在 $x=\frac{4k-1}{2}\pi$ $(k\in\mathbf{Z})$ 点不可微.

(3) 显然 $y=|\pi^2-x^2|\sin^2x$ 在 $x\neq\pm\pi$ 时，均可微，现在考虑在 $x=\pm\pi$ 处的可微性.

（ⅰ）当 $x=\pi$ 时，

$$\lim_{x\to\pi}\frac{y(x)-y(\pi)}{x-\pi}=\lim_{x\to\pi}\frac{|\pi^2-x^2|\sin^2x}{x-\pi}=\lim_{x\to\pi}\frac{|\pi^2-x^2|\sin^2(x-\pi)}{x-\pi}$$
$$=\lim_{x\to\pi}\frac{|\pi^2-x^2|(x-\pi)^2}{x-\pi}=\lim_{x\to\pi}|\pi^2-x^2|(x-\pi)=0,$$

即 $y'(\pi)=0$，所以，函数 y 在点 $x=\pi$ 处可微.

（ⅱ）同理可证函数 y 在 $x=-\pi$ 点也可微. 于是，函数 $y=|\pi^2-x^2|\sin^2x$ 处处可微.

(4) $y=\arcsin(\cos x)$ 在 $|\cos x|\neq1$ 的点均可微. 现在考虑函数 y 在 $|\cos x|=1$ 处的可微性，即在点 $x=k\pi$ $(k\in\mathbf{Z})$ 处的可微性.

$$y'_+(2k\pi)=\lim_{x\to0^+}\frac{y(2k\pi+x)-y(2k\pi)}{x}=\lim_{x\to0^+}\frac{\arcsin[\cos(2k\pi+x)]-\arcsin(\cos 2k\pi)}{x}$$

$$=\lim_{x\to0^+}\frac{\arcsin\cos x-\arcsin 1}{x}=\lim_{x\to0^+}\frac{\frac{\pi}{2}-x-\frac{\pi}{2}}{x}=-1,$$

$$y'_-(2k\pi)=\lim_{x\to0^-}\frac{y(2k\pi+x)-y(2k\pi)}{x}=\lim_{x\to0^-}\frac{\arcsin[\cos(2k\pi+x)]-\arcsin(\cos 2k\pi)}{x}$$

$$=\lim_{x\to0^-}\frac{\arcsin\cos x-\arcsin 1}{x}=\lim_{x\to0^-}\frac{\frac{\pi}{2}+x-\frac{\pi}{2}}{x}=1,$$

由 $y'_-(2k\pi)\neq y'_+(2k\pi)$ 可知,函数在 $x=2k\pi(k\in\mathbf{Z})$ 点不可微.

同理可得,函数在 $x=(2k+1)\pi(k\in\mathbf{Z})$ 点不可微.

综上,函数在 $x=k\pi(k\in\mathbf{Z})$ 处不可微.

(5) 显然函数 $y=\begin{cases}\frac{x-1}{4}(x+1)^2, & |x|\leqslant1,\\ |x|-1, & |x|>1\end{cases}$ 对于 $|x|\neq1$ 的点均可微. 现在考虑 y 在 $|x|=1$ 点的可微性.

(ⅰ) 当 $x=1$ 时,

$$y'_-(1)=\lim_{x\to1^-}\frac{y(x)-y(1)}{x-1}=\lim_{x\to1^-}\frac{\frac{x-1}{4}(x+1)^2}{x-1}=\lim_{x\to1^-}\frac{(x+1)^2}{4}=1,$$

$$y'_+(1)=\lim_{x\to1^+}\frac{y(x)-y(1)}{x-1}=\lim_{x\to1^+}\frac{|x|-1}{x-1}=\lim_{x\to1^+}\frac{x-1}{x-1}=1,$$

因而 $y'(1)=1$,即函数 y 在 $x=1$ 点可微.

(ⅱ) 当 $x=-1$ 时,

$$y'_-(-1)=\lim_{x\to-1^-}\frac{y(x)-y(-1)}{x-(-1)}=\lim_{x\to-1^-}\frac{|x|-1}{x+1}=\lim_{x\to-1^-}\frac{-x-1}{x+1}=-1,$$

$$y'_+(-1)=\lim_{x\to-1^+}\frac{y(x)-y(-1)}{x-(-1)}=\lim_{x\to-1^+}\frac{\frac{x-1}{4}(x+1)^2}{x+1}=\lim_{x\to-1^+}\frac{x-1}{4}(x+1)=0,$$

由 $y'_-(-1)\neq y'_+(-1)$ 可知,函数在 $x=-1$ 点不可微.

【1015】 适当地选定参数 A 与 c,用立方抛物线

$$y=A(x-a)(x-b)(x-c)$$

在区域 $a\leqslant x\leqslant b$ 上把两条射线:

$$y=k_1(x-a)(-\infty<x<a)\text{ 及 }y=k_2(x-b)(b<x<+\infty)$$

光滑地连接起来.

解 对于立方抛物线,

$$y'=A[(x-b)(x-c)+(x-a)(x-c)+(x-a)(x-b)],$$

此即曲线上在任一点切线的斜率.

当接点处两条曲线的切线重合时,它们就光滑地连接起来,此时应有相等的斜率. 于是

(ⅰ) 在点 $x=a$ 处,

$$A(a-b)(a-c)=k_1. \qquad ①$$

(ⅱ) 在点 $x=b$ 处,

$$A(b-a)(b-c)=k_2. \qquad ②$$

联立 ① 和 ② 式,解之得

$$A=\frac{k_1+k_2}{(b-a)^2},c=\frac{ak_2+bk_1}{k_1+k_2}.$$

【1016】 用抛物线 $y=a+bx^2(|x|\leqslant c)$(其中 a 与 b 为未知的参数)去补充曲线 $y=\dfrac{m^2}{|x|}(|x|>c)$ 的部分,以便得到一条光滑曲线.

解 当两条曲线在 $x=\pm c(c>0)$ 处切线重合时,便得到一条光滑曲线.

在点 $x=c$ 处两曲线的切线斜率相等,且有相同的纵坐标. 于是,有

$$(a+bx^2)'|_{x=c}=\lim_{x\to c^+}\left(\frac{m^2}{|x|}\right)' \text{ 及 } a+bc^2=\frac{m^2}{c}.$$

从而得 $2bc=-\dfrac{m^2}{c^2}$, $a+bc^2=\dfrac{m^2}{c}$. 解得 $a=\dfrac{3m^2}{2c}$, $b=-\dfrac{m^2}{2c^3}$.

由曲线的对称性可知,在点 $x=-c$ 处,按上述系数 a 与 b 所确定的曲线 $y=a+bx^2$ 与曲线 $y=\dfrac{m^2}{|x|}$ 也可连成一条光滑曲线.

【1017】 若:

(1) 函数 $f(x)$ 在点 x_0 有导数,而函数 $g(x)$ 在此点没有导数;

(2) 函数 $f(x)$ 和 $g(x)$ 二者在点 x_0 都没有导数,

可否断定它们的和 $F(x)=f(x)+g(x)$ 在点 x_0 没有导数?

解 (1) 能. 因为

$$\frac{\Delta F(x)}{\Delta x}=\frac{\Delta f(x)}{\Delta x}+\frac{\Delta g(x)}{\Delta x},$$

当 $\Delta x\to 0$,上式右端第一项的极限存在,而第二项的极限不存在,因而当 $\Delta x\to 0$,左端的极限也不存在(否则差 $\dfrac{\Delta g(x)}{\Delta x}=\dfrac{\Delta F(x)}{\Delta x}-\dfrac{\Delta f(x)}{\Delta x}$ 的极限就存在,与 $g(x)$ 在 x_0 处不可导相矛盾),这说明 $F(x)$ 在点 x_0 处没有导数.

(2) 不能. 例如

$$f(x)=\frac{x+|x|}{2},\quad g(x)=\frac{x-|x|}{2},$$

它们在点 $x=0$ 处都没有导数,但它们的和 $F(x)=f(x)+g(x)=x$ 在点 $x=0$ 处有导数且为 1.

【1018】 若:

(1) 函数 $f(x)$ 在点 x_0 有导数,而函数 $g(x)$ 在此点没有导数;

(2) 在点 x_0 函数 $f(x)$ 和 $g(x)$ 二者都没有导数,

可否断定他们的积 $F(x)=f(x)g(x)$ 在点 $x=x_0$ 没有导数?

解 (1) 不能. 例如,$f(x)=x$ 在点 $x=0$ 处有导数,$g(x)=|x|$ 在点 $x=0$ 处没有导数,而它们的积

$$F(x)=f(x)g(x)=x|x|$$

在点 $x=0$ 处有导数. 事实上,

$$\lim_{x\to 0}\frac{F(x)-F(0)}{x}=\lim_{x\to 0}\frac{x|x|}{x}=\lim_{x\to 0}|x|=0,$$

即有 $F'(0)=0$.

(2) 不能. 例如,$f(x)=|x|$, $g(x)=|x|$,在点 $x=0$ 处都没有导数,但它们的积

$$F(x)=f(x)g(x)=(|x|)^2=x^2,$$

在点 $x=0$ 处有导数,且 $F'(0)=2x|_{x=0}=0$.

【1019】 若:

(1) 函数 $f(u)$ 在点 $u=g(x_0)$ 有导数,而函数 $g(x)$ 在点 $x=x_0$ 没有导数;

(2) 函数 $f(u)$ 在点 $u=g(x_0)$ 没有导数,而函数 $g(x)$ 在点 $x=x_0$ 有导数;

(3) 函数 $f(u)$ 在点 $u=g(x_0)$ 没有导数及函数 $g(x)$ 在点 $x=x_0$ 没有导数，则函数 $F(x)=f[g(x)]$ 在已知点 $x=x_0$ 的可微性怎样？

解 (1)$F'(x_0)$ 可能存在，也可能不存在. 例如，考察函数 $f(u)$，$g(x)$ 及点 x_0 如下：

(ⅰ)$f(u)=u^2$，$g(x)=|x|$，在点 $x=0$ 处，有 $g(0)=0$，$f'(0)=0$，$g'(0)$ 不存在；而

$$F(x)=f[g(x)]=(|x|)^2=x^2,F'(0)=0.$$

(ⅱ)$f(u)=u$，$g(x)=|x|$，在点 $x=0$ 处，有 $g(0)=0$，$f'(0)=1$，$g'(0)$ 不存在；而

$$F(x)=f[g(x)]=|x|,F'(0)\text{ 不存在}.$$

(2)$F'(x_0)$ 可能存在，也可能不存在. 例如，考查函数 $f(u)$，$g(x)$ 及点 x_0 如下：

(ⅰ)$f(u)=|u|$，$g(x)=x^2$，在点 $x=0$ 处，有 $g(0)=0$，$f'(0)$ 不存在，$g'(0)=0$，而

$$F(x)=f[g(x)]=|x^2|=x^2,F'(0)=0.$$

(ⅱ)$f(u)=|u|$，$g(x)=x$，在点 $x=0$ 处，有 $g(0)=0$，$f'(0)$ 不存在，$g'(0)=1$，而

$$F(x)=f[g(x)]=|x|,F'(0)\text{ 不存在}.$$

(3)$F'(x_0)$ 可能存在，也可能不存在. 例如，考查函数 $f(u)$，$g(x)$ 及点 x_0 如下：

(ⅰ)$f(u)=2u+|u|$，$g(x)=\frac{2}{3}x-\frac{1}{3}|x|$，在点 $x=0$ 处，有 $g(0)=0$，且 $f'(0)$ 及 $g'(0)$ 均不存在；易知 $F(x)=f[g(x)]=2\left(\frac{2}{3}x-\frac{1}{3}|x|\right)+\left|\frac{2}{3}x-\frac{1}{3}|x|\right|=x$，因此 $F'(0)$ 存在且等于1.

(ⅱ)$f(x)=|x|$，$g(x)=|x|$，在点 $x=0$ 处，有 $g(0)=0$ 且 $f'(0)$ 及 $g'(0)$ 均不存在；而 $F(x)=f[g(x)]=|x|$，$F'(0)$ 也不存在.

【1020】 设 $f(x)$ 在有限区间(a,b) 内可微，且 $\lim\limits_{x\to a^+}f'(x)=\infty$，是否必有

$$\lim_{x\to a^+}f(x)=\infty?$$

解 不一定. 例如，$f(x)=\sqrt[3]{x}$，它在$(0,b)(b>0)$ 内可微，且 $f'(x)=\frac{1}{3\sqrt[3]{x^2}}$，$\lim\limits_{x\to 0^+}f'(x)=+\infty$，然而 $\lim\limits_{x\to 0^+}f(x)=\lim\limits_{x\to 0^+}\sqrt[3]{x}=0$.

【1021】 设函数 $f(x)$ 在区间$(x_0,+\infty)$ 内可微，且 $\lim\limits_{x\to+\infty}f(x)$ 存在. 由此能否推出 $\lim\limits_{x\to+\infty}f'(x)$ 存在？

解 不能. 例如，函数 $f(x)=\frac{\sin x^2}{x}$，在$(0,+\infty)$ 内可微，$f'(x)=2\cos x^2-\frac{\sin x^2}{x^2}$，且 $\lim\limits_{x\to+\infty}f(x)=0$，但 $\lim\limits_{x\to+\infty}f'(x)$ 不存在.

【1022】 设有界函数 $f(x)$ 在$(x_0,+\infty)$ 内可微，且 $\lim\limits_{x\to+\infty}f'(x)$ 存在. 由此可否推出有限的或无穷的 $\lim\limits_{x\to+\infty}f(x)$ 存在？

解 不能. 例如，$f(x)=\cos(\ln x)$，它在$(0,+\infty)$ 内有界且可微，其导数为 $f'(x)=-\frac{\sin(\ln x)}{x}$，同时有 $\lim\limits_{x\to+\infty}f'(x)=0$. 但 $\lim\limits_{x\to+\infty}f(x)$ 不存在.

【1023】 对不等式可否逐项微分？

解 一般地说不行. 例如，在$(-\infty,0)$ 内有 $x^2+1\geqslant 2x$，但在此区间上不能对此不等式逐项微分，因为在$(-\infty,0)$ 内不等式 $2x\geqslant 2$ 不成立.

习题 1024—1033 导数的应用

【1024】 导出求和公式：

$$P_n = 1 + 2x + 3x^2 + \cdots + nx^{n-1},$$
$$Q_n = 1^2 + 2^2 x + 3^2 x^2 + \cdots + n^2 x^{n-1}.$$

解 设$\overline{P}_n = x + x^2 + x^3 + \cdots + x^n$，$\overline{Q}_n = x + 2x^2 + 3x^3 + \cdots + nx^n$，则

$$(\overline{P}_n)' = 1 + 2x + 3x^2 + \cdots + nx^{n-1} = P_n,$$
$$(\overline{Q}_n)' = 1^2 + 2^2 x + 3^2 x^2 + \cdots + n^2 x^{n-1} = Q_n.$$

另一方面，当 $x \neq 1$ 时有$\overline{P}_n = \dfrac{x(1-x^n)}{1-x}$，由于$(\overline{P}_n)' = P_n$，因而有

$$P_n = \left[\frac{x(1-x^n)}{1-x}\right]' = \frac{1-(n+1)x^n + nx^{n+1}}{(1-x)^2}.$$

又$\overline{Q}_n = x(1 + 2x + \cdots + nx^{n-1}) = xP_n$，由于$(\overline{Q}_n)' = Q_n$，所以，$(xP_n)' = Q_n$，即

$$P_n + xP_n{}' = Q_n.$$

而

$$P_n{}' = \left[\frac{1-(n+1)x^n + nx^{n+1}}{(1-x)^2}\right]'$$
$$= \frac{[-n(n+1)x^{n-1} + n(n+1)x^n](1-x)^2 + 2(1-x)[1-(n+1)x^n + nx^{n+1}]}{(1-x)^4},$$

将 P_n 及 $P_n{}'$ 代入 $P_n + xP_n{}' = Q_n$，可得

$$Q_n = \frac{1 + x - (n+1)^2 x^n + (2n^2 + 2n - 1)x^{n+1} - n^2 x^{n+2}}{(1-x)^3}.$$

当 $x = 1$ 时，$P_n = \dfrac{n(n+1)}{2}$，$Q_n = \dfrac{n(n+1)(2n+1)}{6}$.

【1025】 导出求和公式：

$$S_n = \sin x + \sin 2x + \cdots + \sin nx,$$
$$T_n = \cos x + 2\cos 2x + \cdots + n\cos nx.$$

解
$$S_n = \frac{1}{2\sin\frac{x}{2}}\left(2\sin\frac{x}{2}\sin x + 2\sin\frac{x}{2}\sin 2x + \cdots + 2\sin\frac{x}{2}\sin nx\right)$$
$$= \frac{1}{2\sin\frac{x}{2}}\left[\left(\cos\frac{x}{2} - \cos\frac{3x}{2}\right) + \left(\cos\frac{3x}{2} - \cos\frac{5x}{2}\right) + \cdots + \left(\cos\frac{2n-1}{2}x - \cos\frac{2n+1}{2}x\right)\right]$$
$$= \frac{1}{2\sin\frac{x}{2}}\left(\cos\frac{x}{2} - \cos\frac{2n+1}{2}x\right) = \frac{\sin\frac{nx}{2}\sin\frac{n+1}{2}x}{\sin\frac{x}{2}},$$

$$T_n = (S_n)'$$
$$= \frac{\left[n\cos\frac{nx}{2}\sin\frac{n+1}{2}x + (n+1)\cos\frac{n+1}{2}x\sin\frac{nx}{2}\right]\sin\frac{x}{2} - \cos\frac{x}{2}\sin\frac{nx}{2}\sin\frac{n+1}{2}x}{2\sin^2\frac{x}{2}}$$
$$= \frac{n\left(\sin\frac{n+1}{2}x\cos\frac{nx}{2} + \cos\frac{n+1}{2}x\sin\frac{nx}{2}\right)\sin\frac{x}{2} - \sin\frac{nx}{2}\left(\sin\frac{n+1}{2}x\cos\frac{x}{2} - \cos\frac{n+1}{2}\sin\frac{x}{2}\right)}{2\sin^2\frac{x}{2}}$$

$$=\frac{n\sin\frac{x}{2}\sin\frac{2n+1}{2}x-\sin^2\frac{nx}{2}}{2\sin^2\frac{x}{2}}.$$

【1026】 利用恒等式

$$\cos\frac{x}{2}\cos\frac{x}{4}\cdots\cos\frac{x}{2^n}=\frac{\sin x}{2^n\sin\frac{x}{2^n}},\qquad ①$$

推出求和公式：

$$S_n=\frac{1}{2}\tan\frac{x}{2}+\frac{1}{4}\tan\frac{x}{4}+\cdots+\frac{1}{2^n}\tan\frac{x}{2^n}.$$

解 对①式两端分别求导，即得

$$-\frac{1}{2}\sin\frac{x}{2}\cos\frac{x}{4}\cdots\cos\frac{x}{2^n}-\frac{1}{4}\cos\frac{x}{2}\sin\frac{x}{4}\cos\frac{x}{8}\cdots\cos\frac{x}{2^n}-\cdots-\frac{1}{2^n}\cos\frac{x}{2}\cos\frac{x}{4}\cdots\sin\frac{x}{2^n}$$

$$=\frac{\cos x\sin\frac{x}{2^n}-\frac{1}{2^n}\sin x\cos\frac{x}{2^n}}{2^n\sin^2\frac{x}{2^n}}.\qquad ②$$

②÷①得

$$-\frac{1}{2}\tan\frac{x}{2}-\frac{1}{4}\tan\frac{x}{4}-\cdots-\frac{1}{2^n}\tan\frac{x}{2^n}=\cot x-\frac{1}{2^n}\cot\frac{x}{2^n},$$

所以

$$\frac{1}{2}\tan\frac{x}{2}+\frac{1}{4}\tan\frac{x}{4}+\cdots+\frac{1}{2^n}\tan\frac{x}{2^n}=\frac{1}{2^n}\cot\frac{x}{2^n}-\cot x.$$

【1027】 证明：可微偶函数的导数为奇函数，而可微奇函数的导数为偶函数. 并给出这个事实的几何解释.

证 **方法一** 设 $f(x)$ 为偶函数，则 $f(x)=f(-x)$，两端求导数，得

$$f'(x)=-f'(-x)，即\ f'(-x)=-f'(x),$$

因此 $f'(x)$ 是奇函数. 同理可证：可微奇函数的导数为偶函数.

方法二 设 $f(x)$ 为偶函数，即 $f(x)=f(-x)$，则

$$f'(-x)=\lim_{\Delta x\to0}\frac{f(-x+\Delta x)-f(-x)}{\Delta x}=\lim_{\Delta x\to0}\frac{f(x-\Delta x)-f(x)}{\Delta x}$$

$$=-\lim_{\Delta x\to0}\frac{f(x-\Delta x)-f(x)}{-\Delta x}=-f'(x).$$

这就说明 $f'(x)$ 是奇函数. 同理可证：可微奇函数的导数为偶函数.

这个事实的几何解释：凡对称于 y 轴的图像，其对称点的切线也关于 y 轴对称；凡关于原点对称的图像，其对称点的切线互相平行.

【1028】 证明：可微周期函数的导数仍为具有相同周期的周期函数.

证 **方法一** 设 $f(x)$ 为周期函数，周期为 T，则 $f(x+T)=f(x)$，两端求导，得

$$f'(x+T)=f'(x),$$

这说明 $f'(x)$ 为具有与 $f(x)$ 相同周期 T 的周期函数.

方法二 设 $f(x)$ 为周期函数，周期为 T，即 $f(x+T)=f(x)$，则

$$f'(x+T)=\lim_{\Delta x\to0}\frac{f(x+T+\Delta x)-f(x+T)}{\Delta x}=\lim_{\Delta x\to0}\frac{f(x+\Delta x)-f(x)}{\Delta x}=f'(x),$$

这说明 $f'(x)$ 为具有与 $f(x)$ 相同周期 T 的周期函数.

【1029】 若圆半径以 2cm/s 的速度匀速增加，则当圆半径 $R=10$cm 时，圆面积增加的速度如何？

解 设圆面积为 S，则 $S=\pi R^2$，

$$\left.\frac{\mathrm{d}S}{\mathrm{d}t}\right|_{R=10}=2\pi R\left.\frac{\mathrm{d}R}{\mathrm{d}t}\right|_{R=10}=40\pi(\mathrm{cm}^2/\mathrm{s}),$$

故当 R 为 10cm 时，圆面积的增加速度为 $40\pi\mathrm{cm}^2/\mathrm{s}$.

【1030】 矩形的一边 $x=20\mathrm{m}$，另一边 $y=15\mathrm{m}$. 若第一边以 1m/s 的速度减少，而第二边以 2m/s 的速度增加，问这矩形的面积和对角线变化的速度如何？

解 面积 $S=xy$，对角线 $l=\sqrt{x^2+y^2}\ (x>0,y>0)$，分别对 t 求导数，即得

$$\frac{\mathrm{d}S}{\mathrm{d}t}=x\frac{\mathrm{d}y}{\mathrm{d}t}+y\frac{\mathrm{d}x}{\mathrm{d}t},\quad \frac{\mathrm{d}l}{\mathrm{d}t}=\frac{x\dfrac{\mathrm{d}x}{\mathrm{d}t}+y\dfrac{\mathrm{d}y}{\mathrm{d}t}}{\sqrt{x^2+y^2}},$$

按题设，有 $x=20,y=15,\dfrac{\mathrm{d}x}{\mathrm{d}t}=-1,\dfrac{\mathrm{d}y}{\mathrm{d}t}=2$，代入上面两式，得

$$\frac{\mathrm{d}S}{\mathrm{d}t}=20\cdot2+(-1)\cdot15=25,\quad \frac{\mathrm{d}l}{\mathrm{d}t}=\frac{-20+2\cdot15}{\sqrt{20^2+15^2}}=0.4.$$

于是，该矩形的面积的变化率为 $25\mathrm{m}^2/\mathrm{s}$，而对角线的变化率为 0.4m/s.

【1031】 两轮船 A 和 B 从同一码头同时出发. A 船往北，B 船往东. 若 A 船的速度为 30km/h，B 船的速度为 40km/h，问两船间的距离增加的速度如何？

解 记时间为 t(h)，A 与 B 离码头的距离分别为 $30t$(km) 与 $40t$(km)，注意成直角情形，故两船间的距离为

$$d(t)=\sqrt{(30t)^2+(40t)^2}=50t,$$

故两船间的距离增加的速度为 $d'(t)=50\mathrm{km/h}$.

【1032】 设

$$f(x)=\begin{cases}x, & 0\leqslant x\leqslant 2,\\ 2x-2, & 2<x<+\infty,\end{cases}$$

$S(x)$ 表示由曲线 $y=f(x)$，Ox 轴及通过点 $x\ (x\geqslant0)$ 且垂直于 Ox 的直线三者围成的面积. 写出函数 $S(x)$ 的解析表达式，求出导数 $S'(x)$，并作出函数 $y=S'(x)$ 的图像.

解 当 $x\in[0,2]$ 时，$S(x)=\dfrac{1}{2}x^2$；

$$x\in(2,+\infty)\text{ 时},S(x)=\frac{1}{2}\cdot2^2+\frac{1}{2}(x-2)[2+(2x-2)]=x^2-2x+2.$$

从而有 $S'(x)=\begin{cases}x, & 0\leqslant x\leqslant 2,\\ 2x-2, & 2<x<+\infty,\end{cases}$ 图像见图 2.22.

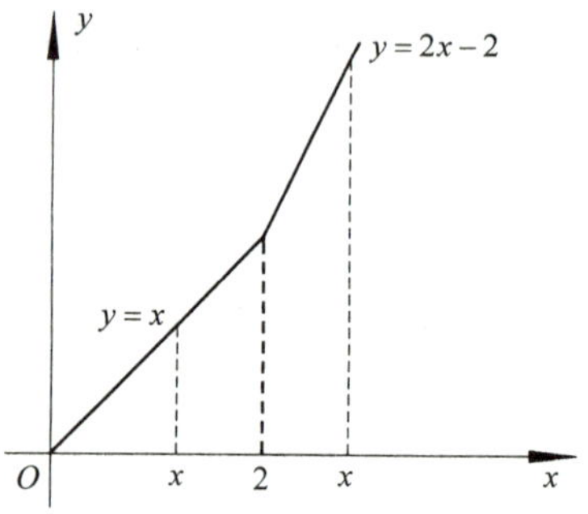

图 2.22

【1033】 函数 $S(x)$ 是由圆弧 $y=\sqrt{a^2-x^2}$，Ox 轴及通过点 O 和 $x\ (|x|\leqslant a)$ 且垂直于 Ox 轴的两条直线四者围成的面积. 写出函数 $S(x)$ 的解析表达式，求出导数 $S'(x)$，并作出 $y=S'(x)$ 的图像.

解 $S(x)$ 由一个直角三角形和一个中心角为 α 的扇形组成，其中 $\sin\alpha=\dfrac{|x|}{a}$，故当 $0<|x|\leqslant a$ 时，

$$S(x)=\frac{|x|}{2}\sqrt{a^2-x^2}+\frac{a^2}{2}\arcsin\frac{|x|}{a}=\begin{cases}\dfrac{x}{2}\sqrt{a^2-x^2}+\dfrac{a^2}{2}\arcsin\dfrac{x}{a}, & 0<x\leqslant a,\\ -\dfrac{x}{2}\sqrt{a^2-x^2}-\dfrac{a^2}{2}\arcsin\dfrac{x}{a}, & -a\leqslant x<0.\end{cases}$$

于是

$$S'(x)=\begin{cases}\dfrac{\sqrt{a^2-x^2}}{2}-\dfrac{x^2}{2\sqrt{a^2-x^2}}+\dfrac{a}{2}\cdot\dfrac{1}{\sqrt{1-\dfrac{x^2}{a^2}}}, & 0<x<a,\\ -\dfrac{\sqrt{a^2-x^2}}{2}+\dfrac{x^2}{2\sqrt{a^2-x^2}}-\dfrac{a}{2}\cdot\dfrac{1}{\sqrt{1-\dfrac{x^2}{a^2}}}, & -a<x<0\end{cases}$$

$$=\begin{cases}\sqrt{a^2-x^2}, & 0<x<a,\\ -\sqrt{a^2-x^2}, & -a<x<0.\end{cases}$$

$$S'(a)=\lim_{x\to a^-}\frac{S(x)-S(a)}{x-a}=\lim_{x\to a^-}\frac{\dfrac{x}{2}\sqrt{a^2-x^2}+\dfrac{a^2}{2}\arcsin\dfrac{x}{a}-\dfrac{\pi a^2}{4}}{x-a}=0,$$

$$S'(-a)=\lim_{x\to(-a)^+}\frac{S(x)-S(-a)}{x-(-a)}$$

$$=\lim_{x\to(-a)^+}\frac{-\dfrac{x}{2}\sqrt{a^2-x^2}-\dfrac{a^2}{2}\arcsin\dfrac{x}{a}-\dfrac{\pi a^2}{4}}{x+a}$$

$$=0.$$

故 $S'(x)=\begin{cases}\sqrt{a^2-x^2}, & 0<x\leqslant a,\\ -\sqrt{a^2-x^2}, & -a\leqslant x<0.\end{cases}$

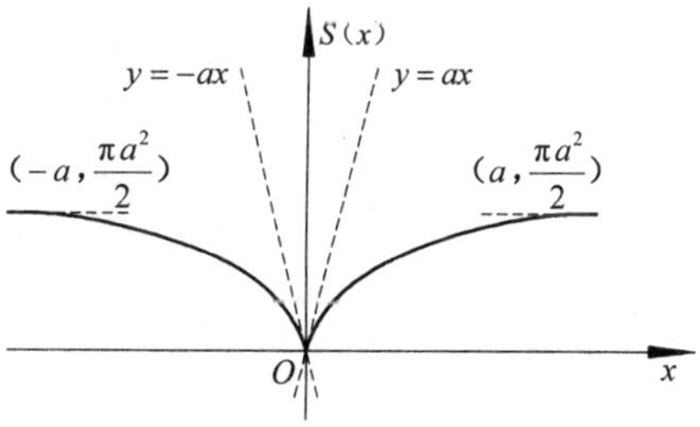

图 2.23

函数 $y=S(x)$ 的图像如图 2.23 所示.

函数 $y=S'(x)$ 的图像就是以原点为中心，a 为半径的圆周上位于第一及第三象限的弧段，但不包括 $(0,a)$ 点及 $(0,-a)$ 点，图像省略.

第2节 各类函数导数的求法（习题1034—1054）

知识点预览

序号	知识点	题目序号	所在页码
1	反函数的导数	1034—1037	P49
2	用参数形式给出的函数的导数	1038—1047	P51
3	隐函数的导数	1048—1054	P53

知识点1 反函数的导数

定义 导数非零的可微函数 $y=f(x)(a<x<b)$ 具有单值连续的反函数 $x=f^{-1}(y)$，此反函数也可微，并且有以下公式成立：

$$x'(y)=\frac{1}{f'(x)}.$$

习题 1034—1037 反函数的导数

【1034】 求以下函数的反函数 $x=x(y)$ 的存在域，并求它们的导数. 设：

(1) $y=x+\ln x\ (x>0)$； (2) $y=x+e^x$； (3) $y=\operatorname{sh} x$； (4) $y=\operatorname{th} x$.

解 (1) 由 $y'=1+\frac{1}{x}>0(x>0)$ 知有单值连续反函数 $x=x(y)$，其存在域为 $(-\infty,+\infty)$，而其导数

$$\frac{dx}{dy}=\frac{1}{y'(x)}=\frac{1}{1+\frac{1}{x}}=\frac{x}{x+1}.$$

(2) 由 $y'(x)=1+e^x>0$ 知有单值连续反函数 $x=x(y)$，存在域为 $(-\infty,+\infty)$，而其导数

$$\frac{dx}{dy}=\frac{1}{y'(x)}=\frac{1}{1+e^x}=\frac{1}{1-x+y}.$$

(3) 由 $y'(x)=\operatorname{ch} x>0$ 知有单值连续反函数 $x=x(y)$，存在域为 $(-\infty,+\infty)$，而其导数

$$\frac{dx}{dy}=\frac{1}{y'(x)}=\frac{2}{e^x+e^{-x}}=\frac{1}{\sqrt{1+y^2}},$$

其中因为 $y^2+1=\left(\frac{e^x-e^{-x}}{2}\right)^2+1=\left(\frac{e^x+e^{-x}}{2}\right)^2$，所以 $e^x+e^{-x}=2\sqrt{1+y^2}$.

(4) 由 $y'(x)=\frac{1}{\operatorname{ch}^2 x}>0$ 知有单值连续反函数 $x=x(y)$，其存在域为 $(-1,1)$. 由于

$$y^2=\operatorname{th}^2 x=\frac{\operatorname{sh}^2 x}{\operatorname{ch}^2 x}=\frac{\operatorname{ch}^2 x-1}{\operatorname{ch}^2 x},$$

而 $\operatorname{ch}^2 x=\frac{1}{y'(x)}=\frac{dx}{dy}$，于是反函数的导数 $\frac{dx}{dy}=\frac{1}{1-y^2}$.

【1035】 设：(1) $y=2x^2-x^4$； (2) $y=\frac{x^2}{1+x^2}$； (3) $y=2e^{-x}-e^{-2x}$.

选出反函数 $x=x(y)$ 的单值连续的各支，求它们的导数并作其图像.

解 (1) $x^4-2x^2+y=0$，$x^2=1\pm\sqrt{1-y}$. 单值连续的各支为

$$x_1=-\sqrt{1+\sqrt{1-y}}\ (-\infty<y\leqslant 1),\ x_2=-\sqrt{1-\sqrt{1-y}}\ (0\leqslant y\leqslant 1),$$

$$x_3=\sqrt{1-\sqrt{1-y}}\ (0\leqslant y\leqslant 1),\ x_4=\sqrt{1+\sqrt{1-y}}\ (-\infty\leqslant y\leqslant 1).$$

由 $y=2x^2-x^4$，求导得 $1=4x\frac{dx}{dy}-4x^3\frac{dx}{dy}$，故 $\frac{dx}{dy}=\frac{1}{4x-4x^3}$. 从而有

$$\frac{dx_i}{dy}=\frac{1}{4x(1-x^2)}\ (i=1,2,3,4).$$

图像见图 2.24.

(2) $\frac{x^2}{1+x^2}=y$，即 $x^2=\frac{y}{1-y}$. 单值连续的各支为

$$x_1=-\sqrt{\frac{y}{1-y}},\ x_2=\sqrt{\frac{y}{1-y}}\ (0\leqslant y<1).$$

由 $y'(x)=\frac{2x}{(1+x^2)^2}$ 及 $\frac{dx}{dy}=\frac{1}{y'(x)}$，有 $\frac{dx_i}{dy}=\frac{(1+x^2)^2}{2x}=\frac{x^3}{2y^2}$.

当 $x_i\to 0$ 时，$\frac{dx_i}{dy}\to(\operatorname{sgn} x_i)\cdot(+\infty)\ (i=1,2)$.

图像见图 2.25.

(3) 由 $y = 2e^{-x} - e^{-2x}$，得 $e^{-x} = 1 \pm \sqrt{1-y}$. 单值连续的各支为

$$x_1 = -\ln(1+\sqrt{1-y}) \ (-\infty < y \leqslant 1),$$

$$x_2 = -\ln(1-\sqrt{1-y}) = \ln\frac{1+\sqrt{1-y}}{y} \ (0 < y \leqslant 1).$$

由 $y = 2e^{-x} - e^{-2x}$，对 y 求导得 $1 = -2e^{-x}\frac{dx}{dy} + 2e^{-2x}\frac{dx}{dy}$，故

$$\frac{dx_i}{dy} = -\frac{1}{2(e^{-x} - e^{-2x})} \ (i = 1,2).$$

图像见图 2.26.

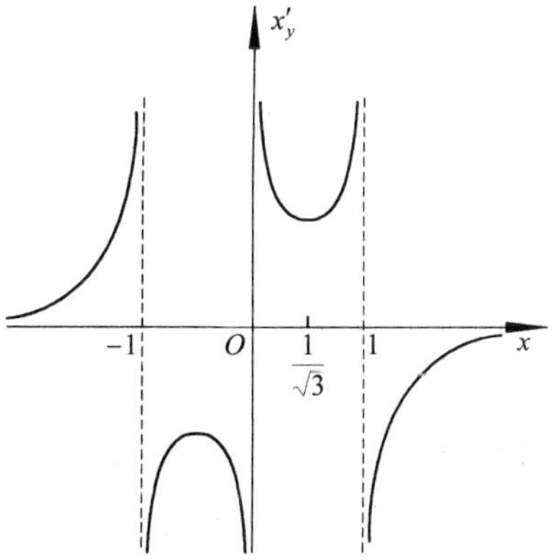

图 2.24

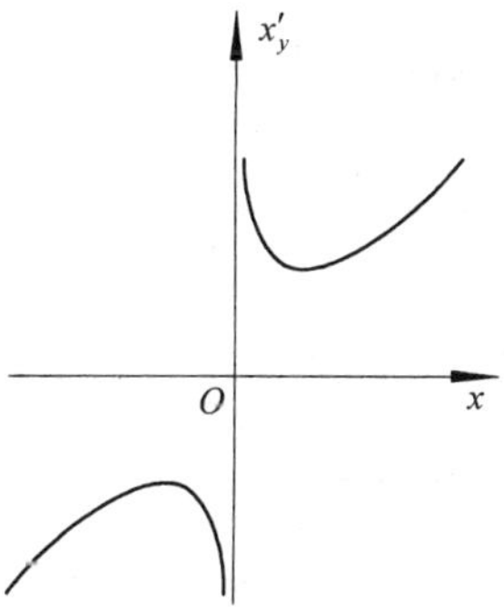

图 2.25

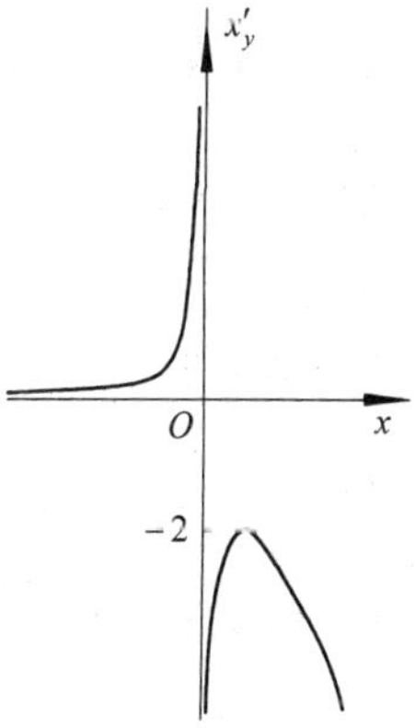

图 2.26

【1036】 证明：由方程 $y^3 + 3y = x$ 确定的单值函数 $y = y(x)$ 存在，并求 $y'(x)$.

证 对函数 $x = f(y) = y^3 + 3y$ 关于 y 求导，有

$$f'(y) = 3y^2 + 3 = 3(y^2+1) > 0,$$

其中 y 为任意实数，故 $f(y)$ 在 $\mathbf{R}$ 上严格递增，从而存在单值的反函数 $y = y(x)(-\infty < x < +\infty)$，且 $y'(x) = \frac{1}{f'(y)} = \frac{1}{3(y^2+1)}$.

【1037】 证明：由方程 $y - \varepsilon\sin y = x(0 \leqslant \varepsilon < 1)$ 确定的单值函数 $y = y(x)$ 存在，并求其导数 $y'(x)$.

证 对于函数 $x = f(y) = y - \varepsilon\sin y$ 关于 y 求导，有 $f'(y) = 1 - \varepsilon\cos y > 0\ (0 \leqslant \varepsilon < 1)$. 故 $f(y)$ 在 $(-\infty, +\infty)$ 上严格递增，从而存在单值的反函数 $y = y(x)$，且

$$y'(x) = \frac{1}{f'(y)} = \frac{1}{1-\varepsilon\cos y}.$$

知识点2 用参数形式给出的函数的导数

定义 若方程组 $\begin{cases} x = \varphi(t), \\ y = \psi(t) \end{cases}$ $(\alpha < t < \beta)$，其中 $\varphi(t)$ 和 $\psi(t)$ 为可微函数，且 $\varphi'(t) \neq 0$，在某区域内确定 y 为 x 的单值连续函数 $y = \psi(\varphi^{-1}(x))$，则此函数的导数为

$$\frac{dy}{dx} = \frac{\frac{dy}{dt}}{\frac{dx}{dt}} = \frac{\psi'(t)}{\varphi'(t)}.$$

习题 1038—1047 参数方程确定函数的导数

【1038】 作出函数 $y=y(x)$ 的略图，并求其导数 $y'(x)$. 设：

$$x=-1+2t-t^2, y=2-3t+t^3.$$

当 $x=0$ 及 $x=-1$ 时，$y'(x)$ 等于什么？在何点 $M(x,y)$ 的导数 $y'(x)=0$?

解 $\frac{\mathrm{d}y}{\mathrm{d}x}=\frac{\frac{\mathrm{d}y}{\mathrm{d}t}}{\frac{\mathrm{d}x}{\mathrm{d}t}}=\frac{-3+3t^2}{2-2t}=-\frac{3}{2}(1+t).$

当 $t=-1$，即 $x=-4, y=4$ 时，$y'(x)=0$.

当 $x=0$ 时，$t=1$，此时 $y'(x)=-3$；

当 $x=-1$ 时，$t=0$ 或 $t=2$，此时 $y'(x)=-\frac{3}{2}$ 或 $y'(x)=-\frac{9}{2}$.

列表

t	-3	-2	-1	0	1	2	3	4
x	-16	-9	-4	-1	0	-1	-4	-9
y	-16	0	4	2	0	4	20	54

当 $t<-1$ 时，$\frac{\mathrm{d}y}{\mathrm{d}x}>0$，函数值 y 随自变量 x 的增加而增加，曲线上升；

当 $t>-1$ 时，$\frac{\mathrm{d}y}{\mathrm{d}x}<0$，函数值 y 随自变量 x 的增加而减少，曲线下降.

图像如图 2.27 所示.

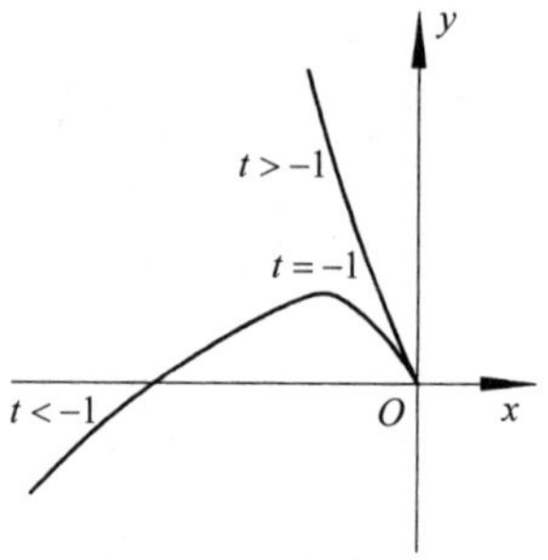

图 2.27

【设参数为正，求导数 $y'(x)$（1039—1046）】

【1039】 $x=\sqrt[3]{1-\sqrt{t}}, y=\sqrt{1-\sqrt[3]{t}}$.

解 $\frac{\mathrm{d}y}{\mathrm{d}x}=\frac{\frac{\mathrm{d}y}{\mathrm{d}t}}{\frac{\mathrm{d}x}{\mathrm{d}t}}=\frac{-\frac{1}{6\sqrt[3]{t^2}\sqrt{1-\sqrt[3]{t}}}}{-\frac{1}{6\sqrt{t}\sqrt[3]{(1-\sqrt{t})^2}}}=\sqrt[6]{\frac{(1-\sqrt{t})^4}{t(1-\sqrt[3]{t})^3}}.$

【1040】 $x=\sin^2 t, y=\cos^2 t$.

解 $\frac{\mathrm{d}y}{\mathrm{d}x}=\frac{-2\cos t\sin t}{2\sin t\cos t}=-1.$

【1041】 $x=a\cos t, y=b\sin t$.

解 $\frac{\mathrm{d}y}{\mathrm{d}x}=\frac{b\cos t}{-a\sin t}=-\frac{b}{a}\cot t.$

【1042】 $x=a\operatorname{ch} t, y=b\operatorname{sh} t$.

解 $\frac{\mathrm{d}y}{\mathrm{d}x}=\frac{b\operatorname{ch} t}{a\operatorname{sh} t}=\frac{b}{a}\coth t.$

【1043】 $x=a\cos^3 t, y=a\sin^3 t$.

解 $\frac{\mathrm{d}y}{\mathrm{d}x}=\frac{3a\sin^2 t\cos t}{-3a\cos^2 t\sin t}=-\tan t.$

【1044】 $x=a(t-\sin t), y=a(1-\cos t)$.

解 $\frac{\mathrm{d}y}{\mathrm{d}x}=\frac{a\sin t}{a(1-\cos t)}=\cot\frac{t}{2}.$

【1045】 $x = e^{2t}\cos^2 t, y = e^{2t}\sin^2 t$.

解 $\dfrac{dy}{dx} = \dfrac{2e^{2t}(\sin^2 t + \sin t\cos t)}{2e^{2t}(\cos^2 t - \sin t\cos t)} = \dfrac{\sin t \cdot \sqrt{2}\sin\left(t+\frac{\pi}{4}\right)}{\cos t \cdot \sqrt{2}\cos\left(t+\frac{\pi}{4}\right)} = \tan t \cdot \tan\left(t+\frac{\pi}{4}\right)$.

【1046】 $x = \arcsin\dfrac{t}{\sqrt{1+t^2}}, y = \arccos\dfrac{1}{\sqrt{1+t^2}}$.

解
$$\frac{dy}{dt} = -\frac{1}{\sqrt{1-\frac{1}{1+t^2}}}\left[-\frac{t}{(1+t^2)^{\frac{3}{2}}}\right] = \frac{1}{1+t^2},$$

$$\frac{dx}{dt} = \frac{1}{\sqrt{1-\frac{t^2}{1+t^2}}} \cdot \frac{\sqrt{1+t^2} - \frac{t^2}{\sqrt{1+t^2}}}{1+t^2} = \frac{1}{1+t^2}.$$

于是$\dfrac{dy}{dx} = \dfrac{\frac{1}{1+t^2}}{\frac{1}{1+t^2}} = 1$.

【1047】 证明：由方程组$\begin{cases} x = 2t + |t|, \\ y = 5t^2 + 4t|t| \end{cases}$所确定的函数 $y = y(x)$ 当 $t = 0$ 时可微.但它的导数不能用普通的公式求得.

证 当 t 由 0 变化到 Δt 时，x 由 0 变化到 $\Delta x = 2\Delta t + |\Delta t|$，$y$ 由 0 变化到 $\Delta y = 5(\Delta t)^2 + 4\Delta t \cdot |\Delta t|$.于是

$$\left.\frac{\Delta y}{\Delta x}\right|_{t=0} = \frac{5(\Delta t)^2 + 4\Delta t|\Delta t|}{2\Delta t + |\Delta t|} = \begin{cases} 3\Delta t, & \Delta t > 0, \\ \Delta t, & \Delta t < 0, \end{cases}$$

从而，$\lim\limits_{\Delta t \to 0}\dfrac{\Delta y}{\Delta x} = 0$，即 $y = y(x)$ 当 $t = 0$ 时可微.

但由于 $|t|$ 当 $t = 0$ 时不可微，因而$\dfrac{dx}{dt}$及$\dfrac{dy}{dt}$当 $t = 0$ 时不存在. 所以，导数$\dfrac{dy}{dx}$当 $t = 0$ 的值不能用普通公式求得.

> **注** 事实上，由方程组$\begin{cases} x = 2t + |t|, \\ y = 5t^2 + 4t|t| \end{cases}$可得，当 $t \geqslant 0$ 时有$\begin{cases} x = 3t, \\ y = 9t^2, \end{cases}$当 $t < 0$ 时有$\begin{cases} x = t, \\ y = t^2, \end{cases}$即恒有 $y = x^2$，显然在 $x = 0$（对应 $t = 0$）时可微.

知识点3 隐函数的导数

定义 若可微函数 $y = y(x)$ 满足方程 $F(x, y) = 0$，则此隐函数的导数 $y' = y'(x)$ 可通过以下方程求得

$$\frac{d}{dx}[F(x, y)] = 0,$$

其中 $F(x, y)$ 是变量 x 的复合函数.

习题 1048—1053 隐函数的导数

【1048】 $x^2+2xy-y^2=2x$. 当 $x=2$ 与 $y=4$ 及当 $x=2$ 与 $y=0$ 时，y' 等于什么？

解 两端对 x 求导，得 $2x+2xy'+2y-2yy'=2$，于是

$$y'=\frac{dy}{dx}=\frac{1-x-y}{x-y},\ y'\big|_{\substack{x=2\\y=4}}=\frac{5}{2},\ y'\big|_{\substack{x=2\\y=0}}=-\frac{1}{2}.$$

【求下列隐函数的导数 $y'(x)$(1049—1053)】

【1049】 $y^2=2px$(抛物线).

解 两端对 x 求导，得 $2yy'=2p$，于是 $y'=\dfrac{dy}{dx}=\dfrac{p}{y}$.

【1050】 $\dfrac{x^2}{a^2}+\dfrac{y^2}{b^2}=1$(椭圆).

解 两端对 x 求导，得 $\dfrac{2x}{a^2}+\dfrac{2yy'}{b^2}=0$. 于是 $y'=\dfrac{dy}{dx}=-\dfrac{b^2x}{a^2y}$.

【1051】 $\sqrt{x}+\sqrt{y}=\sqrt{a}$(抛物线).

解 两端对 x 求导，得 $\dfrac{1}{2\sqrt{x}}+\dfrac{1}{2\sqrt{y}}y'=0$. 于是 $y'=\dfrac{dy}{dx}=-\sqrt{\dfrac{y}{x}}$.

【1052】 $x^{\frac{2}{3}}+y^{\frac{2}{3}}=a^{\frac{2}{3}}$(星形线).

解 两端对 x 求导，得 $\dfrac{2}{3}x^{-\frac{1}{3}}+\dfrac{2}{3}y^{-\frac{1}{3}}y'=0$. 于是 $y'=\dfrac{dy}{dx}=-\sqrt[3]{\dfrac{y}{x}}$.

【1053】 $\arctan\dfrac{y}{x}=\ln\sqrt{x^2+y^2}$(对数螺线).

解 两端对 x 求导，得 $\dfrac{1}{1+\dfrac{y^2}{x^2}}\cdot\dfrac{xy'-y}{x^2}=\dfrac{x+yy'}{x^2+y^2}$. 于是 $y'=\dfrac{dy}{dx}=\dfrac{x+y}{x-y}$.

习题 1054—1054 极坐标方程确定的函数的导数

【1054】 求 $y'(x)$，设：

(1)$r=a\varphi$(阿基米得螺线)；(2)$r=a(1+\cos\varphi)$(心脏线)；(3)$r=ae^{m\varphi}$(对数螺线)，

其中 $r=\sqrt{x^2+y^2}$，$\varphi=\arctan\dfrac{y}{x}$.

提示 $\begin{cases}x=r(\varphi)\cos\varphi,\\ y=r(\varphi)\sin\varphi,\end{cases}$ 利用参数方程所确定的函数的求导方法，可得

$$\frac{dy}{dx}=\frac{\dfrac{dy}{d\varphi}}{\dfrac{dx}{d\varphi}}=\frac{r(\varphi)\cos\varphi+\sin\varphi\cdot r'(\varphi)}{\cos\varphi\cdot r'(\varphi)-r(\varphi)\sin\varphi}.$$

解 (1) 令 $\begin{cases}x=a\varphi\cos\varphi,\\ y=a\varphi\sin\varphi,\end{cases}$ 则 $\dfrac{dy}{dx}=\dfrac{\dfrac{dy}{d\varphi}}{\dfrac{dx}{d\varphi}}=\dfrac{a\sin\varphi+a\varphi\cos\varphi}{a\cos\varphi-a\varphi\sin\varphi}=\tan(\varphi+\arctan\varphi)$.

(2) $\begin{cases}x=a(1+\cos\varphi)\cos\varphi,\\ y=a(1+\cos\varphi)\sin\varphi,\end{cases}$ 则

$$\frac{\mathrm{d}y}{\mathrm{d}x}=\frac{\frac{\mathrm{d}y}{\mathrm{d}\varphi}}{\frac{\mathrm{d}x}{\mathrm{d}\varphi}}=\frac{-a\sin^2\varphi+a(1+\cos\varphi)\cos\varphi}{-a\sin\varphi\cos\varphi-a(1+\cos\varphi)\sin\varphi}=-\frac{\cos 2\varphi+\cos\varphi}{\sin 2\varphi+\sin\varphi}$$

$$=-\frac{2\cos\frac{3\varphi}{2}\cos\frac{\varphi}{2}}{2\sin\frac{3\varphi}{2}\cos\frac{\varphi}{2}}=-\cot\frac{3\varphi}{2}.$$

(3) 令 $\begin{cases}x=ae^{m\varphi}\cos\varphi,\\ y=ae^{m\varphi}\sin\varphi,\end{cases}$ 则

$$\frac{\mathrm{d}y}{\mathrm{d}x}=\frac{\frac{\mathrm{d}y}{\mathrm{d}\varphi}}{\frac{\mathrm{d}x}{\mathrm{d}\varphi}}=\frac{ma\mathrm{e}^{m\varphi}\sin\varphi+ae^{m\varphi}\cos\varphi}{ma\mathrm{e}^{m\varphi}\cos\varphi-ae^{m\varphi}\sin\varphi}=\frac{m\sin\varphi+\cos\varphi}{m\cos\varphi-\sin\varphi}=\tan\left(\varphi+\arctan\frac{1}{m}\right).$$

第3节 导数的几何意义（习题1055—1082）

知识点预览

序号	知识点	题目序号	所在页码
1	切线和法线的方程	1055—1069	P55
2	切线长和法线长	1070—1075	P59
3	切线与切点的径向量间的夹角	1076—1082	P61

知识点1 切线和法线的方程

可微函数 $y=f(x)$ 在其图像上一点 (x_0,y_0) 处的切线和法线方程分别为：

$$y-y_0=f'(x_0)(x-x_0)\text{ 及 }y-y_0=-\frac{1}{f'(x_0)}(x-x_0),$$

其中 (x_0,y_0) 为切线或法线上的点的坐标，而 $f'(x_0)$ 为切点处的导数值.

习题 1055—1069 切线和法线方程

【1055】 写出曲线 $y=(x+1)\sqrt[3]{3-x}$ 在下列各点处的切线和法线方程：
(1) $A(-1,0)$； (2) $B(2,3)$； (3) $C(3,0)$.

解 (1) 由于 $y'=\sqrt[3]{3-x}-\dfrac{x+1}{3\sqrt[3]{(3-x)^2}}$，所以，在 A 点的切线方程为

$$y-0=y'\big|_{x=-1}(x+1)\text{，即 }y=\sqrt[3]{4}(x+1).$$

法线方程为

$$y-0=-\frac{1}{\sqrt[3]{4}}(x+1)\text{，即 }y=-\frac{\sqrt[3]{2}}{2}(x+1).$$

(2) 在 B 点的切线方程为 $y-3=y'|_{x=2}(x-2)$，即 $y=3$，法线方程为 $x=2$.

(3) 在 C 点，由于 $y'(3)=\infty$，故切线方程为 $x=3$，法线方程为 $y=0$.

【1056】 在曲线 $y=2+x-x^2$ 上的哪些点，其切线分别满足以下条件：

(1) 平行于 Ox 轴；

(2) 平行于第一象限角的平分线.

解 由于 $y'=1-2x$，所以有

(1) 令 $y'=1-2x=0$，则 $x=\dfrac{1}{2}$，$y=\dfrac{9}{4}$，故在点$\left(\dfrac{1}{2},\dfrac{9}{4}\right)$处其切线平行于 Ox 轴；

(2) 令 $y'=1-2x=1$，则 $x=0$，$y=2$，故在点$(0,2)$处其切线平行于第一象限角的平分线.

【写出下列曲线在指定点处的切线与法线方程(1057—1058)】

【1057】 $\dfrac{x^2}{100}+\dfrac{y^2}{64}=1$，$M(6,6.4)$.

解 由于 $y'=-\dfrac{64x}{100y}=-\dfrac{16x}{25y}$，故点 M 处的导数为 $y'|_M=-\dfrac{16\times 6}{25\times 6.4}=-\dfrac{3}{5}$，此即曲线在 M 点的切线的斜率. 所以，切线方程为

$$y-6.4=-\frac{3}{5}(x-6)，即\ 3x+5y-50=0；$$

法线方程为

$$y-6.4=\frac{5}{3}(x-6)，即\ 25x-15y-54=0.$$

【1058】 $xy+\ln y=1$，$M(1,1)$.

解 先求 y'. 由于 $xy'+y+\dfrac{y'}{y}=0$，从而 $y'=-\dfrac{y^2}{xy+1}$，$y'|_{\substack{x=1\\y=1}}=-\dfrac{1}{2}$.

故切线方程为

$$y-1=-\frac{1}{2}(x-1)，即\ x+2y-3=0；$$

法线方程为

$$y-1=2(x-1)，即\ 2x-y-1=0.$$

【1059】 写出曲线 $x=2t-t^2$，$y=3t-t^3$ 在下列各点处的切线和法线方程：

(1) $t=0$； (2) $t=1$.

解 $\dfrac{dy}{dx}=\dfrac{y'(t)}{x'(t)}=\dfrac{3-3t^2}{2-2t}=\dfrac{3}{2}(1+t)$.

(1) 当 $t=0$ 时，$x=0$，$y=0$，$\dfrac{dy}{dx}=\dfrac{3}{2}$.

故切线方程为 $y=\dfrac{3}{2}x$，即 $3x-2y=0$；法线方程为 $y=-\dfrac{2}{3}x$，即 $2x+3y=0$.

(2) 当 $t=1$ 时，$x=1$，$y=2$，$\dfrac{dy}{dx}=3$.

故切线方程为 $y-2=3(x-1)$，即 $3x-y-1=0$；法线方程为 $y-2=-\dfrac{1}{3}(x-1)$，即 $x+3y-7=0$.

【1060】 写出曲线 $x=\dfrac{2t+t^2}{1+t^3}$，$y=\dfrac{2t-t^2}{1+t^3}$ 在下列各点处的切线与法线方程：

(1) $t=0$； (2) $t=1$； (3) $t=\infty$.

解 $\dfrac{dy}{dx}=\dfrac{y'(t)}{x'(t)}=\dfrac{2-2t-4t^3+t^4}{2+2t-4t^3-t^4}$.

(1) 当 $t=0$ 时，$x=0$，$y=0$，$\dfrac{dy}{dx}=1$.

故切线方程为 $y=x$；法线方程为 $y=-x$.

(2) 当 $t=1$ 时，$x=\frac{3}{2}$，$y=\frac{1}{2}$，$\frac{\mathrm{d}y}{\mathrm{d}x}=3$.

故切线方程为 $y-\frac{1}{2}=3\left(x-\frac{3}{2}\right)$，即 $3x-y-4=0$；

法线方程为 $y-\frac{1}{2}=-\frac{1}{3}\left(x-\frac{3}{2}\right)$，即 $x+3y-3=0$.

(3) 当 $t=\infty$ 时，$x=0$，$y=0$，$\frac{\mathrm{d}y}{\mathrm{d}x}=-1$，即 $\lim\limits_{t\to\infty}x(t)=0$，$\lim\limits_{t\to\infty}y(t)=0$，$\lim\limits_{t\to\infty}\frac{\mathrm{d}y}{\mathrm{d}x}=-1$.

故切线方程为 $y=-x$；法线方程为 $y=x$.

【1061】 写出摆线(旋轮线) $\begin{cases}x=a(t-\sin t),\\ y=a(1-\cos t)\end{cases}$ 上任意一点 $t=t_0$ 处的切线方程. 并给出摆线的切线的作法.

解 $\left.\frac{\mathrm{d}y}{\mathrm{d}x}\right|_{t=t_0}=\left.\frac{y'(t)}{x'(t)}\right|_{t=t_0}=\left.\frac{a\sin t}{a(1-\cos t)}\right|_{t=t_0}=\left.\cot\frac{t}{2}\right|_{t=t_0}=\cot\frac{t_0}{2}$.

于是，切线方程为

$$y-a(1-\cos t_0)=\cot\frac{t_0}{2}\cdot[x-a(t_0-\sin t_0)],$$

化简得 $y-2a=(x-at_0)\cot\frac{t_0}{2}$.

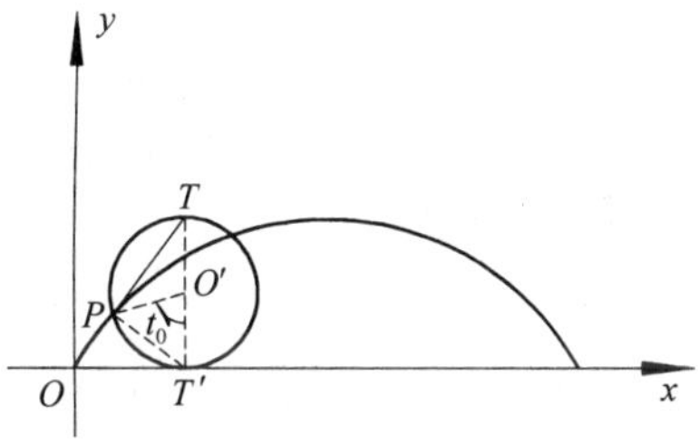

图 2.28

由此可知，切线通过点 $(at_0,2a)$，其斜率为 $\cot\frac{t_0}{2}$. 如图 2.28 中所示，$\angle T'O'P=t_0$，而

$$OT'=\overset{\frown}{T'P}=at_0,\ T'T=2a,$$

故 T 点的坐标为 $(at_0,2a)$，它在切线上. 其次，连接 PT 及 PT'，则 $PT'\perp PT$，且

$$k_{PT}=\tan\left(\frac{\pi}{2}-\angle PTT'\right)=\tan\left(\frac{\pi}{2}-\frac{t_0}{2}\right)=\cot\frac{t_0}{2}.$$

这样，PT 就通过点 $(at_0,2a)$，且其斜率为 $\cot\frac{t_0}{2}$，所以，直线 PT 即为所求的切线. 于是摆线的切线可以这样做：先连接切点与滚动的圆的接触点(即点 P)，然后过点 P 作其垂直线，此即所求的切线.

【1062】 若抛物线 $y=ax^2+bx+c$ 与 Ox 轴相切，则系数 a,b,c 间的关系如何？

解 由方程 $y=ax^2+bx+c$ 求得导数 $y'=2ax+b$. 要使抛物线与 Ox 轴相切，必须满足

$$\begin{cases}y'=2ax+b=0,\\ ax^2+bx+c=0,\end{cases}$$

解得 $b^2-4ac=0$，此即所求的系数 a,b,c 之间的关系.

【1063】 在什么条件下，立方抛物线 $y=x^3+px+q$ 与 Ox 轴相切？

解 由方程 $y=x^3+px+q$ 求得 $y'=3x^2+p$. 要使此曲线与 Ox 轴相切，必须满足

$$\begin{cases}3x^2+p=0, & ①\\ x^3+px+q=0. & ②\end{cases}$$

由 ② 式得 $x(x^2+p)=-q$，两端平方，得

$$x^2(x^2+p)^2=q^2, \quad ③$$

将 ① 式代入 ③ 式，得

$$-\frac{p}{3}\cdot\left(-\frac{p}{3}+p\right)^2=q^2,\ 即\left(\frac{p}{3}\right)^3+\left(\frac{q}{2}\right)^2=0,$$

此即所求的条件.

【1064】 当参数 a 为何值时，抛物线 $y = ax^2$ 与曲线 $y = \ln x$ 相切？

解 按题意，有

$$(ax^2)' = (\ln x)'，\text{即 } x^2 = \frac{1}{2a}(a \neq 0)，\text{从而 } y = a \cdot \frac{1}{2a} = \frac{1}{2}.$$

同时，由于在切点相切，其纵坐标也必须相等，所以 $\ln x = \frac{1}{2}$，即 $x = \sqrt{e}$，故

$$a = \frac{1}{2x^2} = \frac{1}{2e}.$$

【1065】 证明：曲线 $y = f(x)[f(x) > 0]$ 及 $y = f(x)\sin ax$ 在公共点处彼此相切，其中 $f(x)$ 为可微函数.

证 解方程组

$$\begin{cases} y = f(x), \\ y = f(x)\sin ax, \end{cases}$$

得 $\sin ax = 1, x = \frac{(4k+1)\pi}{2a}(k \in \mathbf{Z})$，这就是两曲线交点的横坐标. 两曲线在交点处切线的斜率分别为

$$k_1 = f'\left(\frac{4k+1}{2a}\pi\right),$$

$$k_2 = f'\left(\frac{4k+1}{2a}\pi\right)\sin\left(\frac{4k+1}{2}\pi\right) + a\cos\left(\frac{4k+1}{2}\pi\right)f\left(\frac{4k+1}{2a}\pi\right) = f'\left(\frac{4k+1}{2a}\pi\right),$$

从而 $k_1 = k_2$，所以两曲线在公共点处彼此相切.

【1066】 证明：双曲线族 $x^2 - y^2 = a$ 及 $xy = b$ 形成一正交网，就是说这两族中的曲线成直角相交.

证 设双曲线 $x^2 - y^2 = a$ 与双曲线 $xy = b$ 相交于点 $P(x,y)$，则在此点双曲线 $x^2 - y^2 = a$ 的切线的斜率 k_1 满足 $2x - 2yk_1 = 0$，所以 $k_1 = \frac{x}{y}$.

在同一点双曲线 $xy = b$ 的切线的斜率 k_2 满足 $y + xk_2 = 0$，所以 $k_2 = -\frac{y}{x}$，由此得到

$$k_1k_2 = \frac{x}{y} \cdot \left(-\frac{y}{x}\right) = -1.$$

因此，两双曲线交成直角，故此两曲线族形成一正交网.

【1067】 证明：抛物线族 $y^2 = 4a(a-x)(a > 0)$ 及 $y^2 = 4b(b+x)(b > 0)$ 形成正交网.

证 设抛物线 $y^2 = 4a(a-x)$ 与抛物线 $y^2 = 4b(b+x)$ 相交于点 $P(x,y)$，则在此点 $y^2 = 4a(a-x)$ 的切线的斜率 k_1 满足 $2yk_1 = -4a$，所以 $k_1 = -\frac{2a}{y}$.

在同一点抛物线 $y^2 = 4b(b+x)$ 的切线的斜率 k_2 满足 $2yk_2 = 4b$，所以 $k_2 = \frac{2b}{y}$.

由此得到

$$k_1k_2 = -\frac{4ab}{y^2}.$$

但点 $P(x,y)$ 同时在这两条抛物线上，故 $4a(a-x) = 4b(b+x)$. 于是 $x = a-b$，且

$$y^2 = 4a(a-a+b) = 4ab.$$

故两切线的斜率满足 $k_1k_2 = -\frac{4ab}{y^2} = -\frac{4ab}{4ab} = -1$，故此两切线成直角，即两抛物线族形成正交网.

【1068】 在曲线 $y = 2\sin x(-\pi \leqslant x \leqslant \pi)$ 上求出"曲线的坡度"($|y'| > 1$) 区域.

解 因 $y' = 2\cos x$，故要 $|y'| > 1$，只要 $|\cos x| > \frac{1}{2}$，即 $|x| < \frac{\pi}{3}$ 及 $\frac{2\pi}{3} < |x| \leqslant \pi$，此即所求区域.

【1069】 函数 $y=x$ 及 $y_1=x+0.01\cdot\sin 1\,000\pi x$ 二者相差不大于 0.01，这些函数的导数的差的最大值如何？作出相应的图像.

解 导数差的最大值

$$\max|y'-y_1'|=\max|10\pi\cdot\cos 1\,000\pi x|=10\pi\approx 31.4,$$

由此可见，两函数相差甚微时(图 2.29)，其导数却可相差很大(图 2.30).

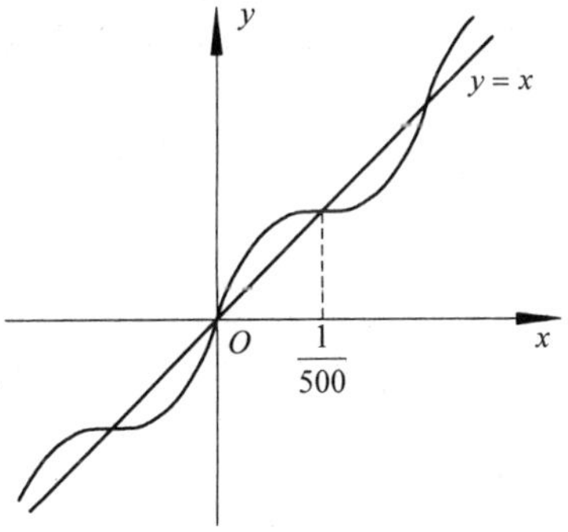

图 2.29

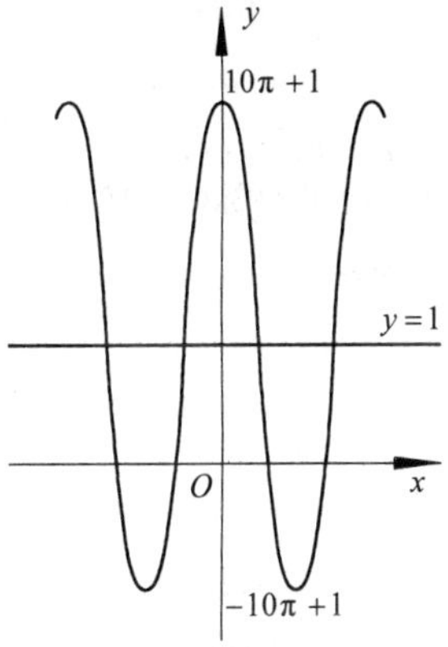

图 2.30

知识点 2 切线长和法线长

对于与切线和法线有关的一些线段，见图 2.31，MT 为切线，PT 为次切线，MN 为法线，PN 为次法线. 由 $\tan\alpha=y'$，得到下列值：

$$MT=\left|\frac{y}{y'}\right|\sqrt{1+(y')^2}$$

$$PT=\left|\frac{y}{y'}\right|,$$

$$MN=|y|\sqrt{1+(y')^2},$$

$$PN=|yy'|.$$

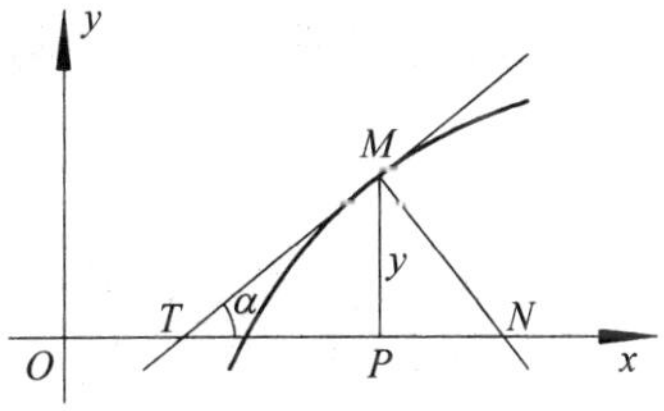

图 2.31

习题 1070—1075 切线和法线长度

【1070】 求曲线 $y=ax^n$ 的次切线长，由此给出作这曲线的切线的方法.

解 设在任一点 $M(x,y)$ 的次切线长为 l_T，如图 2.32 中的 PT，则

$$l_T=\left|\frac{y}{\tan\alpha}\right|=\left|\frac{y}{y'}\right|=\left|\frac{ax^n}{nax^{n-1}}\right|=\left|\frac{x}{n}\right|.$$

因此，该曲线的切线可以这样作：对于曲线 $y=ax^n$ 上任一点 $M(x,y)$，由此点向 Ox 轴作垂线，得交点 P. 再在 Ox 轴上取点 T，使 $|PT|=\frac{|x|}{n}$(当然，只是在 P 的一侧取点 T，若在此点 $yy'>0$，则在 P 点的左侧取 T；若在此点 $yy'<0$，则在 P 点的右侧取 T)，然后连接 MT，则 MT 就是所求的切线.

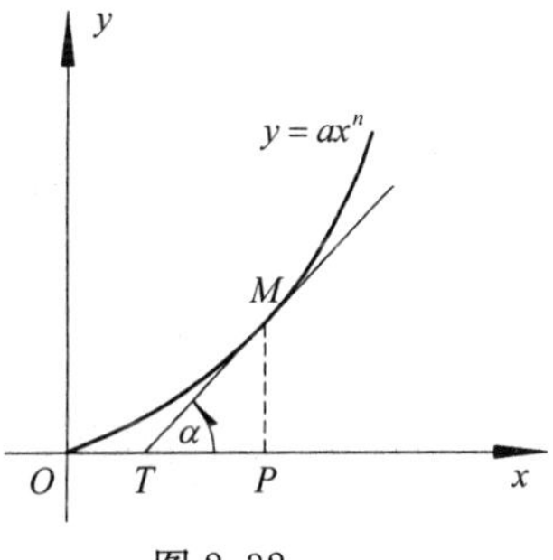

图 2.32

【1071】 证明:对于抛物线 $y^2=2px$,有

(1) 次切线长等于切点的横坐标(绝对值)的两倍;

(2) 次法线为一常量.

并给出作此抛物线的切线的方法.

证 (1) 次切线长为

$$l_T=|PT|=\left|\frac{y}{y'}\right|=\left|\frac{y}{\frac{p}{y}}\right|=\left|\frac{y^2}{p}\right|=\left|\frac{2px}{p}\right|=2|x|,$$

所以次切线长为切点横坐标(绝对值)的两倍.

(2) 次法线长为

$$l_N=|PN|=|yy'|=\left|y\cdot\frac{p}{y}\right|=|p|,$$

所以次法线长为一常量.

由此,抛物线的切线可以这样作:由曲线 $y^2=2px$ 上的任一点 $M(x,y)$ 向 Ox 轴作垂线,得交点 P. 由于 $yy'=p$,故当 $p>0(p<0)$ 时,在 Ox 轴上 P 点的左(右)侧取点 T,如图 2.33,使 $|PT|=2|x|$,连接 MT,此即所求的切线.

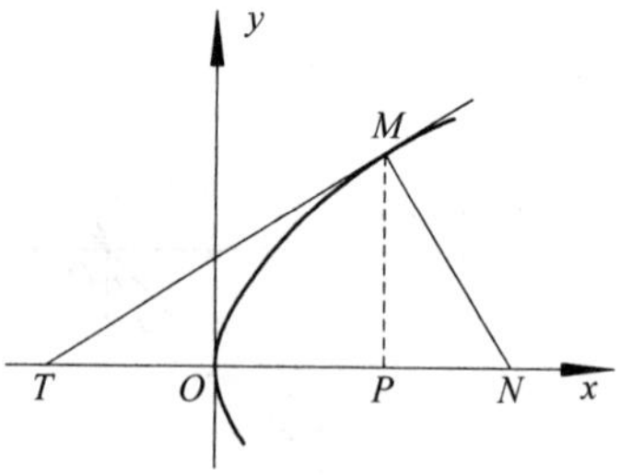

图 2.33

【1072】 证明:指数曲线 $y=a^x(a>0$,且 $a\neq 1)$ 有定长的次切线. 给出作指数曲线的切线的方法.

证 次切线长 $l_T=\left|\frac{y}{y'}\right|=\left|\frac{a^x}{a^x\ln a}\right|=\frac{1}{|\ln a|}$,故 l_T 为常量.

由此,该曲线的切线可以这样作:对于 $y=a^x$ 上任一点 $M(x,y)$ 向 Ox 轴作垂线,得交点 P. 由于当 $a>1$ 时,$yy'>0$,当 $0<a<1$ 时,$yy'<0$,故在 Ox 轴上点 P 的左侧($a>1$)或右侧($0<a<1$)取点 T,使 $|PT|=\frac{1}{|\ln a|}$,连接 MT,此即所求的切线,如图 2.34 所示.

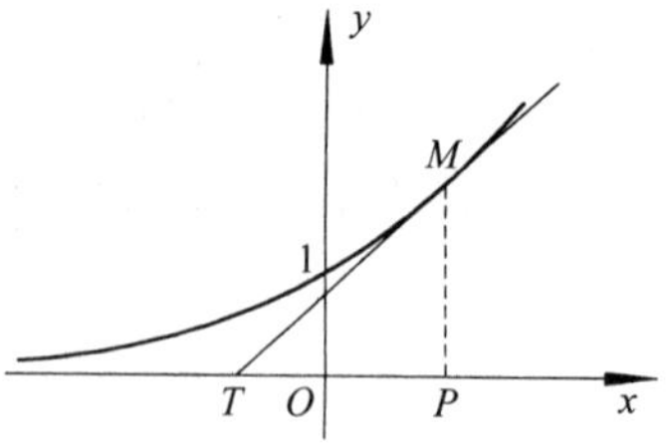

图 2.34

【1073】 求悬链线 $y=a\operatorname{ch}\frac{x}{a}$ 上任意一点 $M(x_0,y_0)$ 处的法线长.

解 法线长为 $|MN|=|y|\sqrt{1+(y')^2}\Big|_{(x_0,y_0)}$. 由于

$$y'=a\cdot\frac{1}{a}\operatorname{sh}\frac{x}{a}=\operatorname{sh}\frac{x}{a},$$

$$\sqrt{1+(y')^2}=\sqrt{1+\operatorname{sh}^2\frac{x}{a}}=\left|\operatorname{ch}\frac{x}{a}\right|=\left|\frac{y}{a}\right|,$$

故 $|MN|=|y_0|\cdot\left|\frac{y_0}{a}\right|=\frac{y_0^2}{|a|}$,即 $|MN|=\frac{y_0^2}{|a|}(a\neq 0)$.

【1074】 证明:星形线 $x^{\frac{2}{3}}+y^{\frac{2}{3}}=a^{\frac{2}{3}}(a>0)$ 的切线介于坐标轴间的部分的长为一常量.

证 对方程 $x^{\frac{2}{3}}+y^{\frac{2}{3}}=a^{\frac{2}{3}}$ 求导得 $y'=-\sqrt[3]{\frac{y}{x}}$. 对于曲线上任一点 $(x_0,y_0)(x_0\neq 0)$ 处,其切线方程为

$$y-y_0=-\sqrt[3]{\frac{y_0}{x_0}}(x-x_0),$$

它在两坐标轴上的截距分别为

$$l_x = x_0 + \sqrt[3]{x_0 y_0^2} \text{ 及 } l_y = y_0 + \sqrt[3]{x_0^2 y_0}.$$

于是，切线在两坐标轴间的部分长为 $l = \sqrt{l_x^2 + l_y^2}$. 由于

$$\begin{aligned} l_x^2 + l_y^2 &= x_0^2 + y_0^2 + 3x_0 \sqrt[3]{x_0 y_0^2} + 3y_0 \sqrt[3]{x_0^2 y_0} = x_0^2 + y_0^2 + 3\sqrt[3]{x_0^2 y_0^2}\left(\sqrt[3]{x_0^2} + \sqrt[3]{y_0^2}\right) \\ &= x_0^2 + y_0^2 + 3\sqrt[3]{a^2 x_0^2 y_0^2} = \left(a^{\frac{2}{3}} - y_0^{\frac{2}{3}}\right)^3 + y_0^2 + 3(ax_0 y_0)^{\frac{2}{3}} \\ &= a^2 - 3a^{\frac{4}{3}} y_0^{\frac{2}{3}} + 3a^{\frac{2}{3}} y_0^{\frac{4}{3}} + 3(ax_0 y_0)^{\frac{2}{3}} = a^2 - 3a^{\frac{2}{3}} y_0^{\frac{2}{3}}\left(a^{\frac{2}{3}} - y_0^{\frac{2}{3}}\right) + 3(ax_0 y_0)^{\frac{2}{3}} \\ &= a^2 - 3(ax_0 y_0)^{\frac{2}{3}} + 3(ax_0 y_0)^{\frac{2}{3}} = a^2, \end{aligned}$$

故 $l = a$，即星形线 $x^{\frac{2}{3}} + y^{\frac{2}{3}} = a^{\frac{2}{3}} (a > 0)$ 的切线介于坐标轴间部分的长为一常量.

【1075】 证明：曳物线 $\begin{cases} x = a\left(\ln \tan \dfrac{t}{2} + \cos t\right), \\ y = a\sin t (a > 0, 0 < t < \pi) \end{cases}$ 有长度不变的切线.

证 切线长 $l = \left|\dfrac{y}{y'(x)}\right| \sqrt{1 + (y'(x))^2}$，而

$$y'(x) = \frac{\mathrm{d}y}{\mathrm{d}x} = \frac{y'(t)}{x'(t)} = \frac{a\cos t}{a\left(\dfrac{1}{\sin t} - \sin t\right)} = \frac{\sin t}{\cos t},$$

所以 $l = \left|\dfrac{y}{y'(x)}\right| \sqrt{1 + (y'(x))^2} = \left|\dfrac{a\sin t}{\dfrac{\sin t}{\cos t}}\right| \sqrt{1 + \dfrac{\sin^2 t}{\cos^2 t}} = |a||\cos t| \cdot \dfrac{1}{|\cos t|} = |a|$，这是一个常量，

故曳物线有长度不变的切线.

知识点3 切线与切点的径向量间的夹角

若 $r = r(\varphi)$ 为曲线的极坐标方程，β 为切线 MT 与切点 M 的径向量 OM 所成的角(图2.35)，则 $\tan \beta = \dfrac{r(\varphi)}{r'(\varphi)}$.

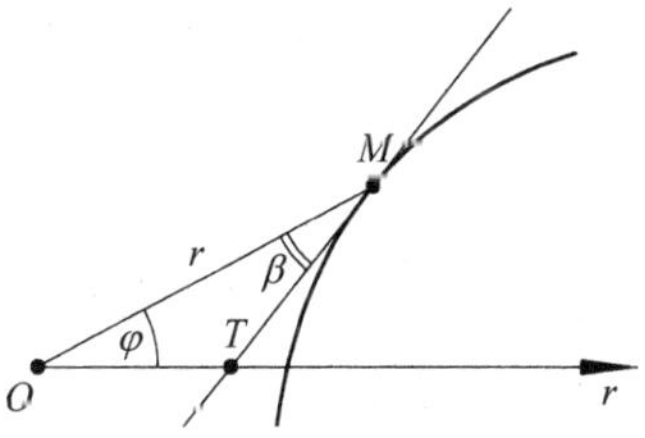

图 2.35

习题1076—1082 有关切线夹角

【1076】 证明：对数螺线 $r = ae^{m\varphi}$（a 及 m 为常数）的切线与切点的径向量所成的角度为常量.

证 设切线与切点的径向量所成的角为 β，由于 $r = ae^{m\varphi}$，$r' = ame^{m\varphi}$，所以 $\tan \beta = \dfrac{r(\varphi)}{r'(\varphi)} = \dfrac{1}{m}$ 为一常数，故 β 为一常量.

【1077】 证明：抛物线

$$y = a(x - x_1)(x - x_2)(a \neq 0, x_1 < x_2)$$

与 Ox 轴相交所成的两角 α 及 $\beta\left(0 < \alpha < \dfrac{\pi}{2}, 0 < \beta < \dfrac{\pi}{2}\right)$ 彼此相等.

解 如图 2.36 所示，显然抛物线与 Ox 轴的交点为 $A(x_1,0)$，$B(x_2,0)$. 由于 $y'=2ax-a(x_1+x_2)$，故在点 A,B 处切线的斜率分别为

$$k_A=y'|_{x=x_1}=2ax_1-a(x_1+x_2)=a(x_1-x_2)=\tan\gamma=\tan(\pi-\beta), \quad ①$$

$$k_B=y'|_{x=x_2}=2ax_2-a(x_1+x_2)=a(x_2-x_1)=\tan\alpha. \quad ②$$

由 ② 式得

$$\tan(\pi-\alpha)=a(x_1-x_2). \quad ③$$

由 ① 式及 ③ 式可得 $\alpha=\beta$.

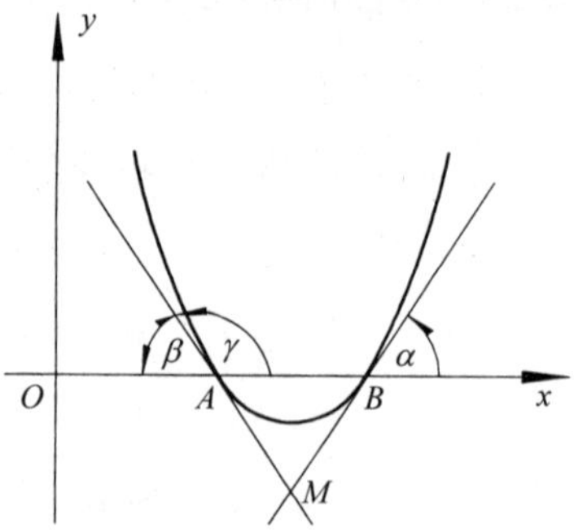

图 2.36

【1078】 求曲线 $y=\ln x$ 与 Ox 轴相交的角 $\alpha(0<\alpha<\frac{\pi}{2})$.

解 曲线 $y=\ln x$ 与 Ox 轴的交点为 $(1,0)$，设曲线与 Ox 轴的相交角为 α，则

$$\tan\alpha=y'|_{x=1}=\frac{1}{x}\Big|_{x=1}=1,$$

故交角 α 为 $45°$.

【1079】 求曲线 $y=x^2$ 及 $x=y^2$ 相交的角.

解 两曲线的交点为 $(0,0)$ 及 $(1,1)$. 由于导数为 $y'=2x$ 及 $y'=\frac{1}{2y}$，故在 $(0,0)$ 点两曲线的交角显然为 $90°$.

在 $(1,1)$ 点两切线的斜率分别为 $k_1=2$ 及 $k_2=\frac{1}{2}$，故其交角 θ 的正切为

$$\tan\theta=\frac{k_1-k_2}{1+k_1k_2}=\frac{2-\frac{1}{2}}{1+2\times\frac{1}{2}}=\frac{3}{4},$$

于是 $\theta=\arctan\frac{3}{4}$.

【1080】 求曲线 $y=\sin x$ 及 $y=\cos x$ 相交的角.

解 先求交点. 解 $\begin{cases}y=\sin x,\\ y=\cos x\end{cases}$ 得 $x=\frac{\pi}{4}+k\pi(k\in\mathbf{Z})$.

其次，求两曲线在 $x=\frac{\pi}{4}+k\pi$ 处切线的斜率：

$$k_1=(\sin x)'|_{x=\frac{\pi}{4}+k\pi}=(-1)^k\frac{\sqrt{2}}{2},$$

$$k_2=(\cos x)'|_{x=\frac{\pi}{4}+k\pi}=(-1)^{k+1}\frac{\sqrt{2}}{2}.$$

在 $x=\frac{\pi}{4}+k\pi$ 处，交角 θ(今取锐角，即 $0\leqslant\theta\leqslant\frac{\pi}{2}$) 满足

$$\tan\theta=\left|\frac{k_1-k_2}{1+k_1k_2}\right|=\left|(-1)^k\frac{\sqrt{2}}{1-\frac{1}{2}}\right|=2\sqrt{2}.$$

于是 $\theta=\arctan 2\sqrt{2}$.

【1081】 如何选择参数 n，可使曲线 $y=\arctan nx(n>0)$ 与 Ox 轴相交所成的角大于 $89°$?

解 曲线 $y=\arctan nx$ 与 Ox 轴的交点为 $(0,0)$. 交角的正切为 $\tan\theta=\frac{n}{1+n^2x^2}\Big|_{x=0}=n$，由 $\theta>89°$，

相当于 $\tan\theta > \tan 89° = 57.29$，故 $n > 57.29$.

【1082】 求出曲线：(1) $y=\sqrt{1-\mathrm{e}^{-a^2x^2}}$ 在点 $x=0$ 处，(2) $y=\arcsin\frac{2x}{1+x^2}$ 在点 $x=1$ 处的左切线与右切线间的夹角.

解 (1) 函数的左、右导数分别为

$$y'_-(0)=\lim_{x\to0^-}\frac{\sqrt{1-\mathrm{e}^{-a^2x^2}}}{x}=-\lim_{x\to0^-}\sqrt{\frac{\mathrm{e}^{-a^2x^2}-1}{-a^2x^2}\cdot a^2}=-|a|,$$

$$y'_+(0)=\lim_{x\to0^+}\frac{\sqrt{1-\mathrm{e}^{-a^2x^2}}}{x}=\lim_{x\to0^+}\sqrt{\frac{\mathrm{e}^{-a^2x^2}-1}{-a^2x^2}\cdot a^2}=|a|.$$

所以，在点 $x=0$ 处左、右切线之间的夹角 θ 满足：

（ⅰ）若 $|a|=1$，则 $\theta=\frac{\pi}{2}$；

（ⅱ）若 $|a|\neq1$，则 $\tan\theta=\frac{2|a|}{||a|^2-1|}$，即 $\theta=2\arctan\frac{1}{|a|}$.

(2) 函数的左、右导数分别为

$$y'_-(1)-\lim_{x\to1^-}\frac{\arcsin\frac{2x}{1+x^2}-\arcsin 1}{x-1}=\lim_{x\to1^-}\frac{-\arcsin\frac{1-x^2}{1+x^2}}{x-1}=\lim_{x\to1^-}\frac{\frac{1-x^2}{1+x^2}}{1-x}=1.$$

同理，$y'_+(1)=-1$.

因此，左、右切线的斜率互为负倒数，所以夹角为 $90°$.

第4节 函数的微分（习题1083—1110）

知识点预览

序号	知识点	题目序号	所在页码
1	函数的微分	1083—1096	P63
2	函数的增量估计	1097 1110	P66

知识点1 函数的微分

1. 函数微分的定义 设 $f(x)$ 在点 x_0 的某邻域 $U(x_0)$ 内有定义，若存在常数 A，使得函数 $f(x)$ 在点 x_0 的增量 Δy 可表示为

$$\Delta y=A\Delta x+o(\Delta x),$$

则称函数 $f(x)$ 在点 x_0 可微，并称 $A\Delta x$ 为 $f(x)$ 在点 x_0 的微分，记作

$$\mathrm{d}y\big|_{x=x_0}=A\Delta x \text{ 或 } \mathrm{d}f(x)\big|_{x=x_0}=A\Delta x.$$

函数 $f(x)$ 在点 x_0 可微的充分必要条件是 $f(x)$ 在点 x_0 可导(有有限的导数)，且有

$$\mathrm{d}y\big|_{x=x_0}=f'(x_0)\Delta x. \quad ①$$

若函数 $f(x)$ 在区间 I 上每一点都可微，则称 $f(x)$ 为 I 上的可微函数. 函数 $f(x)$ 在 I 上任一点 x 处的微分记作

$$dy = f'(x)\Delta x, x \in I. \qquad ②$$

特别当 $y=x$ 时，$dy = dx = \Delta x$，这表示自变量的微分就等于自变量的增量. 于是，① 和 ② 式可分别改为

$$dy\big|_{x=x_0} = f'(x_0)dx, dy = f'(x)dx.$$

2. 一阶微分形式的不变性 对 $y=f(x)$，当 x 为自变量时，有 $dy = f'(x)dx$，当 x 为中间变量，即 $x = x(t)$ 时，

$$dy = f'[x(t)]x'(t)dt = f'(x)dx,$$

仍有 $dy = f'(x)dx$.

习题 1083—1084 函数增量与函数微分的比较

【1083】 设：(1)$\Delta x = 1$； (2)$\Delta x = 0.1$； (3)$\Delta x = 0.01$.
对于函数 $f(x) = x^3 - 2x + 1$，求：(1)$\Delta f(1)$； (2)$df(1)$，并比较它们.

解 $\Delta f = f(1+\Delta x) - f(1)$

$= (1+\Delta x)^3 - 2(1+\Delta x) + 1 - (1-2+1) = \Delta x + 3(\Delta x)^2 + (\Delta x)^3$，

$df(1) = f'(1)\Delta x = (3x^2-2)\big|_{x=1} \cdot \Delta x = \Delta x$.

将所求值列表如下：

		$\Delta f(1)$	$df(1)$
Δx		$\Delta x + 3(\Delta x)^2 + (\Delta x)^3$	Δx
(1)	$\Delta x = 1$	5	1
(2)	$\Delta x = 0.1$	0.131	0.1
(3)	$\Delta x = 0.01$	0.010 301	0.01

从上表可以看出，当 Δx 值愈小时，$\Delta f(1)$ 与 $df(1)$ 之差就愈小.

【1084】 设运动方程由公式 $x = 5t^2$ 给出，其中 t 以 s 来度量，x 以 m 来度量. 若分别令(1)$\Delta t = 1$s，(2)$\Delta t = 0.1$s，(3)$\Delta t = 0.001$s，对于 $t = 2$s 的时刻，求路程的增量 Δx 及路程的微分 dx，并作比较.

解 $\Delta x = 5(2+\Delta t)^2 - 5 \cdot 2^2 = 20\Delta t + 5(\Delta t)^2$，$dx = x'(t)\big|_{t=2} \cdot \Delta t = 10t\big|_{t=2} \cdot \Delta t = 20\Delta t$.

(1) 当 $\Delta t = 1$s 时，$\Delta x = 25$m，$dx = 20$m；

(2) 当 $\Delta t = 0.1$s 时，$\Delta x = 2.05$m，$dx = 2$m；

(3) 当 $\Delta t = 0.001$s 时，$\Delta x = 0.020\,005$m，$dx = 0.02$m.

由上可以看出，当 Δt 愈小时，$\Delta x - dx$ 就愈小.

习题 1085—1096 求函数的微分

【求下列函数 y 的微分(1085—1089)】

【1085】 $y = \dfrac{1}{x}$.

解 $y' = -\dfrac{1}{x^2}$，$dy = -\dfrac{1}{x^2}dx$.

【1086】 $y=\frac{1}{a}\arctan\frac{x}{a}(a\neq 0)$.

解 $y'=\frac{1}{a}\cdot\frac{1}{a}\cdot\frac{1}{1+\frac{x^2}{a^2}}=\frac{1}{a^2+x^2}$, $dy=\frac{1}{a^2+x^2}dx$.

【1087】 $y=\frac{1}{2a}\ln\left|\frac{x-a}{x+a}\right|$.

解 $y'=\frac{1}{2a}\left(\frac{1}{x-a}-\frac{1}{x+a}\right)=\frac{1}{x^2-a^2}$, $dy=\frac{1}{x^2-a^2}dx$.

【1088】 $y=\ln|x+\sqrt{x^2+a}|$.

解 $y'=\frac{1}{\sqrt{x^2+a}}$, $dy=\frac{1}{\sqrt{x^2+a}}dx$.

【1089】 $y=\arcsin\frac{x}{a}(a\neq 0)$.

解 $y'=\frac{|a|}{\sqrt{a^2-x^2}}\cdot\frac{1}{a}=\frac{\operatorname{sgn} a}{\sqrt{a^2-x^2}}$, $dy=\frac{\operatorname{sgn} a}{\sqrt{a^2-x^2}}dx$.

【1090】 求：

(1) $d(xe^x)$； (2) $d(\sin x-x\cos x)$； (3) $d\left(\frac{1}{x^3}\right)$；

(4) $d\left(\frac{\ln x}{\sqrt{x}}\right)$； (5) $d(\sqrt{a^2+x^2})$； (6) $d\left(\frac{x}{\sqrt{1-x^2}}\right)$；

(7) $d[\ln(1-x^2)]$； (8) $d\left(\arccos\frac{1}{|x|}\right)$； (9) $d\left[\frac{\sin x}{2\cos^2 x}+\frac{1}{2}\ln\left|\tan\left(\frac{x}{2}+\frac{\pi}{4}\right)\right|\right]$.

解 (1) $d(xe^x)=(xe^x)'dx=e^x(x+1)dx$;

(2) $d(\sin x-x\cos x)=(\sin x-x\cos x)'dx=x\sin x dx$;

(3) $d\left(\frac{1}{x^3}\right)=-\frac{3}{x^4}dx$;

(4) $d\left(\frac{\ln x}{\sqrt{x}}\right)=\frac{\frac{1}{x}\sqrt{x}-\frac{1}{2\sqrt{x}}\ln x}{x}dx=\frac{2-\ln x}{2x\sqrt{x}}dx$;

(5) $d(\sqrt{a^2+x^2})=\frac{x}{\sqrt{a^2+x^2}}dx$;

(6) $d\left(\frac{x}{\sqrt{1-x^2}}\right)=\frac{\sqrt{1-x^2}+\frac{x^2}{\sqrt{1-x^2}}}{1-x^2}dx=\frac{1}{(1-x^2)^{\frac{3}{2}}}dx$;

(7) $d[\ln(1-x^2)]=-\frac{2x}{1-x^2}dx$;

(8) $d\left(\arccos\frac{1}{|x|}\right)=-\frac{1}{\sqrt{1-\frac{1}{x^2}}}\left(-\frac{1}{x^2}\right)\cdot\frac{|x|}{x}dx=\frac{1}{x\sqrt{x^2-1}}dx$;

(9) $d\left[\frac{\sin x}{2\cos^2 x}+\frac{1}{2}\ln\left|\tan\left(\frac{x}{2}+\frac{\pi}{4}\right)\right|\right]=\left(\frac{\cos^3 x+2\sin^2 x\cos x}{2\cos^4 x}+\frac{1}{2\cos x}\right)dx=\frac{1}{\cos^3 x}dx$.

【设 u,v,w 为 x 的可微函数，求下列函数 y 的微分（1091—1095）】

【1091】 $y=uvw$.

解 $\mathrm{d}y = vw\mathrm{d}u + uw\mathrm{d}v + uv\mathrm{d}w.$

【1092】 $y = \frac{u}{v^2}.$

解 $\mathrm{d}y = \frac{v^2\mathrm{d}u - 2uv\mathrm{d}v}{v^4} = \frac{v\mathrm{d}u - 2u\mathrm{d}v}{v^3}.$

【1093】 $y = \frac{1}{\sqrt{u^2+v^2}}.$

解 $\mathrm{d}y = -\frac{1}{2(u^2+v^2)^{\frac{3}{2}}}(2u\mathrm{d}u + 2v\mathrm{d}v) = -\frac{u\mathrm{d}u + v\mathrm{d}v}{(u^2+v^2)^{\frac{3}{2}}}.$

【1094】 $y = \arctan\frac{u}{v}.$

解 $\mathrm{d}y = \frac{1}{1+\frac{u^2}{v^2}}\cdot\frac{v\mathrm{d}u - u\mathrm{d}v}{v^2} = \frac{v\mathrm{d}u - u\mathrm{d}v}{u^2+v^2}.$

【1095】 $y = \ln\sqrt{u^2+v^2}.$

解 $\mathrm{d}y = \frac{2u\mathrm{d}u + 2v\mathrm{d}v}{2(u^2+v^2)} = \frac{u\mathrm{d}u + v\mathrm{d}v}{u^2+v^2}.$

【1096】 求:(1) $\frac{\mathrm{d}}{\mathrm{d}x^3}(x^3 - 2x^6 - x^9)$; (2) $\frac{\mathrm{d}}{\mathrm{d}x^2}\left(\frac{\sin x}{x}\right)$; (3) $\frac{\mathrm{d}(\sin x)}{\mathrm{d}(\cos x)}$;

(4) $\frac{\mathrm{d}(\tan x)}{\mathrm{d}(\cot x)}$; (5) $\frac{\mathrm{d}(\arcsin x)}{\mathrm{d}(\arccos x)}$.

解 (1) $\frac{\mathrm{d}}{\mathrm{d}x^3}(x^3 - 2x^6 - x^9) = \frac{\mathrm{d}}{\mathrm{d}x^3}[x^3 - 2(x^3)^2 - (x^3)^3] = 1 - 4x^3 - 3x^6$;

(2) 由于$\frac{\sin x}{x}$为偶函数,故不妨设 $x > 0$,则

$$\frac{\mathrm{d}}{\mathrm{d}x^2}\left(\frac{\sin x}{x}\right) = \frac{\mathrm{d}}{\mathrm{d}x^2}\left(\frac{\sin\sqrt{x^2}}{\sqrt{x^2}}\right) = \frac{\frac{1}{2}\cos x - \frac{1}{2x}\sin x}{x^2} = \frac{x\cos x - \sin x}{2x^3}.$$

显然,上述结果对于 $x < 0$ 也是正确的.

(3) $\frac{\mathrm{d}(\sin x)}{\mathrm{d}(\cos x)} = \frac{\cos x\mathrm{d}x}{-\sin x\mathrm{d}x} = -\cot x.$

(4) **方法一** $\frac{\mathrm{d}(\tan x)}{\mathrm{d}(\cot x)} = \frac{\mathrm{d}}{\mathrm{d}(\cot x)}\left(\frac{1}{\cot x}\right) = -\frac{1}{\cot^2 x} = -\tan^2 x$;

方法二 $\frac{\mathrm{d}(\tan x)}{\mathrm{d}(\cot x)} = \frac{\sec^2 x\mathrm{d}x}{-\csc^2 x\mathrm{d}x} = -\tan^2 x.$

(5) $\frac{\mathrm{d}(\arcsin x)}{\mathrm{d}(\arccos x)} = \frac{\frac{1}{\sqrt{1-x^2}}\mathrm{d}x}{-\frac{1}{\sqrt{1-x^2}}\mathrm{d}x} = -1.$

知识点 2 函数的增量估计

函数的微小增量的估计 为了计算可微函数 $f(x)$ 的微小增量,可利用公式

$$f(x+\Delta x) - f(x) \approx \mathrm{d}f(x) = f'(x)\Delta x.$$

若自变量 x 的绝对误差等于 $|\Delta x|$，则函数 $y=f(x)$ 的绝对误差 $|\Delta y|$ 和相对误差 δy 的计算可用以下公式

$$|\Delta y|\approx|\mathrm{d}f(x)|=|f'(x)\Delta x|,\delta y\approx\left|\frac{\mathrm{d}f(x)}{f(x)}\right|=\left|\frac{f'(x)}{f(x)}\Delta x\right|.$$

习题 1097—1105 利用微分求近似值

【1097】 有半径为 $R=100\text{cm}$ 及圆心角 $\alpha=60^\circ$ 的扇形. 若(1) 其半径 R 增加 1cm；(2) 角 α 减小 $30'$，则扇形面积的变化如何？求出精确解和近似解.

解 扇形面积 $A=\frac{1}{2}R^2\alpha$，其增量

$$\Delta A=\frac{\alpha}{2}[(R+\Delta R)^2-R^2]=\alpha R\Delta R+\frac{1}{2}\alpha(\Delta R)^2,\text{或 }\Delta A=\frac{1}{2}R^2\Delta\alpha.$$

扇形面积的微分 $\mathrm{d}A=R\alpha\mathrm{d}R$，或 $\mathrm{d}A=\frac{1}{2}R^2\mathrm{d}\alpha$. 增量是精确的解，微分是近似的解.

(1) 当 $R=100,\alpha=\frac{\pi}{3},\Delta R=1$ 时，

$$\Delta A=\frac{\pi}{3}\cdot100\cdot1+\frac{1}{2}\cdot\frac{\pi}{3}\cdot1^2=\frac{\pi}{6}(200+1)=105.2(\text{cm}^2),$$

$$\mathrm{d}A=100\times\frac{\pi}{3}\times1=104.7(\text{cm}^2)(\text{增加}).$$

(2) 当 $\Delta\alpha=-\frac{\pi}{360}$ 时，

$$\Delta A=\frac{1}{2}\cdot100^2\cdot\left(-\frac{\pi}{360}\right)=-43.6(\text{cm}^2),$$

$$\mathrm{d}A=\frac{1}{2}\cdot100^2\cdot\left(-\frac{\pi}{360}\right)=-43.6(\text{cm}^2)(\text{减少}).$$

【1098】 摆的振动周期(以 s 计算) 按下式确定：

$$T=2\pi\sqrt{\frac{l}{g}},$$

其中 l 为摆长以 cm 计，$g=981\text{cm/s}^2$ 为重力加速度.

为了使周期 T 增大 0.05s，对摆长 $l=20\text{cm}$ 的长度需做多少修改？

解 周期 T 对摆长 l 的微分

$$\mathrm{d}T=\frac{2\pi}{\sqrt{g}}\cdot\frac{1}{2\sqrt{l}}\mathrm{d}l=\frac{\pi}{\sqrt{lg}}\mathrm{d}l,$$

将 $\mathrm{d}T=0.05,g=981,l=20$ 代入上式，得

$$\mathrm{d}l=\frac{0.05\times\sqrt{981\times20}}{3.1416}\approx2.23,$$

即摆长增加约 2.23cm.

【利用函数的微分代替函数的增量，求下列各式的近似值(1099—1103)】

【1099】 $\sqrt[3]{1.02}$.

解 设 $f(x)=\sqrt[3]{x},x_0=1,\Delta x=0.02$，则

$$f'(x_0)=\frac{1}{3\sqrt[3]{x^2}}\bigg|_{x_0=1}=\frac{1}{3},\mathrm{d}f(x_0)=f'(x_0)\Delta x=0.0066.$$

于是 $\sqrt[3]{1.02}=f(x_0+\Delta x)\approx f(x_0)+\mathrm{d}f(x_0)=1+0.0066$，即 $\sqrt[3]{1.02}\approx 1.007$.

【1100】 $\sin 29°$.

解 设 $f(x)=\sin x, x_0=\frac{\pi}{6},\Delta x=-\frac{\pi}{180}$，则 $\sin 29°\approx\sin\frac{\pi}{6}-\frac{\pi}{180}\cos\frac{\pi}{6}=0.4849$.

【1101】 $\cos 151°$.

解 设 $f(x)=\cos x, x_0=\frac{5\pi}{6},\Delta x=\frac{\pi}{180}$，则 $\cos 151°\approx\cos\frac{5\pi}{6}-\sin\frac{5\pi}{6}\cdot\frac{\pi}{180}=-0.8748$.

【1102】 $\arctan 1.05$.

解 设 $f(x)=\arctan x, x_0=1,\Delta x=0.05$，则

$$\arctan 1.05\approx\arctan 1+0.05\cdot\frac{1}{2}=0.8104(\text{弧度})=46°26'.$$

【1103】 $\lg 11$.

解 $\lg 11=\lg 10+\lg 1.1=1+\lg 1.1$. 设 $f(x)=\lg x, x_0=1,\Delta x=0.1$，则

$$\lg 1.1\approx\lg 1+\frac{0.1}{\ln 10}=\frac{0.1}{2.3026}=0.0434,$$

于是 $\lg 11\approx 1.0434$.

【1104】 证明近似公式：

$$\sqrt{a^2+x}\approx a+\frac{x}{2a}(a>0),$$

其中 $|x|\ll a$（正数 A 和 B 之间的关系式 $A\ll B$ 表示 A 远小于 B）.

利用这个公式近似地计算：(1) $\sqrt{5}$； (2) $\sqrt{34}$； (3) $\sqrt{120}$. 并与平方表中的数值作比较.

证 设 $f(y)=\sqrt{y}, y_0=a^2,\Delta y=x$，则

$$\sqrt{y_0+\Delta y}\approx\sqrt{y_0}+\frac{1}{2\sqrt{y_0}}\Delta y(|\Delta y|\ll\sqrt{y_0}).$$

于是 $\sqrt{a^2+x}\approx a+\frac{x}{2a}(|x|\ll a)$.

(1) $\sqrt{5}=\sqrt{2^2+1}\approx 2+\frac{1}{4}=2.25$，查表：$\sqrt{5}=2.24$；

(2) $\sqrt{34}=\sqrt{6^2-2}\approx 6-\frac{2}{2\cdot 6}=5.833$，查表：$\sqrt{34}=5.831$；

(3) $\sqrt{120}=\sqrt{11^2-1}\approx 11-\frac{1}{2\cdot 11}=10.9546$，查表：$\sqrt{120}=10.9545$.

【1105】 证明近似公式：

$$\sqrt[n]{a^n+x}\approx a+\frac{x}{na^{n-1}}(a>0),$$

其中 $|x|\ll a$. 利用此公式近似地计算：

(1) $\sqrt[3]{9}$； (2) $\sqrt[4]{80}$； (3) $\sqrt[7]{100}$； (4) $\sqrt[10]{1000}$.

证 设 $f(y)=\sqrt[n]{y}, y_0=a^n,\Delta y=x$，则

$$\sqrt[n]{a^n+x}\approx\sqrt[n]{a^n}+\frac{x}{n\sqrt[n]{(a^n)^{n-1}}}=a+\frac{x}{na^{n-1}}(|x|\ll a).$$

(1) $\sqrt[3]{9}=\sqrt[3]{2^3+1}\approx 2+\frac{1}{3\cdot 2^2}=2.083$,查表:$\sqrt[3]{9}=2.080$;

(2) $\sqrt[4]{80}=\sqrt[4]{3^4-1}\approx 3-\frac{1}{4\cdot 3^3}=2.990\ 7$,查表:$\sqrt[4]{80}=2.990\ 5$;

(3) $\sqrt[7]{100}=\sqrt[7]{2^7-28}\approx 2-\frac{28}{7\cdot 2^6}=1.938$,查表:$\sqrt[7]{100}=1.931$;

(4) $\sqrt[10]{1\ 000}=\sqrt[10]{2^{10}-24}\approx 2-\frac{24}{10\cdot 2^9}=1.995\ 3$,查表:$\sqrt[10]{1\ 000}=1.995\ 3$.

习题 1106—1110 利用微分求相对误差和绝对误差

【1106】 正方形的边 $x=2.4\text{m}\pm 0.05\text{m}$. 由此计算所得正方形的面积的相对误差和绝对误差如何?

解 正方形的面积 $A=x^2$. 于是,面积的相对误差为

$$\delta_A=\left|\frac{\Delta A}{A}\right|\approx\left|\frac{2x\Delta x}{x^2}\right|=2\left|\frac{\Delta x}{x}\right|=2\cdot\frac{0.05}{2\cdot 4}=4.2\%.$$

而绝对误差为

$$|\Delta A|=|2.45^2-2.4^2|=0.24(\text{m}^2).$$

【1107】 为了在 1% 的精度下计算出球的体积,问度量球半径 R 时所允许发生的相对误差为多少?

解 球的体积 $V=\frac{4}{3}\pi R^3$,从而

$$\text{d}V=\frac{4}{3}\pi\cdot 3R^2\text{d}R=\frac{3V}{R}\text{d}R,$$

即体积的相对误差是半径的相对误差的 3 倍,即

$$\left|\frac{\text{d}V}{V}\right|=3\left|\frac{\text{d}R}{R}\right|.$$

因而,半径 R 允许发生的相对误差为 $\delta_R=\frac{1}{3}\delta_V\leqslant\frac{1}{3}\cdot 0.01=0.33\%$.

【1108】 为了确定重力加速度,可以利用摆的振动公式 $g=\frac{4\pi^2 l}{T^2}$,其中 l 为摆长,T 为振动周期. 当测量(1) 摆长 l,(2) 周期 T 时,相对误差 δ 如何影响 g 的值?

解 (1) $\delta_g=\left|\frac{\text{d}g}{g}\right|=\left|\frac{\text{d}l}{l}\right|$,于是 $\delta_k=\delta_l$,即 g 的相对误差等于摆长 l 的相对误差.

(2) $\delta_g=\left|\frac{-8\pi^2 l\cdot T^2\text{d}T}{T^3\cdot 4\pi^2 l}\right|=2\left|\frac{\text{d}T}{T}\right|$,于是 $\delta_g=2\delta_T$,即 g 的相对误差是周期 T 的相对误差的 2 倍.

【1109】 求数 $x(x>0)$ 的常用对数(以 10 为底)的绝对误差,设此数的相对误差等于 δ.

解 设 $f(x)=\ln x$,若数 δ 很小,则有 $\ln(1+\delta)\approx\delta$,因而,所要求的绝对误差为

$$|\lg(x+\Delta x)-\lg x|=\left|\lg\left(1+\frac{\Delta x}{x}\right)\right|=|\lg(1+\delta)|=\frac{1}{\ln 10}\ln(1+\delta)\approx 0.43\delta.$$

【1110】 证明:根据正切对数表求得的角度比用具有同样多位小数的正弦对数表求得的角度更为精确.

证 正切对数函数的微分

$$\text{d}(\lg\tan\varphi)=\frac{1}{\ln 10\cdot\tan\varphi\cos^2\varphi}\text{d}\varphi=\frac{1}{\ln 10\cdot\sin\varphi\cos\varphi}\text{d}\varphi,$$

于是

$$|\mathrm{d}\varphi| = \ln 10 \cdot |\sin\varphi| \cdot |\cos\varphi| \cdot |\mathrm{d}(\lg\tan\varphi)|; \qquad ①$$

而正弦对数函数的微分

$$\mathrm{d}(\lg\sin\varphi) = \frac{\cos\varphi}{\ln 10 \cdot \sin\varphi}\mathrm{d}\varphi,$$

于是

$$|\mathrm{d}\varphi| = \ln 10 \cdot |\sin\varphi| \cdot \left|\frac{1}{\cos\varphi}\right| \cdot |\mathrm{d}(\lg\sin\varphi)|. \qquad ②$$

比较 ① 式及 ② 式的右端，由于假设确定 $\lg\sin\varphi$ 与 $\lg\tan\varphi$ 时，具有同样的误差，而

$$\left|\frac{1}{\cos\varphi}\right| \geqslant 1 \geqslant |\cos\varphi|,$$

故由 ② 式确定的 $|\mathrm{d}\varphi|$ 不比 ① 式的 $|\mathrm{d}\varphi|$ 小. 这就证明了求角度时用正切对数表更为精确.

第5节 高阶导数和高阶微分（习题1111—1234）

知识点预览

序号	知识点	题目序号	所在页码
1	高阶导数	1111—1212	P70
2	高阶微分	1213—1234	P94

知识点 1 高阶导数

1. 二阶导数 若函数 $f(x)$ 的导函数 $f'(x)$ 在点 x_0 可导，则称 $f'(x)$ 在点 x_0 的导数为 $f(x)$ 在点 x_0 的二阶导数，记为 $f''(x_0)$，即

$$\lim_{x\to x_0}\frac{f'(x)-f'(x_0)}{x-x_0} = f''(x_0),$$

这时也称 f 在点 x_0 二阶可导.

一般地，可由 f 的 $n-1$ 阶导数定义 f 的 n 阶导数，即

$$f^{(n)}(x_0) = [f^{(n-1)}(x_0)]'(n = 2,3,\cdots).$$

2. 高阶导数 二阶及二阶以上的导数都称为高阶导数，$f(x)$ 在点 x_0 的 n 阶导数记作

$$f^{(n)}(x_0), y^{(n)}\big|_{x=x_0} \text{或} \frac{\mathrm{d}^n y}{\mathrm{d}x^n}\Big|_{x=x_0}.$$

若 f 在区间 I 上每一点都 n 阶可导，则在 I 上定义了一个函数 $f^{(n)}(x), x\in I$，称之为 f 的 n 阶导函数，简记为

$$f^{(n)}(x), y^{(n)}(x) \text{或} \frac{\mathrm{d}^n y}{\mathrm{d}x^n}.$$

若函数 $f(x)$ 在区间 (a,b) 内有连续的导数 $f^{(n)}(x)$，则简写为 $f(x)\in C^n(a,b)$.

特别地，若函数 $f(x)$ 在 (a,b) 内有各阶导数，并且这些导数是连续的，则记为

$$f(x)\in C^\infty(a,b).$$

3. 基本求导公式

(1) $(a^x)^{(n)} = a^x \ln^n a\,(a>0)$, $(e^x)^{(n)} = e^x$;

(2) $(x^m)^{(n)} = m(m-1)\cdots(m-n+1)x^{m-n}$;

(3) $(\sin x)^{(n)} = \sin\left(x+\dfrac{n\pi}{2}\right)$;

(4) $(\cos x)^{(n)} = \cos\left(x+\dfrac{n\pi}{2}\right)$;

(5) $(\ln x)^{(n)} = \dfrac{(-1)^{n-1}(n-1)!}{x^n}$.

4. 莱布尼茨公式 若函数 $u=\varphi(x)$ 及 $v=\psi(x)$ 有 n 阶导数(n 阶可微),则

$$(uv)^{(n)} = \sum_{i=0}^{n} C_n^i u^{(i)} v^{(n-i)},$$

其中 $u^{(0)}=u$, $v^{(0)}=v$, $C_n^i = \dfrac{n!}{i!(n-i)!}$ 为由 n 个元素每次取 i 个的组合数.

习题 1111—1124 求函数的二阶导数

【求 y''(1111—1119)】

【1111】 $y = x\sqrt{1+x^2}$.

解 $y' = \sqrt{1+x^2} + \dfrac{x^2}{\sqrt{1+x^2}} = \dfrac{1+2x^2}{\sqrt{1+x^2}}$,

$$y'' = \frac{4x\sqrt{1+x^2} - \dfrac{x(1+2x^2)}{\sqrt{1+x^2}}}{1+x^2} = \frac{x(3+2x^2)}{(1+x^2)^{\frac{3}{2}}}.$$

【1112】 $y = \dfrac{x}{\sqrt{1-x^2}}$.

解 $y' = \dfrac{\sqrt{1-x^2} + \dfrac{x^2}{\sqrt{1-x^2}}}{1-x^2} = \dfrac{1}{(1-x^2)^{\frac{3}{2}}}$,

$y'' = \dfrac{3}{2}\cdot 2x\cdot(1-x^2)^{-\frac{5}{2}} = \dfrac{3x}{(1-x^2)^{\frac{5}{2}}}$.

【1113】 $y = e^{-x^2}$.

解 $y' = -2xe^{-x^2}$, $y'' = 2e^{-x^2}(2x^2-1)$.

【1114】 $y = \tan x$.

解 $y' = \dfrac{1}{\cos^2 x}$, $y'' = \dfrac{2\sin x}{\cos^3 x}$.

【1115】 $y = (1+x^2)\arctan x$.

解 $y' = 1+2x\arctan x$, $y'' = 2\arctan x + \dfrac{2x}{1+x^2}$.

【1116】 $y = \dfrac{\arcsin x}{\sqrt{1-x^2}}$.

解 $y' = \dfrac{1}{1-x^2} + \dfrac{x\arcsin x}{(1-x^2)^{\frac{3}{2}}}$,

$$y''=\frac{2x}{(1-x^2)^2}+\frac{\left(\frac{x}{\sqrt{1-x^2}}+\arcsin x\right)(1-x^2)^{\frac{3}{2}}+3x^2\sqrt{1-x^2}\arcsin x}{(1-x^2)^3}$$
$$=\frac{3x}{(1-x^2)^2}+\frac{(1+2x^2)\arcsin x}{(1-x^2)^{\frac{5}{2}}}.$$

【1117】 $y=x\ln x$.

解 $y'=1+\ln x$, $y''=\dfrac{1}{x}$.

【1118】 $y=\ln f(x)$.

解 $y'=\dfrac{f'(x)}{f(x)}$, $y''=\dfrac{f(x)f''(x)-f'^2(x)}{f^2(x)}$.

【1119】 $y=x[\sin(\ln x)+\cos(\ln x)]$.

解 $y'=\sin(\ln x)+\cos(\ln x)+x\cdot\dfrac{1}{x}[\cos(\ln x)-\sin(\ln x)]=2\cos(\ln x)$,

$$y''=-\frac{2\sin(\ln x)}{x}.$$

【1120】 设 $y=e^{\sin x}\cos(\sin x)$，求 $y(0)$，$y'(0)$ 及 $y''(0)$.

解 $y(0)=1$,

$$y'=e^{\sin x}\cos x[\cos(\sin x)-\sin(\sin x)]\text{，于是 } y'(0)=1.$$
$$y''=e^{\sin x}(\cos^2 x-\sin x)[\cos(\sin x)-\sin(\sin x)]+$$
$$e^{\sin x}\cos x[-\cos x\sin x(\sin x)-\cos(\sin x)\cos x]$$
$$=e^{\sin x}\{-2\cos^2 x\sin(\sin x)+\sin x[\sin(\sin x)-\cos(\sin x)]\},$$

于是 $y''(0)=0$.

【设 $u=\varphi(x)$ 及 $v=\psi(x)$ 为二阶可微函数，求 y''（1121—1124）】

【1121】 $y=u^2$.

解 $y'=2uu'$, $y''=2(u')^2+2uu''=2[(u')^2+uu'']$.

【1122】 $y=\ln\dfrac{u}{v}$.

解 $y'=\dfrac{u'}{u}-\dfrac{v'}{v}$, $y''=\dfrac{uu''-(u')^2}{u^2}-\dfrac{vv''-(v')^2}{v^2}$.

【1123】 $y=\sqrt{u^2+v^2}$.

解 $y'=\dfrac{uu'+vv'}{\sqrt{u^2+v^2}}$,

$$y''=\frac{[uu''+(u')^2+vv''+(v')^2]\sqrt{u^2+v^2}-\frac{(uu'+vv')^2}{\sqrt{u^2+v^2}}}{u^2+v^2}$$
$$=\frac{(u^2+v^2)(uu''+vv'')+(u'v-v'u)^2}{(u^2+v^2)^{\frac{3}{2}}}.$$

【1124】 $y=u^v(u>0)$.

解 $y'=u^v\left(v'\ln u+\dfrac{vu'}{u}\right)$,

$$y''=u^v\left(v'\ln u+\frac{vu'}{u}\right)^2+u^v\left[v''\ln u+\frac{u'v'}{u}+\frac{(u'v'+vu'')u-vu'^2}{u^2}\right]$$
$$=u^v\left[\left(v'\ln u+\frac{u'}{u}v\right)^2+v''\ln u+\frac{2u'v'}{u}+\frac{v}{u^2}(uu''-u'^2)\right].$$

习题 1125—1129 求函数的三阶导数

【设 $f(x)$ 为三阶可微函数，求 y'' 及 y'''（1125—1129）】

【1125】 $y=f(x^2)$.

解 $y'=2xf'(x^2)$，$y''=2f'(x^2)+4x^2f''(x^2)$，

$y'''=4xf''(x^2)+8xf''(x^2)+8x^3f'''(x^2)=12xf''(x^2)+8x^3f'''(x^2)$.

【1126】 $y=f\left(\frac{1}{x}\right)$.

解 $y'=-\frac{1}{x^2}f'\left(\frac{1}{x}\right)$，$y''=\frac{2}{x^3}f'\left(\frac{1}{x}\right)+\frac{1}{x^4}f''\left(\frac{1}{x}\right)$，

$$y'''=-\frac{6}{x^4}f'\left(\frac{1}{x}\right)-\frac{2}{x^5}f''\left(\frac{1}{x}\right)-\frac{4}{x^5}f''\left(\frac{1}{x}\right)-\frac{1}{x^6}f'''\left(\frac{1}{x}\right)$$

$$=-\frac{1}{x^6}f'''\left(\frac{1}{x}\right)-\frac{6}{x^5}f''\left(\frac{1}{x}\right)-\frac{6}{x^4}f'\left(\frac{1}{x}\right).$$

【1127】 $y=f(e^x)$.

解 $y'=e^xf'(e^x)$，$y''=e^{2x}f''(e^x)+e^xf'(e^x)$，

$y'''=e^{3x}f'''(e^x)+3e^{2x}f''(e^x)+e^xf'(e^x)$.

【1128】 $y=f(\ln x)$.

解 $y'=\frac{1}{x}f'(\ln x)$，$y''=-\frac{1}{x^2}f'(\ln x)+\frac{1}{x^2}f''(\ln x)=\frac{1}{x^2}[f''(\ln x)-f'(\ln x)]$，

$$y'''=-\frac{2}{x^3}[f''(\ln x)-f'(\ln x)]+\frac{1}{x^3}[f'''(\ln x)-f''(\ln x)]$$

$$=\frac{1}{x^3}[f'''(\ln x)-3f''(\ln x)+2f'(\ln x)].$$

【1129】 $y=f[\varphi(x)]$，其中 $\varphi(x)$ 是充分多次可微函数.

解 $y'=\varphi'(x)f'[\varphi(x)]$，$y''=\varphi'^2(x)f''[\varphi(x)]+\varphi''(x)f'[\varphi(x)]$，

$y'''=\varphi'^3(x)f'''[\varphi(x)]+3\varphi'(x)\varphi''(x)f''[\varphi(x)]+\varphi'''(x)f'[\varphi(x)]$.

习题 1130—1144 求函数指定阶的高阶导数

【求下列函数指定阶的导数（1130—1144）】

【1130】 $y=x(2x-1)^2(x+3)^3$，求 $y^{(6)}$ 及 $y^{(7)}$.

解 y 是 x 的多项式，最高次数为 6，因而 $y^{(6)}=1\cdot 2^2\cdot 1^3\cdot 6!=4\cdot 6!=2\ 880$，$y^{(7)}=0$.

【1131】 $y=\frac{a}{x^m}$，求 y'''.

解 $y'=-amx^{-m-1}$，$y''=am(m+1)x^{-m-2}$，

$$y'''=-am(m+1)(m+2)x^{-m-3}=-\frac{am(m+1)(m+2)}{x^{m+3}}.$$

【1132】 $y=\sqrt{x}$，求 $y^{(10)}$.

解 $$y^{(10)}=\frac{1}{2}\left(-\frac{1}{2}\right)\left(-\frac{3}{2}\right)\left(-\frac{5}{2}\right)\left(-\frac{7}{2}\right)\left(-\frac{9}{2}\right)\left(-\frac{11}{2}\right)\left(-\frac{13}{2}\right)\left(-\frac{15}{2}\right)\left(-\frac{17}{2}\right)x^{-\frac{19}{2}}$$

$$=-\frac{17!!}{2^{10}x^9\sqrt{x}}.$$

【1133】 $y=\dfrac{x^2}{1-x}$，求 $y^{(8)}$.

解 $y=\dfrac{x^2-1+1}{1-x}=-(x+1)+\dfrac{1}{1-x}$,

$$y'=-1+\frac{1}{(1-x)^2},\quad y''=\frac{2}{(1-x)^3},\quad y'''=\frac{2\cdot 3}{(1-x)^4},\cdots,y^{(8)}=\frac{8!}{(1-x)^9}.$$

【1134】 $y=\dfrac{1+x}{\sqrt{1-x}}$，求 $y^{(100)}$.

解 $y=(1+x)(1-x)^{-\frac{1}{2}}$，利用莱布尼茨公式，得

$$\begin{aligned}y^{(100)}&=\sum_{i=0}^{100}C_{100}^{i}(1+x)^{(i)}[(1-x)^{-\frac{1}{2}}]^{(100-i)}\\&=(1+x)[(1-x)^{-\frac{1}{2}}]^{(100)}+C_{100}^{1}[(1-x)^{-\frac{1}{2}}]^{(99)}\\&=(1+x)\cdot\frac{199!!}{2^{100}}(1-x)^{-\frac{201}{2}}+100\cdot\frac{197!!}{2^{99}}(1-x)^{-\frac{199}{2}}\\&=\frac{197!!(399-x)}{2^{100}(1-x)^{100}\sqrt{1-x}}.\end{aligned}$$

【1135】 $y=x^2e^{2x}$，求 $y^{(20)}$.

解 $y^{(20)}=x^2(e^{2x})^{(20)}+2xC_{20}^{1}(e^{2x})^{(19)}+2C_{20}^{2}(e^{2x})^{(18)}=2^{20}e^{2x}(x^2+20x+95)$.

【1136】 $y=\dfrac{e^x}{x}$，求 $y^{(10)}$.

解 $y^{(10)}=\displaystyle\sum_{i=0}^{10}C_{10}^{i}(e^x)^{(i)}\left(\frac{1}{x}\right)^{(10-i)}=e^x\sum_{i=0}^{10}(-1)^i\frac{10!}{(10-i)!x^{i+1}}$.

【1137】 $y=x\ln x$，求 $y^{(5)}$.

解 $y'=1+\ln x,\quad y''=\dfrac{1}{x},\quad y'''=-\dfrac{1}{x^2},\quad y^{(4)}=\dfrac{2}{x^3},\quad y^{(5)}=-\dfrac{3!}{x^4}$.

【1138】 $y=\dfrac{\ln x}{x}$，求 $y^{(5)}$.

解 $y'=\dfrac{1-\ln x}{x^2}$,

$$y''=\frac{-\frac{1}{x}\cdot x^2-2x(1-\ln x)}{x^4}=-\frac{3-2\ln x}{x^3},$$

$$y'''=-\frac{-\frac{2}{x}\cdot x^3-3x^2(3-2\ln x)}{x^6}=\frac{11-6\ln x}{x^4},$$

$$y^{(4)}=\frac{-\frac{6}{x}\cdot x^4-4x^3(11-6\ln x)}{x^8}=-\frac{50-24\ln x}{x^5},$$

$$y^{(5)}=-\frac{-\frac{24}{x}\cdot x^5-5x^4(50-24\ln x)}{x^{10}}=\frac{274-120\ln x}{x^6}.$$

【1139】 $y=x^2\sin 2x$，求 $y^{(50)}$.

解 $y^{(50)}=x^2(\sin 2x)^{(50)}+C_{50}^{1}\cdot 2x\cdot(\sin 2x)^{(49)}+2C_{50}^{2}(\sin 2x)^{(48)}$

$$=2^{50}x^2\sin\left(2x+\frac{50}{2}\pi\right)+100x\cdot 2^{49}\sin\left(2x+\frac{49}{2}\pi\right)+\frac{50\cdot 49}{1\cdot 2}\cdot 2^{49}\sin\left(2x+\frac{48}{2}\pi\right)$$

$$=2^{50}(-2x^2\sin 2x+100x\cos 2x+1\,225\sin 2x).$$

【1140】 $y=\dfrac{\cos 3x}{\sqrt[3]{1-3x}}$，求 y'''.

解 $y''' = \cos 3x\left(\dfrac{1}{\sqrt[3]{1-3x}}\right)''' + C_3^1(\cos 3x)'\left(\dfrac{1}{\sqrt[3]{1-3x}}\right)'' + C_3^2(\cos 3x)''\left(\dfrac{1}{\sqrt[3]{1-3x}}\right)'$

$(\cos 3x)''' \cdot \dfrac{1}{\sqrt[3]{1-3x}}$

$= \dfrac{28}{(1-3x)^{\frac{10}{3}}} \cdot \cos 3x + 3(-3\sin 3x) \cdot \dfrac{4}{(1-3x)^{\frac{7}{3}}} + 3(-3^2\cos 3x)\dfrac{1}{(1-3x)^{\frac{4}{3}}} +$

$3^3\sin 3x \cdot \dfrac{1}{(1-3x)^{\frac{1}{3}}}$

$= \dfrac{28-27(1-3x)^2}{(1-3x)^{\frac{10}{3}}}\cos 3x + \dfrac{27(1-3x)^2-36}{(1-3x)^{\frac{7}{3}}}\sin 3x.$

【1141】 $y = \sin x\sin 2x\sin 3x$，求 $y^{(10)}$.

解 利用三角函数和、差与其积的互化公式，将 y 化简得到

$$y = \frac{1}{4}\sin 4x - \frac{1}{4}\sin 6x + \frac{1}{4}\sin 2x.$$

于是

$$y^{(10)} = \frac{1}{4} \cdot 4^{10}\sin\left(4x + \frac{10}{2}\pi\right) - \frac{1}{4} \cdot 6^{10}\sin\left(6x + \frac{10}{2}\pi\right) + \frac{1}{4} \cdot 2^{10}\sin\left(2x + \frac{10}{2}\pi\right)$$

$$= -2^{18}\sin 4x + 2^8 \cdot 3^{10}\sin 6x - 2^8\sin 2x.$$

【1142】 $y = x\operatorname{sh} x$，求 $y^{(100)}$.

解 $y^{(100)} = x(\operatorname{sh} x)^{(100)} + C_{100}^1(\operatorname{sh} x)^{(99)} = x\operatorname{sh} x + 100\operatorname{ch} x.$

【1143】 $y = e^x\cos x$，求 $y^{(4)}$.

解 $y' = e^x(\cos x - \sin x)$，

$y'' = e^x[(\cos x - \sin x) + (-\sin x - \cos x)] = -2e^x\sin x$，

$y''' = -2e^x(\sin x + \cos x)$，

$y^{(4)} = -2e^x[(\sin x + \cos x) + (\cos x - \sin x)] = -4e^x\cos x.$

【1144】 $y = \sin^2 x\ln x$，求 $y^{(6)}$.

解 $y = \dfrac{1-\cos 2x}{2}\ln x = \dfrac{1}{2}\ln x - \dfrac{1}{2}\cos 2x \cdot \ln x.$

$y^{(6)} = \dfrac{(-1)^5}{2} \cdot \dfrac{2 \cdot 3 \cdot 4 \cdot 5}{x^6} - \dfrac{1}{2}(\cos 2x \cdot \ln x)^{(6)}$

$= -\dfrac{60}{x^6} + \left(\dfrac{144}{x^5} - \dfrac{160}{x^3} + \dfrac{96}{x}\right)\sin 2x + \left(\dfrac{60}{x^6} - \dfrac{180}{x^4} + \dfrac{120}{x^2} + 32\ln x\right)\cos 2x.$

习题 1145—1150 求由参数方程给出的函数的高阶导数

【求以参数形式给出的函数 $y = y(x)$ 的导数 $y'(x), y''(x), y'''(x)$(1145—1149)】

【1145】 $x = 2t - t^2, y = 3t - t^3$.

解 $y'(x) = \dfrac{\frac{dy}{dt}}{\frac{dx}{dt}} = \dfrac{3-3t^2}{2-2t} = \dfrac{3}{2}(t+1)$，$y''(x) = \dfrac{\frac{dy'(x)}{dt}}{\frac{dx}{dt}} = \dfrac{\frac{3}{2}}{2-2t} = \dfrac{3}{4(1-t)}$，

$y'''(x) = \dfrac{\frac{dy''(x)}{dt}}{\frac{dx}{dt}} = \dfrac{\frac{3}{4(1-t)^2}}{2-2t} = \dfrac{3}{8(1-t)^3}.$

【1146】 $x=a\cos t, y=a\sin t$.

解 $y'(x)=\dfrac{a\cos t}{-a\sin t}=-\cot t$, $y''(x)=\dfrac{\dfrac{1}{\sin^2 t}}{-a\sin t}=-\dfrac{1}{a\sin^3 t}$,

$$y'''(x)=\frac{\dfrac{3\cos t}{a\sin^4 t}}{-a\sin t}=-\frac{3\cos t}{a^2\sin^5 t}.$$

【1147】 $x=a(t-\sin t), y=a(1-\cos t)$.

解 $y'(x)=\dfrac{a\sin t}{a(1-\cos t)}=\cot\dfrac{t}{2}$, $y''(x)=\dfrac{-\dfrac{1}{2\sin^2\dfrac{t}{2}}}{a(1-\cos t)}=-\dfrac{1}{4a\sin^4\dfrac{t}{2}}$,

$$y'''(x)=\frac{\dfrac{\cos\dfrac{t}{2}}{2a\sin^5\dfrac{t}{2}}}{a(1-\cos t)}=\frac{\cos\dfrac{t}{2}}{4a^2\sin^7\dfrac{t}{2}}.$$

【1148】 $x=e^t\cos t, y=e^t\sin t$.

解 $y'(x)=\dfrac{e^t(\sin t+\cos t)}{e^t(\cos t-\sin t)}=\dfrac{\sin\left(\dfrac{\pi}{4}+t\right)}{\cos\left(\dfrac{\pi}{4}+t\right)}=\tan\left(\dfrac{\pi}{4}+t\right)$,

$$y''(x)=\frac{\dfrac{1}{\cos^2\left(\dfrac{\pi}{4}+t\right)}}{e^t(\cos t-\sin t)}=\frac{e^{-t}}{\sqrt{2}\cos^3\left(\dfrac{\pi}{4}+t\right)},$$

$$y'''(x)=\frac{\dfrac{1}{\sqrt{2}}e^{-t}\left[-\cos^{-3}\left(\dfrac{\pi}{4}+t\right)+3\cos^{-4}\left(\dfrac{\pi}{4}+t\right)\sin\left(\dfrac{\pi}{4}+t\right)\right]}{e^t(\cos t-\sin t)}=\frac{e^{-2t}(2\sin t+\cos t)}{\sqrt{2}\cos^5\left(\dfrac{\pi}{4}+t\right)}.$$

【1149】 $x=f'(t), y=tf'(t)-f(t)$,其中 $f''(t)\neq 0$.

解 $y'(x)=\dfrac{tf''(t)}{f''(t)}=t$, $y''(x)=\dfrac{1}{f''(t)}$, $y'''(x)=\dfrac{-\dfrac{f'''(t)}{[f''(t)]^2}}{f''(t)}=-\dfrac{f'''(t)}{[f''(t)]^3}$.

【1150】 设 $y=f(x)$ 充分多次可微. 求反函数 $x=f^{-1}(y)$ 的导数 $x', x'', x''', x^{(4)}$(设这些导数都存在).

解 $x'=\dfrac{1}{y'}$, $x''=-\dfrac{1}{y'^2}\dfrac{dy'}{dy}=-\dfrac{1}{y'^2}\dfrac{dy'}{dx}\cdot\dfrac{dx}{dy}=-\dfrac{y''}{y'^3}$,

$$x'''=-\frac{y'''\cdot\dfrac{1}{y'}y'^3-3y'^2\cdot y''\cdot\dfrac{1}{y'}\cdot y''}{y'^6}=-\frac{y'y'''-3y''^2}{y'^5},$$

$$x^{(4)}=-\frac{y'^5\left(\dfrac{y''}{y'}y'''+y^{(4)}-6y''y'''\cdot\dfrac{1}{y'}\right)}{y'^{10}}-\frac{-5y'^4\cdot y''\cdot\dfrac{1}{y'}(y'y'''-3y''^2)}{y'^{10}}$$

$$=-\frac{y'^2y^{(4)}-10y'y''y'''+15y''^3}{y'^7}.$$

习题 1151—1155 求由隐函数给出的函数的高阶导数

【求由下列隐函数给出的 $y=y(x)$ 的 $y'(x)$, $y''(x)$ 及 $y'''(x)$(1151—1153)】

【1151】 $x^2+y^2=25$ 在点 $M(3,4)$ 的 y', y'' 及 y''' 等于什么?

解 $y'=-\dfrac{x}{y}$, $y''=-\dfrac{y-xy'}{y^2}=-\dfrac{y+\dfrac{x^2}{y}}{y^2}=-\dfrac{x^2+y^2}{y^3}=-\dfrac{25}{y^3}$, $y'''=\dfrac{75y'}{y^4}=-\dfrac{75x}{y^5}$.

在 $M(3,4)$ 点，得 $y'=-\dfrac{3}{4}$, $y''=-\dfrac{25}{64}$, $y'''=-\dfrac{225}{1\,024}$.

【1152】 $y^2=2px$.

解 $y'=\dfrac{p}{y}$, $y''=-\dfrac{p}{y^2}y'=-\dfrac{p^2}{y^3}$, $y'''=\dfrac{3p^2}{y^4}y'=\dfrac{3p^3}{y^5}$.

【1153】 $x^2-xy+y^2=1$.

解 对 x 求导，得

$$2x-y-xy'+2yy'=0, \qquad ①$$

$$y'=\frac{2x-y}{x-2y}. \qquad ②$$

将①式两端再对 x 求导，得

$$2-2y'-xy''+2y'^2+2yy''=0, \qquad ③$$

将②式所得 y' 代入③式，得

$$y''=\frac{6}{(x-2y)^3}. \qquad ④$$

将③式两端对 x 求导，得

$$-3y''-xy'''+6y'y''+2yy'''=0, \qquad ⑤$$

将②式及④式代入⑤式，得 $y'''=\dfrac{54x}{(x-2y)^5}$.

【求 $y'(x)$ 及 $y''(x)$(1154—1155)】

【1154】 $y^2+2\ln y=x^4$.

解 对 x 求导，得

$$2yy'+\frac{2y'}{y}=4x^3, \qquad ①$$

再对 x 求导，得

$$2y'^2+2yy''+\frac{2y''}{y}-\frac{2y'^2}{y^2}=12x^2. \qquad ②$$

由①式及②式得

$$y'=\frac{2x^3y}{1+y^2},\ y''=\frac{2x^2y}{(1+y^2)^3}[3(1+y^2)^2+2x^4(1-y^2)].$$

【1155】 $\sqrt{x^2+y^2}=ae^{\arctan\frac{y}{x}}\ (a>0)$.

解 取对数得

$$\frac{1}{2}\ln(x^2+y^2)=\ln a+\arctan\frac{y}{x},$$

对 x 求导，得 $\dfrac{x+yy'}{x^2+y^2}=\dfrac{xy'-y}{x^2+y^2}$，于是 $y'=\dfrac{x+y}{x-y}$. 再对 x 求导，得

$$y''=\frac{(1+y')(x-y)-(1-y')(x+y)}{(x-y)^2}=\frac{2xy'-2y}{(x-y)^2}=\frac{2x\cdot\dfrac{x+y}{x-y}-2y}{(x-y)^2}=\frac{2(x^2+y^2)}{(x-y)^3}.$$

习题 1156—1165　高阶导数的应用

【1156】 设函数 $f(x)$ 当 $x\leqslant x_0$ 时有定义且二阶可微. 应当如何选择系数 a,b,c,使函数

$$F(x)=\begin{cases}f(x), & x\leqslant x_0,\\ a(x-x_0)^2+b(x-x_0)+c, & x>x_0\end{cases}$$

是二阶可微函数?

解 按题设 $F'(x)$ 存在,所以 $F(x)$ 在点 x_0 连续,即

$$\lim_{x\to x_0^-}F(x)=\lim_{x\to x_0^+}F(x)=F(x_0),$$

也即

$$\lim_{x\to x_0^-}f(x)=\lim_{x\to x_0^+}[a(x-x_0)^2+b(x-x_0)+c]=f(x_0).$$

于是 $c=f(x_0)$.

其次,由 $F'(x_0-0)=F'(x_0+0)$ 得 $f'(x_0)=[2a(x-x_0)+b]\big|_{x=x_0}=b$.

再由 $F''(x_0-0)=F''(x_0+0)$ 得 $f''(x_0)=2a$,于是 $a=\frac{1}{2}f''(x_0)$.

【1157】 质点作直线运动的规律为 $s=10+20t-5t^2$. 求其运动的速度和加速度. 在 $t=2$ 的时刻,速度与加速度等于什么?

解 速度 $v=\frac{\mathrm{d}s}{\mathrm{d}t}=20-10t$,$v\big|_{t=2}=0$;而加速度 $a=\frac{\mathrm{d}^2s}{\mathrm{d}t^2}=-10$,$a\big|_{t=2}=-10$.

【1158】 质点 $M(x,y)$ 沿圆周 $x^2+y^2=a^2$ 匀速运动,运动一周的时间为 T. 若质点在时刻 $t=0$ 位于点 $M_0(a,0)$,求质点 M 的速度和加速度在 Ox 轴上的投影 v 和 w.

解 由于 $\angle M_0OM=\frac{2\pi}{T}t$,从而,$x=a\cos\frac{2\pi}{T}t$. 于是,速度和加速度在 Ox 轴上的投影分别为

$$v=\frac{\mathrm{d}x}{\mathrm{d}t}=-\frac{2\pi a}{T}\sin\frac{2\pi}{T}t,\quad w=\frac{\mathrm{d}^2x}{\mathrm{d}t^2}=-\frac{4\pi^2a}{T^2}\cos\frac{2\pi}{T}t.$$

【1159】 在重力场中,质点 $M(x,y)$ 在坚直平面 Oxy 内以初速度 v_0 沿与水平面成 α 角的方向抛出. 建立运动方程(忽略空气阻力)并计算速度 v、加速度 w 的大小及运动轨迹. 质点的最大上升高度和射程等于多少?

解 若不考虑空气的阻力,则有

$$\begin{cases}x=v_0t\cos\alpha,\\ y=v_0t\sin\alpha-\dfrac{1}{2}gt^2,\end{cases}$$

此即运动方程. 化为直角坐标方程,得

$$y=x\tan\alpha-\frac{gx^2}{2v_0^2\cos^2\alpha},$$

即轨迹为一抛物线. 则速度为

$$v=\sqrt{v_x^2+v_y^2}=\sqrt{\left(\frac{\mathrm{d}x}{\mathrm{d}t}\right)^2+\left(\frac{\mathrm{d}y}{\mathrm{d}t}\right)^2}=\sqrt{v_0^2\cos^2\alpha+(v_0\sin\alpha-gt)^2}=\sqrt{v_0^2+g^2t^2-2v_0gt\sin\alpha}.$$

加速度为

$$w=\sqrt{w_x^2+w_y^2}=\sqrt{\left(\frac{\mathrm{d}v_x}{\mathrm{d}t}\right)^2+\left(\frac{\mathrm{d}v_y}{\mathrm{d}t}\right)^2}=\sqrt{0+(-g)^2}=g.$$

又 $\frac{dy}{dx}=\tan\alpha-\frac{gx}{v_0^2\cos^2\alpha}$，在最大高度处$\frac{dy}{dx}=0$. 此时

$$x=\frac{v_0^2\cos^2\alpha\tan\alpha}{g}=\frac{v_0^2\sin\alpha\cos\alpha}{g}.$$

于是，最大上升高度为

$$H_{\max}=\frac{v_0^2\cos\alpha\sin\alpha}{g}\tan\alpha-\frac{g}{2v_0^2\cos^2\alpha}\cdot\frac{v_0^4\sin^2\alpha\cos^2\alpha}{g^2}=\frac{v_0^2\sin^2\alpha}{2g}.$$

上式也可从$\frac{dy}{dt}=0$解出$t=\frac{v_0\sin\alpha}{g}$,再以 t 值代入 y 的表达式而得到.

在最大射程处有 $y=0$. 于是

$$x\tan\alpha-\frac{gx^2}{2v_0^2\cos^2\alpha}=0,$$

解得 $x=\frac{v_0^2\sin 2\alpha}{g}$. 从而,最大射程为$\frac{v_0^2\sin 2\alpha}{g}$.

【1160】 质点的运动方程为

$$x=4\sin\omega t-3\cos\omega t,y=3\sin\omega t+4\cos\omega t(\omega\text{ 为常数}),$$

求运动轨迹、速度与加速度的大小.

解 由于

$$\begin{aligned}x^2+y^2&=16\sin^2\omega t+9\cos^2\omega t-24\sin\omega t\cos\omega t+9\sin^2\omega t+16\cos^2\omega t+24\sin\omega t\cos\omega t\\&=25(\sin^2\omega t+\cos^2\omega t)=25,\end{aligned}$$

所以,运动轨迹为一以原点为中心,5 为半径的圆.

其次,速度与加速度的大小分别为

$$\begin{aligned}v&=\sqrt{v_x^2+v_y^2}=\sqrt{\left(\frac{dx}{dt}\right)^2+\left(\frac{dy}{dt}\right)^2}\\&=\sqrt{(4\omega\cos\omega t+3\omega\sin\omega t)^2+(3\omega\cos\omega t-4\omega\sin\omega t)^2}=5|\omega|,\\w&=\sqrt{w_x^2+w_y^2}=\sqrt{\left(\frac{dv_x}{dt}\right)^2+\left(\frac{dv_y}{dt}\right)^2}=\sqrt{\left(\frac{d^2x}{dt^2}\right)^2+\left(\frac{d^2y}{dt^2}\right)^2}\\&=\sqrt{(-4\omega^2\sin\omega t+3\omega^2\cos\omega t)^2+(-4\omega^2\cos\omega t-3\omega^2\sin\omega t)^2}=5\omega^2.\end{aligned}$$

【1161】 证明：函数 $y=C_1\cos x+C_2\sin x$,其中 C_1 及 C_2 为任意的常数,满足方程

$$y''+y=0.$$

证 $y'=-C_1\sin x+C_2\cos x,y''=-C_1\cos x-C_2\sin x=-y$,所以 $y''+y=0$.

【1162】 证明：函数 $y=C_1\operatorname{ch}x+C_2\operatorname{sh}x$,其中 C_1 及 C_2 为任意的常数，满足方程

$$y''-y=0.$$

证 $y'=C_1\operatorname{sh}x+C_2\operatorname{ch}x,y''=C_1\operatorname{ch}x+C_2\operatorname{sh}x=y$,所以 $y''-y=0$.

【1163】 证明：函数 $y=C_1e^{\lambda_1x}+C_2e^{\lambda_2x}$,其中 C_1 及 C_2 为任意的常数,λ_1 及 λ_2 为常数,满足方程

$$y''-(\lambda_1+\lambda_2)y'+\lambda_1\lambda_2y=0.$$

证 $y'=C_1\lambda_1e^{\lambda_1x}+C_2\lambda_2e^{\lambda_2x},y''=C_1\lambda_1^2e^{\lambda_1x}+C_2\lambda_2^2e^{\lambda_2x}$,于是

$$\begin{aligned}y''-(\lambda_1+\lambda_2)y'+\lambda_1\lambda_2y&=C_1\lambda_1^2e^{\lambda_1x}+C_2\lambda_2^2e^{\lambda_2x}-C_1\lambda_1^2e^{\lambda_1x}-C_1\lambda_1\lambda_2e^{\lambda_1x}-C_2\lambda_2^2e^{\lambda_2x}-\\&\quad C_2\lambda_1\lambda_2e^{\lambda_2x}+C_1\lambda_1\lambda_2e^{\lambda_1x}+C_2\lambda_1\lambda_2e^{\lambda_2x}\\&=0.\end{aligned}$$

【1164】 证明：函数 $y=x^n[C_1\cos(\ln x)+C_2\sin(\ln x)]$,其中 C_1 及 C_2 为任意常数,n 为常数,满足方程

$$x^2y''+(1-2n)xy'+(1+n^2)y=0.$$

证 $y'=nx^{n-1}[C_1\cos(\ln x)+C_2\sin(\ln x)]+x^{n-1}[C_2\cos(\ln x)-C_1\sin(\ln x)]$,

$y''=x^{n-2}\{(n^2-n-1)[C_1\cos(\ln x)+C_2\sin(\ln x)]+(2n-1)[C_2\cos(\ln x)-C_1\sin(\ln x)]\}$,

于是

$$\begin{aligned}&x^2y''+(1-2n)xy'+(1+n^2)y\\=&x^n\{(n^2-n-1)[C_1\cos(\ln x)+C_2\sin(\ln x)]+(2n-1)[C_2\cos(\ln x)-C_1\sin(\ln x)]\}+\\&(1-2n)x^n\{n[C_1\cos(\ln x)+C_2\sin(\ln x)]+[C_2\cos(\ln x)-C_1\sin(\ln x)]\}+\\&(1+n^2)x^n[C_1\cos(\ln x)+C_2\sin(\ln x)]=0.\end{aligned}$$

【1165】 证明：函数

$$y=e^{\frac{x}{\sqrt2}}\left(C_1\cos\frac{x}{\sqrt2}+C_2\sin\frac{x}{\sqrt2}\right)+e^{-\frac{x}{\sqrt2}}\left(C_3\cos\frac{x}{\sqrt2}+C_4\sin\frac{x}{\sqrt2}\right),$$

其中 C_1,C_2,C_3 及 C_4 为任意常数，满足方程 $y^{(4)}+y=0$.

证

$$\begin{aligned}y'=&e^{\frac{x}{\sqrt2}}\left(\frac{C_1}{\sqrt2}\cos\frac{x}{\sqrt2}+\frac{C_2}{\sqrt2}\sin\frac{x}{\sqrt2}-\frac{C_1}{\sqrt2}\sin\frac{x}{\sqrt2}+\frac{C_2}{\sqrt2}\cos\frac{x}{\sqrt2}\right)+\\&e^{-\frac{x}{\sqrt2}}\left(-\frac{C_3}{\sqrt2}\cos\frac{x}{\sqrt2}-\frac{C_4}{\sqrt2}\sin\frac{x}{\sqrt2}-\frac{C_3}{\sqrt2}\sin\frac{x}{\sqrt2}+\frac{C_4}{\sqrt2}\cos\frac{x}{\sqrt2}\right),\end{aligned}$$

$$\begin{aligned}y''=&e^{\frac{x}{\sqrt2}}\left(\frac{C_1}{2}\cos\frac{x}{\sqrt2}+\frac{C_2}{2}\sin\frac{x}{\sqrt2}-\frac{C_1}{2}\sin\frac{x}{\sqrt2}+\frac{C_2}{2}\cos\frac{x}{\sqrt2}-\right.\\&\left.\frac{C_1}{2}\sin\frac{x}{\sqrt2}+\frac{C_2}{2}\cos\frac{x}{\sqrt2}-\frac{C_1}{2}\cos\frac{x}{\sqrt2}-\frac{C_2}{2}\sin\frac{x}{\sqrt2}\right)+\\&e^{-\frac{x}{\sqrt2}}\left(\frac{C_3}{2}\cos\frac{x}{\sqrt2}+\frac{C_4}{2}\sin\frac{x}{\sqrt2}+\frac{C_3}{2}\sin\frac{x}{\sqrt2}-\frac{C_4}{2}\cos\frac{x}{\sqrt2}+\right.\\&\left.\frac{C_3}{2}\sin\frac{x}{\sqrt2}-\frac{C_4}{2}\cos\frac{x}{\sqrt2}-\frac{C_3}{2}\cos\frac{x}{\sqrt2}-\frac{C_4}{2}\sin\frac{x}{\sqrt2}\right)\\=&e^{\frac{x}{\sqrt2}}\left(C_2\cos\frac{x}{\sqrt2}-C_1\sin\frac{x}{\sqrt2}\right)+e^{-\frac{x}{\sqrt2}}\left(C_3\sin\frac{x}{\sqrt2}-C_4\cos\frac{x}{\sqrt2}\right),\end{aligned}$$

$$y^{(4)}=(y'')''=e^{\frac{x}{\sqrt2}}\left(-C_1\cos\frac{x}{\sqrt2}-C_2\sin\frac{x}{\sqrt2}\right)+e^{-\frac{x}{\sqrt2}}\left(-C_3\cos\frac{x}{\sqrt2}-C_4\sin\frac{x}{\sqrt2}\right)=-y.$$

于是 $y^{(4)}+y=0$.

习题 1166—1212　n 阶导数的求解与证明

【1166】 证明：若函数 $f(x)$ 有 n 阶导数，则$[f(ax+b)]^{(n)}=a^nf^{(n)}(ax+b)$.

证 每求一次导数，均要乘以因子$(ax+b)'=a$，所以$[f(ax+b)]^{(n)}=a^nf^{(n)}(ax+b)$.

【1167】 若 $P(x)=a_0x^n+a_1x^{n-1}+\cdots+a_n$，求 $P^{(n)}(x)$.

解 $P'(x)=a_0nx^{n-1}+a_1(n-1)x^{n-2}+\cdots+a_{n-1}$,

$P''(x)=a_0n(n-1)x^{n-2}+a_1(n-1)(n-2)x^{n-3}+\cdots+a^{n-2}$,

$\vdots$

$P^{(n)}(x)=n!a_0$.

【求 $y^{(n)}$(1168—1190)】

【1168】 $y=\dfrac{ax+b}{cx+d}$.

解 $y'=\frac{a(cx+d)-c(ax+b)}{(cx+d)^2}=\frac{ad-bc}{(cx+d)^2}$， $y''=-\frac{2c(ad-bc)}{(cx+d)^3}$.

利用数学归纳法，可证得 $y^{(n)}=\frac{(-1)^{n-1}c^{n-1}(ad-bc)n!}{(cx+d)^{n+1}}$.

事实上，对于 $n=2$ 等式成立，设对于 n 等式成立，则对于 $n+1$ 有

$$y^{(n+1)}=(-1)^{n-1}c^{n-1}(ad-bc)n!\frac{-(n+1)\cdot c}{(cx+d)^{n+2}}=\frac{(-1)^{(n+1)-1}c^{(n+1)-1}(ad-bc)(n+1)!}{(cx+d)^{(n+1)+1}},$$

即对于 $n+1$ 等式也成立，于是得证.

【1169】 $y=\frac{1}{x(1-x)}$.

解 $y=\frac{1}{x}-\frac{1}{x-1}$，$y^{(n)}=\left(\frac{1}{x}\right)^{(n)}-\left(\frac{1}{x-1}\right)^{(n)}=(-1)^n n!\left[\frac{1}{x^{n+1}}-\frac{1}{(x-1)^{n+1}}\right]$.

【1170】 $y=\frac{1}{x^2-3x+2}$.

解 $y=\frac{1}{(x-2)(x-1)}=\frac{1}{x-2}-\frac{1}{x-1}$，$y^{(n)}=(-1)^n n!\left[\frac{1}{(x-2)^{n+1}}-\frac{1}{(x-1)^{n+1}}\right]$.

【1171】 $y=\frac{1}{\sqrt{1-2x}}$.

解 $y^{(n)}=\left(-\frac{1}{2}\right)\left(-\frac{3}{2}\right)\left(-\frac{5}{2}\right)\cdots\left(-\frac{2n-1}{2}\right)\cdot(-2)^n(1-2x)^{-\frac{2n+1}{2}}=\frac{(2n-1)!!}{(1-2x)^{n+\frac{1}{2}}}$.

【1172】 $y=\frac{x}{\sqrt[3]{1+x}}$.

解 $y=\frac{(x+1)-1}{\sqrt[3]{1+x}}=(1+x)^{\frac{2}{3}}-(1+x)^{-\frac{1}{3}}$.

$$\begin{aligned}y^{(n)}&=\frac{2}{3}\left(-\frac{1}{3}\right)\left(-\frac{4}{3}\right)\cdots\left(-\frac{3n-5}{3}\right)(1+x)^{-\frac{3n-2}{3}}-\left(-\frac{1}{3}\right)\left(-\frac{4}{3}\right)\cdots\left(-\frac{3n-2}{3}\right)(1+x)^{-\frac{3n+1}{3}}\\&=\frac{(-1)^{n+1}\cdot 1\cdot 4\cdots(3n-5)}{3^n(1+x)^{n+\frac{1}{3}}}[2(1+x)+(3n-2)]\\&=\frac{(-1)^{n+1}1\cdot 4\cdot 7\cdots(3n-5)(3n+2x)}{3^n(1+x)^{n+\frac{1}{3}}}.\end{aligned}$$

【1173】 $y=\sin^2 x$.

解 $y'=2\sin x\cos x=\sin 2x$，

$$y^{(n)}=(y')^{(n-1)}=(\sin 2x)^{(n-1)}=2^{n-1}\sin\left(2x+\frac{n-1}{2}\pi\right)=-2^{n-1}\cos\left(2x+\frac{n\pi}{2}\right).$$

【1174】 $y=\cos^2 x$.

解 $y'=-2\cos x\sin x=-\sin 2x$，

$$y^{(n)}=-(\sin 2x)^{(n-1)}=-2^{n-1}\sin\left(2x+\frac{n-1}{2}\pi\right)=2^{n-1}\cos\left(2x+\frac{n\pi}{2}\right).$$

【1175】 $y=\sin^3 x$.

解 $y=\sin x\sin^2 x=\frac{1}{2}\sin x(1-\cos 2x)=\frac{1}{2}\sin x-\frac{1}{2}\sin x\cos 2x=\frac{3}{4}\sin x-\frac{1}{4}\sin 3x$，

$$y^{(n)}=\frac{3}{4}\sin\left(x+\frac{n\pi}{2}\right)-\frac{3^n}{4}\sin\left(3x+\frac{n\pi}{2}\right).$$

【1176】 $y=\cos^3 x$.

解 $y=\cos x\cos^2 x=\frac{1}{2}\cos x(1+\cos 2x)=\frac{1}{2}\cos x+\frac{1}{2}\cos x\cos 2x=\frac{3}{4}\cos x+\frac{1}{4}\cos 3x$，

$$y^{(n)}=\frac{3}{4}\cos\left(x+\frac{n\pi}{2}\right)+\frac{3^n}{4}\cos\left(3x+\frac{n\pi}{2}\right).$$

【1177】 $y=\sin ax\sin bx$.

解 $y=\frac{1}{2}\cos(a-b)x-\frac{1}{2}\cos(a+b)x$,

$$y^{(n)}=\frac{1}{2}(a-b)^n\cos\left[(a-b)x+\frac{n\pi}{2}\right]-\frac{1}{2}(a+b)^n\cos\left[(a+b)x+\frac{n\pi}{2}\right].$$

【1178】 $y=\cos ax\cos bx$.

解 $y=\frac{1}{2}\cos(a-b)x+\frac{1}{2}\cos(a+b)x$,

$$y^{(n)}=\frac{(a-b)^n}{2}\cos\left[(a-b)x+\frac{n\pi}{2}\right]+\frac{1}{2}(a-b)^n\cos\left[(a+b)x+\frac{n\pi}{2}\right].$$

【1179】 $y=\sin ax\cos bx$.

解 $y=\frac{1}{2}\sin(a+b)x+\frac{1}{2}\sin(a-b)x$,

$$y^{(n)}=\frac{1}{2}(a+b)^n\sin\left[(a+b)x+\frac{n\pi}{2}\right]+\frac{1}{2}(a-b)^n\sin\left[(a-b)x+\frac{n\pi}{2}\right].$$

【1180】 $y=\sin^2 ax\cos bx$.

解 $y=\frac{1}{2}\cos bx(1-\cos 2ax)=\frac{1}{2}\cos bx-\frac{1}{4}\cos(2a+b)x-\frac{1}{4}\cos(2a-b)x$,

$$y^{(n)}=\frac{1}{2}b^n\cos\left(bx+\frac{n\pi}{2}\right)-\frac{1}{4}(2a+b)^n\cos\left[(2a+b)x+\frac{n\pi}{2}\right]-$$
$$\frac{1}{4}(2a-b)^n\cos\left[(2a-b)x+\frac{n\pi}{2}\right].$$

【1181】 $y=\sin^4 x+\cos^4 x$.

解 $y=(\sin^2 x+\cos^2 x)^2-2\sin^2 x\cos^2 x=1-\frac{1}{2}\sin^2 2x$

$$=1-\frac{1}{4}(1-\cos 4x)=\frac{3}{4}+\frac{1}{4}\cos 4x,$$

$$y^{(n)}=4^{n-1}\cos\left(4x+\frac{n\pi}{2}\right).$$

【1182】 $y=x\cos ax$.

解 $y^{(n)}=x(\cos ax)^{(n)}+n(\cos ax)^{(n-1)}=a^n x\cos\left(ax+\frac{n\pi}{2}\right)+na^{n-1}\cos\left(ax+\frac{n-1}{2}\pi\right)$

$$=a^n x\cos\left(ax+\frac{n\pi}{2}\right)+na^{n-1}\sin\left(ax+\frac{n\pi}{2}\right).$$

【1183】 $y=x^2\sin ax$.

解 $y^{(n)}=a^n x^2\sin\left(ax+\frac{n\pi}{2}\right)+2na^{n-1}x\sin\left(ax+\frac{n-1}{2}\pi\right)+n(n-1)a^{n-2}\sin\left(ax+\frac{n-2}{2}\pi\right)$

$$=a^n\left[x^2-\frac{n(n-1)}{a^2}\right]\sin\left(ax+\frac{n\pi}{2}\right)-2na^{n-1}x\cos\left(ax+\frac{n\pi}{2}\right).$$

【1184】 $y=(x^2+2x+2)e^{-x}$.

解 $y^{(n)}=(-1)^n(x^2+2x+2)e^{-x}+2(-1)^{n-1}(x+1)e^{-x}\cdot n+(-1)^{n-2}n(n-1)e^{-x}$

$$=(-1)^n e^{-x}[x^2-2(n-1)x+(n-1)(n-2)].$$

【1185】 $y=\frac{e^x}{x}$.

解 $y^{(n)}=\sum_{k=0}^{n}C_n^k e^x\left(\frac{1}{x}\right)^{(k)}=e^x\left[\frac{1}{x}+\sum_{k=1}^{n}(-1)^k\frac{n(n-1)\cdots(n-k+1)}{x^{k+1}}\right].$

【1186】 $y=e^x\cos x$.

解 $y'=e^x(\cos x-\sin x)=2^{\frac{1}{2}}e^x\cos\left(x+\frac{\pi}{4}\right)$,

$$y''=2^{\frac{1}{2}}e^x\left[\cos\left(x+\frac{\pi}{4}\right)-\sin\left(x+\frac{\pi}{4}\right)\right]=2^{\frac{2}{2}}e^x\cos\left(x+\frac{2\pi}{4}\right),$$

利用数学归纳法可求得 $y^{(n)}=2^{\frac{n}{2}}e^x\cos\left(x+\frac{n\pi}{4}\right)$.

【1187】 $y=e^x\sin x$.

解 $y'=e^x(\sin x+\cos x)=2^{\frac{1}{2}}e^x\sin\left(x+\frac{\pi}{4}\right)$,

$$y''=2^{\frac{1}{2}}e^x\left[\sin\left(x+\frac{\pi}{4}\right)+\cos\left(x+\frac{\pi}{4}\right)\right]=2^{\frac{2}{2}}e^x\sin\left(x+\frac{2\pi}{4}\right),$$

利用数学归纳法可求得 $y^{(n)}=2^{\frac{n}{2}}e^x\sin\left(x+\frac{n\pi}{4}\right)$.

【1188】 $y=\ln\dfrac{a+bx}{a-bx}$.

解 $y'=\dfrac{b}{a+bx}+\dfrac{b}{a-bx}=\dfrac{b}{bx+a}-\dfrac{b}{bx-a}$,

$$y^{(n)}=\frac{(-1)^{n-1}b^n(n-1)!}{(a+bx)^n}-\frac{(-1)^{n-1}b^n(n-1)!}{(bx-a)^n}=\frac{(n-1)!b^n}{(a^2-b^2x^2)^n}[(a+bx)^n-(bx-a)^n].$$

【1189】 $y=e^{ax}P(x)$，其中 $P(x)$ 为多项式.

解 $y^{(n)}=\sum\limits_{k=0}^{n}C_n^kP^{(k)}(x)(e^{ax})^{(n-k)}=e^{ax}[a^nP(x)+C_n^1a^{n-1}P'(x)+\cdots+P^{(n)}(x)]$.

【1190】 $y=x\operatorname{sh}x$.

解
$$\begin{aligned}y^{(n)}&=\sum_{k=0}^{n}C_n^k(x)^{(k)}(\operatorname{sh}x)^{(n-k)}=x(\operatorname{sh}x)^{(n)}+n(\operatorname{sh}x)^{(n-1)}\\&=\begin{cases}x\operatorname{sh}x+n\operatorname{ch}x, & n=2k,\\ x\operatorname{ch}x+n\operatorname{sh}x, & n=2k-1\end{cases}(k\in\mathbf{N}_+)\\&=\frac{1}{2}\{[(x+n)-(-1)^n(x-n)]\operatorname{ch}x+[(x+n)+(-1)^n(x-n)]\operatorname{sh}x\}.\end{aligned}$$

【1191】 证明等式：

(1) $[e^{ax}\sin(bx+c)]^{(n)}=e^{ax}(a^2+b^2)^{\frac{n}{2}}\sin(bx+c+n\varphi)$;

(2) $[e^{ax}\cos(bx+c)]^{(n)}=e^{ax}(a^2+b^2)^{\frac{n}{2}}\cos(bx+c+n\varphi)$,

其中 $\sin\varphi=\dfrac{b}{\sqrt{a^2+b^2}}$，$\cos\varphi=\dfrac{a}{\sqrt{a^2+b^2}}$.

证 (1)
$$\begin{aligned}[e^{ax}\sin(bx+c)]'&=e^{ax}[a\sin(bx+c)+b\cos(bx+c)]\\&=\sqrt{a^2+b^2}\,e^{ax}\left[\frac{a}{\sqrt{a^2+b^2}}\sin(bx+c)+\frac{b}{\sqrt{a^2+b^2}}\cos(bx+c)\right]\\&=\sqrt{a^2+b^2}\,e^{ax}\sin(bx+c+\varphi),\end{aligned}$$

其中 $\sin\varphi=\dfrac{b}{\sqrt{a^2+b^2}}$，$\cos\varphi=\dfrac{a}{\sqrt{a^2+b^2}}$.

$$[e^{ax}\sin(bx+c)]''=(a^2+b^2)^{\frac{2}{2}}e^{ax}\sin(bx+c+2\varphi),$$

利用数学归纳法可证 $[e^{ax}\sin(bx+c)]^{(n)}=e^{ax}(a^2+b^2)^{\frac{n}{2}}\sin(bx+c+n\varphi)$.

(2) 同理可证 $[e^{ax}\cos(bx+c)]^{(n)}=e^{ax}(a^2+b^2)^{\frac{n}{2}}\cos(bx+c+n\varphi)$.

【1192】 求 $y^{(n)}$，设：

(1) $y=\operatorname{ch} ax\cos bx$；　　(2) $y=\operatorname{ch} ax\sin bx$；

(3) $y=\operatorname{sh} ax\cos bx$；　　(4) $y=\operatorname{sh} ax\sin bx$.

解 由上题方法可得

$$[e^{ax}\sin bx]^{(n)}=e^{ax}(a^2+b^2)^{\frac{n}{2}}\sin(bx+n\varphi);$$
$$[e^{ax}\cos bx)]^{(n)}=e^{ax}(a^2+b^2)^{\frac{n}{2}}\cos(bx+n\varphi);$$
$$[e^{-ax}\sin bx]^{(n)}=e^{ax}(a^2+b^2)^{\frac{n}{2}}\sin(bx+n\pi-n\varphi);$$
$$[e^{-ax}\cos bx)]^{(n)}=e^{ax}(a^2+b^2)^{\frac{n}{2}}\cos(bx+n\pi-n\varphi),$$

其中 $\sin\varphi=\dfrac{b}{\sqrt{a^2+b^2}}$，$\cos\varphi=\dfrac{a}{\sqrt{a^2+b^2}}$.

(1) 由 $y=\dfrac{1}{2}e^{ax}\cos bx+\dfrac{1}{2}e^{-ax}\cos bx$，可得

$$\begin{aligned}y^{(n)}&=\left(\frac{1}{2}e^{ax}\cos bx\right)^{(n)}+\left(\frac{1}{2}e^{-ax}\cos bx\right)^{(n)}\\&=\frac{1}{2}e^{ax}(a^2+b^2)^{\frac{n}{2}}\cos(bx+n\varphi)+\frac{1}{2}e^{-ax}(a^2+b^2)^{\frac{n}{2}}\cos(bx+n\pi-n\varphi)\\&=\frac{1}{2}(a^2+b^2)^{\frac{n}{2}}e^{ax}\left\{\left[\cos\left(bx+\frac{n\pi}{2}\right)\cos\left(n\varphi-\frac{n\pi}{2}\right)-\sin\left(bx+\frac{n\pi}{2}\right)\sin\left(n\varphi-\frac{n\pi}{2}\right)\right]+\right.\\&\quad\left.e^{-ax}\left[\cos\left(bx+\frac{n\pi}{2}\right)\cos\left(n\varphi-\frac{n\pi}{2}\right)+\sin\left(bx+\frac{n\pi}{2}\right)\sin\left(n\varphi-\frac{n\pi}{2}\right)\right]\right\}\\&=(a^2+b^2)^{\frac{n}{2}}\frac{e^{ax}+e^{-ax}}{2}\cos\left(bx+\frac{n\pi}{2}\right)\cos\left(n\varphi-\frac{n\pi}{2}\right)-\\&\quad\left.\frac{e^{ax}-e^{-ax}}{2}\sin\left(bx+\frac{n\pi}{2}\right)\sin\left(n\varphi-\frac{n\pi}{2}\right)\right\}\\&=(a^2+b^2)^{\frac{n}{2}}\left[\cos\left(n\varphi-\frac{n\pi}{2}\right)\operatorname{ch} ax\cos\left(bx+\frac{n\pi}{2}\right)-\sin\left(n\varphi-\frac{n\pi}{2}\right)\operatorname{sh} ax\sin\left(bx+\frac{n\pi}{2}\right)\right].\end{aligned}$$

同样方法可求得：

(2) $$\begin{aligned}y^{(n)}&=\left(\frac{1}{2}e^{ax}\sin bx\right)^{(n)}+\left(\frac{1}{2}e^{-ax}\sin bx\right)^{(n)}\\&=(a^2+b^2)^{\frac{n}{2}}\left[\cos\left(n\varphi-\frac{n\pi}{2}\right)\operatorname{ch} ax\sin\left(bx+\frac{n\pi}{2}\right)+\sin\left(n\varphi-\frac{n\pi}{2}\right)\operatorname{sh} ax\cos\left(bx+\frac{n\pi}{2}\right)\right].\end{aligned}$$

(3) $$\begin{aligned}y^{(n)}&=\left(\frac{1}{2}e^{ax}\cos bx\right)^{(n)}-\left(\frac{1}{2}e^{-ax}\cos bx\right)^{(n)}\\&=(a^2+b^2)^{\frac{n}{2}}\left[\cos\left(n\varphi-\frac{n\pi}{2}\right)\operatorname{sh} ax\cos\left(bx+\frac{n\pi}{2}\right)-\sin\left(n\varphi-\frac{n\pi}{2}\right)\operatorname{ch} ax\sin\left(bx+\frac{n\pi}{2}\right)\right].\end{aligned}$$

(4) $$\begin{aligned}y^{(n)}&=\left(\frac{1}{2}e^{ax}\sin bx\right)^{(n)}-\left(\frac{1}{2}e^{-ax}\sin bx\right)^{(n)}\\&=(a^2+b^2)^{\frac{n}{2}}\left[\cos\left(n\varphi-\frac{n\pi}{2}\right)\operatorname{sh} ax\sin\left(bx+\frac{n\pi}{2}\right)+\sin\left(n\varphi-\frac{n\pi}{2}\right)\operatorname{ch} ax\cos\left(bx+\frac{n\pi}{2}\right)\right].\end{aligned}$$

【1193】 将 $f(x)=\sin^{2p}x$，化为三角多项式：$f(x)=\sum\limits_{k=0}^{p}A_k\cos 2kx$，以求 $f^{(n)}(x)$，其中 p 为正整数.

解 设 $t=\cos x+i\sin x$，则 $\sin x=\dfrac{1}{2i}(t-\bar{t})$，其中 $\bar{t}$ 为 t 的共轭复数. 于是

$$t^k=\cos kx+i\sin kx,\ \bar{t}^k=\cos kx-i\sin kx,$$

$$\sin^{2p}x=\frac{1}{(2\mathrm{i})^{2p}}(t-\bar{t})^{2p}=\frac{1}{(2\mathrm{i})^{2p}}\sum_{k=0}^{2p}\mathrm{C}_{2p}^{k}t^{2p-k}(-1)^{k}\bar{t}^{k}$$

$$=(-1)^{p}\frac{1}{(2\mathrm{i})^{2p}}\mathrm{C}_{2p}^{p}+\frac{2}{(2\mathrm{i})^{2p}}\sum_{k=0}^{p-1}\mathrm{C}_{2p}^{k}(-1)^{k}\cos(2p-2k)x.$$

所以

$$(\sin^{2p}x)^{(n)}=\frac{2}{(2\mathrm{i})^{2p}}\sum_{k=0}^{p-1}\mathrm{C}_{2p}^{k}(-1)^{k}(2p-2k)^{n}\cos\left[(2p-2k)x+\frac{n\pi}{2}\right]$$

$$=\sum_{k=0}^{p-1}(-1)^{p+k}2^{n-2p+1}(p-k)^{n}\mathrm{C}_{2p}^{k}\cos\left[(2p-2k)x+\frac{n\pi}{2}\right].$$

【1194】 设:(1) $f(x)=\sin^{2p+1}x$；(2) $f(x)=\cos^{2p}x$；(3) $f(x)=\cos^{2p+1}x$，其中 p 为正整数，求 $f^{(n)}(x)$.

解 (1) 设 $t=\cos x+\mathrm{i}\sin x$，则 $\sin x=\frac{1}{2\mathrm{i}}(t-\bar{t})$，所以

$$\sin^{2p+1}x=\frac{1}{(2\mathrm{i})^{2p+1}}\sum_{k=0}^{2p+1}\mathrm{C}_{2p+1}^{k}t^{2p+1-k}(-1)^{k}\bar{t}^{k}$$

$$=\frac{1}{(2\mathrm{i})^{2p+1}}\sum_{k=0}^{2p+1}\mathrm{C}_{2p+1}^{k}(-1)^{k}\left[\cos(2p+1-2k)x+\mathrm{i}\sin(2p+1-2k)x\right]$$

$$=\sum_{k=0}^{p}(-1)^{p+k}2^{-2p}\mathrm{C}_{2p+1}^{k}\sin(2p+1-2k)x.$$

所以

$$f^{(n)}(x)=\sum_{k=0}^{p}(-1)^{p+k}\mathrm{C}_{2p+1}^{k}\frac{(2p+1-2k)^{n}}{2^{2p}}\sin\left[(2p+1-2k)x+\frac{n\pi}{2}\right].$$

设 $t=\cos x+\mathrm{i}\sin x$，则 $\cos x=\frac{1}{2}(t-\bar{t})$，其中 $\bar{t}$ 为 t 的共轭复数. 同上题和(1)可得

(2) $f^{(n)}(x)=(\cos^{2p}x)^{(n)}=\sum_{k=0}^{p-1}2^{n-2p+1}(p-k)^{n}\mathrm{C}_{2p}^{k}\cos\left[(2p-2k)x+\frac{n\pi}{2}\right]$；

(3) $f^{(n)}(x)=(\cos^{2p+1}x)^{(n)}=\sum_{k=0}^{p}\frac{(2p+1-2k)^{n}}{2^{2p}}\mathrm{C}_{2p+1}^{k}\cos\left[(2p+1-2k)x+\frac{n\pi}{2}\right]$.

【1195】 利用恒等式 $\frac{1}{x^2+1}=\frac{1}{2\mathrm{i}}\left(\frac{1}{x-\mathrm{i}}-\frac{1}{x+\mathrm{i}}\right)$，证明：

$$\left(\frac{1}{x^2+1}\right)^{(n)}=\frac{(-1)^{n}n!}{(1+x^2)^{\frac{n+1}{2}}}\sin[(n+1)\operatorname{arccot}x].$$

证 将复数 $x+\mathrm{i}$ 及 $x-\mathrm{i}$ 化成下列形式

$$x+\mathrm{i}=r(\cos\theta+\mathrm{i}\sin\theta)=re^{\mathrm{i}\theta},x-\mathrm{i}=r(\cos\theta-\mathrm{i}\sin\theta)=re^{-\mathrm{i}\theta},$$

其中 $r=(1+x^2)^{\frac{1}{2}}$，$\theta=\operatorname{arccot}x$. 于是

$$\left(\frac{1}{x^2+1}\right)^{n}=\frac{1}{2\mathrm{i}}\left[\left(\frac{1}{x-\mathrm{i}}\right)^{(n)}-\left(\frac{1}{x+\mathrm{i}}\right)^{(n)}\right]=\frac{1}{2\mathrm{i}}\left[\frac{(-1)^{n}n!}{(x-\mathrm{i})^{n+1}}-\frac{(-1)^{n}n!}{(x+\mathrm{i})^{n+1}}\right]$$

$$=\frac{(-1)^{n}n!}{2\mathrm{i}(x^2+1)^{n+1}}\left[(x+\mathrm{i})^{n+1}-(x-\mathrm{i})^{n+1}\right]=\frac{(-1)^{n}n!}{2\mathrm{i}(x^2+1)^{n+1}}r^{n+1}\left[e^{\mathrm{i}(n+1)\theta}-e^{-\mathrm{i}(n+1)\theta}\right]$$

$$=\frac{(-1)^{n}n!}{(x^2+1)^{n+1}}r^{n+1}\sin(n+1)\theta=\frac{(-1)^{n}n!}{(x^2+1)^{\frac{n+1}{2}}}\sin[(n+1)\operatorname{arccot}x],$$

所以 $\left(\frac{1}{x^2+1}\right)^{(n)}=\frac{(-1)^{n}n!}{(x^2+1)^{\frac{n+1}{2}}}\sin[(n+1)\operatorname{arccot}x]$.

【1196】 求函数 $f(x)=\arctan x$ 的 n 阶导数.

解 $f'(x)=\frac{1}{1+x^2}$. 利用上题的结果，得

$$f^{(n)}(x)=\frac{(-1)^{n-1}(n-1)!}{(x^2+1)^{\frac{n}{2}}}\sin(n\operatorname{arccot}x)=\frac{(-1)^{n-1}(n-1)!}{(x^2+1)^{\frac{n}{2}}}\sin\left(n\arctan\frac{1}{x}\right).$$

【求 $f^{(n)}(0)$(1197—1200)】

【1197】 (1) $f(x)=\dfrac{1}{(1-2x)(1+x)}$； (2) $f(x)=\dfrac{x}{\sqrt{1-x}}$.

解 (1) $f(x)=\dfrac{1}{3}\left(\dfrac{1}{1+x}+\dfrac{2}{1-2x}\right)$，于是

$$f^{(n)}(x)=\frac{1}{3}\left[\frac{(-1)^n n!}{(1+x)^{n+1}}+\frac{2^{n+1}n!}{(1-2x)^{n+1}}\right],f^{(n)}(0)=\frac{n!}{3}[(-1)^n+2^{n+1}].$$

(2) $f(x)=-\sqrt{1-x}+\dfrac{1}{\sqrt{1-x}}$. 于是

$$f^{(n)}(x)=\frac{(2n-3)!!}{2^n}\cdot\frac{1}{(1-x)^{\frac{2n-1}{2}}}+\frac{(2n-1)!!}{2^n}\cdot\frac{1}{(1-x)^{\frac{2n+1}{2}}},$$

$$f^{(n)}(0)=\frac{(2n-3)!!}{2^n}+\frac{(2n-1)!!}{2^n}=\frac{n(2n-3)!!}{2^{n-1}}.$$

【1198】 (1) $f(x)=x^2e^{ax}$；(2) $f(x)=\arctan x$；(3) $f(x)=\arcsin x$.

解 (1) $f^{(n)}(x)=\displaystyle\sum_{k=0}^{n}C_n^k(x^2)^{(k)}(e^{ax})^{(n-k)}=x^2a^ne^{ax}+2nxa^{n-1}e^{ax}+n(n-1)a^{n-2}e^{ax}$，

$$f^{(n)}(0)=n(n-1)a^{n-2}.$$

(2) 由 1196 题知

$$f^{(n)}(x)=\frac{(-1)^{n-1}(n-1)!}{(x^2+1)^{\frac{n}{2}}}\sin(n\operatorname{arccot}x)=\frac{(-1)^{n-1}(n-1)!}{(x^2+1)^{\frac{n}{2}}}\sin(n\arctan\frac{1}{x}),$$

$$f^{(2k)}(0)=0,f^{(2k+1)}(0)=(-1)^k(2k)!(k=0,1,2,\cdots).$$

(3) 由 $y'=f'(x)=\dfrac{1}{\sqrt{1-x^2}}$，$y''=f''(x)=\dfrac{x}{(1-x^2)^{\frac{3}{2}}}$，得

$$y'(0)=f'(0)=1,y''(0)=f''(0)=0,$$

并且有

$$(1-x^2)y''-xy'=0.$$

对上式应用莱布尼茨公式，得

$$(1-x^2)y^{(n+2)}-2nxy^{(n+1)}-n(n-1)y^{(n)}-xy^{(n+1)}-ny^{(n)}=0,$$

在上式中，令 $x=0$，则有

$$y^{(n+2)}(0)-n(n-1)y^{(n)}(0)-ny^{(n)}=0,\text{即 }y^{(n+2)}(0)=n^2y^{(n)}(0).$$

由于 $y''(0)=0$，故

$$y^{(2k)}(0)=f^{(2k)}(0)=0(k=0,1,2,\cdots).$$

又由于 $y'(0)=1$，故

$$y^{(2k+1)}(0)=f^{(2k+1)}(0)=(2k-1)^2y^{(2k-1)}(0)=(2k-1)^2(2k-3)^2y^{(2k-3)}(0)=\cdots$$
$$=[1\cdot3\cdots(2k-1)]^2=[(2k-1)!!]^2(k=1,2,\cdots).$$

【1199】 (1) $f(x)=\cos(m\arcsin x)$； (2) $f(x)=\sin(m\arcsin x)$.

提示 (1) 先证 $(1-x^2)y''-xy'+m^2y=0$，再对此式应用莱布尼茨公式. (2) 同(1).

解 (1) $y'=f'(x)=-\dfrac{m}{\sqrt{1-x^2}}\sin(m\arcsin x)$，

$y''=-\dfrac{m^2}{1-x^2}\cos(m\arcsin x)-\dfrac{mx}{(1-x^2)^{\frac{3}{2}}}\sin(m\arcsin x)$，

$y'(0)=f'(0)=0,y''(0)=f''(0)=-m^2$，并且有

$$(1-x^2)y''-xy'+m^2y=0.$$

对上式应用莱布尼茨公式，得

$$(1-x^2)y^{(n+2)}-2nxy^{(n+1)}-n(n-1)y^{(n)}-xy^{(n+1)}-ny^{(n)}+m^2y^{(n)}=0.$$

令 $x=0$，即得

$$y^{(n+2)}(0)+(m^2-n^2)y^{(n)}(0)=0.$$

由于 $y'(0)=0$，故

$$y^{(2k-1)}(0)=f^{(2k-1)}(0)=0(k=1,2,\cdots);$$

又由于 $y''(0)=-m^2$，故

$$\begin{aligned}y^{(2k)}(0)=f^{(2k)}(0)&=-[m^2-(2k-2)^2]y^{(2k-2)}(0)\\&=\{-[m^2-(2k-2)^2]\}\{-[m^2-(2k-4)^2]\}y^{(2k-4)}(0)\\&=\cdots\\&=(-1)^{k-1}[m^2-(2k-2)^2][m^2-(2k-4)^2]\cdots(m^2-2^2)y''(0)\\&=(-1)^km^2(m^2-2^2)\cdots[m^2-(2k-2)^2](k=1,2,\cdots).\end{aligned}$$

(2) $y'=f'(x)=\dfrac{m}{\sqrt{1-x^2}}\cos(m\arcsin x)$，

$$y''=f''(x)=-\frac{m^2}{1-x^2}\sin(m\arcsin x)+\frac{mx}{(1-x^2)^{\frac{3}{2}}}\cos(m\arcsin x),$$

$y'(0)=f'(0)=m, y''(0)=f''(0)=0$，并且有

$$(1-x^2)y''-xy'+m^2y=0.$$

这与本题(1) 所得的方程是一样的，因而也有与(1) 同样的结果

$$y^{(n+2)}(0)+(m^2-n^2)y^{(n)}(0)=0.$$

由于 $y''(0)=0$，故

$$y^{(2k)}(0)=f^{(2k)}(0)=0(k=1,2,\cdots).$$

又由于 $y'(0)=m$，故

$$\begin{aligned}y^{(2k+1)}(0)=f^{(2k+1)}(0)&=-[m^2-(2k-1)^2]y^{(2k-1)}(0)\\&=\cdots=(-1)^km(m^2-1^2)\cdots[m^2-(2k-1)^2](k=1,2,\cdots).\end{aligned}$$

【1200】 (1) $f(x)=(\arctan x)^2$； (2) $f(x)=(\arcsin x)^2$.

提示 (2) 先证 $(1-x^2)f''(x)-xf'(x)-2=0$，再应用莱布尼茨公式.

解 (1) 由 1198 题(2) 知，

$$(\arctan x)^{(2k)}(0)=0\text{ 及 }(\arctan x)^{(2k+1)}(0)=(-1)^k(2k)!(k=0,1,2,\cdots).$$

再应用莱布尼茨公式即得

$$f^{(2k-1)}(0)=(\arctan x\cdot\arctan x)^{(2k-1)}(0)=\sum_{i=0}^{2k-1}C_{2k}^{i}(\arctan x)^{(i)}(0)(\arctan x)^{(2k-1-i)}(0),$$

由于 i 与 $2k-1-i$ 的奇偶性相反，故

$$(\arctan x)^{(i)}(0)(\arctan x)^{(2k-1-i)}(0)=0(i=1,\cdots,2k-2).$$

又 $\arctan 0=0$，故

$$f^{(2k-1)}(0)=0=0(k=1,2,\cdots).$$

又

$$\begin{aligned}f^{(2k)}(0)&=(\arctan x\arctan x)^{(2k)}(0)\\&=\sum_{i=0}^{2k}C_{2k}^{i}(\arctan x)^{(i)}(0)(\arctan x)^{(2k-i)}(0)\\&=\sum_{i=0}^{k-1}C_{2k}^{2i+1}(\arctan x)^{(2i+1)}(0)(\arctan x)^{(2k-2i-1)}(0)\end{aligned}$$

$$= \sum_{i=0}^{k-1} C_{2k}^{2i+1}(-1)^i(2i)!(-1)^{k-i-1}(2k-2i-2)!$$

$$= (-1)^{k-1}\sum_{i=0}^{k-1}\frac{(2k)!}{(2i+1)!(2k-2i-1)!}(2i)!(2k-2i-2)!$$

$$= (-1)^{k-1}(2k)!\sum_{i=0}^{k-1}\frac{1}{(2i+1)(2k-2i-1)}$$

$$= (-1)^{k-1}(2k)!\sum_{i=0}^{k-1}\left[\frac{1}{2k}\left(\frac{1}{2i+1}+\frac{1}{2k-2i-1}\right)\right]$$

$$= (-1)^{k-1}2(2k-1)!\sum_{i=0}^{k-1}\frac{1}{2i+1}$$

$$= (-1)^{k-1}2(2k-1)!\left(1+\frac{1}{3}+\frac{1}{5}+\cdots+\frac{1}{2k-1}\right)(k=1,2,\cdots).$$

(2) $f'(x)=\dfrac{2}{\sqrt{1-x^2}}\arcsin x$ 即 $\sqrt{1-x^2}f'(x)=2\arcsin x$，对此式两边再求导，得

$$\sqrt{1-x^2}f''(x)-\frac{xf'(x)}{\sqrt{1-x^2}}=\frac{2}{\sqrt{1-x^2}},$$

即

$$(1-x^2)f''(x)-xf'(x)-2=0.$$

对上式应用莱布尼茨公式，得

$$(1-x^2)f^{(n+2)}(x)-2nxf^{(n+1)}(x)-n(n-1)f^{(n)}(x)-xf^{(n+1)}(x)-nf^{(n)}(x)=0.$$

在上式中令 $x=0$，即得

$$f^{(n+2)}(0)-n^2f^{(n)}(0)=0.$$

由于 $f'(0)=0$，故

$$f^{(2k-1)}(0)=0(k=1,2,\cdots).$$

又由于 $f''(0)=2$，故

$$f^{(2k)}(0)=(2k-2)^2(2k-4)^2\cdots2^2f''(0)=2^{(2k-1)}[(k-1)!]^2(k=1,2,\cdots).$$

【1201】 设 $f(x)=(x-a)^n\varphi(x)$，其中函数 $\varphi(x)$ 在点 a 的邻域内有 $n-1$ 阶的连续导数，求 $f^{(n)}(a)$.

解 由莱布尼茨公式，得

$$f^{(n-1)}(x)=(x-a)^n\varphi^{(n-1)}(x)+C_{n-1}^1n(x-a)^{n-1}\varphi^{(n-2)}(x)+\cdots+$$
$$C_{n-1}^{n-2}n(n-1)\cdots3(x-a)^2\varphi'(x)+n!(x-a)\varphi(x).$$

于是 $f^{(n-1)}(a)=0$.

按导数定义，即得

$$f^{(n)}(a)=\lim_{x\to a}\frac{f^{(n-1)}(x)-f^{(n-1)}(a)}{x-a}$$
$$=\lim_{x\to a}[(x-a)^{n-1}\varphi^{(n-1)}(x)+C_{n-1}^1n(x-a)^{n-2}\varphi^{(n-2)}(x)+\cdots+$$
$$C_{n-1}^{n-2}n(n-1)\cdots3(x-a)\varphi'(x)+n!\varphi(x)]$$
$$=n!\varphi(a).$$

【1202】 证明：函数 $f(x)=\begin{cases}x^{2n}\sin\dfrac{1}{x}, & x\neq0,\\ 0, & x=0\end{cases}$ (n 为正整数) 在点 $x=0$ 有直到 n 阶的导数，而无 $n+1$ 阶导数.

证 由莱布尼茨公式，当 $x\neq0$ 时得

$$f^{(m)}(x)=\left(x^{2n}\sin\frac{1}{x}\right)^{(m)}=\sum_{i=0}^{m}C_m^i(x^{2n})^{(m-i)}\left(\sin\frac{1}{x}\right)^{(i)}.$$

首先指出，当 $i\geqslant 2$ 时，有

$$\left(\sin\frac{1}{x}\right)^{(i)}=\sum_{k=1}^{i-1}\left[a_kx^{-(i+k)}\sin\left(\frac{1}{x}+\frac{k\pi}{2}\right)\right]+(-x^{-2})^i\sin\left(\frac{1}{x}+\frac{i\pi}{2}\right),$$

其中 a_k 是某些常数. 现用数学归纳法予以证明：

当 $i=2$ 时，$\left(\sin\frac{1}{x}\right)''=\left[-\frac{1}{x^2}\sin\left(\frac{1}{x}+\frac{\pi}{2}\right)\right]'=\frac{2}{x^3}\sin\left(\frac{1}{x}+\frac{\pi}{2}\right)+\frac{2}{x^4}\sin\left(\frac{1}{x}+\frac{2\pi}{2}\right)$，

命题显然成立；

设当 $i=N(>2)$ 时，命题成立，要证命题对 $i=N+1$ 时也成立. 事实上，有

$$\begin{aligned}\left(\sin\frac{1}{x}\right)^{(N+1)}&=\sum_{k=1}^{N-1}a_k\left[x^{-(N+k)}\sin\left(\frac{1}{x}+\frac{k\pi}{2}\right)\right]'+\left[(-x^{-2})^N\sin\left(\frac{1}{x}+\frac{N\pi}{2}\right)\right]'\\&=\sum_{k=1}^{N-1}a_k\left[-(N+k)x^{-(N+1+k)}\sin\left(\frac{1}{x}+\frac{k\pi}{2}\right)+x^{-(N+k)}(-x^{-2})\sin\left(\frac{1}{x}+\frac{k+1}{2}\pi\right)\right]+\\&\quad\left[N(-x^{-2})^{N-1}(2x^{-3})\sin\left(\frac{1}{x}+\frac{N\pi}{2}\right)+(-x^{-2})^{N+1}\sin\left(\frac{1}{x}+\frac{N+1}{2}\pi\right)\right]\\&=\sum_{k=1}^{(N+1)-1}\left[b_kx^{-(N+1+k)}\sin\left(\frac{1}{x}+\frac{k\pi}{2}\right)\right]+(-x^{-2})^{N+1}\sin\left(\frac{1}{x}+\frac{N+1}{2}\pi\right),\end{aligned}$$

其中 b_k 是一些适当的常数. 于是，命题对于一切正整数均成立.

因而，当 $x\neq 0$ 时有

$$\begin{aligned}f^{(m)}(x)&=\frac{(2n)!}{(2n-m)!}x^{2n-m}-\frac{m(2n)!}{(2n-m+1)!}x^{2n-m-1}\sin\left(\frac{1}{x}+\frac{\pi}{2}\right)+\\&\quad\sum_{i=2}^{m}C_m^i\frac{(2n)!}{(2n-m+i)!}x^{2n-m+i}\left[\sum_{k=1}^{i-1}a_kx^{-(i+k)}\sin\left(\frac{1}{x}+\frac{k\pi}{2}\right)+(-x^{-2})^i\sin\left(\frac{1}{x}+\frac{i\pi}{2}\right)\right].\end{aligned}$$

于是

$$f^{(m)}(x)=(-1)^mx^{2(n-m)}\sin\left(\frac{1}{x}+\frac{m\pi}{2}\right)+O(|x|^{2(n-m)+1})(x\to 0)(m=1,2,\cdots,n).\qquad ①$$

由于

$$f'(0)=\lim_{x\to 0}\frac{f(x)-f(0)}{x}=\lim_{x\to 0}\frac{f(x)}{x}=\lim_{x\to 0}x^{2n-1}\sin\frac{1}{x}=0,$$

故由 ① 式，得

$$f''(0)=\lim_{x\to 0}\frac{f'(x)-f'(0)}{x}=\lim_{x\to 0}\left[-x^{2n-3}\sin\left(\frac{1}{x}+\frac{\pi}{2}\right)+O(|x|^{2n-2})\right]=0,$$

一直推下去，得

$$\begin{aligned}f^{(n)}(0)&=\lim_{x\to 0}\frac{f^{(n-1)}(x)-f^{(n-1)}(0)}{x}\\&=\lim_{x\to 0}\left[(-1)^{n-1}x\sin\left(\frac{1}{x}+\frac{(n-1)\pi}{2}\right)+O(|x|^2)\right]=0,\end{aligned}$$

$$f^{(n+1)}(0)=\lim_{x\to 0}\frac{f^{(n)}(x)}{x}=\lim_{x\to 0}\left[\frac{(-1)^n}{x}\sin\left(\frac{1}{x}+\frac{n\pi}{2}\right)+O(1)\right],$$

但在 $x=0$ 近旁，$\frac{(-1)^n}{x}\sin\left(\frac{1}{x}+\frac{n\pi}{2}\right)$ 无界且振荡，故

$$\lim_{x\to 0}\left[\frac{(-1)^n}{x}\sin\left(\frac{1}{x}+\frac{n\pi}{2}\right)+O(1)\right]$$

不存在，因而 $f^{(n+1)}(0)$ 不存在.

【1203】 证明：函数 $f(x)=\begin{cases}e^{-\frac{1}{x^2}}, & x\neq 0,\\0, & x=0\end{cases}$ 在 $x=0$ 处是无穷次可微的. 作出此函

数的图像.

证 当 $x\neq 0$ 时，$f'(x)=\dfrac{2}{x^3}e^{-\frac{1}{x^2}}$. 下面我们指出，对于任何正整数 n，均有

$$f^{(n)}(x)=e^{-\frac{1}{x^2}}P_n\left(\frac{1}{x}\right)(x\neq 0),$$

其中 $P_n(t)$ 是关于 t 的 $3n$ 次多项式. 现用数学归纳法证明：

当 $n=1$ 时，命题显然成立；

设当 $n=k$ 时命题成立，即 $f^{(k)}(x)=e^{-\frac{1}{x^2}}P_k\left(\frac{1}{x}\right)$，$P_k(t)$ 是关于 t 的某多项式.

要证命题对于 $n=k+1$ 时也成立. 事实上，有

$$f^{(k+1)}(x)=\left[e^{-\frac{1}{x^2}}P_k\left(\frac{1}{x}\right)\right]'=\frac{2}{x^3}e^{-\frac{1}{x^2}}P_k\left(\frac{1}{x}\right)+e^{-\frac{1}{x^2}}P_k'\left(\frac{1}{x}\right)\cdot\left(-\frac{1}{x^2}\right)$$
$$=e^{-\frac{1}{x^2}}\left\{2\left(\frac{1}{x}\right)^3P_k\left(\frac{1}{x}\right)-\left(\frac{1}{x}\right)^2P_k'\left(\frac{1}{x}\right)\right\}=e^{-\frac{1}{x^2}}P_{k+1}\left(\frac{1}{x}\right),$$

其中 $P_{k+1}(t)$ 是关于 t 的 $3(k+1)$ 次多项式.

于是，命题对于一切正整数 n 均成立.

下证明函数 $f(x)$ 在 $x=0$ 处是无穷次可微的. 首先，注意到

$$f'(0)=\lim_{x\to 0}\frac{f(x)-f(0)}{x}=\lim_{x\to 0}\frac{e^{-\frac{1}{x^2}}}{x}\xlongequal{t=\frac{1}{x}}\lim_{t\to\infty}\frac{t}{e^{t^2}}=0,$$

其中最末一式的极限求法可利用洛必达法则.

假设 $f^{(n)}(0)=0$，下证 $f^{(n+1)}(0)=0$. 事实上

$$f^{(k)}(x)=e^{-\frac{1}{x^2}}P_k\left(\frac{1}{x}\right)(x\neq 0),$$

其中 $P_k\left(\frac{1}{x}\right)$ 是 $\frac{1}{x}$ 的某个 k 次多项式.

当 $n=k+1$ 时，由导数的定义得

$$f^{(k+1)}(0)=\lim_{x\to 0}\frac{f^{(k)}(x)-f^{(k)}(0)}{x}$$
$$=\lim_{x\to 0}\frac{P_k\left(\frac{1}{x}\right)e^{-\frac{1}{x^2}}}{x}\xlongequal{t=\frac{1}{x}}\lim_{t\to\infty}\frac{tP_k(t)}{e^{t^2}}=0.$$

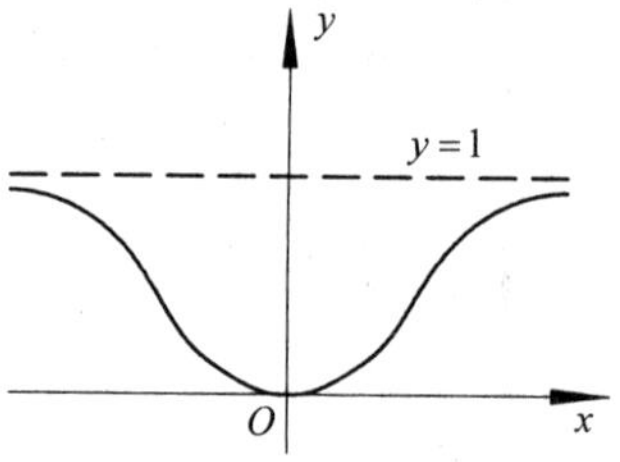

图 2.37

由数学归纳法可知，$f(x)$ 在 $x=0$ 处无穷次可微，且 $f^{(n)}(0)=0$，其中 n 为任意正整数. 图像如图 2.37 所示.

【1204】 证明：切比雪夫多项式 $T_m(x)=\dfrac{1}{2^{m-1}}\cos(m\arccos x)(m=0,1,2,\cdots)$ 满足方程

$$(1-x^2)T_m''(x)-xT_m'(x)+m^2T_m(x)=0.$$

证 $T_m'(x)=\dfrac{m}{2^{m-1}\sqrt{1-x^2}}\sin(m\arccos x)$,

$$T_m''(x)=-\frac{m^2}{2^{m-1}(1-x^2)}\cos(m\arccos x)+\frac{mx}{2^{m-1}(1-x^2)^{\frac{3}{2}}}\sin(m\arccos x).$$

于是

$$(1-x^2)T_m''(x)=-\frac{m^2}{2^{m-1}}\cos(m\arccos x)+\frac{mx}{2^{m-1}\sqrt{1-x^2}}\sin(m\arccos x)$$
$$=-m^2T_m(x)+xT_m'(x),$$

即$(1-x^2)T''_m(x)-xT'_m(x)+m^2T_m(x)=0$.

【1205】 证明:勒让德多项式$P_m(x)=\dfrac{1}{2^m m!}[(x^2-1)^m]^{(m)}(m=0,1,2,\cdots)$满足方程

$$(1-x^2)P''_m(x)-2xP'_m(x)+m(m+1)P_m(x)=0.$$

证 设$y=(x^2-1)^m$,则

$$y'=2mx(x^2-1)^{m-1},\text{即}(x^2-1)y'=2mxy.$$

对上式两端各取$m+1$阶导数,由莱布尼茨公式,即得

$$(x^2-1)y^{(m+2)}+2(m+1)xy^{(m+1)}+m(m+1)y^{(m)}=2mxy^{(m+1)}+2m(m+1)y^{(m)}.$$

于是

$$(x^2-1)y^{(m+2)}+2xy^{(m+1)}-m(m+1)y^{(m)}=0.$$

两端再乘以$\dfrac{1}{2^m m!}$,以$P_m(x)=\dfrac{1}{2^m m!}y^{(m)}$代入,即得所要证明的等式

$$(1-x^2)P''_m(x)-2xP'_m(x)+m(m+1)P_m(x)=0.$$

【1206】 切比雪夫—拉盖尔多项式定义如下:

$$L_m(x)=\mathrm{e}^x(x^m\mathrm{e}^{-x})^{(m)}(m=0,1,2,\cdots),$$

求多项式$L_m(x)$的显式表达式. 并证明:$L_m(x)$满足方程

$$xL''_m(x)+(1-x)L'_m(x)+mL_m(x)=0.$$

提示 令$y=x^m\mathrm{e}^{-x}$,可得$xy'+(x-m)y=0$,并利用莱布尼茨公式.

解 由莱布尼茨公式,有

$$\begin{aligned}L_m(x)&=\mathrm{e}^x\{(-1)^m x^m\mathrm{e}^{-x}+(-1)^{m-1}C_m^1 mx^{m-1}\mathrm{e}^{-x}+\cdots+(-1)C_m^{m-1}m!x\mathrm{e}^{-x}+m!\mathrm{e}^{-x}\}\\&=(-1)^m x^m+(-1)^{m-1}C_m^1 mx^{m-1}+\cdots+(-1)C_m^{m-1}m!x+m!\\&=(-1)^m[x^m-m^2x^{m-1}+\cdots+(-1)^{m-1}m^2(m-1)!x+(-1)^m m!].\end{aligned}$$

其次,设$y=x^m\mathrm{e}^{-x}$,就有$y'=mx^{m-1}\mathrm{e}^{-x}-x^m\mathrm{e}^{-x}$,于是

$$xy'+(x-m)y=0.$$

在上式两端各取$m+1$阶导数,按莱布尼茨公式,即得

$$xy^{(m+2)}+(m+1)y^{(m+1)}+(x-m)y^{(m+1)}+(m+1)y^{(m)}=0,$$

或

$$xy^{(m+2)}+(1+x)y^{(m+1)}+(m+1)y^{(m)}=0.$$

再设$z=y^{(m)}$,则由上式可得

$$xz''+(1+x)z'+(m+1)z=0, \quad ①$$

由于$L_m(x)=\mathrm{e}^x z$,故

$$L'_m(x)=\mathrm{e}^x(z+z'),L''_m(x)=\mathrm{e}^x(z+2z'+z'').$$

于是

$$\begin{aligned}xL''_m(x)+(1-x)L'_m(x)+mL_m(x)&=\mathrm{e}^x[x(z+2z'+z'')+(1-x)(z+z')+mz]\\&=\mathrm{e}^x[xz''+(x+1)z'+(m+1)z].\end{aligned} \quad ②$$

将①式代入②式,即证得

$$xL''_m(x)+(1-x)L'_m(x)+mL_m(x)=0.$$

【1207】 设$y=f(u)$及$u=\varphi(x)$,其中$f(x)$及$\varphi(x)$为n阶可微函数. 证明:

$$\frac{\mathrm{d}^n y}{\mathrm{d}x^n}=\sum_{k=1}^n A_k(x)f^{(k)}(u),$$

其中系数$A_k(x)(k=0,1,\cdots,n)$与函数$f(u)$无关.

证 由于$\dfrac{\mathrm{d}y}{\mathrm{d}x}=f'(u)\varphi'(x)$,故$n=1$时命题成立.

设当 $n=m$ 时命题成立,即 $\frac{d^m y}{dx^m}=\sum_{k=1}^{m}A_k(x)f^{(k)}(u)$,要证命题对于 $n=m+1$ 时也成立.

事实上,有

$$\frac{d^{m+1}y}{dx^{m+1}}=\frac{d}{dx}\sum_{k=1}^{m}A_k(x)f^{(k)}(u)=\sum_{k=1}^{m}[A_k'(x)f^{(k)}(u)+A_k(x)f^{(k+1)}(u)\varphi'(x)]=\sum_{k=1}^{m+1}B_k(x)f^{(k)}(u),$$

其中 $B_1(x)=A_1'(x)$,$B_k(x)=\varphi'(x)A_{k-1}(x)+A_k'(x)(k=2,3,\cdots,m)$,$B_{m+1}(x)=A_m(x)\varphi'(x)$,它们均与 $f(u)$ 无关.

于是,由数学归纳法得知,$\frac{d^n y}{dx^n}=\sum_{k=1}^{n}A_k(x)f^{(k)}(u)$ 对于一切正整数 n 均成立.

【1208】 证明:对于复合函数 $y=f(x^2)$ 的 n 阶导数,有以下公式成立:

$$\frac{d^n y}{dx^n}=(2x)^n f^{(n)}(x^2)+\frac{n(n-1)}{1!}(2x)^{n-2}f^{(n-1)}(x^2)+\frac{n(n-1)(n-2)(n-3)}{2!}(2x)^{n-4}f^{(n-2)}(x^2)+\cdots.$$

提示 利用数学归纳法证明.

证 当 $n=1$ 时公式成立,事实上,$\frac{dy}{dx}=2xf'(x^2)$.

设当 $n=m$ 时公式成立,要证公式对 $n=m+1$ 时也成立.事实上,有

$$\frac{d^{m+1}y}{dx^{m+1}}=\frac{d}{dx}\left(\frac{d^m y}{dx^m}\right)=\frac{d}{dx}\Big((2x)^m f^{(m)}(x^2)+\frac{m(m-1)}{1!}(2x)^{m-2}f^{(m-1)}(x^2)+\frac{m(m-1)(m-2)(m-3)}{2!}(2x)^{m-4}f^{(m-2)}(x^2)+\cdots\Big)$$

$$=2m(2x)^{m-1}f^{(m)}(x^2)+(2x)^{m+1}f^{(m+1)}(x^2)+\frac{m(m-1)}{1!}2(m-2)(2x)^{m-3}f^{(m-1)}(x^2)+\frac{m(m-1)}{1!}(2x)^{m-1}f^{(m)}(x^2)+\frac{m(m-1)(m-2)(m-3)}{2!}2(m-4)(2x)^{m-5}f^{(m-2)}(x^2)+\frac{m(m-1)(m-2)(m-3)}{2!}(2x)^{m-3}f^{(m-1)}(x^2)+\cdots$$

$$=(2x)^{m+1}f^{(m+1)}(x^2)+\left[2m+\frac{m(m-1)}{1!}\right](2x)^{m-1}f^{(m)}(x^2)+\left[\frac{2m(m-1)(m-2)}{1!}+\frac{m(m-1)(m-2)(m-3)}{2!}\right](2x)^{m-3}f^{(m-1)}(x^2)+\cdots$$

$$=(2x)^{m+1}f^{(m+1)}(x^2)+\frac{(m+1)m}{1!}(2x)^{m-1}f^{(m)}(x^2)+\frac{(m+1)m(m-1)(m-2)}{2!}(2x)^{m-3}f^{(m-1)}(x^2)+\cdots.$$

于是,由数学归纳法知,公式对于一切正整数 n 均成立.

【1209】 切比雪夫-埃尔米特多项式定义如下:

$$H_m(x)=(-1)^m e^{x^2}(e^{-x^2})^{(m)}\ (m=0,1,2,\cdots).$$

求多项式 $H_m(x)$ 的显式表达式.并证明:$H_m(x)$ 满足方程

$$H_m''(x)-2xH_m'(x)+2mH_m(x)=0.$$

解 设 $y=e^{-x^2}$,则有

$$y'=(-2x)e^{-x^2}=(-1)^1(2x)^1e^{-x^2},$$

$$y''=e^{-x^2}[(-2x)^2-2]=[(-1)^2(2x)^2-2]e^{-x^2}.$$

一般地,可用数学归纳法证明

$$y^{(m)}=[(-1)^m(2x)^m+(-1)^{m-1}\frac{m(m-1)}{1!}(2x)^{m-2}+$$
$$(-1)^{m-2}\frac{m(m-1)(m-2)(m-3)}{2!}(2x)^{m-4}+\cdots]e^{-x^2}.$$

于是，得

$$H_m(x)=(-1)^m e^{x^2}y^{(m)}=(2x)^m-\frac{m(m-1)}{1!}(2x)^{m-2}+\frac{m(m-1)(m-2)(m-3)}{2!}(2x)^{m-4}-\cdots.$$

又 $y'+2xy=0$，对该式两端各取 $m+1$ 阶导数，由莱布尼茨公式，即得

$$y^{(m+2)}+2xy^{(m+1)}+2(m+1)y^{(m)}=0.$$

再设 $z=y^{(m)}$，上式就是

$$z''+2xz'+2(m+1)z=0. \qquad ①$$

由 $H_m(x)=(-1)^m e^{x^2}z$，得

$$H'_m(x)=(-1)^m e^{x^2}(2xz+z'),$$
$$H''_m(x)=(-1)^m e^{x^2}[(4x^2+2)z+4xz'+z''].$$

从而有

$$H''_m(x)-2xH'_m(x)+2mH_m(x)=(-1)^m e^{x^2}\{(4x^2+2)z+4xz'+z''-4x^2z-2xz'+2mz\}$$
$$=(-1)^m e^{x^2}\{z''+2xz'+2(m+1)z\}. \qquad ②$$

将①式代入②式，即证得 $H''_m(x)-2xH'_m(x)+2mH_m(x)=0$.

【1210】 证明等式：$(x^{n-1}e^{\frac{1}{x}})^{(n)}=\frac{(-1)^n}{x^{n+1}}e^{\frac{1}{x}}$.

证 当 $n=1$ 时，由于 $(e^{\frac{1}{x}})'=-\frac{1}{x^2}e^{\frac{1}{x}}$，故等式成立.

设当 $n=k$ 时等式成立，即有 $(x^{k-1}e^{\frac{1}{x}})^{(k)}=\frac{(-1)^k}{x^{k+1}}e^{\frac{1}{x}}$，要证等式对 $n=k+1$ 时也成立.

事实上，有

$$(x^k e^{\frac{1}{x}})^{(k+1)}=[(x\cdot x^{k-1}e^{\frac{1}{x}})^{(k)}]'=[x(x^{k-1}e^{\frac{1}{x}})^{(k)}+k(x^{k-1}e^{\frac{1}{x}})^{(k-1)}]'$$
$$=x(x^{k-1}e^{\frac{1}{x}})^{(k+1)}+(x^{k-1}e^{\frac{1}{x}})^{(k)}+k(x^{k-1}e^{\frac{1}{x}})^{(k)}$$
$$=x[\frac{(-1)^k}{x^{k+1}}e^{\frac{1}{x}}]'+(k+1)\frac{(-1)^k}{x^{k+1}}e^{\frac{1}{x}}$$
$$=\frac{(-1)^{k+1}(k+1)}{x^{k+1}}e^{\frac{1}{x}}+\frac{(-1)^{k+1}}{x^{k+2}}e^{\frac{1}{x}}+\frac{(-1)^k(k+1)}{x^{k+1}}e^{\frac{1}{x}}=\frac{(-1)^{k+1}}{x^{k+2}}e^{\frac{1}{x}}.$$

于是，由数学归纳法得知，$(x^{n-1}e^{\frac{1}{x}})^{(n)}=\frac{(-1)^n}{x^{n+1}}e^{\frac{1}{x}}$ 对于一切正整数 n 均成立.

【1211】 设 $\frac{d}{dx}=D$ 表示微分算子，$f(D)=\sum_{k=0}^{n}p_k(x)D^k$ 为微分符号的多项式，其中 $p_k(x)(k=0,1,\cdots,n)$ 为 x 的某连续函数. 证明：$f(D)\{e^{\lambda x}u(x)\}=e^{\lambda x}f(D+\lambda)u(x)$，其中 λ 为常数.

证 按莱布尼茨公式，有

$$D^k\{e^{\lambda x}u(x)\}=[e^{\lambda x}u(x)]^{(k)}=\sum_{i=0}^{k}C_k^i(e^{\lambda x})^{(i)}u^{(k-i)}(x)=e^{\lambda x}\sum_{i=0}^{k}C_k^i\lambda^i u^{(k-i)}(x).$$

另一方面，有

$$(D+\lambda)^k u(x)=\sum_{i=0}^{k}C_k^i\lambda^i D^{(k-i)}u(x)=\sum_{i=0}^{k}C_k^i\lambda^i u^{(k-i)}(x).$$

因而有

$$D^k\{e^{\lambda x}u(x)\}=e^{\lambda x}(D+\lambda)^k u(x).$$

于是

$$f(D)\{e^{\lambda x}u(x)\}=\sum_{k=0}^{n}p_k(x)D^k\{e^{\lambda x}u(x)\}=e^{\lambda x}\sum_{k=0}^{n}p_k(x)(D+\lambda)^k u(x)$$
$$=e^{\lambda x}f(D+\lambda)u(x),$$

即 $f(D)\{e^{\lambda x}u(x)\}=e^{\lambda x}f(D+\lambda)u(x)$.

【1212】 证明:若在方程 $\sum\limits_{k=0}^{n}a_k x^k\dfrac{d^k y}{dx^k}=0$ 中令 $x=e^t$,其中 t 为自变量,此方程可化为

$$\sum_{k=0}^{n}a_k D(D-1)\cdots(D-k+1)y=0,$$

其中 $D=\dfrac{d}{dt}$.

证 记 $\delta=\dfrac{d}{dx}$,则有

$$Dy=\frac{dy}{dx}\cdot\frac{dx}{dt}=e^t\delta y,\text{即 }\delta y=e^{-t}Dy.$$

从而,对于符号 D 及 δ 有以下关系

$$\delta=e^{-t}D.$$

继续可得

$$\delta^2 y=e^{-t}D(e^{-t}Dy)=e^{-t}(-e^{-t}Dy+e^{-t}D^2 y)=e^{-2t}D(D-1)y.$$

一般地,可用数学归纳法证得

$$\delta^{(k)}y=e^{-kt}D(D-1)\cdots(D-k+1)y. \qquad ①$$

事实上,设公式 ① 对 $k=m$ 时成立,则有

$$\delta^{(m+1)}y=\delta(\delta^{(m)}y)=e^{-t}D[e^{-mt}D(D-1)\cdots(D-m+1)y]$$
$$=e^{-t}[-me^{-mt}D(D-1)\cdots(D-m+1)y+e^{-mt}D^2(D-1)\cdots(D-m+1)y]$$
$$=e^{-(m+1)t}D(D-1)\cdots[D-(m+1)+1]y,$$

即公式 ① 对于 $k=m+1$ 时也成立.故公式 ① 对于一切正整数均成立.

于是

$$\sum_{k=0}^{n}a_k x^k\frac{d^k y}{dx^k}=\sum_{k=0}^{n}a_k x^k\delta^{(k)}y=\sum_{k=0}^{n}a_k e^{kt}\cdot e^{-kt}D(D-1)\cdots(D-k+1)y=0,$$

即 $\sum\limits_{k=0}^{n}a_k D(D-1)\cdots(D-k+1)y=0$.

知识点 2 高阶微分

1. 定义 若 $f(x)$ 是二阶可导函数,则 dy 对自变量 x 的微分为

$$d(dy)=d(f'(x)dx)=f''(x)dx\cdot dx=f''(x)(dx)^2,$$

称为函数 $f(x)$ 的二阶微分,简记为 $d^2y=f''(x)dx^2$.

一般地,若 $f(x)$ 是 n 阶可导函数,n 阶微分是 $n-1$ 阶微分的微分,记作 $d^n y$,即

$$d^n y=d(d^{n-1}y)=d(f^{(n-1)}(x)dx^{n-1})=f^{(n)}(x)dx^n.$$

对 $n\geqslant 2$ 的 n 阶微分均称为高阶微分.

2. 微分运算法则

(1)$d(u\pm v)=du\pm dv$;

(2) $d(uv)=vdu+udv$;

(3) $d(\frac{u}{v})=\frac{vdu-udv}{v^2}$;

(4) $d[f\circ g(x)]=f'(u)g'(x)dx, u=g(x)$;

(5) $d^n(u\pm v)=d^nu\pm d^nv$;

(6) $d^n(uv)=\sum_{i=0}^{n}C_n^i d^{n-i}u d^iv$，其中 $d^0u=u$ 及 $d^0v=v$.

习题 1213—1222 求二阶微分

【1213】 对于以下两种情形：(1) x 为自变量，(2) x 为中间变量，求函数 $y=e^x$ 的二阶微分 d^2y.

解 (1) $dy=e^xdx, d^2y=e^xdx^2$;

(2) $dy=e^xdx, d^2y=e^xd^2x+e^xdx^2$.

【若 x 为自变量，求 d^2y(1214—1216)】

【1214】 $y=\sqrt{1+x^2}$.

解 $dy=\frac{x}{\sqrt{1+x^2}}dx$, $y''=\left(\frac{x}{\sqrt{1+x^2}}\right)'=\frac{1}{(1+x^2)^{\frac{3}{2}}}$, $d^2y=\frac{1}{(1+x^2)^{\frac{3}{2}}}dx^2$.

【1215】 $y=\frac{\ln x}{x}$.

解 $y'=\frac{1-\ln x}{x^2}$, $y''=\frac{2\ln x-3}{x^3}$, $d^2y=\frac{2\ln x-3}{x^3}dx^2$.

【1216】 $y=x^x$.

解 $y'=x^x(1+\ln x)$, $y''=x^x\left[(1+\ln x)^2+\frac{1}{x}\right]$, $d^2y=x^x\left[(1+\ln x)^2+\frac{1}{x}\right]dx^2$.

【令 u 及 v 为变量 x 的二阶可微函数，求 d^2y(1217—1222)】

【1217】 $y=uv$.

解 $dy=udv+vdu$, $d^2y=dudv+ud^2v+dvdu+vd^2u=ud^2v+2dudv+vd^2u$.

【1218】 $y=\frac{u}{v}$.

解 $dy=\frac{vdu-udv}{v^2}$,

$$d^2y=\frac{v^2(dvdu+vd^2u-dudv-ud^2v)-2vdv(vdu-udv)}{v^4}$$

$$=\frac{v^2(vd^2u-ud^2v)-2vdv(vdu-udv)}{v^4}.$$

【1219】 $y=u^mv^n$ (m 及 n 为常数).

解 $dy=mu^{m-1}v^ndu+nu^mv^{n-1}dv$,

$$d^2y=m(m-1)u^{m-2}v^ndu^2+mu^{m-1}(v^nd^2u+nv^{n-1}dudv)+mnu^{m-1}v^{n-1}dudv+$$
$$n(n-1)u^mv^{n-2}dv^2+nu^mv^{n-1}d^2v$$
$$=u^{m-2}v^{n-2}[m(m-1)v^2du^2+2mnuvdudv+n(n-1)u^2dv^2+uv(mvd^2u+nud^2v)].$$

【1220】 $y=a^u(a>0)$.

解 $\mathrm{d}y=a^u\ln a\mathrm{d}u,\mathrm{d}^2y=a^u\ln^2a\cdot\mathrm{d}u^2+a^u\ln a\cdot\mathrm{d}^2u=a^u\ln a(\ln a\cdot\mathrm{d}u^2+\mathrm{d}^2u)$.

【1221】 $y=\ln\sqrt{u^2+v^2}$.

解 $\mathrm{d}y=\dfrac{u\mathrm{d}u+v\mathrm{d}v}{u^2+v^2}$,

$$\mathrm{d}^2y=\frac{(u^2+v^2)(\mathrm{d}u^2+u\mathrm{d}^2u+\mathrm{d}v^2+v\mathrm{d}^2v)-2(u\mathrm{d}u+v\mathrm{d}v)^2}{(u^2+v^2)^2}$$

$$=\frac{(v^2-u^2)\mathrm{d}u^2-4uv\mathrm{d}u\mathrm{d}v+(u^2-v^2)\mathrm{d}v^2+(u^2+v^2)(u\mathrm{d}^2u+v\mathrm{d}^2v)}{(u^2+v^2)^2}.$$

【1222】 $y=\arctan\dfrac{u}{v}$.

解 $\mathrm{d}y=\dfrac{v\mathrm{d}u-u\mathrm{d}v}{u^2+v^2}$,

$$\mathrm{d}^2y=\frac{(u^2+v^2)(v\mathrm{d}^2u-u\mathrm{d}^2v)-2(u\mathrm{d}u+v\mathrm{d}v)(v\mathrm{d}u-u\mathrm{d}v)}{(u^2+v^2)^2}$$

$$=\frac{(u^2+v^2)(v\mathrm{d}^2u-u\mathrm{d}^2v)+2uv(\mathrm{d}v^2-\mathrm{d}u^2)+2(u^2-v^2)\mathrm{d}u\mathrm{d}v}{(u^2+v^2)^2}.$$

习题 1223—1232 求指定阶的微分

【在下列各例中，视 x 为自变量，求指定阶的微分(1223—1227)】

【1223】 $y=x^5$，求 d^5y.

解 $\mathrm{d}^5y=5!\mathrm{d}x^5=120\mathrm{d}x^5$.

【1224】 $y=\dfrac{1}{\sqrt{x}}$，求 d^3y.

解 $\mathrm{d}^3y=\left(-\dfrac{1}{2}\right)\left(-\dfrac{3}{2}\right)\left(-\dfrac{5}{2}\right)x^{-\frac{7}{2}}\mathrm{d}x^3=-\dfrac{15}{8x^3\sqrt{x}}\mathrm{d}x^3$.

【1225】 $y=x\cos 2x$，求 $\mathrm{d}^{10}y$.

解 $\mathrm{d}^{10}y=(x\cos 2x)^{(10)}\mathrm{d}x^{10}=\left[2^{10}x\cos\left(2x+\dfrac{10\pi}{2}\right)+10\cdot 2^9\cos\left(2x+\dfrac{9}{2}\pi\right)\right]\mathrm{d}x^{10}$

$=-1024(x\cos 2x+5\sin 2x)\mathrm{d}x^{10}$.

【1226】 $y=\mathrm{e}^x\ln x$，求 d^4y.

解 $\mathrm{d}^4y=(\mathrm{e}^x\ln x)^{(4)}\mathrm{d}x^4=\mathrm{e}^x\left(\ln x+\dfrac{4}{x}-\dfrac{6}{x^2}+\dfrac{8}{x^3}-\dfrac{6}{x^4}\right)\mathrm{d}x^4$.

【1227】 $y=\cos x\mathrm{ch}\,x$，求 d^6y.

解 $\mathrm{d}^6y=(\cos x\mathrm{ch}\,x)^{(6)}\mathrm{d}x^6=8\sin x\mathrm{sh}\,x\mathrm{d}x^6$.

【设 u 为 x 的充分多次可微函数，在下列各例中求指定阶的微分(1228—1230)】

【1228】 $y=u^2$，求 $\mathrm{d}^{10}y$.

解 $\mathrm{d}^{10}y=\mathrm{d}^{10}(u\cdot u)=\displaystyle\sum_{i=0}^{10}C_{10}^i\mathrm{d}^{10-i}u\mathrm{d}^iu$

$=u\mathrm{d}^{10}u+10\mathrm{d}^9u\mathrm{d}u+\dfrac{10\cdot 9}{1\cdot 2}\mathrm{d}^8u\mathrm{d}^2u+\dfrac{10\cdot 9\cdot 8}{1\cdot 2\cdot 3}\mathrm{d}^7u\mathrm{d}^3u+\dfrac{10\cdot 9\cdot 8\cdot 7}{1\cdot 2\cdot 3\cdot 4}\mathrm{d}^6u\mathrm{d}^4u+$

$$\frac{10\cdot9\cdot8\cdot7\cdot6}{1\cdot2\cdot3\cdot4\cdot5}(d^5u)^2+\frac{10\cdot9\cdot8\cdot7}{1\cdot2\cdot3\cdot4}d^4ud^6u+$$

$$\frac{10\cdot9\cdot8}{1\cdot2\cdot3}d^3ud^7u+\frac{10\cdot9}{1\cdot2}d^2ud^8u+10dud^9u+ud^{10}u$$

$$=2ud^{10}u+20dud^9u+90d^2ud^8u+240d^3ud^7u+420d^4ud^6u+252(d^5u)^2.$$

【1229】 $y=e^u$，求 d^4y.

解 $dy=e^u du, d^2y=e^u du^2+e^u d^2u$,

$$d^3y=e^u[(du^3+dud^2u)+d(du^2)+d^3u]=e^u(du^3+3dud^2u+d^3u)$$

$$d^4y=e^u[(du^4+3du^2d^2u+dud^3u)+d(du^2du)+3d(dud^2u)+d^4u]$$

$$=e^u(du^4+6du^2d^2u+3d^2u^2+4dud^3u+d^4u).$$

【1230】 $y=\ln u$，求 d^3y.

解 $dy=\frac{1}{u}du, d^2y=-\frac{1}{u^2}du^2+\frac{1}{u}d^2u$,

$$d^3y=\frac{2}{u^3}du^3-\frac{2}{u^2}dud^2u-\frac{1}{u^2}d^2udu+\frac{1}{u}d^3u=\frac{2}{u^3}du^3-\frac{3}{u^2}dud^2u+\frac{1}{u}d^3u.$$

【1231】 视 x 为某个自变量的函数，由函数 $y=f(x)$ 求 d^2y, d^3y 及 d^4y.

解 $dy=f'(x)dx$,

$$d^2y=f''(x)dx^2+f'(x)d^2x,$$

$$d^3y=f'''(x)dx^3+3f''(x)dxd^2x+f'(x)d^3x$$

$$d^4y=f^{(4)}(x)dx^4+3f'''(x)dx^2d^2x+3f'''(x)dx^2d^2x+3f''(x)[(d^2x)^2+dxd^3x]+$$
$$f''(x)dxd^3x+f'(x)d^4x$$
$$=f^{(4)}(x)dx^4+6f'''(x)dx^2d^2x+4f''(x)dxd^3x+3f''(x)(d^2x)^2+f'(x)d^4x.$$

【1232】 以变量 x 和 y 的逐次微分来表示函数 $y=f(x)$ 的导数 y'' 及 y'''，但不假定 x 为自变量.

解 $y'=\frac{dy}{dx}$,

$$y''=\frac{d\left(\frac{dy}{dx}\right)}{dx}=\frac{dxd^2y-dyd^2x}{dx^3}=\frac{\begin{vmatrix}dx & dy\\ d^2x & d^2y\end{vmatrix}}{dx^3},$$

$$y'''=\frac{d\left(\frac{dxd^2y-dyd^2x}{dx^3}\right)}{dx}=\frac{dx\begin{vmatrix}dx & dy\\ d^3x & d^3y\end{vmatrix}-3d^2x\begin{vmatrix}dx & dy\\ d^2x & d^2y\end{vmatrix}}{dx^5}.$$

习题 1233—1234 求 n 阶微分

【求 d^ny（1233—1234）】

【1233】 $y=x^ne^x$.

解 $d^ny=y^{(n)}dx^n=e^x[x^n+n^2x^{n-1}+\frac{n^2(n-1)^2}{2!}x^{n-2}+\cdots+n!]dx^n$.

【1234】 $y=\frac{\ln x}{x}$.

解 $d^ny=y^{(n)}dx^n=\left[\left(\frac{1}{x}\right)^{(n)}\ln x+n\cdot\frac{1}{x}\left(\frac{1}{x}\right)^{(n-1)}+C_n^2\left(-\frac{1}{x^2}\right)\left(\frac{1}{x}\right)^{(n-2)}+\cdots+\frac{1}{x}(\ln x)^{(n)}\right]dx^n$

$$= \frac{(-1)^n n!}{x^{n+1}}\left[\ln x - \sum_{k=1}^{n}\frac{1}{k}\right]dx^n.$$

第6节 罗尔定理、拉格朗日定理和柯西定理（习题1235—1265）

知识点预览

序号	知识点	题目序号	所在页码
1	罗尔定理	1235—1244	P98
2	拉格朗日中值定理	1245—1263	P102
3	柯西定理	1264—1265	P109

知识点1 罗尔定理

1. 定理　设 $f(x)$ 满足：(1) 在 $[a,b]$ 上连续；(2) 在 (a,b) 内可导；(3) $f(a)=f(b)$，则在 (a,b) 内至少存在一点 ξ，使 $f'(\xi)=0$.

2. 几何意义　在两端点等高、每一点都可导的连续曲线上，至少存在一条水平切线.

习题1235—1244　罗尔定理及其应用

【1235】　检验罗尔定理对于函数 $f(x)=(x-1)(x-2)(x-3)$ 的正确性.

提示　除了检验 $f(x)$ 满足罗尔定理的条件外，还必须检验使 $f'(c)=0$ 中 c 的存在性，这样才算完成了检验的目的.

解　(1) $f(x)$ 在 $[1,2]$ 及 $[2,3]$ 上连续；

(2) $f(x)$ 在 $(1,2)$，$(2,3)$ 内可导；

(3) $f(1)=f(2)=0$，$f(2)=f(3)=0$.

由罗尔定理，$\exists c_1\in(1,2)$，$c_2\in(2,3)$，使 $f'(c_1)=0$，$f'(c_2)=0$. 下面，验证确有这种 c_1，c_2 存在. 易知

$$f'(x)=(x-2)(x-3)+(x-1)(x-3)+(x-1)(x-2)=3x^2-12x+11,$$

令 $f'(x)=0$ 解得 $x=2\pm\frac{\sqrt{3}}{3}$，取 $c_1=2-\frac{\sqrt{3}}{3}$，$c_2=2+\frac{\sqrt{3}}{3}$，显然 $c_1\in(1,2)$，$c_2\in(2,3)$，且 $f'(c_1)=0$，$f'(c_2)=0$.

【1236】　函数 $f(x)=1-\sqrt[3]{x^2}$ 当 $x_1=-1$ 及 $x_2=1$ 时为零，但当 $-1\leqslant x\leqslant 1$ 时，$f'(x)\neq 0$. 说明与罗尔定理表面上的矛盾.

解　$f'(x)=-\frac{2}{3\sqrt[3]{x}}$，它在 $[-1,1]$ 上恒不为零，表面上看是与罗尔定理矛盾的，实际并不矛盾. 原因是 $f'(x)$ 在 $x=0$ 处不存在，不满足罗尔定理的第二个条件，故当 $-1\leqslant x\leqslant 1$ 时，可以有 $f'(x)\neq 0$.

【1237】　设函数 $f(x)$ 在有限或无穷区间 (a,b) 内任意一点有有限的导数 $f'(x)$，且

$$\lim_{x\to a^+}f(x)=\lim_{x\to b^-}f(x).$$

证明：存在 $c\in(a,b)$，使得 $f'(c)=0$.

证 (1) 当(a,b)为有限区间时,设

$$F(x)=\begin{cases}f(x), & x\in(a,b),\\ A, & x=a,b,\end{cases}$$

其中$A=\lim\limits_{x\to a^+}f(x)=\lim\limits_{x\to b^-}f(x)$.

显然$F(x)$在$[a,b]$上连续,在(a,b)内可导,且$F(a)=F(b)$.由罗尔定理可知,在(a,b)内至少存在一点c,使$F'(c)=0$.而在(a,b)内,$F'(x)=f'(x)$,所以$f'(c)=0$.

(2) 设(a,b)为无穷区间.

① 若$a=-\infty$,$b=+\infty$,设$x=\tan t\left(-\frac{\pi}{2}<t<\frac{\pi}{2}\right)$,则由函数$f(x)$与$x=\tan t$组成的复合函数$g(t)=f(\tan t)$在有限区间$\left(-\frac{\pi}{2},\frac{\pi}{2}\right)$内满足(1)的条件,从而至少存在一点$t_0\in\left(-\frac{\pi}{2},\frac{\pi}{2}\right)$,使

$$g'(t_0)=f'(c)\cdot\sec^2 t_0=0,$$

其中$c=\tan t_0$. 由于$\sec^2 t_0\neq 0$,故$f'(c)=0$.

② 若a为有限数,$b=+\infty$,取$b_0>\max\{a,0\}$,令

$$x=\frac{(b_0-a)t}{b_0-t}.$$

于是,对复合函数$g(t)=f\left(\frac{b_0-a}{b_0-t}t\right)$在有限区间$(a,b_0)$上仿前讨论,可知$\exists t_0\in(a,b_0)$,使

$$g'(t_0)=f'(c)\cdot\frac{b_0(b_0-a)}{(b_0-t_0)^2}=0,$$

其中$c=\frac{b_0-a}{b_0-t_0}t_0$,显然$a<c<+\infty$. 由于$\frac{b_0(b_0-a)}{(b_0-t_0)^2}>0$,故$f'(c)=0$.

③ 若$a=-\infty$,b为有限数,可类似地进行讨论. 证毕.

【1238】 设函数$f(x)$满足:

(1) 在闭区间$[x_0,x_n]$上有定义且有$n-1$阶的连续导数$f^{(n-1)}(x)$;

(2) 在开区间(x_0,x_n)内有n阶导数$f^{(n)}(x)$;

(3) $f(x_0)=f(x_1)=\cdots=f(x_n)$ $(x_0<x_1<\cdots<x_n)$.

证明:在区间(x_0,x_n)内至少存在一点ξ,使$f^{(n)}(\xi)=0$.

证 在每一个闭区间

$$[x_0,x_1],[x_1,x_2],\cdots,[x_{k-1},x_k],\cdots,[x_{n-1},x_n]$$

上,$f(x)$满足罗尔定理的条件.故存在n个点$x_1',x_2',\cdots,x_k',\cdots,x_n'$,其中$x_k'\in(x_{k-1},x_k)(k=1,2,\cdots,n)$,使

$$f'(x_k')=0(k=1,2,\cdots,n).$$

于是,在每个区间$[x_k',x_{k+1}'](k=1,2,\cdots,n-1)$上,$f'(x)$满足罗尔定理的条件.因此$\exists x_k''\in(x_k',x_{k+1}')(k=1,2,\cdots,n-1)$,使

$$f''(x_k'')=0(k=1,2,\cdots,n-1).$$

继续上述步骤,经$n-1$次后,得出一个区间$[x_1^{(n-1)},x_2^{(n-1)}]\subset(x_0,x_n)$,满足$f^{(n-1)}(x_k^{(n-1)})=0(k=1,2)$.于是在此区间上,函数$f^{(n-1)}(x)$满足罗尔定理的条件. 所以至少存在一点$\xi\in(x_1^{(n-1)},x_2^{(n-1)})$,使$f^{(n)}(\xi)=0$.

【1239】 设函数$f(x)$满足:

(1) 在闭区间$[a,b]$上有定义且有$p+q$阶的连续导数$f^{(p+q)}(x)$;

(2) 在开区间(a,b)内有$p+q+1$阶的导数$f^{(p+q+1)}(x)$;

(3) $f(a)=f'(a)=\cdots=f^{(p)}(a)=0$,$f(b)=f'(b)=\cdots=f^{(q)}(b)=0$.

证明:$\exists c\in(a,b)$,使得$f^{(p+q+1)}(c)=0$.

证 若$p=q$.

在$[a,b]$上$f(x)$满足罗尔定理的条件,故至少存在一点$x_1^{(1)}\in(a,b)$,使$f'(x_1^{(1)})=0$;对于$[a,x_1^{(1)}]$及$[x_1^{(1)},b]$,函数$f'(x)$在其上满足罗尔定理的条件,因此,至少分别存在$x_2^{(1)},x_2^{(2)}$,使

$$f''(x_2^{(1)})=0,f''(x_2^{(2)})=0,\cdots,$$

继续上述步骤,经过p次后,得出$p+2$个点:$a,x_p^{(1)},x_p^{(2)},x_p^{(3)},\cdots,x_p^{(p)},b$使

$$f^{(p)}(a)=f^{(p)}(x_p^{(k)})=f^{(p)}(b)=0(k=1,2,\cdots,p);$$

由此$p+2$个点组成$p+1$个区间,仿上题,对它们重复使用罗尔定理p次,即可得出点$c\in(a,b)$,使

$$f^{(p+q+1)}(c)=0.$$

若$p\neq q$,不失一般性,设$q=p+k$(k为某正整数).

当进行$p+1$次后,对于函数$f^{(p)}(x)=0$而言,在(a,b)内有$p+1$个点:$\xi_1,\xi_2,\cdots,\xi_{p+1}$,满足

$$f^{(p+1)}(\xi_k)=0(k=1,2,\cdots,p+1),$$

再加上条件

$$f^{(p+1)}(b)=f^{(p+2)}(b)=\cdots=f^{(p+k)}(b)=0,$$

重复对此再应用罗尔定理k次,则在(a,b)内仍然存在$p+1$个点:$\xi_1^{(k)},\xi_2^{(k)},\cdots,\xi_{p+1}^{(k)}$,使

$$f^{(p+k+1)}(\xi_j^{(k)})=0(j=1,2,\cdots,p+1);$$

以后,每进行一次,减少一个点,进行p次后,即可得出$\exists c\in(a,b)$,使

$$f^{(p+k+p+1)}(c)=0,即\ f^{(p+q+1)}(c)=0.$$

【1240】 证明:若具有实系数$a_k(k=0,1,\cdots,n)$的多项式$P_n(x)=a_0x^n+a_1x^{n-1}+\cdots+a_n(a_0\neq0)$的一切根为实数,则其逐次的导数$P_n'(x),P_n''(x),\cdots,P_n^{(n-1)}(x)$也仅有实根.

证 根据假设,n次多项式$P_n(x)$有n个实根(重根按重数计算),设有l个相异实根,记为$\alpha_1<\alpha_2<\cdots<\alpha_l$,并且$\alpha_i$是$k_i$重根,$k_i\geqslant1(i=1,2,\cdots,l)$,则有$k_1+k_2+\cdots+k_l=n$.于是

$$P_n(x)=a_0(x-\alpha_1)^{k_1}(x-\alpha_2)^{k_2}\cdots(x-\alpha_l)^{k_l}.$$

易知α_i为$P_n'(x)$的k_i-1重根.由

$$P_n(\alpha_1)=P_n(\alpha_2)=\cdots=P_n(\alpha_l)=0,$$

且$P_n(x)$可微,据罗尔定理,存在$\xi_1,\xi_2,\cdots,\xi_{l-1}$,而$\xi_i\in(\alpha_i,\alpha_{i+1})$,使$P_n'(\xi_i)=0(i=1,2,\cdots,l-1)$.

于是,有

$P_n'(x)$的根	$\xi_1,\xi_2,\cdots,\xi_{l-1}$	α_1	α_2	$\cdots$	α_l
重数	单根	k_1-1	k_2-1	$\cdots$	k_l-1

即$n-1$次多项式$P_n'(x)$的根恰有

$$(k_1-1)+(k_2-1)+\cdots+(k_l-1)+(l-1)=k_1+k_2+\cdots+k_l-1=n-1$$

个,这就是说,一个n次多项式,若n个根均为实根的话,则其导数$n-1$次多项式的$n-1$个根也必全为实根.反复运用这一结果.由$P_n'(x)$的$n-1$个根皆为实根,便可推知$P_n''(x)$的$n-2$个根也均为实根.如此继续下去,即知关于$P_n(x)$的一切低阶导数,直至$P^{(n-1)}(x)$也仅有实根.

【1241】 证明:勒让德多项式$P_n(x)=\dfrac{1}{2^nn!}\dfrac{d^n}{dx^n}[(x^2-1)^n]$的一切根都是实数,且包含在区间$(-1,1)$中.

证 显然,$2n$次多项式$Q_{2n}(x)=(x^2-1)^n=(x+1)^n(x-1)^n$仅有实根($-1$是$n$重根,1也是$n$重根).因此,根据1240题的结果知$P_n(x)=\dfrac{1}{2^nn!}\dfrac{d^n}{dx^n}Q_{2n}(x)$仅有实根,且都含于$[-1,1]$中.但显然$-1$和1都不是$P_n(x)$的根(因为,例如,$-1$是$Q_{2n}(x)$的$n$重根,故$-1$是$\dfrac{d^{n-1}}{dx^{n-1}}Q_{2n}(x)$的单根,因而$-1$不是$\dfrac{d^n}{dx^n}Q_{2n}(x)$的根).因此,$P_n(x)$的根全部位于$(-1,1)$中.

【1242】 证明：切比雪夫—拉盖尔多项式 $L_n(x)=e^x\dfrac{d^n}{dx^n}(x^ne^{-x})$ 所有的根都是正数.

证 令 $Q(x)=x^ne^{-x}$，易知

$$Q^{(m)}(x)=e^{-x}[(-1)^mx^n+(-1)^{m-1}C_m^1nx^{n-1}+\cdots+(-1)C_m^{m-1}n(n-1)\cdots(n-m+2)x^{n-m+1}+n(n-1)\cdots(n-m+1)x^{n-m}](m=1,2,\cdots,n).$$

显然 $Q^{(m)}(0)=0(m=0,1,\cdots,n-1.$ 为方便，以下记 $Q^{(0)}(x)=Q(x))$，但 $Q^{(n)}(0)=n!\neq0.$ 又

$$\lim_{x\to+\infty}Q^{(m)}(x)=0(m=0,1,\cdots,n).$$

对函数 $Q(x)$ 和区间 $(0,+\infty)$ 应用1237题知，存在 $\xi^{(1)}\in(0,+\infty)$ 使 $Q'(\xi^{(1)})=0$. 再对函数 $Q'(x)$ 和区间 $(0,\xi^{(1)})$ 及 $(\xi^{(1)},+\infty)$ 应用1237题知，存在 $\xi^{(2)}\in(0,\xi^{(1)})$，$\xi_2^{(2)}\in(\xi^{(1)},+\infty)$，使

$$Q''(\xi_i^{(2)})=0(i=1,2).$$

这样继续下去，应用1237题 n 次知，存在 $0<\xi_1^{(n)}<\xi_2^{(n)}<\cdots<\xi_n^{(n)}<+\infty$，使

$$Q^{(n)}(\xi_i^{(n)})=0(i=1,2,\cdots,n).$$

显然 $L_n(\xi_i^{(n)})=0(i=1,2,\cdots,n)$，故 $\xi_i^{(n)}(i=1,2,\cdots,n)$ 都是 $L_n(x)$ 的根. 但由于

$$L_n(x)=e^xQ^{(n)}(x)=(-1)^nx^n+(-1)^{n-1}C_n^1nx^{n-1}+\cdots+(-1)C_n^{n-1}n!x+n!$$

是 x 的 n 次多项式，故 $L_n(x)$ 恰有 n 个根（实的或复的），因此 $\xi_i^{(n)}(i=1,2,\cdots,n)$ 是 $L_n(x)$ 的全部根.

【1243】 证明：切比雪夫—埃尔米特多项式 $H_n(x)=(-1)^ne^{x^2}\dfrac{d^n}{dx^n}(e^{-x^2})$ 所有的根都是实数.

证 设 $Q(x)=e^{-x^2}$，显然有

$$Q'(x)=-2xe^{-x^2},Q''(x)=2e^{-x^2}(\sqrt{2}x+1)(\sqrt{2}x-1),$$

从而得知 $Q'(x)=0$ 有一个实根，$Q''(x)=0$ 有两个相异的实根.

设 $Q^{(k)}(x)=0$ 有 k 个相异实根，并记成 $\alpha_1<\alpha_2<\cdots<\alpha_k$，注意到 $Q^{(k)}(x)$ 是 e^{-x^2} 与一个 k 次多项式的乘积，从而有

$$Q^{(k)}(x)=Ae^{-x^2}(x-\alpha_1)(x-\alpha_2)\cdots(x-\alpha_k),$$

其中 $A\neq0$ 为某个常数. 下证 $Q^{(k+1)}(x)=0$ 有 $k+1$ 个相异实根. 事实上，由

$$Q^{(k)}(\alpha_i)=Q^{(k)}(\alpha_{i+1})(i=1,2,\cdots,k-1),$$

应用罗尔定理得知，存在 $\beta_i\in(\alpha_i,\alpha_{i+1})$，使

$$Q^{(k+1)}(\beta_i)=0(i=1,2,\cdots,k-1).$$

又由于 $\lim\limits_{x\to-\infty}Q^{(k)}(x)=0$ 及 $Q^{(k)}(\alpha_1)=0$，用1237题的结果知，存在 $\beta_1\in(-\infty,\alpha_1)$，使

$$Q^{(k+1)}(\beta_0)=0.$$

同法可知，存在 $\beta_k\in(\alpha_k,+\infty)$，使 $Q^{(k+1)}(\beta_k)=0$.

于是，$Q^{(k+1)}(x)=0$ 有 $k+1$ 个实根. 由数学归纳法知，$Q^{(n)}(x)=0$ 有 n 个相异实根 $(n\in\mathbf{N}_+)$，从而 $H_n(x)$ 有 n 个相异实根. 但是由于 $H_n(x)$ 是 x 的一个 n 次多项式，故 $H_n(x)$ 恰有 n 个根（实的或复的）. 因此 $H_n(x)$ 所有的根都是实数.

【1244】 若在曲线 $y=x^3$ 上某点的切线平行于连接点 $A(-1,-1)$ 及点 $B(2,8)$ 所成的弦，求出此点.

解 由题设知 $y=x^3$ 在所求点 (x_0,y_0) 的切线斜率为 $y'(x_0)=3x_0^2=\dfrac{8-(-1)}{2-(-1)}=3$. 于是 $x_0=-1$，或 $x_0=1$，故所求的点为 $A(-1,-1)$ 及 $C(1,1)$.

知识点 2 拉格朗日中值定理

1. 定理 设 $f(x)$ 满足:(1) 在 $[a,b]$ 上连续;(2) 在 (a,b) 内可导,则在 (a,b) 内至少存在一点 ξ,使

$$f'(\xi)=\frac{f(b)-f(a)}{b-a}.$$

2. 有限增量公式 $f(b)-f(a)=f'(\xi)(b-a)$ 称为 $f(x)$ 在 $[a,b]$ 上的有限增量公式.

习题 1245—1263 拉格朗日中值定理及其应用

【1245】 若 $ab<0$,有限增量公式对于函数 $f(x)=\frac{1}{x}$ 在闭区间 $[a,b]$ 上是否成立?

解 不成立. 事实上,如果有限增量公式在此成立,则有

$$f(b)-f(a)=f'(\xi)(b-a),\xi\in(a,b),$$

即

$$\frac{1}{b}-\frac{1}{a}=-\frac{1}{\xi^2}(b-a)=\frac{a-b}{\xi^2}.$$

即 $\frac{a-b}{\xi^2}=\frac{a-b}{ab}$,所以 $\xi^2=ab<0$,矛盾. 故有限增量公式对于 $f(x)=\frac{1}{x}$ 在 $[a,b](ab<0)$ 上不成立. 原因是 $f'(x)$ 在 $x=0$ 处不存在,即 $f(x)$ 在 (a,b) 内不可导,不满足拉格朗日中值定理的条件,故有限增量公式不成立.

【1246】 设:

(1) $f(x)=ax^2+bx+c(a\neq 0)$;　　(2) $f(x)=x^3$;

(3) $f(x)=\frac{1}{x}$;　　(4) $f(x)=e^x$.

求满足 $f(x+\Delta x)-f(x)=\Delta xf'(x+\theta\Delta x)(0<\theta<1)$ 的函数 $\theta=\theta(x,\Delta x)$.

解 (1) $f'(x)=2ax+b$,于是有

$$a(x+\Delta x)^2+b(x+\Delta x)+c-ax^2-bx-c=\Delta x[2a(x+\theta\Delta x)+b],$$

化简得 $\theta=\frac{1}{2}$.

(2) $f'(x)=3x^2$,于是有

$$(x+\Delta x)^3-x^3=3\Delta x(x+\theta\Delta x)^2.$$

如果 $x=0$,则 $\theta=\frac{\sqrt{3}}{3}$;如果 $x\neq 0$,化简整理得

$$3\theta^2\Delta x+6\theta x-(3x+\Delta x)=0,$$

从而有

$$\theta=\frac{\pm\sqrt{x^2+x\Delta x+\frac{1}{3}(\Delta x)^2}-x}{\Delta x},$$

其中 $\pm$ 号的选取由 x 及 Δx 的符号及 $0<\theta<1$ 决定. 例如,当 $x\geqslant 0,\Delta x>0$ 时,取正号.

(3) $f'(x)=-\frac{1}{x^2}$,于是有

$$\frac{1}{x+\Delta x}-\frac{1}{x}=-\frac{\Delta x}{(x+\theta\Delta x)^2},$$

化简得

$$\theta^2\Delta x+2x\theta-x=0 \text{ 即 } \theta^2+\frac{2x}{\Delta x}\theta-\frac{x}{\Delta x}=0,$$

故 $\theta=\frac{x}{\Delta x}\left(\pm\sqrt{1+\frac{\Delta x}{x}}-1\right)$. 此处 $\pm$ 号的选取要确保 $\theta\in(0,1)$,且应有$\frac{\Delta x}{x}>-1(x\neq 0)$.

(4)$f'(x)=e^x$,于是有

$$e^{x+\Delta x}-e^x=\Delta x e^{x+\theta\Delta x},\theta=\frac{1}{\Delta x}\ln\frac{e^{\Delta x}-1}{\Delta x},$$

可以验证 $\theta\in(0,1)$.

【1247】 证明:若 $x\geqslant 0$,则$\sqrt{x+1}-\sqrt{x}=\frac{1}{2\sqrt{x+\theta(x)}}$,其中$\frac{1}{4}\leqslant\theta(x)\leqslant\frac{1}{2}$,并且$\lim\limits_{x\to 0^+}\theta(x)=\frac{1}{4}$,$\lim\limits_{x\to+\infty}\theta(x)=\frac{1}{2}$.

证 当 $x\geqslant 0$ 时,对函数$\sqrt{x}$ 应用有限增量公式,即得

$$\sqrt{x+1}-\sqrt{x}=\frac{1}{2\sqrt{x+\theta(x)}},$$

解得

$$\theta(x)=\frac{1}{4}+\frac{1}{2}[\sqrt{x(x+1)}-x].$$

当 $x=0$ 时,$\theta=\frac{1}{4}$;当 $x>0$ 时,有

$$0\leqslant\sqrt{x(x+1)}-x=\frac{x}{\sqrt{x(x+1)}+x}<\frac{x}{2x}=\frac{1}{2}.$$

于是$\frac{1}{4}\leqslant\theta(x)<\frac{1}{4}+\frac{1}{4}=\frac{1}{2}$,且有

$$\lim_{x\to 0^+}\theta(x)=\frac{1}{4},\lim_{x\to+\infty}\theta(x)=\lim_{x\to+\infty}\left\{\frac{1}{4}+\frac{x}{2[\sqrt{x(x+1)}+x]}\right\}=\frac{1}{2}.$$

【1248】 设$f(x)=\begin{cases}\frac{3-x^2}{2}, & 0\leqslant x\leqslant 1,\\ \frac{1}{x}, & 1<x<+\infty,\end{cases}$ 在闭区间$[0,2]$上对函数 $f(x)$ 求有限增量公式中的中间值 c.

解 $f(0)=\frac{3}{2},f(2)=\frac{1}{2},f'(x)=\begin{cases}-x, & 0\leqslant x\leqslant 1,\\ -\frac{1}{x^2}, & 1<x<+\infty.\end{cases}$

按题设有

$$\frac{1}{2}-\frac{3}{2}=-c(2-0) \text{ 或 } \frac{1}{2}-\frac{3}{2}=\ \frac{1}{c^2}(2-0),$$

所以 $c=\frac{1}{2}$ 或 $c=\sqrt{2}$($-\sqrt{2}$ 舍去),此即所求的中间值 c.

【1249】 设 $f(x)-f(0)=xf'[\xi(x)]$,其中 $0<\xi(x)<x$.

证明:若 $f(x)=\begin{cases}x\sin(\ln x), & x>0,\\ 0, & x=0,\end{cases}$ 则函数 $\xi=\xi(x)$ 在任意小的区间$(0,\varepsilon)$ 内是不连续的,其中 $\varepsilon>0$.

证 用反证法. 假定 $\xi(x)$ 在某区间 $(0,\varepsilon)$ 内连续. 由于当 $x>0$ 时,

$$f'(x)=\sin(\ln x)+\cos(\ln x)=\sqrt{2}\sin\left(\frac{\pi}{4}+\ln x\right),$$

故由 $f(x)-f(0)=xf'[\xi(x)]$ 得

$$x\sin(\ln x)=\sqrt{2}x\sin\left[\frac{\pi}{4}+\ln\xi(x)\right],$$

从而

$$\sin(\ln x)=\sqrt{2}\sin\left[\frac{\pi}{4}+\ln\xi(x)\right],0<x<+\infty.$$

现取一个充分大的正整数 N,使

$$-2N\pi+\frac{\pi}{4}<\ln\xi\left(\frac{\varepsilon}{2}\right),$$

由 $0<\xi(x)<x$ 知 $\lim\limits_{x\to0^+}\xi(x)=0$,从而 $\lim\limits_{x\to0^+}\ln\xi(x)=-\infty$. 因此可取 $0<\delta<\frac{\varepsilon}{2}$,使

$$\ln\xi(\delta)<-2N\pi+\frac{\pi}{4},$$

由于 $\ln\xi(x)$ 在 $\left[\delta,\frac{\varepsilon}{2}\right]$ 上连续,根据介值定理,必有 $x_0\in\left(\delta,\frac{\varepsilon}{2}\right)$ 存在,使

$$\ln\xi(x_0)=-2N\pi+\frac{\pi}{4}.$$

于是 $1\geqslant\sin(\ln x_0)=\sqrt{2}\sin\left[\frac{\pi}{4}+\ln\xi(x_0)\right]=\sqrt{2}$,矛盾.

【1250】 设函数 $f(x)$ 在区间 (a,b) 内有连续的导数 $f'(x)$. 对于区间 (a,b) 内任何一点 ξ,可否从此区间中找出另外的两点 x_1 及 x_2,使得 $\frac{f(x_2)-f(x_1)}{x_2-x_1}=f'(\xi)(x_1<\xi<x_2)$.

解 一般来说不可以. 例如,函数 $f(x)=x^3(-1<x<1)$,它对于 $\xi=0$ 就找不到所需的 x_1 和 x_2,使得 $\frac{f(x_2)-f(x_1)}{x_2-x_1}=f'(\xi)$. 事实上,$f'(\xi)=3\xi^2=0$,当 $x_1<0<x_2$ 时,有

$$\begin{aligned}\frac{f(x_2)-f(x_1)}{x_2-x_1}&=\frac{x_2^3-x_1^3}{x_2-x_1}=x_2^2+x_1x_2+x_1^2=x_2^2+x_1^2-|x_1||x_2|\\&>x_2^2+x_1^2-2|x_1||x_2|=(|x_1|-|x_2|)^2>0.\end{aligned}$$

【1251】 证明下列不等式:

(1) $|\sin x-\sin y|\leqslant|x-y|$;

(2) $py^{p-1}(x-y)<x^p-y^p<px^{p-1}(x-y)(0<y<x,p>1)$;

(3) $|\arctan a-\arctan b|\leqslant|a-b|$;

(4) $\frac{a-b}{a}<\ln\frac{a}{b}<\frac{a-b}{b}$,设 $0<b<a$.

证 (1) $|\sin x-\sin y|=|(x-y)\cos\xi|\leqslant|x-y|$ (ξ 在 x 与 y 之间).

(2) $x^p-y^p=p\xi^{p-1}(x-y)$,其中 $0<y<\xi<x$. 由于 $p>1$,所以 $y^{p-1}<\xi^{p-1}<x^{p-1}$. 故

$$py^{p-1}(x-y)<x^p-y^p<px^{p-1}(x-y).$$

(3) $|\arctan a-\arctan b|=\left|\frac{a-b}{1+\xi^2}\right|\leqslant|a-b|$ (ξ 在 a 与 b 之间).

(4) $\ln a-\ln b=\frac{a-b}{\xi}$,其中 $0<b<\xi<a$. 于是 $\frac{a-b}{a}<\ln\frac{a}{b}<\frac{a-b}{b}$.

【1252】 证明:若函数 $f(x)$ 在有限区间 (a,b) 内可微,但无界,则其导数 $f'(x)$ 在区

间 (a,b) 内也无界. 逆定理不真（举出例子）.

证 在开区间 (a,b) 内，由于导数存在，因此 $f(x)$ 在 (a,b) 内连续.

假定 $|f'(x)|\leqslant M(a<x<b)$，即 $f'(x)$ 有界. 取定 $c\in(a,b)$，则按有限增量公式可知，对任何 $a<x<b$，均有

$$|f(x)-f(c)|=|f'(\xi)||x-c|\leqslant M(b-a).$$

其中 ξ 在 c 与 x 之间，从而 $c\in(a,b)$. 所以

$$|f(x)|=|f(x)-f(c)+f(c)|\leqslant|f(x)-f(c)|+|f(c)|\leqslant M(b-a)+|f(c)|,$$

此与 $f(x)$ 无界矛盾，所以 $f'(x)$ 无界.

反之不一定正确. 例如，函数 $f(x)=\sin\frac{1}{x}$ 在 $\left(0,\frac{1}{2}\right)$ 内有界，但其导数无界.

> **注** 在无限区间内无界的函数的导数可能有界. 例如，函数 $f(x)=\ln x$ 在 $(1,+\infty)$ 内无界，但其导数 $f'(x)=\frac{1}{x}$ 在 $(1,+\infty)$ 内有界.

【1253】 证明：若函数 $f(x)$ 在有限或无穷区间 (a,b) 内有有界的导数 $f'(x)$，则 $f(x)$ 在 (a,b) 内一致连续.

证 设 $x\in(a,b)$ 时，$|f'(x)|\leqslant M$. 对 $\forall\varepsilon>0$，取 $\delta=\frac{\varepsilon}{M}$，则当 $x_1,x_2\in(a,b)$ 且 $|x_1-x_2|<\delta$ 时，就有

$$|f(x_1)-f(x_2)|=|x_1-x_2||f'(\xi)|\leqslant M|x_1-x_2|<\varepsilon(\xi\text{介于}x_1\text{与}x_2\text{之间}),$$

于是 $f(x)$ 在 (a,b) 内一致连续.

【1254】 证明：若函数 $f(x)$ 在无穷区间 $(x_0,+\infty)$ 内可微，且 $\lim\limits_{x\to+\infty}f'(x)=0$，则

$$\lim_{x\to+\infty}\frac{f(x)}{x}=0\text{ 即 }f(x)=o(x)(x\to+\infty).$$

证 由于 $\lim\limits_{x\to+\infty}f'(x)=0$，故 $\forall\varepsilon>0$，$\exists X_1>0$，当 $x>X_1$ 时，恒有 $|f'(x)|<\frac{\varepsilon}{2}$.

在 $(X_1,+\infty)$ 内任取一点 a，则当 $x>a$ 时，由有限增量公式可得

$$|f(x)-f(a)|=|f'(\xi)||x-a|<\frac{\varepsilon}{2}|x-a|.$$

由于 $|f(x)|-|f(a)|\leqslant|f(x)-f(a)|$，所以 $|f(x)|\leqslant|f(a)|+\frac{\varepsilon}{2}|x-a|$，再取 $X_2>a$，使 $\frac{|f(a)|}{X_2}<\frac{\varepsilon}{2}$，则当 $x>X_2$ 时，恒有

$$\left|\frac{f(x)}{x}\right|\leqslant\frac{|f(a)|}{x}+\frac{\varepsilon}{2}\frac{|x-a|}{x}<\frac{|f(a)|}{X_2}+\frac{\varepsilon}{2}<\frac{\varepsilon}{2}+\frac{\varepsilon}{2}=\varepsilon.$$

所以 $\lim\limits_{x\to+\infty}\frac{f(x)}{x}=0$，即当 $x\to+\infty$ 时有 $f(x)=o(x)$.

【1255】 证明：若函数 $f(x)$ 在无穷区间 $(x_0,+\infty)$ 内可微，且当 $x\to+\infty$ 时，$f(x)=o(x)$，则

$$\varliminf_{x\to+\infty}|f'(x)|=0.$$

证 由条件 $\lim\limits_{x\to+\infty}\frac{f(x)}{x}=0$，易得对于任意常数 $a>x_0$，均有

$$\lim_{x\to+\infty}\frac{f(x)-f(a)}{x-a}=\lim_{x\to+\infty}\left[\frac{f(x)}{x}\left(1+\frac{a}{x-a}\right)-\frac{f(a)}{x-a}\right]=0.$$

于是，对于 $\varepsilon_n=\frac{1}{n}$，$a_n=\max\{n,x_0+1\}(n=1,2,\cdots)$，总存在 $b_n>a_n$，使

$$\left|\frac{f(b_n)-f(a_n)}{b_n-a_n}\right|<\varepsilon_n.$$

由拉格朗日定理知，存在 x_n：$a_n<x_n<b_n$，使得

$$f'(x_n)=\frac{f(b_n)-f(a_n)}{b_n-a_n}\text{，即 }|f'(x_n)|<\varepsilon_n(n=1,2,\cdots).$$

从而 $\lim\limits_{n\to\infty}|f'(x_n)|=0$. 由于 $x_n>a_n\geqslant n$，故 $\lim\limits_{n\to\infty}x_n=+\infty$. 由此可知 $\varliminf\limits_{x\to+\infty}|f'(x)|=0$.

【1256】 (1) 证明：若函数 $f(x)$ 满足：

(ⅰ) 在闭区间 $[x_0,X]$ 上有定义并且是连续的；

(ⅱ) 在区间 (x_0,X) 内有有限的导数 $f'(x)$；

(ⅲ) 存在有限或无穷的极限 $\lim\limits_{x\to x_0^+}f'(x)=f'(x_0+0)$，

则相应地存在有限或无穷的单侧导数 $f'_+(x_0)$，且 $f'_+(x_0)=f'(x_0+0)$.

(2) 证明：函数 $f(x)=\begin{cases}\arctan\frac{1+x}{1-x}, & x\neq 1,\\ 0, & x=1\end{cases}$ 存在有限的极限 $\lim\limits_{x\to 1}f'(x)$，但是函数 $f(x)$ 没有单侧导数 $f'_-(1)$ 及 $f'_+(1)$. 给出这个事实的几何解释.

证 (1) 由有限增量公式，有

$$\frac{f(x_0+\Delta x)-f(x_0)}{\Delta x}=f'(x_0+\theta\Delta x)(0<\theta<1),$$

当 $\Delta x\to 0^+$ 时，$x_0+\theta\Delta x\to x_0^+$.

由假设条件知 $\lim\limits_{\Delta x\to 0^+}f'(x_0+\theta\Delta x)=f'(x_0+0)$，所以有

$$\lim_{\Delta x\to 0^+}\frac{f(x_0+\Delta x)-f(x_0)}{\Delta x}=f'(x_0+0),$$

即 $f'_+(x_0)=f'(x_0+0)$.

(2) 当 $x\neq 1$ 时，$f'(x)=\frac{1}{1+\left(\frac{1+x}{1-x}\right)^2}\cdot\frac{1-x+1+x}{(1-x)^2}=\frac{1}{1+x^2}$. 于是

$$\lim_{x\to 1}f'(x)=\lim_{x\to 1}\frac{1}{1+x^2}=\frac{1}{2}.$$

但是

$$\lim_{x\to 1^-}\frac{f(x)-f(1)}{x-1}=\lim_{x\to 1^-}\frac{\arctan\frac{1+x}{1-x}}{x-1}=-\infty,$$

$$\lim_{x\to 1^+}\frac{f(x)-f(1)}{x-1}=\lim_{x\to 1^+}\frac{\arctan\frac{1+x}{1-x}}{x-1}=-\infty,$$

所以 $f'_-(1)$ 及 $f'_+(1)$ 皆不存在.

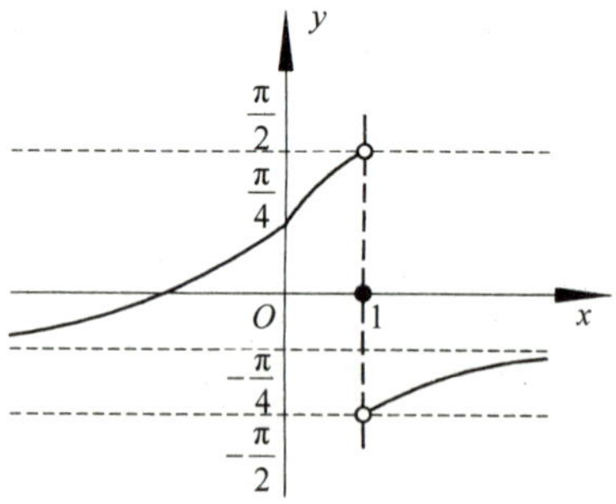

图 2.38

$y=f(x)$ 的图像如图 2.38 所示. 当 $x\to 1^-$ 时，$f(x)\to\frac{\pi}{2}$；当 $x\to 1^+$ 时，$f(x)\to-\frac{\pi}{2}$. 即 $x=1$ 为 $f(x)$ 的跳跃间断点，所以 $f(x)$ 在 $x=1$ 处导数不存在.

【1257】 证明：若当 $a<x<b$ 时，$f'(x)=0$，则当 $a<x<b$ 时，$f(x)=$ 常数.

证 在(a,b)内取一定点x_0，则当$a<x<b$时，按有限增量公式可得

$$f(x)-f(x_0)=f'(c)(x-x_0),$$

其中c在x_0与x之间. 由于$f'(c)=0$，故$f(x)-f(x_0)=0$，即$f(x)=f(x_0)=$常数.

【1258】 证明：导数$f'(x)=k$（k为常数）的唯一函数$f(x)(-\infty<x<+\infty)$是线性函数$f(x)=kx+b$.

证 $[f(x)-kx]'=f'(x)-k=k-k=0$，于是，由上题的结果，即知$f(x)-kx=b$（b为常数），故$f(x)$必为线性函数$f(x)=kx+b$.

【1259】 若$f^{(n)}(x)=0$，则函数$f(x)$有什么性质？

解 由$f^{(n)}(x)=0$，于是$f^{(n-1)}(x)=c$（c为常数）. 再由1258题的结果知

$$f^{(n-2)}(x)=cx+b.$$

假设

$$f^{(k)}(x)=a_0+a_1x+a_2x^2+\cdots+a_{n-k-1}x^{n-k-1},$$

并令

$$\Phi(x)=f^{(k-1)}(x)-\left(a_0x+\frac{1}{2}a_1x^2+\cdots+\frac{1}{n-k}a_{n-k-1}x^{n-k}\right),$$

则有

$$\Phi'(x)=f^{(k)}(x)-(a_0+a_1x+\cdots+a_{n-k-1}x^{n-k-1})=0.$$

故$\Phi(x)=b_0$（常数），并记$a_0=b_1,\frac{1}{2}a_1=b_2,\cdots,\frac{1}{n-k}a_{n-k-1}=b_{n-k}$，则有

$$f^{(k-1)}(x)=b_0+b_1x+b_2x^2+\cdots+b_{n-k}x^{n-k}.$$

由数学归纳法有

$$f(x)=c_0+c_1x+c_2x^2+\cdots+c_{n-1}x^{n-1},$$

它是$n-1$次多项式，其中$c_0,c_1,\cdots,c_{n-1}$是任意常数.

【1260】 证明：满足方程$y'=\lambda y$（$\lambda=$常数）的唯一函数$y=y(x)(-\infty<x<+\infty)$是指数函数$y=Ce^{\lambda x}$，其中$C$为任意常数.

证 $(ye^{-\lambda x})'=y'e^{-\lambda x}-\lambda ye^{-\lambda x}=\lambda ye^{-\lambda x}-\lambda ye^{-\lambda x}=0$，于是$ye^{-\lambda x}=C$（$C$为常数），即$y=Ce^{\lambda x}$.

【1261】 检验函数$f(x)=\arctan\frac{x+a}{1-ax}$，$g(x)=\arctan x$在区间$ax<1$及$ax>1$内有相同的导数. 并推出这些函数间的关系.

解 当$ax<1$或$ax>1$时，

$$f'(x)=\frac{1}{1+\left(\frac{x+a}{1-ax}\right)^2}\cdot\frac{1-ax+a(x+a)}{(1-ax)^2}=\frac{1+a^2}{(x+a)^2+(1-ax)^2}=\frac{1}{1+x^2},$$

$$g'(x)=\frac{1}{1+x^2},$$

故有$f'(x)=g'(x)$（$ax<1$或$ax>1$）. 因此，当$ax<1$时，有

$$f(x)-g(x)=C_1;\qquad ①$$

当$ax>1$时，有

$$f(x)-g(x)=C_2.\qquad ②$$

下面确定常数C_1与C_2. 设$a>0$（$a<0$情形可类似地讨论）.

在①中令$x\to-\infty$，得$-\arctan\frac{1}{a}+\frac{\pi}{2}=C_1$，故$C_1=\arctan a$. 因此

$$\arctan\frac{x+a}{1-ax}-\arctan x=\arctan a\ (ax<1).$$

在②中令 $x\to+\infty$,得 $-\arctan\frac{1}{a}-\frac{\pi}{2}=C_2$，故 $C_2=\arctan a-\pi$. 因此

$$\arctan\frac{x+a}{1-ax}-\arctan x=\arctan a-\pi(ax>1).$$

【1262】 证明下列恒等式：

(1) $2\arctan x+\arcsin\frac{2x}{1+x^2}=\pi\operatorname{sgn} x$，$|x|\geqslant 1$；

(2) $3\arccos x-\arccos(3x-4x^3)=\pi$，$|x|\leqslant\frac{1}{2}$.

证 (1) 当 $|x|>1$ 时,由于

$$\left(2\arctan x+\arcsin\frac{2x}{1+x^2}\right)'=\frac{2}{1+x^2}+\frac{1}{\sqrt{1-\frac{4x^2}{(1+x^2)^2}}}\cdot\frac{2(1+x^2)-4x^2}{(1+x^2)^2}=0,$$

故

$$2\arctan x+\arcsin\frac{2x}{1+x^2}=C_1,x>1;\qquad①$$

$$2\arctan x+\arcsin\frac{2x}{1+x^2}=C_2,x<-1.\qquad②$$

下面确定常数 C_1 与 C_2. 令 $x=\sqrt{3}$,代入①式,得 $C_1=\pi$；令 $x=-\sqrt{3}$,代入②式,得 $C_2=-\pi$. 从而当 $|x|\neq 1$ 时,有

$$2\arctan x+\arcsin\frac{2x}{1+x^2}=\begin{cases}\pi, & x>1,\\ -\pi, & x<-1.\end{cases}$$

而当 $|x|=1$ 时,上式显然成立. 于是当 $|x|\geqslant 1$ 时,有

$$2\arctan x+\arcsin\frac{2x}{1+x^2}=\pi\operatorname{sgn} x.$$

(2) 当 $|x|<\frac{1}{2}$ 时,由于

$$[3\arccos x-\arccos(3x-4x^3)]'=-\frac{3}{\sqrt{1-x^2}}+\frac{1}{\sqrt{1-(3x-4x^3)^2}}\cdot(3-12x^2)=0,$$

故有

$$3\arccos x-\arccos(3x-4x^3)=C,$$

其中 C 为常数. 令 $x=0$,代入上式,得 $C=\pi$. 于是

$$3\arccos x-\arccos(3x-4x^3)=\pi,$$

由于上式左端的函数在 $x=\frac{1}{2}$ 处左连续,在 $x=-\frac{1}{2}$ 处右连续,分别取极限即知当 $x=\frac{1}{2}$ 和 $x=-\frac{1}{2}$ 时上式也成立. 于是

$$3\arccos x-\arccos(3x-4x^3)=\pi\left(|x|\leqslant\frac{1}{2}\right).$$

【1263】 证明：若函数 $f(x)$ 满足：

(1) 在闭区间 $[a,b]$ 上连续；

(2) 在此区间内有有限的导数 $f'(x)$；

(3) 不是线性函数，

则在区间(a,b)内至少能找到一点c，使得

$$|f'(c)|>\left|\frac{f(b)-f(a)}{b-a}\right|.$$

给出这个事实的几何解释.

证 当$a\leqslant x\leqslant b$时，设

$$F(x)=f(x)-f(a)-\frac{f(b)-f(a)}{b-a}(x-a),$$

易知$F(a)=F(b)=0$，且当$a<x<b$时，$F(x)\neq 0$（因为$f(x)$为非线性函数）. 不妨设在$c_1(a<c_1<b)$点有$F(c_1)>0$，在区间$[a,c_1]$与$[c_1,b]$上分别应用拉格朗日中值定理，可知存在$\xi_1\in(a,c_1)$，使

$$F'(\xi_1)=\frac{F(c_1)-F(a)}{c_1-a}=\frac{F(c_1)}{c_1-a}>0;$$

存在$\xi_2\in(c_1,b)$，使

$$F'(\xi_2)=\frac{F(b)-F(c_1)}{b-c_1}=-\frac{F(c_1)}{b-c_1}<0.$$

因而

$$f'(\xi_1)>\frac{f(b)-f(a)}{b-a}, \quad ①$$

$$f'(\xi_2)<\frac{f(b)-f(a)}{b-a}, \quad ②$$

由此可知

当$\dfrac{f(b)-f(a)}{b-a}\geqslant 0$时，由①，$|f'(\xi_1)|>\left|\dfrac{f(b)-f(a)}{b-a}\right|$；

当$\dfrac{f(b)-f(a)}{b-a}<0$时，由②，$|f'(\xi_2)|>\left|\dfrac{f(b)-f(a)}{b-a}\right|$.

于是，命题得证.

这个事实的几何意义是：对于一条非直线的连续曲线段（线段上每点都存在不垂直于Ox的切线），在曲线上至少存在一点C，使曲线在该点的切线斜率的绝对值大于连接该线段两个端点$(a,f(a))$和$(b,f(b))$的弦的斜率的绝对值. 换句话说，此切线比此弦"陡"，如图2.39所示.

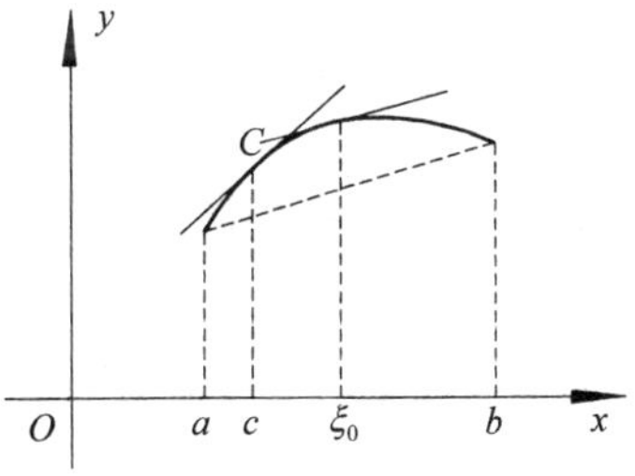

图2.39

知识点3 柯西定理

设函数$f(x)$和$g(x)$在闭区间$[a,b]$上连续，在开区间(a,b)内可导，$f'(x)$和$g'(x)$在(a,b)内不同时为零，又$g(a)\neq g(b)$，则在(a,b)内至少存在一点ξ，使

$$\frac{f'(\xi)}{g'(\xi)}=\frac{f(b)-f(a)}{g(b)-g(a)}.$$

习题1264—1265 柯西中值定理

【1264】 说明在闭区间$[-1,1]$上柯西定理对于函数$f(x)=x^2$及$g(x)=x^3$可以不真.

解 $f(x)$及$g(x)$在$[-1,1]$上虽有连续的导数，且$g(-1)\neq g(1)$，但是当$x=0$时，

$$[f'(x)]^2+[g'(x)]^2=4x^2+9x^4=0.$$

因此,函数 $f(x)$ 及 $g(x)$ 不满足柯西定理的条件,所以结论可以不真. 事实上,若

$$\frac{f'(\xi)}{g'(\xi)}=\frac{f(1)-f(-1)}{g(1)-g(-1)},$$

由于$\frac{f(1)-f(-1)}{g(1)-g(-1)}=0$,$\frac{f'(\xi)}{g'(\xi)}=\frac{2\xi}{3\xi^2}\neq 0$,矛盾. 所以结论不真.

【1265】 设函数 $f(x)$ 在闭区间$[x_1,x_2]$上可微,并且 $x_1x_2>0$,证明:

$$\frac{1}{x_1-x_2}\begin{vmatrix} x_1 & x_2 \\ f(x_1) & f(x_2)\end{vmatrix}=f(\xi)-\xi f'(\xi),$$

其中 $x_1<\xi<x_2$.

证 设 $g(x)=\frac{1}{x}$,$F(x)=\frac{f(x)}{x}$, 由于 $x_1x_2>0$,故 $x=0$ 在$[x_1,x_2]$之外. 从而 $g(x)$ 和 $F(x)$ 均在$[x_1,x_2]$上可微,且有

$$[g'(x)]^2+[F'(x)]^2=\frac{1}{x^4}\{1+[xf'(x)-f(x)]^2\}\neq 0 \text{ 及 } g(x_1)\neq g(x_2).$$

因此,函数 $F(x)$ 和 $g(x)$ 满足柯西定理的条件,故在(x_1,x_2)内至少存在一点 ξ,有

$$\frac{F(x_2)-F(x_1)}{g(x_2)-g(x_1)}=\frac{F'(\xi)}{g'(\xi)},\text{即}\frac{\frac{f(x_2)}{x_2}-\frac{f(x_1)}{x_1}}{\frac{1}{x_2}-\frac{1}{x_1}}=\frac{\frac{\xi f'(\xi)-f(\xi)}{\xi^2}}{-\frac{1}{\xi^2}},$$

化简整理,即得

$$\frac{1}{x_1-x_2}\begin{vmatrix} x_1 & x_2 \\ f(x_1) & f(x_2)\end{vmatrix}=f(\xi)-\xi f'(\xi).$$

第7节 函数的单调性及其应用(习题1266—1303)

知识点预览

序号	知识点	题目序号	所在页码
1	函数的单调性	1266—1284	P110
2	函数单调性的应用	1285—1303	P116

知识点1 函数的单调性

1. 增(减)函数的定义 若当$a\leqslant x_1<x_2\leqslant b$时,$f(x_1)<f(x_2)$[或$a\leqslant x_1<x_2\leqslant b$时,$f(x_1)>f(x_2)$],则称函数 $f(x)$ 为闭区间$[a,b]$上的严格增函数(或严格减函数).

严格增函数和严格减函数统称为严格单调函数.

若可微函数 $f(x)$ 是$[a,b]$上的增函数(或减函数),则当 $a\leqslant x\leqslant b$ 时,$f'(x)\geqslant 0$(或当 $a\leqslant x\leqslant b$ 时,$f'(x)\leqslant 0$).

2. 函数递增(或递减)的充分条件 若 $f(x)$ 在闭区间$[a,b]$上连续,且 $\forall x\in(a,b)$,有

$f'(x) > 0(f'(x) < 0)$，则函数 $f(x)$ 在 $[a,b]$ 上严格递增（严格递减）.

·知识拓展·

1. 设函数 $f(x) \in C[a,b]$，在 (a,b) 内可导，则 $f(x)$ 在 $[a,b]$ 递增（递减）的充要条件是：$\forall x \in (a,b)$ 都有 $f'(x) \geqslant 0$（或 $\leqslant 0$）.

2. 设函数 $f(x) \in C[a,b]$，在 (a,b) 内可导，则 $f(x)$ 在 $[a,b]$ 严格递增（递减）的充要条件是

(1) $\forall x \in (a,b)$，有 $f'(x) \geqslant 0$（或 $\leqslant 0$）；

(2) 在 (a,b) 的任何部分区间内 $f'(x) \not\equiv 0$（或使 $f'(x) = 0$ 的点不能充满任何一个区间）.

习题 1266—1276 求单调区间

【求下列函数的严格单调（增或减）区间（1266—1276）】

【1266】 $y - 2 + x - x^2$.

解 $y' = 1 - 2x$. 由 $y' = 0$ 得，$x = \frac{1}{2}$.

当 $-\infty < x < \frac{1}{2}$ 时，$y' > 0$，函数严格递增；当 $\frac{1}{2} < x < +\infty$ 时，$y' < 0$，函数严格递减.

故严格增区间为 $\left(-\infty, \frac{1}{2}\right]$，严格减区间为 $\left[\frac{1}{2}, +\infty\right)$.

【1267】 $y = 3x - x^3$.

解 $y' = 3 - 3x^2 = 3(1-x)(1+x)$. 由 $y' = 0$ 得，$x_1 = 1, x_2 = -1$.

当 $-\infty < x < -1$ 时，$y' < 0$，函数严格递减；当 $-1 < x < 1$ 时，$y' > 0$，函数严格递增；

当 $1 < x < +\infty$ 时，$y' < 0$，函数严格递减.

故严格增区间为 $[-1,1]$，严格减区间为 $(-\infty, -1]$，$[1, +\infty)$.

【1268】 $y = \frac{2x}{1+x^2}$.

解 $y' = \frac{2(1-x)(1+x)}{(1+x^2)^2}$. 由 $y' = 0$ 得，$x_1 = 1, x_2 = -1$.

当 $-\infty < x < -1$ 时，$y' < 0$，函数严格递减；当 $-1 < x < 1$ 时，$y' > 0$，函数严格递增；

当 $1 < x < +\infty$ 时，$y' < 0$，函数严格递减.

故严格增区间为 $[-1,1]$，严格减区间为 $(-\infty, -1]$，$[1, +\infty)$.

【1269】 $y = \frac{\sqrt{x}}{x+100}(x \geqslant 0)$.

解 $y' = \frac{-x+100}{2\sqrt{x}(x+100)^2}$. 由 $y' = 0$ 得，$x = 100$.

当 $0 < x < 100$ 时，$y' > 0$，函数严格递增；当 $100 < x < +\infty$ 时，$y' < 0$，函数严格递减.

故严格增区间为 $[0,100]$，严格减区间为 $[100, +\infty)$.

【1270】 $y = x + \sin x$.

解 $y' = 1 + \cos x \geqslant 0$. 当 $-\infty < x < +\infty$ 时，函数递增，又使 $y' = 0$ 的点为 $x = (2k+1)\pi, k \in \mathbf{Z}$，不能充满任何一个区间，所以 $y = x + \sin x$ 在 $(-\infty, +\infty)$ 上严格递增.

【1271】 $y=x+|\sin 2x|$.

解 $y=x+|\sin 2x|=\begin{cases}x+\sin 2x, & k\pi<x<(k+\frac{1}{2})\pi,\\ x-\sin 2x, & (k+\frac{1}{2})\pi<x<(k+1)\pi,\end{cases}$

$$y'=\begin{cases}1+2\cos 2x, & k\pi<x<(k+\frac{1}{2})\pi,\\ 1-2\cos 2x, & (k+\frac{1}{2})\pi<x<(k+1)\pi,\end{cases}$$

由 $y'=0$ 得，$x_1=k\pi+\frac{\pi}{3}$，$x_2=k\pi+\frac{5\pi}{6}$.

当 $x\in\left(\frac{k\pi}{2},\frac{k\pi}{2}+\frac{\pi}{3}\right)(k\in\mathbf{Z})$ 时，$y'>0$，函数严格递增；

当 $x\in\left(\frac{k\pi}{2}+\frac{\pi}{3},\frac{k\pi}{2}+\frac{\pi}{2}\right)(k\in\mathbf{Z})$ 时，$y'<0$，函数严格递减.

故严格增区间为$\left[\frac{k\pi}{2},\frac{k\pi}{2}+\frac{\pi}{3}\right](k\in\mathbf{Z})$，严格减区间为$\left[\frac{k\pi}{2}+\frac{\pi}{3},\frac{k\pi}{2}+\frac{\pi}{2}\right](k\in\mathbf{Z})$.

【1272】 $y=\cos\frac{\pi}{x}$.

解 $y'=\frac{\pi}{x^2}\sin\frac{\pi}{x}$. 由 $y'=0$ 得，$x=\frac{1}{k}(k\in\mathbf{Z}\backslash\{0\})$.

(1) 当 $2k\pi<\frac{\pi}{x}<(2k+1)\pi$，$k\in\mathbf{Z}\backslash\{0\}$，即当 $x\in\left(\frac{1}{2k+1},\frac{1}{2k}\right)$，$k\in\mathbf{Z}\backslash\{0\}$ 时，$y'>0$，函数严格递增；

当 $0<\frac{\pi}{x}<\pi$，即当 $x>1$ 时，$y'>0$，函数严格递增；

(2) 当 $(2k+1)\pi<\frac{\pi}{x}<(2k+2)\pi$，$k\in\mathbf{Z}\backslash\{0\}$，即当 $x\in\left(\frac{1}{2k+2},\frac{1}{2k+1}\right)$，$k\in\mathbf{Z}\backslash\{0\}$ 时，$y'<0$，函数严格递减.

当 $-\pi<\frac{\pi}{x}<0$，即当 $x<-1$ 时，$y'<0$，函数严格递减.

故严格增区间为$\left[\frac{1}{2k+1},\frac{1}{2k}\right]$，$k\in\mathbf{Z}\backslash\{0\}$ 及$[1,+\infty)$，严格减区间为$\left[\frac{1}{2k+2},\frac{1}{2k+1}\right]$，$k\in\mathbf{Z}$ 及$(-\infty,-1]$.

【1273】 $y=\frac{x^2}{2^x}$.

解 $y'=\frac{2x-x^2\ln 2}{2^x}$. 由 $y'=0$ 得，$x_1=0$，$x_2=\frac{2}{\ln 2}$.

当 $-\infty<x<0$ 及 $\frac{2}{\ln 2}<x<+\infty$ 时，$y'<0$，函数严格递减；

当 $0<x<\frac{2}{\ln 2}$ 时，$y'>0$，函数严格递增.

故严格增区间为$\left(0,\frac{2}{\ln 2}\right)$，严格减区间为$(-\infty,0)$ 及$\left(\frac{2}{\ln 2},+\infty\right)$.

【1274】 $y=x^n e^{-x}(n>0,x\geqslant 0)$.

解 $y'=x^{n-1}e^{-x}(n-x)$. 由 $y'=0$ 得，$x_1=0$，$x_2=n$.

当 $x\in(0,n)$ 时，$y'>0$，函数严格递增；当 $x\in(n,+\infty)$ 时，$y'<0$，函数严格递减.

故严格增区间为$[0,n]$，严格减区间为$[n,+\infty)$.

【1275】 $y=x^2-\ln x^2$.

解 $y'=\frac{2(x-1)(x+1)}{x}$. 由 $y'=0$ 得，$x_1=-1$，$x_2=1$.

当 $-\infty < x < -1$ 及 $0 < x < 1$ 时，$y' < 0$，函数严格递减；

当 $-1 < x < 0$ 及 $1 < x < +\infty$ 时，$y' > 0$，函数严格递增.

故严格增区间为 $(-\infty, -1]$ 及 $[0,1]$，严格减区间为 $[-1,0]$ 及 $[1, +\infty)$.

【1276】 $f(x) = \begin{cases} x\left(\sqrt{\dfrac{3}{2}} + \sin \ln x\right), & x > 0, \\ 0, & x = 0. \end{cases}$

解 $f'(x) = \sqrt{\dfrac{3}{2}} + \sin(\ln x) + \cos(\ln x) = \sqrt{\dfrac{3}{2}} + \sqrt{2}\sin\left(\dfrac{\pi}{4} + \ln x\right)(x > 0)$.

令 $f'(x) = 0$，得 $\sin\left(\ln x + \dfrac{\pi}{4}\right) = -\dfrac{\sqrt{3}}{2}$，解得

$$x = e^{-\frac{11}{12}\pi + 2k\pi}, x = e^{-\frac{7}{12}\pi + 2k\pi} \text{ 或 } x = e^{\frac{13}{12}\pi + 2k\pi}, x = e^{\frac{17}{12}\pi + 2k\pi} (k \in \mathbf{Z}).$$

当 $x \in (e^{-\frac{7}{12}\pi + 2k\pi}, e^{\frac{13}{12}\pi + 2k\pi})(k \in \mathbf{Z})$ 时，$f'(x) > 0$，函数递增；

当 $x \in (e^{\frac{13}{12}\pi + 2k\pi}, e^{\frac{17}{12}\pi + 2k\pi})(k \in \mathbf{Z})$ 时，$f'(x) < 0$，函数递减.

故严格增区间为 $[e^{-\frac{7}{12}\pi + 2k\pi}, e^{\frac{13}{12}\pi + 2k\pi}](k \in \mathbf{Z})$，严格减区间为 $[e^{\frac{13}{12}\pi + 2k\pi}, e^{\frac{17}{12}\pi + 2k\pi}](k \in \mathbf{Z})$.

习题 1277—1284 证明函数单调

【1277】 证明：圆的内接正 n 边形的周长 p_n 随边数 n 的增加而增加，而此圆的外切正 n 边形的周长 P_n 随边数 n 的增加而减小. 利用这点来证明，当 $n \to \infty$ 时，p_n 及 P_n 有相同的极限.

证 如图 2.40 所示，设圆的半径为 R，则有

$$p_n = 2nx = 2nR\sin\alpha = 2nR\sin\frac{\pi}{n},$$

$$P_n = 2ny = 2nR\tan\alpha = 2nR\tan\frac{\pi}{n},$$

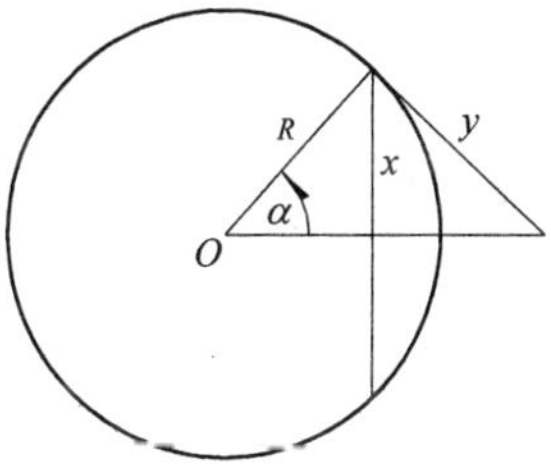

图 2.40

令 $f(x) = \dfrac{2R}{x}\sin\pi x$，则

$$f'(x) = \frac{2R\cos\pi x}{x^2}(\pi x - \tan\pi x) < 0\left(0 < x \leqslant \frac{1}{3}\right),$$

从而函数 $f(x)$ 在 $\left(0, \dfrac{1}{3}\right)$ 单调减少. 所以 $p_n = f\left(\dfrac{1}{n}\right)(n \geqslant 3)$ 随着 n 的增加而增加.

同样地，令 $g(x) = \dfrac{2R}{x}\tan\pi x$，则 $g'(x) = \dfrac{R}{x^2\cos^2\pi x}(2\pi x - \sin 2\pi x) > 0\left(0 < x \leqslant \dfrac{1}{3}\right)$，从而函数 $g(x)$ 在 $\left(0, \dfrac{1}{3}\right)$ 单调增加，故 $P_n = g\left(\dfrac{1}{n}\right)(n \geqslant 3)$ 随着 n 的增加而减小.

总之，有 $p_n < p_{n+1}$ 及 $P_{n+1} < P_n$，并且显然有 $p_{n+1} < P_{n+1}$. 于是，$p_n < p_{n+1} < P_{n+1} < P_n$，故 $\{P_n\}$ 是有界递减数列，$\{p_n\}$ 是有界递增数列，从而它们的极限都存在，由于

$$\lim_{n\to\infty}(P_n - p_n) = \lim_{n\to\infty} 2\pi R\left(\frac{\tan\frac{\pi}{n}}{\frac{\pi}{n}} - \frac{\sin\frac{\pi}{n}}{\frac{\pi}{n}}\right) = 0,$$

故有 $\lim\limits_{n\to\infty} p_n = \lim\limits_{n\to\infty} P_n$.

【1278】 证明：函数 $\left(1 + \dfrac{1}{x}\right)^x$ 在区间 $(-\infty, -1)$ 及 $(0, +\infty)$ 内递增.

证 设 $y = \left(1 + \dfrac{1}{x}\right)^x = e^{x\ln\left(1 + \frac{1}{x}\right)}$，则 $y' = \left(1 + \dfrac{1}{x}\right)^x\left[\ln\left(1 + \dfrac{1}{x}\right) - \dfrac{1}{1+x}\right]$.

再设 $g(x)=\ln\left(1+\frac{1}{x}\right)-\frac{1}{1+x}$,则 $g'(x)=-\frac{1}{x(1+x)^2}\begin{cases}>0, & x\in(-\infty,-1),\\ <0, & x\in(0,+\infty).\end{cases}$

(1) 当 $x\in(-\infty,-1)$ 时,$g(x)$ 递增,又 $\lim\limits_{x\to-\infty}g(x)=0$,因而 $g(x)>0$,又 $\left(1+\frac{1}{x}\right)^x>0$,于是,在 $(-\infty,-1)$ 内 $y'>0$,因此函数 $\left(1+\frac{1}{x}\right)^x$ 在区间 $(-\infty,-1)$ 内递增.

(2) 当 $x\in(0,+\infty)$ 时,$g(x)$ 递减,又 $\lim\limits_{x\to+\infty}g(x)=0$,因而 $g(x)>0$,又 $\left(1+\frac{1}{x}\right)^x>0$,于是,在区间 $(0,+\infty)$ 内 $y'>0$,因此函数 $\left(1+\frac{1}{x}\right)^x$ 在区间 $(0,+\infty)$ 内递增.

【1279】 证明:有理整函数 $P(x)=a_0+a_1x+\cdots+a_nx^n(n\geqslant1,a_n\neq0)$ 是区间 $(-\infty,-x_0)$ 及 $(x_0,+\infty)$ 上的严格单调函数,其中 x_0 为充分大的正数.

证 不妨设 $a_n>0$,则 $P'_n(x)=a_1+2a_2x+\cdots+na_nx^{n-1}$.

(1) 当 n 为偶数时,$n-1$ 为奇数,此时有 $\lim\limits_{x\to-\infty}P'_n(x)=-\infty$, $\lim\limits_{x\to+\infty}P'_n(x)=+\infty$. 故 $\exists x_0>0$,当 $x<-x_0$ 时,有 $P'_n(x)<0$;当 $x>x_0$ 时,有 $P'_n(x)>0$. 因此函数 $P(x)$ 在 $(-\infty,-x_0)$ 上严格递减,在 $(x_0,+\infty)$ 上严格递增.

(2) 当 n 为奇数时,$n-1$ 为偶数,此时有 $\lim\limits_{x\to\infty}P'_n(x)=+\infty$. 故 $\exists x_0>0$,当 $|x|>x_0$ 时,$P'_n(x)>0$. 因此函数 $P(x)$ 在 $(-\infty,-x_0)$ 和 $(x_0,+\infty)$ 上都严格递增.

【1280】 证明:有理函数

$$R(x)=\frac{a_0+a_1x+\cdots+a_nx^n}{b_0+b_1x+\cdots+b_mx^m}(m+n\geqslant1,m\neq n,a_nb_m\neq0)$$

是区间 $(-\infty,-x_0)$ 及 $(x_0,+\infty)$ 上的严格单调函数,其中 x_0 为充分大的正数.

证 不妨设 $a_nb_m>0$,则

$$\begin{aligned}R'(x)=&\frac{1}{(b_0+b_1x+\cdots+b_mx^m)^2}[(a_1+2a_2x+\cdots+na_nx^{n-1})(b_0+b_1x+\cdots+b_mx^m)-\\&(b_1+2b_2x+\cdots+mb_mx^{m-1})(a_0+a_1x+\cdots+a_nx^n)]\\=&\frac{1}{(b_0+b_1x+\cdots+b_mx^m)^2}\{(a_1b_0-a_0b_1)+2(a_2b_0-a_0b_2)x+\cdots+\\&[(n-m+1)a_nb_{m-1}-(n-m-1)a_{n-1}b_m]x^{m+n-2}+(n-m)a_nb_mx^{m+n-1}\}\\=&\frac{x^{m+n-1}}{(b_0+b_1x+\cdots+b_mx^m)^2}\left[(n-m)a_nb_m+\frac{(n-m+1)a_nb_{m-1}-(n-m-1)a_{n-1}b_m}{x}\right.\\&\left.+\cdots+\frac{a_1b_0-a_0b_1}{x^{m+n-1}}\right].\end{aligned}$$

仿照上题的证法,可知存在 $x_0>0$,使当 $|x|>x_0$ 时上式右端方括弧内的式子与第一项 $(n-m)a_nb_m$ 的符号相同,由此可知,当 $-\infty<x<-x_0$ 或 $x_0<x<+\infty$ 时,$R'(x)$ 均保持定号,故函数 $R(x)$ 是区间 $(-\infty,-x_0)$ 及 $(x_0,+\infty)$ 上的严格单调函数.

> **注** 本题应加上条件 $m\neq n$(原题上没有). 否则所述结论不成立. 例如,若 $m=n,a_i=b_i(i=0,1,\cdots,n)$,则 $R(x)\equiv1$,它在 $(x_0,+\infty)$ 上显然不是严格单调的.

【1281】 单调函数的导数是否也必为单调的?

解 不是. 例如函数 $f(x)=x+\sin x$ 在区间 $(-\infty,+\infty)$ 内,$f'(x)=1+\cos x\geqslant0$,使 $f'(x)=0$ 的点为 $x=(2k+1)\pi\ (k\in\mathbf{Z})$,这样的点不能充满任何一个区间,所以 $f(x)$ 在 $(-\infty,+\infty)$ 内严格单调增加. 显然其导数 $f'(x)=1+\cos x$ 在 $(-\infty,+\infty)$ 内不是单调的.

【1282】 证明：若 $\varphi(x)$ 为可微的单调增函数，且当 $x \geqslant x_0$ 时，$|f'(x)| \leqslant \varphi'(x)$，则当 $x \geqslant x_0$ 时，有

$$|f(x)-f(x_0)| \leqslant \varphi(x)-\varphi(x_0).$$

给出这个事实的几何解释.

证 **方法一** 作函数 $\psi(x)=\varphi(x)-f(x)$，由拉格朗日中值定理知

$$\psi(x)-\psi(x_0)=\psi'(\xi)(x-x_0)(x_0<\xi<x),$$

由 $|f'(x)| \leqslant \varphi'(x)$ 知 $\psi'(\xi)=\varphi'(\xi)-f'(\xi) \geqslant 0$. 从而 $\psi(x)-\psi(x_0) \geqslant 0(x \geqslant x_0)$，故

$$\varphi(x)-\varphi(x_0) \geqslant f(x)-f(x_0).$$

再令 $\psi_1(x)-\varphi(x)+f(x)$，同理有 $\psi_1(x)-\psi_1(x_0) \geqslant 0(x \geqslant x_0)$，由此得

$$\varphi(x)-\varphi(x_0) \geqslant f(x_0)-f(x).$$

故有 $|f(x)-f(x_0)| \leqslant \varphi(x)-\varphi(x_0)$.

方法二 用反证法. 若有一点 $b>x_0$，使得

$$|f(b)-f(x_0)|>\varphi(b)-\varphi(x_0).$$

设 $F(x)=f(x)-f(x_0)-\dfrac{f(b)-f(x_0)}{\varphi(b)-\varphi(x_0)}[\varphi(x)-\varphi(x_0)]$，由于 $F(b)=F(x_0)=0$，所以根据罗尔定理知，存在点 $c \in (x_0,b)$，使 $F'(c)=0$，即

$$f'(c)-\frac{f(b)-f(x_0)}{\varphi(b)-\varphi(x_0)}\varphi'(c)=0.$$

因而，有

$$|f'(c)|=\frac{|f(b)-f(x_0)|}{\varphi(b)-\varphi(x_0)}\varphi'(c)>\varphi'(c).$$

这与题设条件 $|f'(c)| \leqslant \varphi'(c)$ 相矛盾. 于是，命题得证.

其几何意义就是：若一单调上升曲线上各点的切线都比另一曲线上对应的点的切线“陡”，则此曲线上每条弦必比另一曲线上对应的弦“陡”. 如图 2.41 所示.

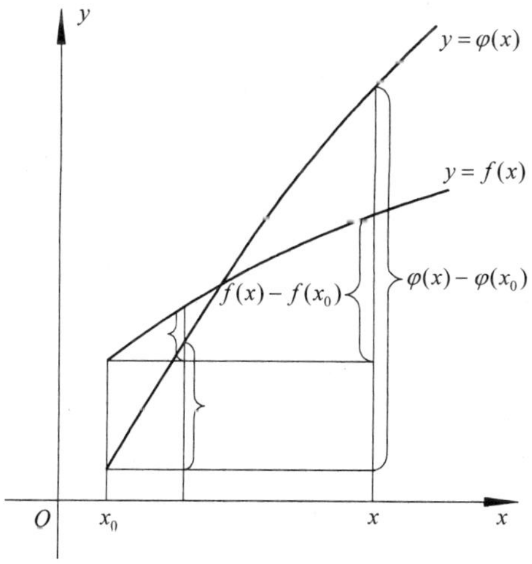

图 2.41

【1283】 若在某邻域 $|x-x_0|<\delta$ 内，函数增量 $\Delta f(x_0)=f(x)-f(x_0)$ 的符号与自变量增量 $\Delta x_0=x-x_0$ 的符号相同，称函数 $f(x)$ 为在 x_0 点的增函数.

证明：若函数 $f(x)(a<x<b)$ 在有限或无穷区间 (a,b) 内的每一点皆为增函数，则它在此区间内为增函数.

证 要证对任意两点 $x_1<x_2(a<x_1<x_2<b)$，都有 $f(x_1)<f(x_2)$.

对$[x_1,x_2]$中每一点 c，由假定都存在开区间 $\Delta_c=(c-\delta_c,c+\delta_c)$，使当 $0<|x-c|<\delta_c$ 时，有 $\dfrac{f(x)-f(c)}{x-c}>0$. 于是，开区间集$\{\Delta_c\}$形成$[x_1,x_2]$的一个开覆盖. 由有限覆盖定理，从$\{\Delta_c\}$中可选出有限个覆盖$[x_1,x_2]$，设为 $\Delta_{c_1},\Delta_{c_2},\cdots,\Delta_{c_m}$. 不妨设 $x_1<c_1<c_2<\cdots<c_m<x_2$，且可设诸 Δ_{c_i} 互不包含(因若 $\Delta_{c_i}\subset\Delta_{c_j}$，则可将 Δ_{c_i} 舍去). 于是必有 $x_1\in\Delta_{c_1}$(因若 $x_1\notin\Delta_{c_1}$，而 $x_1\in\Delta_{c_j}$，$j>1$，则显然有 $\Delta_{c_1}\subset\Delta_{c_j}$，此与诸 Δ_{c_i} 互不包含矛盾). 另外，易知 Δ_{c_i} 与 $\Delta_{c_{i+1}}$ $(i=1,2,\cdots,m-1)$ 必有公共点$\bar{x}_i$(因若 Δ_{c_i} 与 $\Delta_{c_{i+1}}$ 没有公共点，则点 $c_i+\delta_{c_i}$ 必属于某 Δ_{c_j}，$j\neq i,j\neq i+1$，若 $j<i$，则 $\Delta_{c_i}\subset\Delta_{c_j}$，矛盾. 若 $j>i+1$，则 $\Delta_{c_{i+1}}\subset\Delta_{c_j}$，也矛盾). 显然可取公共点$\bar{x}_i$ 满足 $c_i<\bar{x}_i<c_{i+1}$.

于是

$$f(c_i)<f(\bar{x}_i)<f(c_{i+1})\ (i=1,2,\cdots,m-1).$$

同理，可知 $x_2\in\Delta_{c_m}$.

从而有 $f(x_1)<f(c_1)<f(c_2)<\cdots<f(c_m)<f(x_2)$，即 $f(x)$ 在(a,b)内为增函数.

【1284】 证明：函数 $f(x)=\begin{cases}x+x^2\sin\dfrac{1}{x}, & x\neq 0,\\ 0, & x=0\end{cases}$ 在点 $x=0$ 是增函数，但在包含这点的任何区间$(-\varepsilon,\varepsilon)$中并非增函数，其中 $\varepsilon>0$ 为任意小的数. 作出此函数的略图.

证 由导数定义知

$$f'(0)=\lim_{x\to0}\frac{f(x)-f(0)}{x}=\lim_{x\to0}\frac{x+x^2\sin\dfrac{1}{x}}{x}$$

$$=\lim_{x\to0}\left(1+x\sin\frac{1}{x}\right)=1>0,$$

所以 $f(x)$ 在点 $x=0$ 处是增函数.

又当 $x\neq0$ 时，$f'(x)=1+2x\sin\dfrac{1}{x}-\cos\dfrac{1}{x}$，

$$f''(x)=2\sin\frac{1}{x}-\frac{2}{x}\cos\frac{1}{x}-\frac{1}{x^2}\sin\frac{1}{x},$$

$$f''\left(\frac{1}{2n\pi}\right)=-4n\pi\begin{cases}<0, & n\text{ 为正整数},\\ >0, & n\text{ 为负整数}.\end{cases}$$

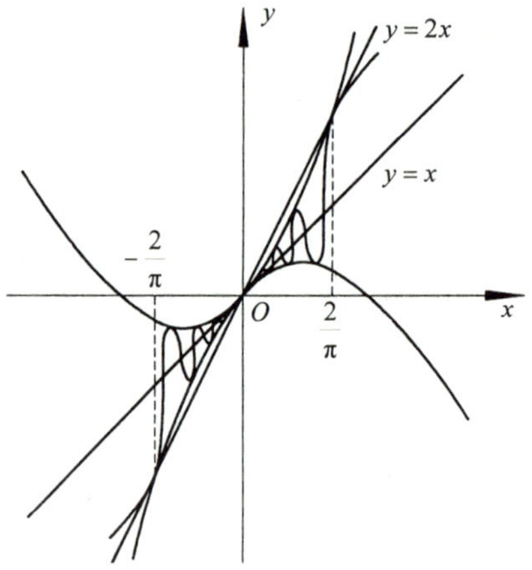

图 2.42

而 $f'\left(\dfrac{1}{2n\pi}\right)=0$，故 $f(x)$ 在点 $x_n=\dfrac{1}{2n\pi}(n=1,2,\cdots)$ 处都达到极大值.

由于$\lim\limits_{n\to\infty}x_n=\lim\limits_{n\to\infty}\dfrac{1}{2n\pi}=0$，故 $f(x)$ 在$(-\varepsilon,\varepsilon)$内不是增函数(作无穷次振荡，如图 2.42 所示).

知识点 2 函数单调性的应用

1. 利用函数单调性证明不等式 此类问题大多为证明形如 $f(x)>g(x)$ 的不等式(或经过变形后能化为此类型)，通常令

$$h(x)=f(x)-g(x),$$

通过求 $h'(x)$ 判断 $h(x)$ 在特定区间上的单调性，从而确定 $h(x)$ 在该区间上恒 >0，即

$$f(x)>g(x).$$

2. 利用函数单调性确定方程实根的个数

(1) **零点定理** 设函数 $f(x)$ 在闭区间$[a,b]$上连续，且 $f(a)\cdot f(b)<0$，则至少存在一点 $\xi\in(a,b)$，使得 $f(\xi)=0$.

注 常用零点定理来判定方程根的存在性.

(2) **单调性与方程根的关系** 如果函数 $f(x)$ 在某区间上严格单调增加或严格单调减少，那么在该区间上，方程 $f(x)=0$ 至多只有一个实根.

注 要研究方程 $f(x)=0$ 的根的个数，通常先划分函数 $f(x)$ 的单调区间，再在各单调区间上讨论方程 $f(x)=0$ 的根个数.

习题 1285—1303 利用函数单调性证明不等式

【1285】 证明定理：若

(1) 函数 $\varphi(x)$ 及 $\psi(x)$ 为 n 阶可微函数；

(2) $\varphi^{(k)}(x_0)=\psi^{(k)}(x_0)(k=0,1,2,\cdots,n-1)$；

(3) 当 $x>x_0$ 时，$\varphi^{(n)}(x)>\psi^{(n)}(x)$，

则当 $x>x_0$ 时有不等式 $\varphi(x)>\psi(x)$.

证 设 $F(x)=\varphi(x)-\psi(x)$，则由于 $\varphi^{(n)}(x)>\psi^{(n)}(x)$，所以

$$F^{(n)}(x)=\varphi^{(n)}(x)-\psi^{(n)}(x)>0(x>x_0).$$

因此，$F^{(n-1)}(x)$ 在 $x>x_0$ 时是递增的. 又由条件(2) 得

$$F^{(n-1)}(x_0)=\varphi^{(n-1)}(x_0)-\psi^{(n-1)}(x_0)=0,$$

因此，$F^{(n-1)}(x)>F^{(n-1)}(x_0)=0(x>x_0)$. 由此又知 $F^{(n-2)}(x)$ 在 $x>x_0$ 时是递增的. 再由条件(2) 知

$$F^{n-2}(x_0)=\varphi^{(n-2)}(x_0)-\psi^{(n-2)}(x_0)=0,$$

故

$$F^{(n-2)}(x)>F^{(n-2)}(x_0)=0(x>x_0).$$

依此类推，最后得

$$F(x)>F(x_0)=0(x>x_0)，即\ \varphi(x)>\psi(x)(x>x_0).$$

【1286】 证明下列不等式：

(1) 当 $x\neq 0$ 时，$e^x>1+x$； (2) 当 $x>0$ 时，$x-\dfrac{x^2}{2}<\ln(1+x)<x$；

(3) 当 $x>0$ 时，$x-\dfrac{x^3}{6}<\sin x<x$； (4) 当 $0<x<\dfrac{\pi}{2}$ 时，$\tan x>x+\dfrac{x^3}{3}$；

(5) 当 $x>0,y>0$ 及 $0<\alpha<\beta$ 时，$(x^\alpha+y^\alpha)^{\frac{1}{\alpha}}>(x^\beta+y^\beta)^{\frac{1}{\beta}}$.

给出不等式(1)—(4) 的几何解释.

证 (1) 设 $f(x)=e^x-(1+x)$，则 $f'(x)=e^x-1\begin{cases}>0, & x>0,\\ <0, & x<0.\end{cases}$

所以 $f(x)$ 在$[0,+\infty)$ 上单调增加，$f(x)>f(0)=0$；在$(-\infty,0]$ 上单调减少，$f(x)>f(0)=0$. 总之，当 $x\neq 0$ 时，$e^x>1+x$.

此不等式的几何意义是：曲线 $y=e^x$ 位于曲线 $y=1+x$ 的上方. 如图 2.43 所示.

(2)(ⅰ) 设 $f(x)=x-\ln(1+x),x\in[0,+\infty)$，则 $f(0)=0$ 且

$$f'(x)=1-\frac{1}{1+x}=\frac{x}{1+x}>0,$$

所以 $f(x)$ 在$[0,+\infty)$ 上严格单调增加，因而当 $x>0$ 时，有 $f(x)>f(0)=0$，即 $x-\ln(1+x)>0$.

（ⅱ）设 $g(x)=\ln(1+x)-\left(x-\frac{x^2}{2}\right),x\in[0,+\infty)$，则 $g(0)=0$ 且

$$g'(x)=\frac{x^2}{1+x}>0,$$

所以 $g(x)$ 在 $[0,+\infty)$ 上严格单调增加，因而当 $x>0$ 时，有 $g(x)>g(0)=0$，即

$$\ln(1+x)-\left(x-\frac{x^2}{2}\right)>0.$$

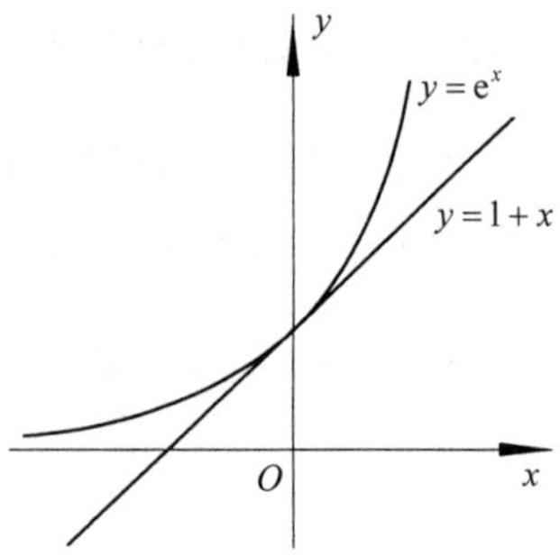

图 2.43

综上，当 $x>0$ 时，有 $x-\frac{x^2}{2}<\ln(1+x)<x$.

此不等式的几何意义是：对数函数 $y=\ln(1+x)$ 的图像介于抛物线 $y=x-\frac{x^2}{2}$ 和直线 $y=x$ 之间 $(x>0)$. 如图 2.44 所示.

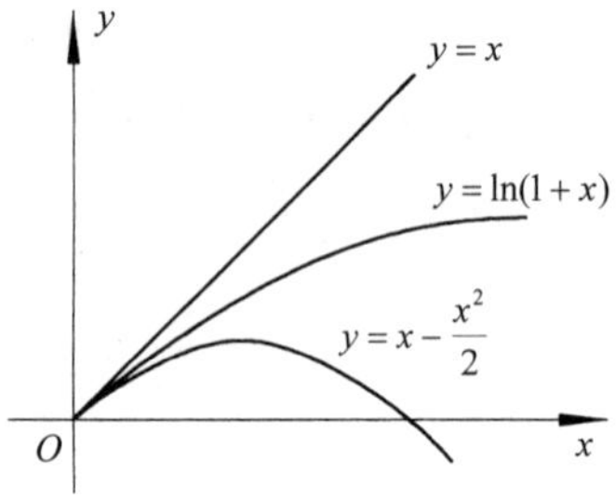

图 2.44

(3)（ⅰ）令 $f(x)=x-\sin x,x\in[0,+\infty)$，则 $f(0)=0$ 且

$$f'(x)=1-\cos x\geqslant 0,$$

又因使 $f'(x)=0$ 的点为 $x=2k\pi\ (k\in\mathbf{Z})$，这样的点不能充满任何一个区间，所以 $f(x)$ 在 $[0,+\infty)$ 内严格单调增加，因而当 $x>0$ 时，有 $f(x)>f(0)=0$，即 $x-\sin x>0$.

（ⅱ）设 $g(x)=\sin x-\left(x-\frac{x^3}{6}\right)$，则 $g(0)=0$，且

$$g'(x)=\cos x-1+\frac{x^2}{2},$$

故 $g'(0)=0,g''(x)=x-\sin x>0$（由（ⅰ）），所以 $g'(x)$ 在 $[0,+\infty)$ 上严格单调增加，故当 $x>0$ 时，有 $g'(x)>g'(0)=0$，因而 $g(x)$ 在 $[0,+\infty)$ 上严格单调增加，所以当 $x>0$ 时，有 $g(x)>g(0)=0$，即 $\sin x-\left(x-\frac{x^3}{6}\right)>0$.

综上，当 $x>0$ 时，有 $x-\frac{x^3}{6}<\sin x<x$.

此不等式表示：在 y 轴的右侧，曲线 $y=\sin x$ 介于直线 $y=x$ 和曲线 $y=x-\frac{x^3}{6}$ 之间. 如图 2.45 所示.

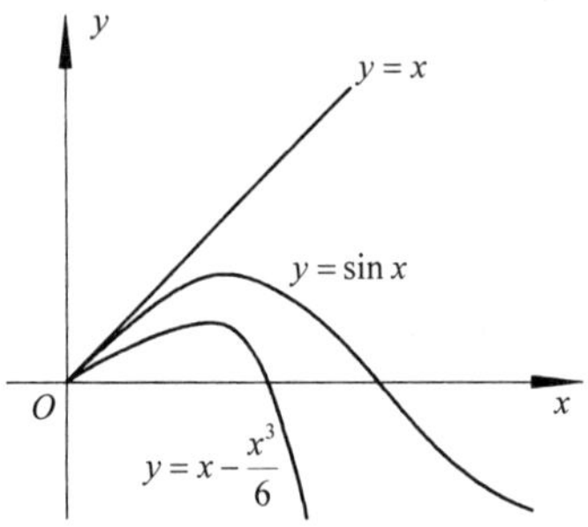

图 2.45

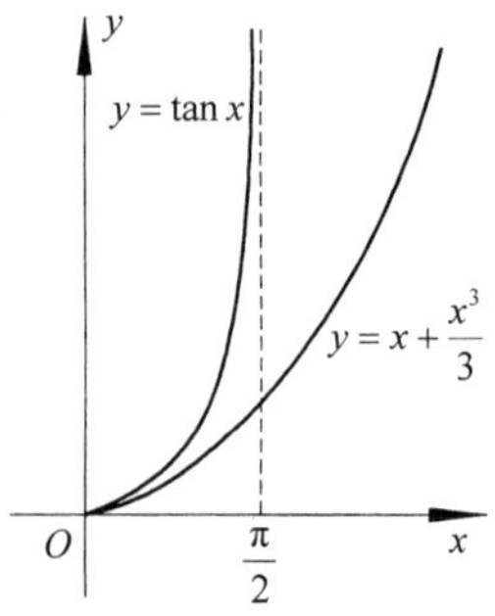

图 2.46

(4) 令 $f(x)=\tan x-\left(x+\frac{x^3}{3}\right),0<x<\frac{\pi}{2}$，则 $f(0)=0$ 且

$$f'(x)=\sec^2 x-1-x^2=\tan^2 x-x^2=(\tan x+x)(\tan x-x)>0,$$

所以 $f(x)$ 在 $\left[0,\frac{\pi}{2}\right)$ 上严格单调增加，因而当 $0<x<\frac{\pi}{2}$ 时，有 $f(x)>f(0)=0$，即当 $0<x<\frac{\pi}{2}$ 时，有 $\tan x>x+\frac{x^3}{3}$.

此不等式表示：在 $\left(0,\frac{\pi}{2}\right)$ 内，曲线 $y=\tan x$ 在曲线 $y=x+\frac{x^3}{3}$ 的上方. 如图 2.46 所示.

(5) 当 $x=y$ 时，由 $0<\alpha<\beta$ 知，不等式 $2^{\frac{1}{\alpha}}>2^{\frac{1}{\beta}}(x>0,y>0)$ 显然成立.

当 $x\neq y$，且 $x>0,y>0$，不妨设 $0<\frac{y}{x}<1$. 令 $a=\frac{y}{x}$，为证不等式，只要证明 $f(t)=(1+a^t)^{\frac{1}{t}}$ 单调递减，也即只要证明函数 $F(t)=\frac{1}{t}\ln(1+a^t)$ 单调递减. 事实上，因为

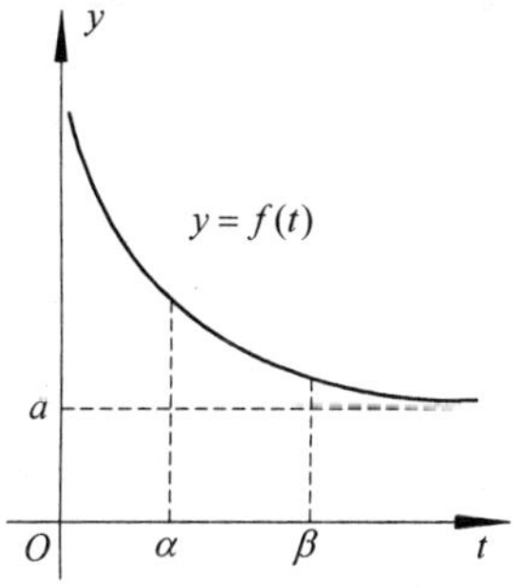

图 2.47

$$F'(t)=\frac{ta^t\ln a-(1+a^t)\ln(1+a^t)}{t^2(1+a^t)}$$
$$=\frac{a^t\ln a^t-(1+a^t)\ln(1+a^t)}{t^2(1+a^t)}<0,$$

即 $F(t)$ 单调递减，从而当 $x\neq y$ 时，不等式 $(x^\alpha+y^\alpha)^{\frac{1}{\alpha}}>(x^\beta+y^\beta)^{\frac{1}{\beta}}$ 也成立.

作 $f(t)=(1+a^t)^{\frac{1}{t}}$ 的图像，如图 2.47 所示. 对于 $(0,+\infty)$ 内任意两个值 $\alpha,\beta(\alpha<\beta)$，图像上对应点的纵坐标却相应地减小，即 $f(\alpha)>f(\beta)$.

【1287】 证明：当 $0<x<\frac{\pi}{2}$ 时，不等式 $\frac{2}{\pi}x<\sin x<x$ 成立.

证 不等式的后半部分在 1286 题(3) 中已证明，我们仅证前半部分.

设 $f(x)=\frac{\sin x}{x},x\in\left(0,\frac{\pi}{2}\right]$，则 $f\left(\frac{\pi}{2}\right)=\frac{2}{\pi}$ 且

$$f'(x)=\frac{x\cos x-\sin x}{x^2}=\frac{\cos x}{x^2}(x-\tan x),$$

由于当 $0<x<\frac{\pi}{2}$ 时，$\cos x>0$ 及 $\tan x>x+\frac{x^3}{3}>x$，故当 $0<x<\frac{\pi}{2}$ 时，有 $f'(x)<0$.

所以，函数 $f(x)$ 在 $\left(0,\frac{\pi}{2}\right]$ 内是递减的. 因而，当 $0<x<\frac{\pi}{2}$ 时，有

$$f(x)>f\left(\frac{\pi}{2}\right)，即\frac{\sin x}{x}>\frac{2}{\pi}\left(0<x<\frac{\pi}{2}\right).$$

所以 $\frac{2}{\pi}x<\sin x<x\left(0<x<\frac{\pi}{2}\right)$.

【1288】 证明：当 $x>0$ 时，不等式 $\left(1+\frac{1}{x}\right)^x<\mathrm{e}<\left(1+\frac{1}{x}\right)^{x+1}$ 成立.

证 由于当 $x>0$ 时，$\left(1+\frac{1}{x}\right)^x$ 单调递增(1278 题的结果)，并且 $\lim\limits_{x\to+\infty}\left(1+\frac{1}{x}\right)^x=\mathrm{e}$，所以当 $x>0$ 时有 $\left(1+\frac{1}{x}\right)^x<\mathrm{e}$.

同理可证，当 $x>0$ 时，$\left(1+\frac{1}{x}\right)^{x+1}$ 单调递减，并且 $\lim\limits_{x\to+\infty}\left(1+\frac{1}{x}\right)^{x+1}=\mathrm{e}$，所以当 $x>0$ 时有 $\left(1+\frac{1}{x}\right)^{x+1}>\mathrm{e}$.

综上，当 $x>0$ 时，有 $\left(1+\frac{1}{x}\right)^x<\mathrm{e}<\left(1+\frac{1}{x}\right)^{x+1}$.

【1289】 若等差数列与等比数列的项的数目相同且有相同的首项与末项，并且一切项都是正的. 证明：等差数列各项的和大于或等于等比数列各项的和.

证 **方法一** 设等差数列各项为 $a_1,a_2,\cdots,a_n$，公差为 d；等比数列各项为 $b_1,b_2,\cdots,b_n$，公比为 q. 记其和分别为

$$\sigma=\sum_{k=1}^n a_k,Q=\sum_{k=1}^n b_k.$$

(1) 当 $q=1$ 时,由 $a_1=b_1$ 及 $a_n=b_n$,可知有 $\sigma=Q$.

(2) 当 $q<1$ 时,由 $a_1=b_1$ 及 $a_n=a_1+(n-1)d$,$b_n=b_1q^{n-1}$ 且 $a_n=b_n$ 得知

$$a_1+(n-1)d=b_1q^{n-1}, \text{即 } d=-\frac{1-q^{n-1}}{n-1}a_1\ (a_1>0).$$

则有

$$\sigma=\sum_{k=1}^{n}[a_1+(k-1)d]=\sum_{k=1}^{n}\left[a_1-\frac{k-1}{n-1}(1-q^{n-1})a_1\right]$$

$$=a_1\left[n-\frac{1}{n-1}(1-q^{n-1})\sum_{l=0}^{n-1}l\right]=\frac{n}{2}a_1(1+q^{n-1}),$$

$$Q=\sum_{k=1}^{n}a_1q^{k-1}=a_1\frac{1-q^n}{1-q}.$$

研究

$$\frac{2}{a_1}(1-q)(\sigma-Q)=n(1-q)(1+q^{n-1})-2(1-q^n)$$

$$=n(1-q+q^{n-1}-q^n)-2(1-q^n)$$

$$=(n-2)(1-q^n)-nq(1-q^{n-2}).$$

作函数 $f(t)=(n-2)(1-t^n)-nt(1-t^{n-2})$,则 $f(1)=0$ 且

$$f'(t)=(2n-n^2)t^{n-1}+n(n-1)t^{n-2}-n, f'(1)=0,$$

$$f''(t)=-n(n-2)(n-1)t^{n-2}+n(n-1)(n-2)t^{n-3}=n(n-1)(n-2)t^{n-3}(1-t)>0,$$

所以 $f'(t)$ 在 $(0,1]$ 上严格单调增加,因而当 $0<t<1$ 时有 $f'(t)<f'(1)=0$,故 $f(t)$ 在 $(0,1]$ 上严格单调减少,所以当 $0<t<1$ 时,有 $f(t)>f(1)=0$,即 $\frac{2}{a_1}(1-q)(\sigma-Q)>0$,这就证明了 $\sigma>Q$.

(3) 当 $q>1$ 时,由 $a_1=b_1$ 及 $a_n=b_n$ 得知 $d=\frac{q^{n-1}-1}{n-1}a_1>0$. 则有

$$\sigma=\sum_{k=1}^{n}[a_1+(k-1)d]=\sum_{k=1}^{n}\left[a_1+\frac{k-1}{n-1}(q^{n-1}-1)a_1\right]$$

$$=a_1\left[n+\frac{1}{n-1}(q^{n-1}-1)\sum_{l=0}^{n-1}l\right]=\frac{n}{2}a_1(1+q^{n-1}),$$

$$Q=\sum_{k=1}^{n}a_1q^{k-1}=a_1\frac{q^n-1}{q-1}.$$

研究

$$\frac{2}{a_1}(q-1)(\sigma-Q)=n(q-1)(1+q^{n-1})-2(q^n-1)$$

$$=n(q^n-q^{n-1}+q-1)-2(q^n-1)$$

$$=(n-2)(q^n-1)-nq(q^{n-2}-1).$$

作函数 $f(t)=(n-2)(t^n-1)-nt(t^{n-2}-1)$,则 $f(1)=0$ 且

$$f'(t)=(n^2-2n)t^{n-1}-n(n-1)t^{n-2}+n, f'(1)=0,$$

$$f''(t)=n(n-2)(n-1)t^{n-2}-n(n-1)(n-2)t^{n-3}$$

$$=n(n-1)(n-2)t^{n-3}(t-1)>0,$$

所以 $f'(t)$ 在 $[1,+\infty)$ 上严格单调增加,因而当 $t>1$ 时有 $f'(t)>f'(1)=0$,故 $f(t)$ 在 $[1,+\infty)$ 上严格单调增加,所以当 $t>1$ 时,有 $f(t)>f(1)=0$,即 $\frac{2}{a_1}(q-1)(\sigma-Q)>0$,这就证明了 $\sigma>Q$.

方法二 设等差数列的公差为 d,等比数列的公比为 q.

如果 $d=0$,易见两个数列均为常数数列,因此,其和相等.

如果 $d\neq 0$,不妨设 $d>0$(否则把末项变为首项,将数列颠倒即成),由于各项均为正的,所以 $q>0$.

设等差数列的首项为 a,则末项为 $a+(n-1)d=aq^{n-1}$. 考虑函数

$$f(x)=a+xd-aq^{x},$$

由于 $f(0)=f(n-1)=0$,所以在$(0,n-1)$内存在一点 c,使得 $f'(c)=0$,而

$$f''(x)=-aq^{x}\ln^{2}q<0,$$

从而 $f'(x)=d-aq^{x}\ln q$ 为减函数. 所以,当 $x<c$ 时,$f'(x)>0$;当 $x>c$ 时,$f'(x)<0$.

从而当 $0\leqslant x\leqslant n-1$ 时,$f(x)\geqslant 0$,其中等号当且仅当 $x=0$ 及 $x=n-1$ 时成立. 特别是,对于 $0<k<n-1$,有

$$f(k)=a+kd-aq^{k}>0,\text{即 } a+kd>aq^{k}.$$

于是

$$\sum_{k=0}^{n-1}(a+kd)>\sum_{k=0}^{n-1}aq^{k}.$$

【1290】 用不等式 $\sum\limits_{k=1}^{n}(a_kx+b_k)^2\geqslant 0$,其中 $x,a_k,b_k(k=1,2,\cdots,n)$ 为实数,来证明柯西－布尼亚科夫斯基－施瓦兹不等式:$\left(\sum\limits_{k=1}^{n}a_kb_k\right)^2\leqslant\sum\limits_{k=1}^{n}a_k^2\cdot\sum\limits_{k=1}^{n}b_k^2$.

证 由于

$$\sum_{k=1}^{n}(a_kx+b_k)^2=\left(\sum_{k=1}^{n}a_k^2\right)x^2+\left(2\sum_{k=1}^{n}a_kb_k\right)x+\sum_{k=1}^{n}b_k^2\geqslant 0,$$

此式对任何 x 都成立,故上述二次式的判别式非正,即

$$4\left(\sum_{k=1}^{n}a_kb_k\right)^2-4\left(\sum_{k=1}^{n}a_k^2\right)\left(\sum_{k=1}^{n}b_k^2\right)\leqslant 0,\text{即}\left(\sum_{k=1}^{n}a_kb_k\right)^2\leqslant\sum_{k=1}^{n}a_k^2\cdot\sum_{k=1}^{n}b_k^2.$$

【1291】 证明:正数的算术平均值的平方不大于这些数的平方平均值,即

$$\frac{1}{n}\sum_{k=1}^{n}x_k\leqslant\sqrt{\frac{1}{n}\sum_{k=1}^{n}x_k^2}.$$

证 令 $a_k=x_k,b_k=\frac{1}{n}(k=1,2,\cdots,n)$,由柯西－布尼亚科夫斯基－施瓦兹不等式可得

$$\left(\sum_{k=1}^{n}\frac{x_k}{n}\right)^2\leqslant\sum_{k=1}^{n}x_k^2\cdot\sum_{k=1}^{n}\frac{1}{n^2}=\frac{1}{n}\sum_{k=1}^{n}x_k^2,$$

所以 $\frac{1}{n}\sum\limits_{k=1}^{n}x_k\leqslant\sqrt{\frac{1}{n}\sum\limits_{k=1}^{n}x_k^2}$.

【1292】 证明:正数的几何平均值不大于这些数的算术平均数,即

$$\sqrt[n]{x_1x_2\cdots x_n}\leqslant\frac{1}{n}(x_1+x_2+\cdots+x_n).$$

证 设 $G_n=(x_1x_2\cdots x_n)^{\frac{1}{n}},A_n=\frac{1}{n}(x_1+x_2+\cdots+x_n)$,则有

$$(G_n)^n=x_1x_2\cdots x_n,nA_n=x_1+x_2+\cdots+x_n.$$

当 $n=2$ 时,我们已有不等式

$$\sqrt{x_1x_2}\leqslant\frac{x_1+x_2}{2}.$$

假设 $n=k$ 时,有 $G_k\leqslant A_k$,下证 $n=k+1$ 时,有 $G_{k+1}\leqslant A_{k+1}$. 事实上,

$$\begin{aligned}G_{k+1}&=(x_1x_2\cdots x_kx_{k+1})^{\frac{1}{k+1}}=[(G_k)^k\cdot x_{k+1}]^{\frac{1}{k+1}}\\&\leqslant(G_k)^{\frac{k}{k+1}}\cdot(x_{k+1})^{\frac{1}{k+1}}\leqslant(A_k)^{\frac{k}{k+1}}\cdot(x_{k+1})^{\frac{1}{k+1}},\end{aligned}$$

设 $f(x)=x^{\alpha}-(1-\alpha+\alpha x)(0<\alpha<1)$,由

$$f'(x)=\alpha(x^{\alpha-1}-1)\begin{cases}>0, & 0<x<1,\\ =0, & x=1,\\ <0, & x>1,\end{cases}$$

故知 $f(x)$ 在 $(0,1]$ 上单调增加,在 $[1,+\infty)$ 上单调减少.

令 $\alpha=\frac{1}{p}$,$1-\alpha=\frac{1}{q}$,用 $\frac{a}{b}$ 代替 x,则有下列不等式:

当 $a>0,b>0,p>1,q>1,\frac{1}{p}+\frac{1}{q}=1$ 时,有 $a^{\frac{1}{p}}b^{\frac{1}{q}}\leqslant\frac{a}{p}+\frac{b}{q}$.

令 $A_k=a,x_{k+1}=b,p=\frac{k+1}{k}>1,q=k+1>1$,则 $\frac{1}{p}+\frac{1}{q}=\frac{k}{k+1}+\frac{1}{k+1}=1$,

所以 $(A_k)^{\frac{k}{k+1}}\cdot(x_{k+1})^{\frac{1}{k+1}}\leqslant\frac{k}{k+1}A_k+\frac{1}{k+1}x_{k+1}$. 于是

$$\begin{aligned}G_{k+1}&\leqslant\frac{k}{k+1}A_k+\frac{1}{k+1}x_{k+1}=\frac{1}{k+1}(kA_k+x_{k+1})\\&=\frac{1}{k+1}(x_1+x_2+\cdots+x_k+x_{k+1})=A_{k+1},\end{aligned}$$

从而有 $G_{k+1}\leqslant A_{k+1}$.

由数学归纳法知不等式 $\sqrt[n]{x_1x_2\cdots x_n}\leqslant\frac{1}{n}(x_1+x_2+\cdots+x_n)$ 对于任何正整数 n 均成立.

【1293】 设 a 及 b 为两正数,则由等式

$$\Delta_s(a,b)=\begin{cases}\left(\frac{a^s+b^s}{2}\right)^{\frac{1}{s}}, & s\neq 0,\\ \lim\limits_{t\to 0}\Delta_t(a,b), & s=0\end{cases}$$

所定义的函数称为正数 a 及 b 的 s 阶平均值.

例如,当 $s=-1$ 时得调和平均值;当 $s=0$ 时得几何平均值(试证明);当 $s=1$ 时得算术平均值;当 $s=2$ 时得平方平均值.

证明:(1) $\min(a,b)\leqslant\Delta_s(a,b)\leqslant\max(a,b)$;

(2) 当 $a\neq b$ 时,函数 $\Delta_s(a,b)$ 是变量 s 的增函数;

(3) $\lim\limits_{s\to-\infty}\Delta_s(a,b)=\min(a,b)$,$\lim\limits_{s\to+\infty}\Delta_s(a,b)=\max(a,b)$.

提示 第(2)小题考虑 $\frac{\mathrm{d}}{\mathrm{d}s}\ln\Delta_s(a,b)$.

证 先证当 $s=0$ 时得几何平均数,由题设知

$$\begin{aligned}\Delta_0(a,b)&=\lim_{s\to 0}\Delta_s(a,b)=\lim_{s\to 0}e^{\frac{1}{s}\ln\frac{a^s+b^s}{2}}=e^{\lim\limits_{s\to 0}\frac{1}{s}\ln\frac{a^s+b^s}{2}}\\&=e^{\lim\limits_{s\to 0}\frac{a^s\ln a+b^s\ln b}{a^s+b^s}}=e^{\lim\limits_{s\to 0}\frac{\ln a+\ln b}{2}}=\sqrt{ab},\end{aligned}$$

此即几何平均值.

(1) 由于 $2[\min(a,b)]^s\leqslant a^s+b^s\leqslant 2[\max(a,b)]^s$,所以

$$\min(a,b)\leqslant\left(\frac{a^x+b^s}{2}\right)^{\frac{1}{s}}\leqslant\max(a,b)\text{,即 }\min(a,b)\leqslant\Delta_s(a,b)\leqslant\max(a,b).$$

(2) 考虑 $\ln\Delta_s(a,b)=\frac{1}{s}\ln\frac{a^s+b^s}{2}$,则

$$\begin{aligned}\frac{\mathrm{d}}{\mathrm{d}s}\ln\Delta_s(a,b)&=-\frac{1}{s^2}\ln\frac{a^s+b^s}{2}+\frac{a^s\ln a+b^s\ln b}{s(a^s+b^s)}\\&=\frac{1}{s^2(a^s+b^s)}\left[(a^s\ln a^s+b^s\ln b^s)-(a^s+b^s)\ln\frac{a^s+b^s}{2}\right].\end{aligned}$$

由于 $a^s>0,b^s>0$，参看 1311 题(3) 的结果知

$$a^s\ln a^s+b^s\ln b^s>(a^s+b^s)\ln\frac{a^s+b^s}{2}.$$

所以 $\frac{\mathrm{d}}{\mathrm{d}s}\ln\Delta_s(a,b)>0$，即 $\ln\Delta_s(a,b)$ 是增函数，由于对数函数是增函数，故知 $\Delta_s(a,b)$ 是变量 s 的增函数.

(3) 不妨设 $0<a<b$. 于是

$$\lim_{s\to-\infty}\Delta_s(a,b)=\lim_{s\to-\infty}a\left[\frac{1}{2}+\frac{1}{2}\left(\frac{b}{a}\right)^s\right]^{\frac{1}{s}}=a=\min(a,b),$$

$$\lim_{s\to+\infty}\Delta_s(a,b)=\lim_{s\to+\infty}b\left[\frac{1}{2}\left(\frac{a}{b}\right)^s+\frac{1}{2}\right]^{\frac{1}{s}}=b=\max(a,b).$$

习题 1294—1303 利用函数的单调性确定方程实根的个数

【1294】 设函数 $f(x)$ 在区间$[a,+\infty)$ 内连续，而且当 $x>a$ 时，$f'(x)>k>0$，其中 k 为常数. 证明：若 $f(a)<0$，则在区间$\left(a,a-\frac{f(a)}{k}\right)$内方程$f(x)=0$有且仅有一个实根.

证 由有限增量公式，有

$$f\left(a-\frac{f(a)}{k}\right)-f(a)=-\frac{f(a)}{k}f'(\xi)>-\frac{f(a)}{k}\cdot k=-f(a).$$

于是 $f\left(a-\frac{f(a)}{k}\right)>0$. 又 $f(a)<0$，故根据闭区间上连续函数的零点定理知，方程 $f(x)=0$ 在 $\left(a,a-\frac{f(a)}{k}\right)$ 内至少有一实根.

又因为当 $x>a$ 时，$f'(x)>0$，故 $f(x)$ 在 $(a,+\infty)$ 内严格递增，因而方程 $f(x)=0$ 在 $\left(a,a-\frac{f(a)}{k}\right)$ 内至多有一实根.

故方程 $f(x)=0$ 在 $\left(a,a-\frac{f(a)}{k}\right)$ 内有且仅有一个实根.

【确定下列各方程实根的数目，并划分出这些根所在的区间(1295—1302)】

【1295】 $x^3-6x^2+9x-10=0$.

解 设 $f(x)=x^3-6x^2+9x-10$，则 $f(x)$ 在 $(-\infty,+\infty)$ 内连续，且

$$f'(x)=3x^2-12x+9,$$

令 $f'(x)=0$，得 $x=1$ 或 3.

当 $x\in(-\infty,1)$ 时，由于 $\lim\limits_{x\to-\infty}f(x)=-\infty$，$f'(x)>0$，$f(1)=-6<0$，故在 $(-\infty,1)$ 内方程无实根.

当 $x\in(1,3)$ 时，由于 $f'(x)<0$，$f(3)=-10<0$，故在 $(1,3)$ 内也无实根.

当 $x\in(3,+\infty)$，由于 $f'(x)>0$，$f(3)=-10<0$，$\lim\limits_{x\to+\infty}f(x)=+\infty$，故在 $(3,+\infty)$ 内方程有且仅有一实根.

【1296】 $x^3-3x^2-9x+h=0$.

解 设 $f(x)=x^3-3x^2-9x+h$，则 $f'(x)=3x^2-6x-9$. 令 $f'(x)=0$，得 $x=-1$ 或 3. 于是，当 $x\in(-\infty,-1)$ 时，$f'(x)>0$；当 $x\in(-1,3)$ 时，$f'(x)<0$；当 $x\in(3,+\infty)$ 时，$f'(x)>0$.

由于

$$f(-1)=5+h,f(3)=-27+h,\lim_{x\to-\infty}f(x)=-\infty,\lim_{x\to+\infty}f(x)=+\infty,$$

故当 $h<-5$ 时，$f(-1)<0$，$f(3)<0$，因此，有且仅有一实根位于 $(3,+\infty)$ 内；

当 $-5<h<27$ 时，$f(-1)>0$，$f(3)<0$，因此，方程有三个实根，分别位于 $(-\infty,-1)$，$(-1,3)$ 及 $(3,+\infty)$ 内；

当 $h>27$ 时，$f(3)>0$，$f(-1)>0$，因此，有且仅有一实根位于 $(-\infty,-1)$ 内.

【1297】 $3x^4-4x^3-6x^2+12x-20=0$.

解 设 $f(x)=3x^4-4x^3-6x^2+12x-20$，则 $f'(x)=12x^5-12x^2-12x+12$. 令 $f'(x)=0$，得驻点 $x=\pm 1$. 由于

$$\lim_{x\to-\infty} f(x)=+\infty,\ \lim_{x\to+\infty} f(x)=+\infty,\ f(-1)=-31<0,\ f(1)=-15<0,$$

并且

$$f'(x)<0,\ x\in(-\infty,-1),\ f'(x)>0,\ x\in(-1,+\infty),$$

故有两实根，分别位于 $(-\infty,-1)$ 和 $(1,+\infty)$ 内.

【1298】 $x^5-5x=a$.

解 设 $f(x)=x^5-5x-a$，则 $f'(x)=5x^4-5$. 令 $f'(x)=0$，得驻点 $x=\pm 1$. 由于

$$\lim_{x\to-\infty} f(x)=-\infty,\ \lim_{x\to+\infty} f(x)=+\infty,$$
$$f'(x)>0,\ x\in(-\infty,-1),\ x\in(1,+\infty),$$
$$f'(x)<0,\ x\in(-1,1),$$
$$f(-1)=4-a,\ f(1)=-4-a,$$

故当 $a<-4$ 时，$f(-1)>0$，$f(1)>0$. 因此，有且仅有一实根，位于 $(-\infty,-1)$ 内；

当 $-4<a<4$ 时，$f(-1)>0$，$f(1)<0$，此时有三个实根，分别位于 $(-\infty,-1)$，$(-1,1)$ 和 $(1,+\infty)$ 内；

当 $a>4$ 时，$f(-1)<0$，$f(1)<0$. 因此，有且仅有一实根位于 $(1,+\infty)$ 内.

【1299】 $\ln x=kx$.

解 当 $k=0$ 时，方程显然仅有一个根 $x=1$. 因此，不妨设 $k\neq 0$.

令 $f(x)=\ln x-kx\,(x>0)$，则 $f'(x)=\dfrac{1}{x}-k$.

若 $k<0$，此时定义域为 $(0,1)$，且 $f'(x)>0$. 又 $\lim\limits_{x\to 0^+} f(x)=-\infty$，$f(1)=-k>0$，故此时方程有且仅有一实根位于 $(0,1)$ 内.

若 $k>0$，此时定义域为 $(0,+\infty)$. 令 $f'(x)=0$，得 $x=\dfrac{1}{k}$. 当 $x\in\left(0,\dfrac{1}{k}\right)$ 时，有 $f'(x)>0$；$x\in\left(\dfrac{1}{k},+\infty\right)$ 时，$f'(x)<0$. 故 $f\left(\dfrac{1}{k}\right)=\ln\dfrac{1}{k}-1$ 为 $f(x)$ 在 $(0,+\infty)$ 上的最大值. 又

$$\lim_{x\to 0^+} f(x)=-\infty,\ \lim_{x\to+\infty} f(x)=-\infty,$$

故当 $k>\dfrac{1}{e}$ 时，$f\left(\dfrac{1}{k}\right)<0$，此时方程无根；当 $0<k<\dfrac{1}{e}$ 时. $f\left(\dfrac{1}{k}\right)>0$. 因此，方程有两个实根，分别位于 $\left(0,\dfrac{1}{k}\right)$ 和 $\left(\dfrac{1}{k},+\infty\right)$ 内.

【1300】 $e^x=ax^2\,(a>0)$.

解 对于函数 $f(x)=e^x-ax^2$，有 $f(0)=1>0$；又因 $\lim\limits_{x\to-\infty} f(x)=-\infty$，而当 $x\in(-\infty,0)$ 时，$f'(x)=e^x-2ax>0$，即函数严格递增. 因此 $f(x)=0$ 在 $(-\infty,0)$ 内只有唯一的根.

对于 $x>0$ 的情况，为求方程 $e^x=ax^2$ 的根，只要求方程 $x=\ln a+2\ln x\,(a>0,x>0)$ 的根. 设函数 $g(x)=x-\ln a-2\ln x$，则 $g'(x)=1-\dfrac{2}{x}=\dfrac{x-2}{x}$，令 $g'(x)=0$ 得 $x=2$.

当 $0<x<2$ 时，$g'(x)<0$；当 $x>2$ 时，$g'(x)>0$，所以，$g(2)=\ln\frac{e^2}{4a}$ 为极小值.

又因 $\lim\limits_{x\to0^+}g(x)=+\infty$，$\lim\limits_{x\to+\infty}g(x)=+\infty$，因此有以下情况：

当 $g(2)>0$，即 $0<a<\frac{e^2}{4}$ 时，$g(x)=0$ 无根.

当 $g(2)=0$，即 $a=\frac{e^2}{4}$ 时，$g(x)=0$ 有唯一的根.

当 $g(2)<0$，即 $a>\frac{e^2}{4}$ 时，$g(x)=0$ 有两个根，它们分别位于 $(0,2)$ 和 $(2,+\infty)$ 内.

综上所述，方程 $e^x=ax^2$ 根的情况如下：

当 $0<a<\frac{e^2}{4}$ 时有唯一的根，位于 $(-\infty,0)$ 内；

当 $a=\frac{e^2}{4}$ 时，有两个根，一根为 2，一根位于 $(-\infty,0)$ 内；

当 $\frac{e^2}{4}<a<+\infty$ 时有三个根，分别位于 $(-\infty,0)$，$(0,2)$ 和 $(2,+\infty)$ 内.

【1301】 $\sin^3x\cos x=a\ (0\leqslant x\leqslant\pi)$.

解 当 $a=0$ 时，方程显然有实根 $x=0,\frac{\pi}{2},\pi$. 因此，不妨设 $a\neq0$. 令 $f(x)=\sin^3x\cos x-a$，则 $f'(x)=3\sin^2x\cos^2x-\sin^4x$，令 $f'(x)=0$，得 $x=\frac{\pi}{3},\frac{2\pi}{3}$.

当 $x\in\left(0,\frac{\pi}{3}\right)$，$x\in\left(\frac{2\pi}{3},\pi\right)$ 时，$f'(x)>0$；当 $x\in\left(\frac{\pi}{3},\frac{2\pi}{3}\right)$ 时，$f'(x)<0$.

由于

$$f\left(\frac{\pi}{3}\right)=\frac{3\sqrt{3}}{16}-a,\ f\left(\frac{2\pi}{3}\right)=-\frac{3\sqrt{3}}{16}-a,\ f(0)=f(\pi)=-a,$$

当 $|a|<\frac{3\sqrt{3}}{16}$ 时，方程有两个实根位于 $(0,\pi)$ 内；当 $|a|>\frac{3\sqrt{3}}{16}$ 时，方程无实根；

当 $a=\frac{3\sqrt{3}}{16}$ 时，$x=\frac{\pi}{3}$ 是方程的实根；当 $a=-\frac{3\sqrt{3}}{16}$ 时，$x=\frac{2\pi}{3}$ 是方程的实根.

【1302】 $\operatorname{ch}x=kx$.

解 设 $f(x)=\operatorname{ch}x-kx$，则 $f'(x)=\operatorname{sh}x-k$. 令 $f'(x)=0$，由 $\operatorname{sh}x$ 严格递增（$\operatorname{sh}'x=\operatorname{ch}x>0$），得唯一点 x_0，适合 $k=\operatorname{sh}x_0$. 由于

$$f''(x)=\operatorname{ch}x>0,\ \lim_{x\to\infty}f(x)=+\infty,$$

故 $f(x)$ 在 x_0 达到最小值. 因此，只要考虑 $f(x_0)$ 的符号. 而

$$f(x_0)=\operatorname{ch}x_0-kx_0=\operatorname{ch}x_0-x_0\operatorname{sh}x_0.$$

先设 $k>0$，于是 $x_0>0$. 引进辅助函数 $g(x)=\operatorname{ch}x-x\operatorname{sh}x$，由于

$$g'(x)=\operatorname{sh}x-\operatorname{sh}x-x\operatorname{ch}x=-x\operatorname{ch}x,$$

故当 $x>0$ 时，$g'(x)<0$，即 $g(x)$ 在 $[0,+\infty)$ 上严格递减，又 $g(0)=1>0$，$\lim\limits_{x\to+\infty}g(x)=-\infty$，因此方程 $g(x)=0$，即 $\operatorname{coth}x=x$ 在 $[0,+\infty)$ 上有唯一正根，记为 ξ.

若 $k>\operatorname{sh}\xi$，即 $\operatorname{sh}x_0>\operatorname{sh}\xi$，由于 $\operatorname{sh}x$ 是递增的，故必有 $x_0>\xi$，从而有

$$f(x_0)=\operatorname{ch}x_0-x_0\operatorname{sh}x_0<\operatorname{ch}\xi-\xi\operatorname{sh}\xi=0.$$

因此，方程 $f(x)=0$ 恰有两个实根. 由于

$$f(\xi)=\operatorname{ch}\xi-k\xi<\operatorname{ch}\xi-\xi\operatorname{sh}\xi=0,\ f(0)=1,$$

故两根分别位于$(0,\xi)$及$(\xi,+\infty)$内.

若$k=\operatorname{sh}\xi$,则$\operatorname{sh}x_0=\operatorname{sh}\xi$,从而$x_0=\xi$. 因此$f(x_0)=0$,此时方程$f(x)=0$恰有一实根$x_0$.

若$0<k<\operatorname{sh}\xi$,则$\operatorname{sh}x_0<\operatorname{sh}\xi$,从而$x_0<\xi$. 因此,

$$f(x_0)=\operatorname{ch}x_0-x_0\operatorname{sh}x_0>\operatorname{ch}\xi-\xi\operatorname{sh}\xi=0.$$

故方程$f(x)=0$无实根.

若$k=0$,显然方程$f(x)=0$无根.

若$k<0$,则可令$x=-t$. 于是,得$\operatorname{ch}t=-kt\ (-k>0)$.

按上述的方法讨论该方程的根,易知当$\operatorname{sh}\xi<-k$时,原方程有两实根,分别位于$(-\xi,0)$及$(-\infty,-\xi)$内,其中ξ满足$\coth\xi=\xi$;当$-\operatorname{sh}\xi<k<0$时,方程无实根.

综上所述:

若$|k|>\operatorname{sh}\xi$,方程有两实根x_1及x_2,满足$0<|x_1|<\xi,\xi<|x_2|<+\infty$;

若$|k|=\operatorname{sh}\xi$,方程只有一个实根($k=\operatorname{sh}\xi$时,根为ξ,$k=-\operatorname{sh}\xi$时,根为$-\xi$);

若$|k|<\operatorname{sh}\xi$,方程无实根.

【1303】 在什么条件下方程$x^3+px+q=0$(p,q不同时为零)有:(1)一个实根;(2)三个实根.并在平面(p,q)上画出相应的区域.

解 设$f(x)=x^3+px+q$,则$f'(x)=3x^2+p$.若$p\geqslant0$,则$f'(x)>0(x\neq0)$,故$f(x)$在$(-\infty,+\infty)$上递增,并且显然$\lim\limits_{x\to-\infty}f(x)=-\infty$,$\lim\limits_{x\to+\infty}f(x)=+\infty$,故$f(x)=0$有唯一实根.

若$p<0$,令$f'(x)=0$解得$x_1=-\sqrt{-\frac{p}{3}}$,$x_2=\sqrt{-\frac{p}{3}}$.在$(-\infty,x_1]$和$[x_2,+\infty)$上$f(x)$递增,在$[x_1,x_2]$上$f(x)$递减.

因此,若$f(x_1)f(x_2)>0$,则方程$f(x)=0$仅有一个实根;

若$f(x_1)>0$,$f(x_2)<0$,则方程$f(x)=0$恰有三个实根. 由于

$$f(x_1)=\frac{p}{3}\sqrt{-\frac{p}{3}}-p\sqrt{-\frac{p}{3}}+q,$$

$$f(x_2)=-\frac{p}{3}\sqrt{-\frac{p}{3}}+p\sqrt{-\frac{p}{3}}+q,$$

故$f(x_1)f(x_2)>0$相当于$\frac{q^2}{4}+\frac{p^3}{27}>0$,此即方程仅有一个实根的条件(前面$p\geqslant0$的情形可合并到此条件中去);而$f(x_1)>0$及$f(x_2)<0$相当于$\frac{q^2}{4}+\frac{p^3}{27}<0$,此即方程有三个实根的条件.

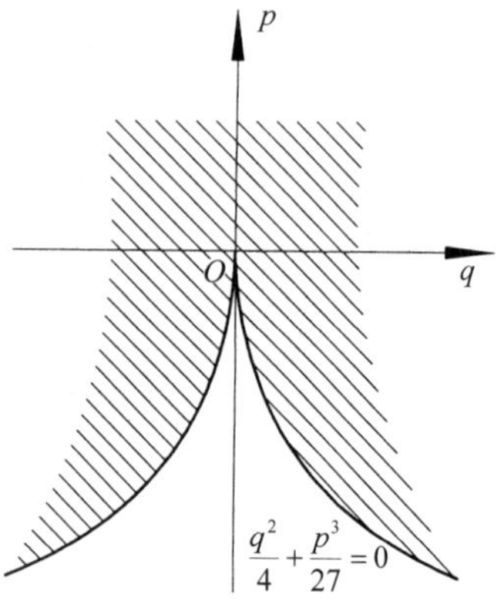

图 2.48

如图2.48所示,曲线$\frac{q^2}{4}+\frac{p^3}{27}=0$的左右上方是方程仅有一实根的$(p,q)$域,以阴影表示;而曲线的下方则是方程有三实根的$(p,q)$域,以空白表示.

注 (1)原题没有"p,q不同时为零"的条件,不合理. 事实上,若$p=q=0$,则方程$x^3+px+q=0$只有一个实根$x=0$,不存在三个根的情形;

(2)$p=q=0$不能合并到$\frac{q^2}{4}+\frac{p^3}{27}>0$.

第8节 凹凸性与拐点（习题1304—1323）

知识点预览

知识点	题目序号	所在页码
函数的凹凸性与曲线的拐点	1304—1323	P127

知识点 函数的凹凸性与曲线的拐点

1. 凹凸函数的定义 设 $f(x)$ 定义在区间 I 上，若对 $\forall x_1, x_2 \in I, \forall \lambda \in (0,1)$，总有

$$f[\lambda x_1 + (1-\lambda)x_2] \leqslant f(\lambda x_1) + (1-\lambda)f(x_2),$$

则称 $f(x)$ 为 I 上的凸函数. 反之，若总有

$$f[\lambda x_1 + (1-\lambda)x_2] \geqslant f(\lambda x_1) + (1-\lambda)f(x_2),$$

则称 $f(x)$ 为 I 上的凹函数.

注 原作者对于凹凸性的定义和高等数学中的定义一致，和一般的分析系统关于凹凸性的定义相反，这里我们采用常用的数学分析中关于凹凸函数的定义.

2. 函数凹凸性的判别方法 (1) 设 $f(x)$ 为 I 上的可导函数，则下述论断互相等价：

①$f(x)$ 为 I 上的凸(凹) 函数；

②$f'(x)$ 为 I 上的增(减) 函数；

③$\forall x_1, x_2 \in I$，有 $f(x_2) \geqslant f(x_1) + f'(x_1)(x_2 - x_1)[f(x_2) \leqslant f(x_1) + f'(x_1)(x_2 - x_1)]$.

(2) 设函数 $f(x)$ 为 I 上的二阶可导函数，则在 I 上 $f(x)$ 为凸(凹) 函数的充要条件是

$$f''(x) \geqslant 0[f''(x) \leqslant 0], x \in I.$$

·知识拓展·

1. $f(x)$ 为 I 上的凸函数的充要条件是：对于 I 上的任意三点 $x_1 < x_2 < x_3$，总有

$$\frac{f(x_2) - f(x_1)}{x_2 - x_1} \leqslant \frac{f(x_3) - f(x_2)}{x_3 - x_2}.$$

2. $f(x)$ 为 I 上的凸函数的充要条件是：对于 I 上的任意三点 $x_1 < x_2 < x_3$，总有

$$\frac{f(x_2) - f(x_1)}{x_2 - x_1} \leqslant \frac{f(x_3) - f(x_1)}{x_3 - x_1} \leqslant \frac{f(x_3) - f(x_2)}{x_3 - x_2}.$$

3. 拐点的定义 设函数 $f(x)$ 在点 x_0 连续，若在点 x_0 的某一邻域内函数 $f(x)$ 在点 x_0 的两侧凸性相反，则称$(x_0, f(x_0))$ 为曲线 $y = f(x)$ 的拐点.

4. 拐点的判别方法

(1) 若 $f(x)$ 在 x_0 二阶可导，则$(x_0, f(x_0))$ 为 $y = f(x)$ 的拐点的必要条件是 $f''(x_0) = 0$.

(2) 若 $f(x)$ 在 x_0 可导，在某邻域$U^{\circ}(x_0)$ 内二阶可导，若在$U_{+}^{\circ}(x_0)$ 和$U_{-}^{\circ}(x_0)$ 内 $f''(x)$

的符号相反，则$(x_0,f(x_0))$为曲线$y=f(x)$的拐点.

(3) 设$f(x)$在x_0的某邻域内具有三阶连续导数，如果$f''(x_0)=0$，而$f'''(x_0)\neq 0$，则$(x_0,f(x_0))$为曲线$y=f(x)$的拐点.

习题 1304—1315 求凹凸区间以及拐点

【1304】 研究函数$y=1+\sqrt[3]{x}$在$A(-1,0)$，$B(1,2)$及$C(0,0)$三点的凹凸性.

解 $y'=\dfrac{1}{3\sqrt[3]{x^2}}$，$y''=-\dfrac{2}{9x\sqrt[3]{x^2}}$.

在$A(-1,0)$点，$y''=\dfrac{2}{9}>0$，故在该点附近函数是凸的；

在$B(1,2)$点，$y''=-\dfrac{2}{9}<0$，故在该点附近函数是凹的；

在$C(0,0)$点附近，在C点左侧$y''>0$，曲线是凸的；在C点右侧$y''<0$，曲线是凹的，y''变号，因此，点C是拐点. 注意，当$x=0$时，y''不存在.

【求下列函数的凹凸区间及拐点(1305—1313)】

【1305】 $y=3x^2-x^3$.

解 $y'=6x-3x^2$，$y''=6-6x$.

当$-\infty<x<1$时，$y''>0$，函数是凸的；当$1<x<+\infty$时，$y''<0$，函数是凹的；故凸区间为$(-\infty,1)$，凹区间为$(1,+\infty)$，点$(1,2)$为曲线的拐点.

【1306】 $y=\dfrac{a^2}{a^2+x^2}(a>0)$.

解 $y'=-\dfrac{2a^3x}{(a^2+x^2)^2}$，$y''=-\dfrac{2a^3(a^2-3x^2)}{(a^2+x^2)^3}$.

当$|x|<\dfrac{a}{\sqrt{3}}$时，$y''<0$，函数是凹的；当$|x|>\dfrac{a}{\sqrt{3}}$时，$y''>0$，函数是凸的；

故凸区间为$\left(-\infty,-\dfrac{a}{\sqrt{3}}\right)$和$\left(\dfrac{a}{\sqrt{3}},+\infty\right)$，凹区间为$\left(-\dfrac{a}{\sqrt{3}},\dfrac{a}{\sqrt{3}}\right)$，点$\left(\pm\dfrac{a}{\sqrt{3}},\dfrac{3}{4}\right)$为其拐点.

【1307】 $y=x+x^{\frac{5}{3}}$.

解 $y'=1+\dfrac{5}{3}x^{\frac{2}{3}}$，$y''=\dfrac{10}{9}x^{-\frac{1}{3}}$.

当$-\infty<x<0$时，$y''<0$，函数是凹的；当$0<x<+\infty$时，$y''>0$，函数是凸的；(注意$x=0$时，y''不存在) 故凸区间为$(0,+\infty)$，凹区间为$(-\infty,0)$，点$(0,0)$为曲线的拐点.

【1308】 $y=\sqrt{1+x^2}$.

解 $y'=x(1+x^2)^{-\frac{1}{2}}$，$y''=(1+x^2)^{-\frac{3}{2}}>0$，函数是凸的. 故凸区间为$(-\infty,+\infty)$，曲线无拐点.

【1309】 $y=x+\sin x$.

解 $y'=1+\cos x$，$y''=-\sin x$.

当$2k\pi<x<(2k+1)\pi$，$k\in\mathbf{Z}$时，$y''<0$，函数是凹的；

当$(2k+1)\pi<x<(2k+2)\pi$，$k\in\mathbf{Z}$时，$y''>0$，函数是凸的；

故凸区间为$(2k\pi+\pi,2k\pi+2\pi)$，$k\in\mathbf{Z}$；凹区间为$(2k\pi,2k\pi+\pi)$，$k\in\mathbf{Z}$；点$(k\pi,k\pi)$，$k\in\mathbf{Z}$为曲线的拐点.

【1310】 $y=e^{-x^2}$.

解 $y'=-2xe^{-x^2}, y''=e^{-x^2}(4x^2-2)$.

当 $|x|<\frac{1}{\sqrt{2}}$ 时，$y''<0$，函数是凹的；当 $|x|>\frac{1}{\sqrt{2}}$ 时，$y''>0$，函数是凸的.

故凸区间为 $\left(-\infty,-\frac{1}{\sqrt{2}}\right)$ 和 $\left(\frac{1}{\sqrt{2}},+\infty\right)$，凹区间为 $\left(-\frac{1}{\sqrt{2}},\frac{1}{\sqrt{2}}\right)$，点 $\left(\pm\frac{1}{\sqrt{2}},e^{-\frac{1}{2}}\right)$ 为曲线的拐点.

【1311】 $y=\ln(1+x^2)$.

解 $y'=\frac{2x}{1+x^2}, y''=\frac{2(1-x^2)}{(1+x^2)^2}$.

当 $|x|<1$ 时，$y''>0$，函数是凸的；当 $|x|>1$ 时，$y''<0$，函数是凹的.

故凸区间为 $(-1,1)$，凹区间为 $(-\infty,-1)$ 和 $(1,+\infty)$，点 $(\pm 1,\ln 2)$ 为曲线的拐点.

【1312】 $y=x\sin(\ln x)(x>0)$.

解 $y'=\sin(\ln x)+\cos(\ln x)=\sqrt{2}\sin\left(\frac{\pi}{4}+\ln x\right), y''=\frac{\sqrt{2}}{x}\cos\left(\frac{\pi}{4}+\ln x\right)$.

令 $y''=0$，得 $x=e^{k\pi+\frac{\pi}{4}}(k\in\mathbf{Z})$.

当 $e^{2k\pi-\frac{3\pi}{4}}<x<e^{2k\pi+\frac{\pi}{4}}$ 时，$y''>0$，函数是凸的；当 $e^{2k\pi+\frac{\pi}{4}}<x<e^{2k\pi+\frac{5\pi}{4}}$ 时，$y''<0$，函数是凹的.

故凹区间为 $(e^{2k\pi-\frac{3\pi}{4}},e^{2k\pi+\frac{\pi}{4}})$，凸区间为 $(e^{2k\pi+\frac{\pi}{4}},e^{2k\pi+\frac{5\pi}{4}})$，点 $\left(e^{k\pi+\frac{\pi}{4}},\frac{(-1)^k e^{k\pi+\frac{\pi}{4}}}{\sqrt{2}}\right)$ 为曲线的拐点.

【1313】 $y=x^x(x>0)$.

解 $y'=x^x(\ln x+1), y''=x^x\left[\frac{1}{x}+(1+\ln x)^2\right]>0$，函数是凸的. 故凸区间为 $(0,+\infty)$.

【1314】 证明：曲线 $y=\frac{x+1}{x^2+1}$ 有位于同一直线上的三个拐点. 作出曲线图像.

证 $y'=\frac{1-2x-x^2}{(x^2+1)^2}, y''=\frac{2(x^3+3x^2-3x-1)}{(x^2+1)^3}$. 令 $y''=0$ 得

$$x_1=-2-\sqrt{3}, x_2=-2+\sqrt{3}, x_3=1,$$

对应曲线上的三个点为

$$A\left(-2-\sqrt{3},\frac{1-\sqrt{3}}{4}\right), B\left(-2+\sqrt{3},\frac{1+\sqrt{3}}{4}\right), C(1,1),$$

且 A,B,C 均为曲线的拐点. 由于 $k_{AB}=k_{BC}=\frac{1}{4}$，所以，拐点 A、B 及 C 在一条直线上，曲线图像如图 2.49.

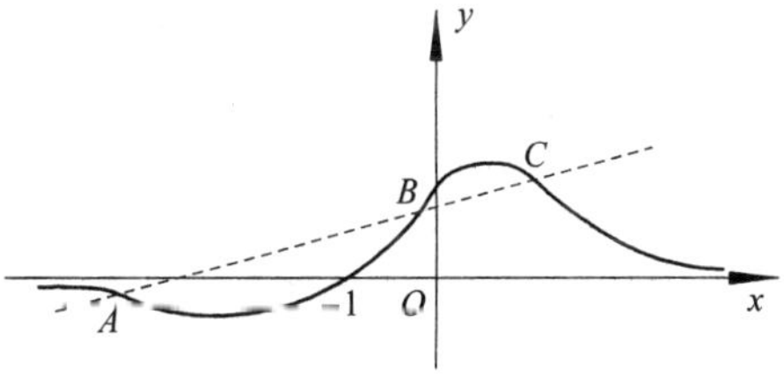

图 2.49

【1315】 如何选择参量 h，可使“概率曲线”$y=\frac{h}{\sqrt{\pi}}e^{-h^2x^2}(h>0)$ 的拐点的横坐标为 $x=\pm\sigma$?

解 $y'=\frac{-2h^3x}{\sqrt{\pi}}e^{-h^2x^2}, y''=\frac{h}{\sqrt{\pi}}e^{-h^2x^2}(4h^4x^2-2h^2)$.

令 $y''=0$，得 $x^2=\frac{1}{2h^2}$. 由于拐点的横坐标为 $x=\pm\sigma$，故 $h^2=\frac{1}{2\sigma^2}$，即 $h=\frac{1}{\sqrt{2}\sigma}(\sigma>0)$.

习题 1316—1323 证明函数的凹凸性

【1316】 研究摆线(旋轮线)$x=a(t-\sin t), y=a(1-\cos t)(a>0)$ 的凹凸性.

解 $\frac{dy}{dx}=\frac{a\sin t}{a(1-\cos t)}=\cot\frac{t}{2}, \frac{d^2y}{dx^2}=\frac{d\frac{dy}{dx}/dt}{dx/dt}=-\frac{\csc^2\frac{t}{2}}{2a(1-\cos t)}<0$，故摆线始终是凹的.

【1317】 设函数 $f(x)$ 在区间 $[a,+\infty)$ 上二阶可微，并且：

(1) $f(a)=A>0$；(2) $f'(a)<0$；(3) 当 $x>a$，$f''(x)\leqslant 0$.

证明：在区间 $(a,+\infty)$ 内方程 $f(x)=0$ 有且仅有一个实根.

证 由于 $f'(x)$ 在 $[a,+\infty)$ 上连续且当 $x\in(a,+\infty)$ 时，$f''(x)\leqslant 0$，故函数 $f'(x)$ 在 $[a,+\infty)$ 上单调递减，于是，当 $x\in(a,+\infty)$ 时，$f'(x)\leqslant f'(a)<0$；由此又知函数 $f(x)$ 在 $[a,+\infty)$ 上严格单调递减. 因此，方程 $f(x)=0$ 在 $(a,+\infty)$ 上至多有一(实)根.

再证明必有点 $x_0\in(a,+\infty)$，使 $f(x_0)=0$. 考虑函数

$$F(x)=f(x)-f(a)-f'(a)(x-a)\,(a\leqslant x<+\infty),$$

则

$$F'(x)=f'(x)-f'(a),\ F''(x)=f''(x)\,(a\leqslant x<+\infty).$$

于是，当 $x\in(a,+\infty)$ 时 $F''(x)\leqslant 0$，从而 $F'(x)$ 在 $[a,+\infty)$ 上单调递减，但 $F'(a)=0$，故当 $x\in[a,+\infty)$ 时，$F'(x)\leqslant F'(a)=0$；由此又知 $F(x)$ 在 $[a,+\infty)$ 上单调递减，但 $F(a)=0$，故当 $x\in(a,+\infty)$ 时，恒有 $F(x)\leqslant F(a)=0$.

令 $x^*=a-\dfrac{f(a)}{f'(a)}$. 由于 $f(a)>0$，$f'(a)<0$，故 $x^*>a$. 显然有

$$F(x^*)=f(x^*)-f(a)-f'(a)\cdot\left[-\frac{f(a)}{f'(a)}\right]=f(x^*).$$

但上面已证 $F(x^*)\leqslant 0$，故 $f(x^*)\leqslant 0$. 于是，根据连续函数的介值定理，必有 $x_0\in(a,x^*)$，使 $f(x_0)=0$.

注 上述证明的思路在几何上是明显的. 函数 $F(x)$ 代表曲线 $y=f(x)$（它是凹的）上的纵坐标与在点 $(a,f(a))$ 处的切线 $y=f(a)+f'(a)(x-a)$ 上的纵坐标之差，点 $x^*=a-\dfrac{f(a)}{f'(a)}$ 即是此切线与 Ox 轴的交点(图 2.50).

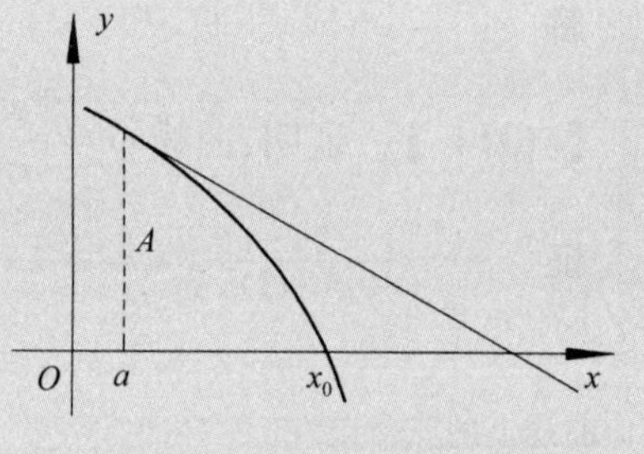

图 2.50

【1318】 若对于 (a,b) 内的任意两点 x_1 与 x_2 及任意两数 λ_1 与 λ_2 $(\lambda_1>0,\lambda_2>0,\lambda_1+\lambda_2=1)$ 有不等式

$$f(\lambda_1x_1+\lambda_2x_2)<\lambda_1f(x_1)+\lambda_2f(x_2)\ (\text{或 } f(\lambda_1x_1+\lambda_2x_2)>\lambda_1f(x_1)+\lambda_2f(x_2)),$$

则称函数 $f(x)$ 在区间 (a,b) 内是严格凸(凹)的.

证明：对二阶可微函数 $f(x)$，有

(1) 若当 $a<x<b$ 时，$f''(x)>0$，则函数 $f(x)$ 在 (a,b) 上是严格凸的；

(2) 若当 $a<x<b$ 时，$f''(x)<0$，则函数 $f(x)$ 在 (a,b) 上是严格凹的.

证 **方法一** 设 $\forall x_1,x_2\in(a,b)$，不妨设 $x_1<x_2$，考虑 $0\leqslant t\leqslant 1$ 上的函数

$$F(t)=f[(1-t)x_1+tx_2]-(1-t)f(x_1)-tf(x_2).$$

显然 $F(t)\in C^1[0,1]$，且满足 $F(0)=f(x_1)-f(x_1)=0$，$F(1)=f(x_2)-f(x_2)=0$，故由罗尔定理，$\exists t_0\in(0,1)$，使得

$$F'(t_0)=(x_2-x_1)f'[(1-t_0)x_1+t_0x_2]-[f(x_2)-f(x_1)]=0.$$

此外，当 $0\leqslant t\leqslant 1$ 时，有 $F''(t)=(x_2-x_1)^2f''[(1-t)x_1+tx_2]$.

(1) 若 $f''(x)>0\,(a<x<b)$. 由上式知 $F''(t)>0\,(0\leqslant t\leqslant 1)$，故 $F'(t)$ 在 $0\leqslant t\leqslant 1$ 上是严格递增的，又由 $F'(t_0)=0$，即知当 $0\leqslant t<t_0$ 时，$F'(t)<0$；当 $t_0<t\leqslant 1$ 时，$F'(t)>0$. 由此知，$F(t)$ 在 $0\leqslant t\leqslant t_0$

上严格递减，在 $t_0 \leqslant t \leqslant 1$ 上严格递增. 再由 $F(0)=0, F(1)=0$，即知当 $0<t<1$ 时，恒有 $F(t)<0$，当 $0<t<1$ 时，令 $t=\lambda_2, 1-t=\lambda_1$，则 $\lambda_1>0, \lambda_2>0, \lambda_1+\lambda_2=1$，且

$$F(\lambda_2)=f(\lambda_1 x_1+\lambda_2 x_2)-\lambda_1 f(x_1)-\lambda_2 f(x_2)<0,$$

$$\text{即 } f(\lambda_1 x_1+\lambda_2 x_2)<\lambda_1 f(x_1)+\lambda_2 f(x_2).$$

由此可知 $f(x)$ 在 (a,b) 上是严格凸的.

(2) 若 $f''(x)<0(a<x<b)$，则 $F''(t)<0(0\leqslant t\leqslant 1)$. 和(1) 情形完全类似地可推知：当 $0<t<1$ 时，恒有 $F(t)>0$. 由此即知

$$f(\lambda_1 x_1+\lambda_2 x_2)>\lambda_1 f(x_1)+\lambda_2 f(x_2),$$

故 $f(x)$ 在 (a,b) 上是严格凹的.

方法二 $\forall x_1, x_2 \in (a,b), \lambda_1>0, \lambda_2>0, \lambda_1+\lambda_2=1$. 不妨设 $x_1<x_2$，并令 $t=\lambda_1 x_1+\lambda_2 x_2$，则 $x_1<t<x_2$. 将函数 $f(x)$ 在 $x=t$ 点展开，得

$$f(x)=f(t)+f'(t)(x-t)+\frac{f''(\xi)}{2}(x-t)^2,$$

其中 $a<t<\xi<x$ 或 $a<x<\xi<t$. 将 $x=x_1$ 及 $x=x_2$ 代入，得

$$f(x_1)=f(t)+f'(t)(x_1-t)+\frac{f''(\xi_1)}{2}(x_1-t)^2,$$

$$f(x_2)=f(t)+f'(t)(x_2-t)+\frac{f''(\xi_2)}{2}(x_2-t)^2,$$

其中 ξ_1, ξ_2 分别是界于 x_1, t 及 x_2, t 之间的数. 因而有

$$\lambda_1 f(x_1)+\lambda_2 f(x_2)=(\lambda_1+\lambda_2)f(t)+[\lambda_1 x_1+\lambda_2 x_2-(\lambda_1+\lambda_2)t]f'(t)+\frac{1}{2}[\lambda_1(x_1-t)^2 f''(\xi_1)+\lambda_2(x_2-t)^2 f''(\xi_2)],$$

但 $t=\lambda_1 x_1+\lambda_2 x_2$ 及 $\lambda_1+\lambda_2=1$，故

$$[\lambda_1 f(x_1)+\lambda_2 f(x_2)]-f(\lambda_1 x_1+\lambda_2 x_2)=\frac{1}{2}[\lambda_1(x_1-t)^2 f''(\xi_1)+\lambda_2(x_2-t)^2 f''(\xi_2)].$$

由于 $\lambda_1>0, \lambda_2>0, (x_1-t)^2>0, (x_2-t)^2>0$，所以

$$[\lambda_1 f(x_1)+\lambda_2 f(x_2)]-f(\lambda_1 x_1+\lambda_2 x_2)$$

与 $f''(\xi_1), f''(\xi_2)$ 有同样的正负号.

综上：当 $f''(x)>0$ 时，$f(\lambda_1 x_1+\lambda_2 x_2)<\lambda_1 f(x_1)+\lambda_2 f(x_2)$，所以 $f(x)$ 在区间 (a,b) 内是严格凸的；当 $f''(x)<0$ 时，$f(\lambda_1 x_1+\lambda_2 x_2)>\lambda_1 f(x_1)+\lambda_2 f(x_2)$，所以 $f(x)$ 在区间 (a,b) 内是严格凹的.

注 原题将满足本题条件的函数定义为 (a,b) 内的凹凸函数，这里为区别于一般的凹凸函数定义，将之改为严格凹凸.

【1319】 证明：函数 $x^\alpha(\alpha>1)$，e^x，$x\ln x$ 在 $(0,+\infty)$ 内是严格凸的；而 $x^\alpha(0<\alpha<1)$，$\ln x$ 在区间 $(0,+\infty)$ 内是严格凹的.

证 (1) 设 $y=x^\alpha(\alpha>1)$，则 $y''=\alpha(\alpha-1)x^{\alpha-2}>0, x\in(0,+\infty)$，故 $y=x^\alpha(\alpha>1)$ 在区间 $(0,+\infty)$ 内是严格凸的. 但当 $0<\alpha<1$ 时，$y''<0$，故此时 $y=x^\alpha(0<\alpha<1)$ 在 $(0,+\infty)$ 内是严格凹的.

(2) 设 $y=e^x$，则 $y''=e^x>0$，故 $y=e^x$ 在 $(0,+\infty)$ 内是严格凸的.

(3) 设 $y=x\ln x$，则 $y''=\dfrac{1}{x}>0, x\in(0,+\infty)$，故 $y=x\ln x$ 在 $(0,+\infty)$ 内严格凸.

(4) 设 $y=\ln x$，则 $y''=-\dfrac{1}{x^2}<0, x\in(0,+\infty)$，故 $y=\ln x$ 在 $(0,+\infty)$ 内严格凹.

【1320】 证明下列不等式，并解释其几何意义：

(1) $\dfrac{1}{2}(x^n+y^n)>\left(\dfrac{x+y}{2}\right)^n, x>0, y>0, x\neq y, n>1$；

(2) $\dfrac{e^x+e^y}{2}>e^{\frac{x+y}{2}}, x\neq y$;

(3) $x\ln x+y\ln y>(x+y)\ln\dfrac{x+y}{2}, x>0, y>0$.

证 已知,若函数 $f(x)$ 在区间 (a,b) 内是凸的,则对于 (a,b) 中的任意两点 x 和 y 有

$$\frac{1}{2}[f(x)+f(y)]>f\left(\frac{x+y}{2}\right).$$

于是,由上题可知:

(1) 设 $f(x)=x^n$, $(x>0, n>1)$,则 $f(x)$ 在 $(0,+\infty)$ 内是严格凸的. 于是,对 $\forall x,y\in(0,+\infty)$,有

$$\frac{x^n+y^n}{2}>\left(\frac{x+y}{2}\right)^n.$$

(2) 设 $f(x)=e^x$,则 $f(x)$ 在 $(-\infty,+\infty)$ 内是严格凸的. 于是,对 $\forall x,y\in(-\infty,+\infty)$,有

$$\frac{e^x+e^y}{2}>e^{\frac{x+y}{2}}.$$

(3) 设 $f(x)=x\ln x$,则 $f(x)$ 在 $(0,+\infty)$ 内严格凸. 于是,对 $\forall x,y\in(0,+\infty)$,有

$$x\ln x+y\ln y>(x+y)\ln\frac{x+y}{2}.$$

几何意义:连接点 $(x,f(x))$ 及 $(y,f(y))$ 的弦的中点始终位于曲线上对应点(具有相同横坐标)的上方.

【1321】 证明:有界的凸函数处处连续,并存在左导数及右导数.

证 设 $f(x)$ 在 (a,b) 内是凸的, $\forall x_0\in(a,b)$,下证 $f(x)$ 在点 x_0 连续,且有左导数及右导数.

取 $(x_0-\delta,x_0+\delta)\subset(a,b)$,记 $M=\max\{f(x_0-\delta),f(x_0+\delta)\}$,设 $0<|x-x_0|<\delta$. 记 $t=\dfrac{|x-x_0|}{\delta}$,则 $0<t<1$.

当 $x_0<x<x_0+\delta$ 时,有

$$x=t(x_0+\delta)+(1-t)x_0 \text{ 及 } x_0=\frac{1}{1+t}x+\frac{t}{1+t}(x_0-\delta).$$

由于 $f(x)$ 为凸函数,故有

$$f(x)\leqslant tf(x_0+\delta)+(1-t)f(x_0)\leqslant tM+(1-t)f(x_0),$$

$$\text{即 } f(x)-f(x_0)\leqslant t[M-f(x_0)],$$

$$f(x_0)\leqslant\frac{1}{1+t}f(x)+\frac{t}{1+t}f(x_0-\delta)\leqslant\frac{f(x)+tM}{1+t},$$

$$\text{即 } -t[M-f(x_0)]\leqslant f(x)-f(x_0).$$

从而 $M-f(x_0)>0$,且

$$|f(x)-f(x_0)|\leqslant t[M-f(x_0)]=\frac{[M-f(x_0)]}{\delta}\cdot|x-x_0|. \qquad ①$$

当 $x_0-\delta<x<x_0$ 时,类似地也可导出 ① 式,故当 $0<|x-x_0|<\delta$ 时,① 式恒成立. 由此显然有 $\lim\limits_{x\to x_0}f(x)=f(x_0)$,即凸函数 $f(x)$ 在点 x_0 连续.

设 $0<h_1<h_2$,对 $x_0<x_0+h_1<x_0+h_2$ (这里取充分小的 h_2,使 $x_0+h_2\in(a,b)$),则有

$$\frac{f(x_0+h_1)-f(x_0)}{h_1}\leqslant\frac{f(x_0+h_2)-f(x_0)}{h_2}.$$

令 $F(h)=\dfrac{f(x_0+h)-f(x_0)}{h}$,由上式可知 $F(h)$ 为增函数. $\forall x'\in(a,b)$ 且 $x'<x_0$,则对任何 $h>0$,只要 $x_0+h\in(a,b)$,也有

$$\frac{f(x_0)-f(x')}{x_0-x'}\leqslant\frac{f(x_0+h)-f(x_0)}{h}=F(h).$$

由于上式左端是一个定数，因而函数 $F(h)$ 在 $(0,h_2)$ 上有下界，由单调有界定理知 $\lim\limits_{h\to 0^+}F(h)$ 存在，即 $f'_+(x_0)$ 存在.

同理，可证左导数 $f'_-(x_0)$ 也存在.

注 (1) 本题不需假定凸函数有界，证明中也未用到有界这个条件，参看 E. C. Tichmarsh 的《The Theory of Functions》§ 5. 31.

(2) 若以较弱的不等式 $f\left(\frac{x_1+x_2}{2}\right)<\frac{1}{2}f(x_1)+\frac{1}{2}f(x_2)(x_1\neq x_2)$ 作为凸函数的定义，则需加上凸函数有界这个条件，才能推出它连续并且左、右导数都存在. 参看G. Pólya，G. Szegø 的《Problems and Theorems in Analysis》Vol. I，70 题和 124 题.

【1322】 设函数 $f(x)$ 在区间 (a,b) 内二阶可微，且 $f''(\xi)\neq 0$，其中 $a<\xi<b$. 证明：在区间 (a,b) 中可找出两个值 x_1 与 x_2，满足 $\frac{f(x_2)-f(x_1)}{x_2-x_1}=f'(\xi)$.

证 不妨设 $f''(\xi)>0$. 考察 $f'(\xi)$，分两种情形：

(1) 若 $f'(\xi)=0$，则由 $f''(\xi)>0$ 知 $f(\xi)$ 为极小值. 从而 $\exists\delta>0$，在 $[\xi-\delta,\xi+\delta]\subset(a,b)$ 上函数 $f(x)$ 在 ξ 的左侧单调下降，在 ξ 的右侧单调上升.

如果 $f(\xi-\delta)=f(\xi+\delta)$，则取 $x_1=\xi-\delta,x_2=\xi+\delta$，即可满足要求；

如果 $f(\xi-\delta)<f(\xi+\delta)$，则取 $x_1=\xi-\delta$，而在 $[\xi,\xi+\delta]$ 上函数值 $f(x_1)$ 介于 $f(\xi)$ 与 $f(\xi+\delta)$ 之间. 由于 $f(x)$ 在 $[\xi,\xi+\delta]$ 上单调上升，故 $\exists x_2\in(\xi,\xi+\delta)$，使 $f(x_2)=f(x_1)$，从而题中的等式成立；

如果 $f(\xi-\delta)>f(\xi+\delta)$，仿前也可取得两点 x_1 及 x_2，使 $f(x_2)=f(x_1)$. 这时题中等式得证.

(2) 若 $f'(\xi)\neq 0$，则设 $F(x)=f(x)-f'(\xi)x$，从而有

$$F'(\xi)=f'(\xi)-f'(\xi)=0,\text{且 }F''(\xi)=f''(\xi)>0.$$

对于函数 $F(x)$，应用上述(1) 的推证方法，总存在两点 x_1 及 x_2，使 $F(x_1)=F(x_2)$，也即

$$f(x_1)-f'(\xi)x_1=f(x_2)-f'(\xi)x_2,$$

解得 $f'(\xi)=\frac{f(x_2)-f(x_1)}{x_2-x_1}$. 从而，命题得证.

【1323】 证明：若函数 $f(x)$ 在无穷区间 $(x_0,+\infty)$ 内二阶可微，且

$$\lim_{x\to x_0^+}f(x)=0,\ \lim_{x\to+\infty}f(x)=0,$$

则在区间 $(x_0,+\infty)$ 内至少有一点 ξ，满足 $f''(\xi)=0$.

证 反证法. 假设不存在 ξ，使 $f''(\xi)=0$，则当 $x>x_0$ 时，或者 $f''(x)>0$，或者 $f''(x)<0$. 若否，则存在点 a 与 b，使得 $f''(a)<0$ 及 $f''(b)>0$，则由导函数的介值定理可知，$\exists c\in(a,b)$，使得 $f''(c)=0$，这与假设矛盾. 因此，不妨设 $f''(x)>0$，则函数 $f(x)$ 是严格凸的，任一点的切线都位于曲线 $f(x)$ 的下方. 再由

$$\lim_{x\to x_0^+}f(x)=0,\ \lim_{x\to+\infty}f(x)=0$$

与 $f(x)$ 的可微性，利用 1237 题的结果，即知在 $(x_0,+\infty)$ 中至少存在一点 c_1，使 $f'(c_1)=0$.

由 $f''(x)>0$ 易知 $f'(x)$ 递增，从而当 $x>c_1$ 时，$f'(x)>0$. 取 $c_2>c_1$，则 $f'(c_2)>0$. 过点 $(c_2,f(c_2))$ 作曲线 $y=f(x)$ 的切线，其方程为

$$Y(x)=f(c_2)+f'(c_2)(x-c_2),$$

易知 $\lim\limits_{x\to+\infty}Y(x)=+\infty$，而 $f(x)-Y(x)>0$，从而应有 $\lim\limits_{x\to+\infty}f(x)=+\infty$，这与 $\lim\limits_{x\to+\infty}f(x)=0$ 矛盾. 同样，对于 $f''(x)<0$ 的情况也可推出以上结论.

于是，在区间 $(x_0,+\infty)$ 内至少有一点 ξ，使 $f''(\xi)=0$.

注 导函数介值定理：若函数 $g(x)$ 在 $[a,b]$ 上可导，且 $g'_+(a)g'_-(b)<0$，则在 (a,b) 内至少有一点 c，使 $g'(c)=0$。

证 不妨设 $g'_+(a)<0$，$g'_-(b)>0$，由 $g'_+(a)=\lim\limits_{x\to a^+}\dfrac{g(x)-g(a)}{x-a}<0$ 知，则 $\exists\delta_1>0$，当 $x\in(a,a+\delta_1)$ 时，有 $\dfrac{g(x)-g(a)}{x-a}<0$，即当 $x\in(a,a+\delta_1)$ 时，有 $g(x)<g(a)$；

由 $g'_-(b)=\lim\limits_{x\to b^-}\dfrac{g(x)-g(b)}{x-b}>0$ 知，则 $\exists\delta_2>0$，当 $x\in(b-\delta_2,b)$ 时，有 $\dfrac{g(x)-g(b)}{x-b}>0$，即当 $x\in(b-\delta_2,b)$ 时，有 $g(x)<g(b)$；

由此可知 $g(x)$ 在 $[a,b]$ 上的最小值必在 (a,b) 内某点 c 达到，从而必有 $g'(c)=0$。

在本题中，可设 $g(x)=f'(x)$，则由 $g'(a)=f''(a)<0$ 及 $g'(b)=f''(b)>0$ 可知在 a 与 b 之间必有 c 存在，使 $g'(c)=0$，即 $f''(c)=0$。

第9节 未定式的求法（习题1324—1379）

知识点预览

序号	知识点	题目序号	所在页码
1	$\frac{0}{0}$ 型未定式	1324—1345	P134
2	$\frac{\infty}{\infty}$ 型未定式	1346—1351	P138
3	其他未定式	1352—1379	P139

知识点1 $\frac{0}{0}$ 型未定式

洛必达法则情形 Ⅰ 未定式 $\dfrac{0}{0}$ 的求值法.

若函数 $f(x)$ 和 $g(x)$ 满足：

(1) $f(x)$ 和 $g(x)$ 在点 x_0 的某空心邻域 $U^\circ(x_0)$ 内都可导，且 $g'(x)\neq0$；

(2) $\lim\limits_{x\to x_0}f(x)=0$，$\lim\limits_{x\to x_0}g(x)=0$；

(3) $\lim\limits_{x\to x_0}\dfrac{f'(x)}{g'(x)}=A$（$A$ 可为实数，也可为 $\pm\infty$ 或 ∞），则

$$\lim_{x\to x_0}\frac{f(x)}{g(x)}=\lim_{x\to x_0}\frac{f'(x)}{g'(x)}=A.$$

注 将 $x\to x_0$ 换成 $x\to x_0^+$，$x\to x_0^-$，$x\to\pm\infty$，$x\to\infty$，只要相应地修正条件(1)中的邻域，也可得到同样的结论.

习题 1324—1345 求$\frac{0}{0}$型未定式极限

【求出下列函数的极限(1324—1345)】

【1324】 $\lim\limits_{x\to 0}\frac{\sin ax}{\sin bx}$.

解 $\lim\limits_{x\to 0}\frac{\sin ax}{\sin bx}=\lim\limits_{x\to 0}\frac{a\cos ax}{b\cos bx}=\frac{a}{b}$.

【1325】 $\lim\limits_{x\to 0}\frac{\mathrm{ch}\,x-\cos x}{x^2}$.

解 $\lim\limits_{x\to 0}\frac{\mathrm{ch}\,x-\cos x}{x^2}=\lim\limits_{x\to 0}\frac{\mathrm{sh}\,x+\sin x}{2x}=\lim\limits_{x\to 0}\frac{\mathrm{ch}\,x+\cos x}{2}=1$.

【1326】 $\lim\limits_{x\to 0}\frac{\tan x-x}{x-\sin x}$.

解 $\lim\limits_{x\to 0}\frac{\tan x-x}{x-\sin x}=\lim\limits_{x\to 0}\frac{\sec^2 x-1}{1-\cos x}=\lim\limits_{x\to 0}\frac{1+\cos x}{\cos^2 x}=2$.

【1327】 $\lim\limits_{x\to 0}\frac{3\tan 4x-12\tan x}{3\sin 4x-12\sin x}$.

解 $\lim\limits_{x\to 0}\frac{3\tan 4x-12\tan x}{3\sin 4x-12\sin x}=\lim\limits_{x\to 0}\frac{12\sec^2 4x-12\sec^2 x}{12\cos 4x-12\cos x}=\lim\limits_{x\to 0}\frac{\sec^2 4x-\sec^2 x}{\cos 4x-\cos x}$

$$=-\lim_{x\to 0}\frac{\cos 4x+\cos x}{\cos^2 x\cos^2 4x}=-2.$$

【1328】 $\lim\limits_{x\to\frac{\pi}{2}}\frac{\tan 3x}{\tan x}$.

解 $\lim\limits_{x\to\frac{\pi}{2}}\frac{\tan 3x}{\tan x}=\lim\limits_{x\to\frac{\pi}{2}}\frac{3\sec^2 3x}{\sec^2 x}=3\lim\limits_{x\to\frac{\pi}{2}}\frac{\cos^2 x}{\cos^2 3x}=3\lim\limits_{x\to\frac{\pi}{2}}\frac{-2\cos x\sin x}{-6\cos 3x\sin 3x}$

$$=\lim_{x\to\frac{\pi}{2}}\frac{\cos x}{\cos 3x}\cdot\lim_{x\to\frac{\pi}{2}}\frac{\sin x}{\sin 3x}=-\lim_{x\to\frac{\pi}{2}}\frac{\cos x}{\cos 3x}=-\lim_{x\to\frac{\pi}{2}}\frac{-\sin x}{-3\sin 3x}=\frac{1}{3}.$$

【1329】 $\lim\limits_{x\to 0}\frac{x\cot x-1}{x^2}$.

解 $\lim\limits_{x\to 0}\frac{x\cot x-1}{x^2}=\lim\limits_{x\to 0}\frac{x-\tan x}{x^2\tan x}=\lim\limits_{x\to 0}\frac{x-\tan x}{x^3}$

$$=\lim_{x\to 0}\frac{1-\sec^2 x}{3x^2}=-\frac{1}{3}\lim_{x\to 0}\frac{\tan^2 x}{x^2}=-\frac{1}{3}.$$

【1330】 $\lim\limits_{x\to\frac{\pi}{4}}\frac{\sqrt[3]{\tan x}-1}{2\sin^2 x-1}$.

解 $\lim\limits_{x\to\frac{\pi}{4}}\frac{\sqrt[3]{\tan x}-1}{2\sin^2 x-1}=-\lim\limits_{x\to\frac{\pi}{4}}\frac{\sqrt[3]{\tan x}-1}{\cos 2x}=\lim\limits_{x\to\frac{\pi}{4}}\frac{\frac{1}{3\sqrt[3]{\tan^2 x}}\sec^2 x}{2\sin 2x}=\frac{1}{3}$.

【1331】 $\lim\limits_{x\to 0}\frac{x(\mathrm{e}^x+1)-2(\mathrm{e}^x-1)}{x^3}$.

解 $\lim\limits_{x\to 0}\frac{x(\mathrm{e}^x+1)-2(\mathrm{e}^x-1)}{x^3}=\lim\limits_{x\to 0}\frac{\mathrm{e}^x+1+x\mathrm{e}^x-2\mathrm{e}^x}{3x^2}=\lim\limits_{x\to 0}\frac{1-\mathrm{e}^x+x\mathrm{e}^x}{3x^2}$

$$=\lim_{x\to 0}\frac{-\mathrm{e}^x+\mathrm{e}^x+x\mathrm{e}^x}{6x}=\lim_{x\to 0}\frac{\mathrm{e}^x}{6}=\frac{1}{6}.$$

【1332】 $\lim\limits_{x\to 0}\frac{1-\cos x^2}{x^2\sin x^2}$.

解 方法一 $\lim\limits_{x\to0}\dfrac{1-\cos x^2}{x^2\sin x^2}\xlongequal{t=x^2}\lim\limits_{t\to0}\dfrac{1-\cos t}{t\sin t}=\lim\limits_{t\to0}\dfrac{\sin t}{\sin t+t\cos t}=\lim\limits_{t\to0}\dfrac{\cos t}{2\cos t-t\sin t}=\dfrac{1}{2}.$

方法二 $\lim\limits_{x\to0}\dfrac{1-\cos x^2}{x^2\sin x^2}\xlongequal{t=x^2}\lim\limits_{t\to0}\dfrac{1-\cos t}{t\sin t}=\lim\limits_{t\to0}\dfrac{1-\cos t}{t^2}=\lim\limits_{t\to0}\dfrac{\frac{t^2}{2}}{t^2}=\dfrac{1}{2}.$

【1333】 $\lim\limits_{x\to0}\dfrac{\arcsin 2x-2\arcsin x}{x^3}.$

解 $\lim\limits_{x\to0}\dfrac{\arcsin 2x-2\arcsin x}{x^3}=\lim\limits_{x\to0}\dfrac{\dfrac{2}{\sqrt{1-4x^2}}-\dfrac{2}{\sqrt{1-x^2}}}{3x^2}$

$=\dfrac{2}{3}\lim\limits_{x\to0}\dfrac{\sqrt{1-x^2}-\sqrt{1-4x^2}}{x^2\sqrt{1-4x^2}\sqrt{1-x^2}}=\dfrac{2}{3}\lim\limits_{x\to0}\dfrac{\sqrt{1-x^2}-\sqrt{1-4x^2}}{x^2}$

$=\dfrac{2}{3}\lim\limits_{x\to0}\dfrac{3x^2}{x^2(\sqrt{1-x^2}+\sqrt{1-4x^2})}=2\lim\limits_{x\to0}\dfrac{1}{\sqrt{1-x^2}+\sqrt{1-4x^2}}=1.$

【1334】 $\lim\limits_{x\to0}\dfrac{1}{x\sqrt{x}}\left(\sqrt{a}\arctan\sqrt{\dfrac{x}{a}}-\sqrt{b}\arctan\sqrt{\dfrac{x}{b}}\right).$

解 $\lim\limits_{x\to0}\dfrac{\dfrac{\sqrt{a}}{1+\frac{x}{a}}\cdot\dfrac{1}{2\sqrt{a}\sqrt{x}}-\dfrac{\sqrt{b}}{1+\frac{x}{b}}\cdot\dfrac{1}{2\sqrt{b}\sqrt{x}}}{\frac{3}{2}\sqrt{x}}=\lim\limits_{x\to0}\dfrac{\dfrac{a}{x+a}-\dfrac{b}{x+b}}{3x}$

$=\lim\limits_{x\to0}\dfrac{(a-b)x}{3x(x+a)(x+b)}=\lim\limits_{x\to0}\dfrac{a-b}{3(x+a)(x+b)}=\dfrac{a-b}{3ab}.$

【1335】 $\lim\limits_{x\to0}\dfrac{a^x-a^{\sin x}}{x^3}.$

解 $\lim\limits_{x\to0}\dfrac{a^x-a^{\sin x}}{x^3}=\lim\limits_{x\to0}\dfrac{a^{\sin x}(a^{x-\sin x}-1)}{x^3}=\lim\limits_{x\to0}\dfrac{a^{x-\sin x}-1}{x^3}=\lim\limits_{x\to0}\dfrac{(x-\sin x)\ln a}{x^3}$

$=\ln a\cdot\lim\limits_{x\to0}\dfrac{x-\sin x}{x^3}=\ln a\cdot\lim\limits_{x\to0}\dfrac{1-\cos x}{3x^2}=\ln a\cdot\lim\limits_{x\to0}\dfrac{\frac{x^2}{2}}{3x^2}=\dfrac{\ln a}{6}.$

【1336】 $\lim\limits_{x\to1}\dfrac{x^x-x}{\ln x-x+1}.$

解 $\lim\limits_{x\to1}\dfrac{x^x-x}{\ln x-x+1}=\lim\limits_{x\to1}\dfrac{x^x(\ln x+1)-1}{\dfrac{1}{x}-1}=\lim\limits_{x\to1}\dfrac{x^x(\ln x+1)^2+x^{x-1}}{-\dfrac{1}{x^2}}=-2.$

【1337】 $\lim\limits_{x\to0}\dfrac{\ln(\sin ax)}{\ln(\sin bx)}.$

解 $\lim\limits_{x\to0}\dfrac{\ln(\sin ax)}{\ln(\sin bx)}=\lim\limits_{x\to0}\dfrac{a\sin bx\cos ax}{b\sin ax\cos bx}=\dfrac{a}{b}\lim\limits_{x\to0}\dfrac{\sin bx}{\sin ax}\cdot\lim\limits_{x\to0}\dfrac{\cos ax}{\cos bx}$

$=\dfrac{a}{b}\lim\limits_{x\to0}\dfrac{\sin bx}{\sin ax}=\dfrac{a}{b}\lim\limits_{x\to0}\dfrac{bx}{ax}=\dfrac{a}{b}\cdot\dfrac{b}{a}=1.$

【1338】 $\lim\limits_{x\to0}\dfrac{\ln(\cos ax)}{\ln(\cos bx)}.$

解 $\lim\limits_{x\to0}\dfrac{\ln(\cos ax)}{\ln(\cos bx)}=\lim\limits_{x\to0}\left(\dfrac{a\sin ax}{b\sin bx}\cdot\dfrac{\cos bx}{\cos ax}\right)=\dfrac{a}{b}\lim\limits_{x\to0}\dfrac{\sin ax}{\sin bx}\cdot\lim\limits_{x\to0}\dfrac{\cos bx}{\cos ax}$

$=\dfrac{a}{b}\lim\limits_{x\to0}\dfrac{\sin ax}{\sin bx}=\dfrac{a}{b}\lim\limits_{x\to0}\dfrac{ax}{bx}=\left(\dfrac{a}{b}\right)^2.$

【1339】 $\lim\limits_{x\to0}\dfrac{\cos(\sin x)-\cos x}{x^4}.$

解 $\lim\limits_{x\to0}\dfrac{\cos(\sin x)-\cos x}{x^4}=\lim\limits_{x\to0}\dfrac{2\sin\dfrac{x+\sin x}{2}\sin\dfrac{x-\sin x}{2}}{x^4}$

$$=\lim_{x\to0}\frac{2\cdot\dfrac{x+\sin x}{2}\cdot\dfrac{x-\sin x}{2}}{x^4}=\frac{1}{2}\lim_{x\to0}\frac{x+\sin x}{x}\cdot\frac{x-\sin x}{x^3}$$

$$=\frac{1}{2}\lim_{x\to0}\frac{x+\sin x}{x}\cdot\lim_{x\to0}\frac{x-\sin x}{x^3}=\lim_{x\to0}\frac{x-\sin x}{x^3}=\lim_{x\to0}\frac{1-\cos x}{3x^2}=\lim_{x\to0}\frac{\frac{x^2}{2}}{3x^2}=\frac{1}{6}.$$

【1340】 $\lim\limits_{x\to0}\dfrac{1}{x}\left(\dfrac{1}{\operatorname{th}x}-\dfrac{1}{\tan x}\right)$.

解 $\lim\limits_{x\to0}\dfrac{1}{x}\left(\dfrac{1}{\operatorname{th}x}-\dfrac{1}{\tan x}\right)=\lim\limits_{x\to0}\left(-\dfrac{1}{\operatorname{th}^2x}\cdot\dfrac{1}{\operatorname{ch}^2x}+\dfrac{1}{\sin^2x}\right)=\lim\limits_{x\to0}\dfrac{\operatorname{sh}^2x-\sin^2x}{\sin^2x\operatorname{sh}^2x}$

$$=\lim_{x\to0}\frac{\operatorname{sh}^2x-\sin^2x}{x^2\cdot x^2}=\lim_{x\to0}\frac{\operatorname{sh}2x-\sin 2x}{4x^3}=\lim_{x\to0}\frac{2\operatorname{ch}2x-2\cos 2x}{12x^2}$$

$$=\frac{1}{6}\lim_{x\to0}\frac{\operatorname{ch}2x-\cos 2x}{x^2}=\frac{1}{6}\lim_{x\to0}\frac{2\operatorname{sh}2x+2\sin 2x}{2x}$$

$$=\frac{1}{3}\lim_{x\to0}\frac{\operatorname{sh}2x+\sin 2x}{2x}=\frac{2}{3}.$$

【1341】 $\lim\limits_{x\to0}\dfrac{\operatorname{arsh}(\operatorname{sh}x)-\operatorname{arsh}(\sin x)}{\operatorname{sh}x-\sin x}$，其中 $\operatorname{arsh}x=\ln(x+\sqrt{1+x^2})$.

解 $\lim\limits_{x\to0}\dfrac{\operatorname{arsh}(\operatorname{sh}x)-\operatorname{arsh}(\sin x)}{\operatorname{sh}x-\sin x}=\lim\limits_{x\to0}\dfrac{x-\ln(\sin x+\sqrt{1+\sin^2x})}{\operatorname{sh}x-\sin x}$

$$=\lim_{x\to0}\frac{1-\dfrac{\cos x+\dfrac{\sin x\cos x}{\sqrt{1+\sin^2x}}}{\sin x+\sqrt{1+\sin^2x}}}{\operatorname{ch}x-\cos x}=\lim_{x\to0}\frac{1-\dfrac{\cos x}{\sqrt{1+\sin^2x}}}{\operatorname{ch}x-\cos x}$$

$$=\lim_{x\to0}\frac{\dfrac{\sin x\cdot\sqrt{1+\sin^2x}+\dfrac{\cos^2x\sin x}{\sqrt{1+\sin^2x}}}{1+\sin^2x}}{\operatorname{sh}x+\sin x}=\lim_{x\to0}\frac{\dfrac{2\sin x}{(1+\sin^2x)^{\frac{3}{2}}}}{\operatorname{sh}x+\sin x}$$

$$=\lim_{x\to0}\frac{2\sin x}{\operatorname{sh}x+\sin x}\cdot\lim_{x\to0}(1+\sin^2x)^{\frac{3}{2}}=\lim_{x\to0}\frac{2\sin x}{\operatorname{sh}x+\sin x}=\lim_{x\to0}\frac{2\cos x}{\operatorname{ch}x+\cos x}=1.$$

【1342】 $\lim\limits_{x\to a}\dfrac{a^x-x^a}{x-a}\ (a>0)$.

解 $\lim\limits_{x\to a}\dfrac{a^x-x^a}{x-a}=\lim\limits_{x\to a}(a^x\ln a-ax^{a-1})=a^a(\ln a-1)$.

【1343】 $\lim\limits_{x\to0}\dfrac{(1+x)^{\frac{1}{x}}-\mathrm{e}}{x}$.

解 $\lim\limits_{x\to0}\dfrac{(1+x)^{\frac{1}{x}}-\mathrm{e}}{x}=\lim\limits_{x\to0}\dfrac{\mathrm{e}^{\frac{\ln(1+x)}{x}}-\mathrm{e}}{x}=\mathrm{e}\lim\limits_{x\to0}\dfrac{\mathrm{e}^{\frac{\ln(1+x)}{x}-1}-1}{x}=\mathrm{e}\lim\limits_{x\to0}\dfrac{\ln(1+x)-x}{x^2}$

$$=\mathrm{e}\lim_{x\to0}\frac{\dfrac{1}{1+x}-1}{2x}=-\mathrm{e}\lim_{x\to0}\frac{1}{2(1+x)}=-\frac{\mathrm{e}}{2}.$$

【1344】 $\lim\limits_{x\to0}\dfrac{(a+x)^x-a^x}{x^2}\ (a>0)$.

解 $\lim\limits_{x\to0}\dfrac{(a+x)^x-a^x}{x^2}=\lim\limits_{x\to0}\dfrac{(a+x)^x\left[\ln(a+x)+\dfrac{x}{a+x}\right]-a^x\ln a}{2x}$

$$=\frac{1}{2}\lim_{x\to0}\left\{(a+x)^x\left[\ln(a+x)+\frac{x}{a+x}\right]^2+(a+x)^x\left[\frac{1}{a+x}+\frac{a}{(a+x)^2}\right]-a^x\ln^2a\right\}=\frac{1}{a}.$$

【1345】 $\lim\limits_{x\to0}\dfrac{\ln(\operatorname{ch}x)}{\sqrt[m]{\operatorname{ch}x}-\sqrt[n]{\operatorname{ch}x}}$.

解 $$\lim_{x\to0}\frac{\ln(\operatorname{ch}x)}{\sqrt[m]{\operatorname{ch}x}-\sqrt[n]{\operatorname{ch}x}}=\lim_{x\to0}\frac{\operatorname{th}x}{\operatorname{sh}x\left[\frac{1}{m}(\operatorname{ch}x)^{\frac{1}{m}-1}-\frac{1}{n}(\operatorname{ch}x)^{\frac{1}{n}-1}\right]}$$

$$=\lim_{x\to0}\frac{1}{\operatorname{ch}x\left[\frac{1}{m}(\operatorname{ch}x)^{\frac{1}{m}-1}-\frac{1}{n}(\operatorname{ch}x)^{\frac{1}{n}-1}\right]}=\frac{1}{\frac{1}{m}-\frac{1}{n}}=\frac{mn}{n-m}.$$

知识点2 $\frac{\infty}{\infty}$ 型未定式

洛必达法则情形Ⅱ 未定式$\frac{\infty}{\infty}$的求值法.

若函数 $f(x)$ 和 $g(x)$ 满足:

(1) $f(x)$ 和 $g(x)$ 在点 x_0 的某右空心邻域 $U_+^{\circ}(x_0)$ 内都可导,且 $g'(x)\neq0$;

(2) $\lim\limits_{x\to x_0^+}f(x)=\lim\limits_{x\to x_0^+}g(x)=\infty$;

(3) $\lim\limits_{x\to x_0^+}\dfrac{f'(x)}{g'(x)}=A$($A$ 可为实数,也可为 $\pm\infty$ 或 ∞),则

$$\lim_{x\to x_0^+}\frac{f(x)}{g(x)}=\lim_{x\to x_0^+}\frac{f'(x)}{g'(x)}=A.$$

·知识拓展·

若函数 $f(x)$ 和 $g(x)$ 满足:

(1) $f(x)$ 和 $g(x)$ 在点 x_0 的某右空心邻域 $U_+^{\circ}(x_0)$ 内都可导,且 $g'(x)\neq0$;

(2) $\lim\limits_{x\to x_0^+}g(x)=\infty$;

(3) $\lim\limits_{x\to x_0^+}\dfrac{f'(x)}{g'(x)}=A$($A$ 可为实数,也可为 $\pm\infty$ 或 ∞),则

$$\lim_{x\to x_0^+}\frac{f(x)}{g(x)}=\lim_{x\to x_0^+}\frac{f'(x)}{g'(x)}=A.$$

注 将 $x\to x_0^+$ 换成 $x\to x_0$,$x\to x_0^-$,$x\to\pm\infty$,$x\to\infty$,只要相应地修正条件(1)中的邻域,也可得到同样的结论.

习题 1346—1351 求$\frac{\infty}{\infty}$型未定式极限

【1346】 $\lim\limits_{x\to+\infty}\dfrac{\ln x}{x^{\varepsilon}}(\varepsilon>0)$.

解 $$\lim_{x\to+\infty}\frac{\ln x}{x^{\varepsilon}}=\lim_{x\to+\infty}\frac{\frac{1}{x}}{\varepsilon x^{\varepsilon-1}}=\lim_{x\to+\infty}\frac{1}{\varepsilon x^{\varepsilon}}=0.$$

【1347】 $\lim\limits_{x\to+\infty}\dfrac{x^n}{e^{ax}}(a>0,n>0)$.

解 若 n 是正整数，则 $\lim\limits_{x\to+\infty}\dfrac{x^n}{e^{ax}}=\lim\limits_{x\to+\infty}\dfrac{nx^{n-1}}{ae^{ax}}=\cdots=\lim\limits_{x\to+\infty}\dfrac{n!}{a^n e^{ax}}=0$；

若 n 不是正整数，则 $[n]<n<[n]+1$. 于是

$$\frac{x^{[n]}}{e^{ax}}<\frac{x^n}{e^{ax}}<\frac{x^{[n]+1}}{e^{ax}}\ (x>1),$$

而 $\lim\limits_{x\to+\infty}\dfrac{x^{[n]}}{e^{ax}}=0$ 且 $\lim\limits_{x\to+\infty}\dfrac{x^{[n]+1}}{e^{ax}}=0$，由迫敛性知 $\lim\limits_{x\to+\infty}\dfrac{x^n}{e^{ax}}=0$.

于是，对于任意的 $a>0,n>0$ 均有 $\lim\limits_{x\to+\infty}\dfrac{x^n}{e^{ax}}=0$.

【1348】 $\lim\limits_{x\to0}\dfrac{e^{-\frac{1}{x^2}}}{x^{100}}$.

解 $\lim\limits_{x\to0}\dfrac{e^{-\frac{1}{x^2}}}{x^{100}}\xlongequal{t=\frac{1}{x^2}}\lim\limits_{t\to+\infty}\dfrac{t^{50}}{e^t}=\lim\limits_{t\to+\infty}\dfrac{50t^{49}}{e^t}=\cdots=\lim\limits_{t\to+\infty}\dfrac{50!}{e^t}=0$.

【1349】 $\lim\limits_{x\to+\infty}x^2e^{-0.01x}$.

解 $\lim\limits_{x\to+\infty}x^2e^{-0.01x}=\lim\limits_{x\to+\infty}\dfrac{x^2}{e^{0.01x}}=\lim\limits_{x\to+\infty}\dfrac{2x}{0.01e^{0.01x}}=\lim\limits_{x\to+\infty}\dfrac{2}{0.0001e^{0.01x}}=0$.

【1350】 $\lim\limits_{x\to1^-}\ln x\cdot\ln(1-x)$.

解 $$\lim\limits_{x\to1^-}\ln x\cdot\ln(1-x)=\lim\limits_{x\to1^-}\frac{\ln(1-x)}{\frac{1}{\ln x}}=\lim\limits_{x\to1^-}\frac{-\frac{1}{1-x}}{-\frac{1}{x\ln^2 x}}=\lim\limits_{x\to1^-}\frac{x\ln^2 x}{1-x}$$

$$=\lim\limits_{x\to1^-}\frac{\ln^2 x+2\ln x}{-1}=0.$$

【1351】 $\lim\limits_{x\to0^+}x^{\varepsilon}\ln x(\varepsilon>0)$.

解 $\lim\limits_{x\to0^+}x^{\varepsilon}\ln x=\lim\limits_{x\to0^+}\dfrac{\ln x}{x^{-\varepsilon}}=\lim\limits_{x\to0^+}\dfrac{\frac{1}{x}}{-\varepsilon x^{-\varepsilon-1}}=-\lim\limits_{x\to0^+}\dfrac{x^{\varepsilon}}{\varepsilon}=0$.

知识点3 其他未定式

利用代数变形与取对数的方法，可使未定式 $0\cdot\infty,\infty-\infty,1^{\infty},0^0,\infty^0$ 等的求值法化为 $\dfrac{0}{0}$ 与 $\dfrac{\infty}{\infty}$ 这两个基本类型的未定式的求法.

习题1352—1379 其他类型的未定式极限

【求下列极限(1352—1374)】

【1352】 $\lim\limits_{x\to0^+}x^x$.

解 $\lim\limits_{x\to0^+}x^x=\lim\limits_{x\to0^+}e^{x\ln x}=e^{\lim\limits_{x\to0^+}x\ln x}=e^{\lim\limits_{x\to0^+}\frac{\ln x}{x^{-1}}}=e^{\lim\limits_{x\to0^+}\frac{x^{-1}}{-x^{-2}}}=e^0=1$.

【1353】 $\lim\limits_{x\to0^+}x^{x^x-1}$

解 $\lim\limits_{x\to0^+}x^{x^x-1}=\lim\limits_{x\to0^+}e^{(x^x-1)\ln x}=\lim\limits_{x\to0^+}e^{(e^{x\ln x}-1)\ln x}$. 由于

$$\lim_{x\to0^+}x\ln x=\lim_{x\to0^+}\frac{\ln x}{x^{-1}}=\lim_{x\to0^+}\frac{x^{-1}}{-x^{-2}}=-\lim_{x\to0^+}x=0,$$

故

$$\lim_{x\to0^+}\frac{e^{x\ln x}-1}{x\ln x}=1,$$

又

$$\lim_{x\to0^+}x\ln^2x=\lim_{x\to0^+}\frac{\ln^2x}{x^{-1}}=\lim_{x\to0^+}\frac{\frac{2}{x}\ln x}{-x^{-2}}=\lim_{x\to0^+}(-2x\ln x)=0,$$

从而

$$\lim_{x\to0^+}[(e^{x\ln x}-1)\ln x]=\lim_{x\to0^+}(x\ln^2x)=0.$$

于是 $\lim\limits_{x\to0^+}x^{x^x-1}=\lim\limits_{x\to0^+}e^{(x^x-1)\ln x}=e^0=1$.

【1354】 $\lim\limits_{x\to0^+}(x^{x^x}-1)$.

解 $\lim\limits_{x\to0^+}(x^{x^x}-1)=\lim\limits_{x\to0^+}(e^{x^x\ln x}-1)$.

利用 1352 题的结果,有 $\lim\limits_{x\to0^+}x^x=1$,故 $\lim\limits_{x\to0^+}e^{x^x\ln x}=0$,从而有 $\lim\limits_{x\to0^+}(x^{x^x}-1)=-1$.

【1355】 $\lim\limits_{x\to0^+}x^{\frac{k}{1+\ln x}}$.

解 由于 $\lim\limits_{x\to0^+}\dfrac{k}{1+\ln x}\ln x=k\lim\limits_{x\to0^+}\dfrac{\frac{1}{x}}{\frac{1}{x}}=k$,所以 $\lim\limits_{x\to0^+}x^{\frac{k}{1+\ln x}}=e^k$.

【1356】 $\lim\limits_{x\to1}x^{\frac{1}{1-x}}$.

解 由于 $\lim\limits_{x\to1}\dfrac{\ln x}{1-x}=\lim\limits_{x\to1}\dfrac{\frac{1}{x}}{-1}=-1$,所以 $\lim\limits_{x\to1}x^{\frac{1}{1-x}}=e^{-1}$.

【1357】 $\lim\limits_{x\to1}(2-x)^{\tan\frac{\pi x}{2}}$.

解 由于 $\lim\limits_{x\to1}\tan\dfrac{\pi x}{2}\ln(2-x)=\lim\limits_{x\to1}\dfrac{\ln(2-x)}{\cot\frac{\pi x}{2}}=\lim\limits_{x\to1}\dfrac{\frac{1}{x-2}}{-\frac{\pi}{2}\csc^2\frac{\pi x}{2}}=\dfrac{2}{\pi}$,所以

$$\lim_{x\to1}(2-x)^{\tan\frac{\pi x}{2}}=e^{\frac{2}{\pi}}.$$

【1358】 $\lim\limits_{x\to\frac{\pi}{4}}(\tan x)^{\tan 2x}$.

解 由于 $\lim\limits_{x\to\frac{\pi}{4}}\tan 2x\ln\tan x=\lim\limits_{x\to\frac{\pi}{4}}\dfrac{\ln\tan x}{\cot 2x}=\lim\limits_{x\to\frac{\pi}{4}}\dfrac{\frac{\sec^2x}{\tan x}}{-2\csc^2 2x}=-1$,所以

$$\lim_{x\to\frac{\pi}{4}}(\tan x)^{\tan 2x}=e^{-1}.$$

【1359】 $\lim\limits_{x\to0}(\cot x)^{\sin x}$.

解 由于 $\lim\limits_{x\to0}\sin x\ln\cot x=\lim\limits_{x\to0}\dfrac{\ln\cot x}{\csc x}=\lim\limits_{x\to0}\dfrac{\frac{-\csc^2x}{\cot x}}{-\csc x\cot x}=\lim\limits_{x\to0}\dfrac{\sin x}{\cos^2x}=0$,所以

$$\lim_{x\to0}(\cot x)^{\sin x}=e^0=1.$$

【1360】 $\lim\limits_{x\to 0^+}\left(\ln\dfrac{1}{x}\right)^x$.

解 由于 $\lim\limits_{x\to 0^+}x\ln\left(\ln\dfrac{1}{x}\right)\xlongequal{y=\frac{1}{x}}\lim\limits_{y\to+\infty}\dfrac{\ln(\ln y)}{y}=\lim\limits_{y\to+\infty}\dfrac{1}{y\ln y}=0$,所以

$$\lim_{x\to 0^+}\left(\ln\frac{1}{x}\right)^x=e^0=1.$$

【1361】 $\lim\limits_{x\to\infty}\left(\tan\dfrac{\pi x}{2x+1}\right)^{\frac{1}{x}}$.

解 由于

$$\lim_{x\to\infty}\frac{1}{x}\ln\tan\frac{\pi x}{2x+1}=\lim_{x\to\infty}\left[\frac{1}{\tan\frac{\pi x}{2x+1}}\cdot\frac{\pi(2x+1)-2\pi x}{(2x+1)^2}\right]$$

$$=\pi\lim_{x\to\infty}\left[\frac{\cos\frac{\pi x}{2x+1}}{\sin\frac{\pi x}{2x+1}}\cdot\frac{1}{(2x+1)^2}\right]=\pi\lim_{x\to\infty}\frac{\cos\frac{\pi x}{2x+1}}{(2x+1)^2}=0,$$

所以 $\lim\limits_{x\to\infty}\left(\tan\dfrac{\pi x}{2x+1}\right)^{\frac{1}{x}}=e^0=1$.

【1362】 $\lim\limits_{x\to a}\left(\dfrac{\tan x}{\tan a}\right)^{\cot(x-a)}$.

解 由于

$$\lim_{x\to a}\cot(x-a)\ln\frac{\tan x}{\tan a}=\lim_{x\to a}\frac{\ln\tan x-\ln\tan a}{\tan(x-a)}$$

$$=\lim_{x\to a}\frac{\frac{1}{\tan x}\sec^2 x}{\sec^2(x-a)}=\lim_{x\to a}\frac{2\cos^2(x-a)}{\sin 2x}=\frac{2}{\sin 2a},$$

所以 $\lim\limits_{x\to a}\left(\dfrac{\tan x}{\tan a}\right)^{\cot(x-a)}=e^{\frac{2}{\sin 2a}}$.

【1363】 $\lim\limits_{x\to 0}\left(\dfrac{a^x-x\ln a}{b^x-x\ln b}\right)^{\frac{1}{x^2}}$.

解 由于

$$\lim_{x\to 0}\frac{\ln(a^x-x\ln a)-\ln(b^x-x\ln b)}{x^2}=\lim_{x\to 0}\frac{\frac{(a^x-1)\ln a}{a^x-x\ln a}-\frac{(b^x-1)\ln b}{b^x-x\ln b}}{2x}$$

$$=\lim_{x\to 0}\frac{1}{2}\left[\frac{a^x\ln^2 a\cdot(a^x-x\ln a)-(a^x-1)^2\ln^2 a}{(a^x-x\ln a)^2}-\frac{b^x\ln^2 b\cdot(b^x-x\ln b)-(b^x-1)^2\ln^2 b}{(b^x-x\ln b)^2}\right]$$

$$=\frac{1}{2}(\ln^2 a-\ln^2 b),$$

所以 $\lim\limits_{x\to 0}\left(\dfrac{a^x-x\ln a}{b^x-x\ln b}\right)^{\frac{1}{x^2}}=e^{\frac{\ln^2 a-\ln^2 b}{2}}$.

【1364】 $\lim\limits_{x\to 0}\left(\dfrac{1}{x}-\dfrac{1}{e^x-1}\right)$.

解 $\lim\limits_{x\to 0}\left(\dfrac{1}{x}-\dfrac{1}{e^x-1}\right)=\lim\limits_{x\to 0}\dfrac{e^x-1-x}{x(e^x-1)}=\lim\limits_{x\to 0}\dfrac{e^x-1-x}{x^2}=\lim\limits_{x\to 0}\dfrac{e^x-1}{2x}=\dfrac{1}{2}$.

【1365】 $\lim\limits_{x\to 1}\left(\dfrac{1}{\ln x}-\dfrac{1}{x-1}\right)$.

解 $\lim\limits_{x\to 1}\left(\dfrac{1}{\ln x}-\dfrac{1}{x-1}\right)=\lim\limits_{x\to 1}\dfrac{x-\ln x-1}{(x-1)\ln x}=\lim\limits_{x\to 1}\dfrac{1-\frac{1}{x}}{\frac{x-1}{x}+\ln x}$

$$= \lim_{x\to1}\frac{x-1}{(x-1)+x\ln x} = \lim_{x\to1}\frac{1}{1+1+\ln x} = \frac{1}{2}.$$

【1366】 $\lim\limits_{x\to0}\left(\cot x-\frac{1}{x}\right)$.

解 $\lim\limits_{x\to0}\left(\cot x-\frac{1}{x}\right)=\lim\limits_{x\to0}\frac{x\cos x-\sin x}{x\sin x}=\lim\limits_{x\to0}\frac{x\cos x-\sin x}{x^2}$

$$=\lim_{x\to0}\frac{\cos x-x\sin x-\cos x}{2x}=-\lim_{x\to0}\frac{\sin x}{2}=0.$$

【1367】 $\lim\limits_{x\to0}\left[\frac{1}{\ln(x+\sqrt{1+x^2})}-\frac{1}{\ln(1+x)}\right]$.

解 由于

$$\lim_{x\to0}\frac{\ln(x+\sqrt{1+x^2})}{x}=\lim_{x\to0}\left[\frac{1}{x+\sqrt{1+x^2}}\left(1+\frac{x}{\sqrt{1+x^2}}\right)\right]=\lim_{x\to0}\frac{1}{\sqrt{1+x^2}}=1,$$

故 $\ln(x+\sqrt{1+x^2})\sim x(x\to0)$. 所以

$$\lim_{x\to0}\left[\frac{1}{\ln(x+\sqrt{1+x^2})}-\frac{1}{\ln(1+x)}\right]=\lim_{x\to0}\frac{\ln(1+x)-\ln(x+\sqrt{1+x^2})}{\ln(1+x)\cdot\ln(x+\sqrt{1+x^2})}$$

$$=\lim_{x\to0}\frac{\ln(1+x)-\ln(x+\sqrt{1+x^2})}{x^2}=\lim_{x\to0}\frac{\frac{1}{1+x}-\frac{1}{\sqrt{1+x^2}}}{2x}$$

$$=\lim_{x\to0}\frac{\sqrt{1+x^2}-1-x}{2x(1+x)\sqrt{1+x^2}}=\lim_{x\to0}\frac{\sqrt{1+x^2}-1-x}{2x}$$

$$=-\frac{1}{2}+\lim_{x\to0}\frac{\sqrt{1+x^2}-1}{2x}=-\frac{1}{2}+\lim_{x\to0}\frac{\frac{x^2}{2}}{2x}=-\frac{1}{2}+\lim_{x\to0}\frac{x}{4}=-\frac{1}{2}.$$

【1368】 $\lim\limits_{x\to+\infty}\left(\frac{2}{\pi}\arctan x\right)^x$.

解 由于

$$\lim_{x\to+\infty}x\ln\left(\frac{2}{\pi}\arctan x\right)=\lim_{x\to+\infty}\frac{\ln\left(\frac{2}{\pi}\arctan x\right)}{\frac{1}{x}}=\lim_{x\to+\infty}\frac{\frac{\pi}{2\arctan x}\cdot\frac{2}{\pi(1+x^2)}}{-\frac{1}{x^2}}$$

$$=-\lim_{x\to+\infty}\frac{x^2}{(1+x^2)\arctan x}=-\frac{2}{\pi},$$

所以 $\lim\limits_{x\to+\infty}\left(\frac{2}{\pi}\arctan x\right)^x=e^{-\frac{2}{\pi}}$.

【1369】 $\lim\limits_{x\to+\infty}(\operatorname{th} x)^x$.

解 由于

$$\lim_{x\to+\infty}x\ln(\operatorname{th} x)=\lim_{x\to+\infty}\frac{\ln(\operatorname{th} x)}{\frac{1}{x}}=\lim_{x\to+\infty}\frac{\frac{1}{\operatorname{th} x\operatorname{ch}^2 x}}{-\frac{1}{x^2}}=-2\lim_{x\to+\infty}\frac{x^2}{\operatorname{sh} 2x}$$

$$=-2\lim_{x\to+\infty}\frac{2x}{2\operatorname{ch} 2x}=-2\lim_{x\to+\infty}\frac{1}{2\operatorname{sh} 2x}=0,$$

所以 $\lim\limits_{x\to+\infty}(\operatorname{th} x)^x=e^0=1$.

【1370】 $\lim\limits_{x\to0}\left(\frac{\arcsin x}{x}\right)^{\frac{1}{x^2}}$.

解 由于

$$\lim_{x\to 0}\frac{\ln(\arcsin x)-\ln x}{x^2}=\lim_{x\to 0}\frac{\dfrac{1}{\sqrt{1-x^2}\arcsin x}-\dfrac{1}{x}}{2x}=\lim_{x\to 0}\frac{x-\sqrt{1-x^2}\arcsin x}{2x^2\sqrt{1-x^2}\arcsin x}$$

$$=\lim_{x\to 0}\frac{x-\sqrt{1-x^2}\arcsin x}{2x^3}=\lim_{x\to 0}\frac{1+\dfrac{x}{\sqrt{1-x^2}}\arcsin x-1}{6x^2}$$

$$=\frac{1}{6}\lim_{x\to 0}\frac{1}{\sqrt{1-x^2}}\cdot\lim_{x\to 0}\frac{\arcsin x}{x}=\frac{1}{6},$$

所以$\lim\limits_{x\to 0}\left(\frac{\arcsin x}{x}\right)^{\frac{1}{x^2}}=e^{\frac{1}{6}}$.

【1371】 $\lim\limits_{x\to 0}\left[\frac{(1+x)^{\frac{1}{x}}}{e}\right]^{\frac{1}{x}}$.

解 由于

$$\lim_{x\to 0}\frac{\frac{1}{x}\ln(1+x)-1}{x}=\lim_{x\to 0}\frac{\ln(1+x)-x}{x^2}=\lim_{x\to 0}\frac{\frac{1}{1+x}-1}{2x}=-\lim_{x\to 0}\frac{1}{2(1+x)}=-\frac{1}{2},$$

所以$\lim\limits_{x\to 0}\left[\frac{(1+x)^{\frac{1}{x}}}{e}\right]^{\frac{1}{x}}=e^{-\frac{1}{2}}$.

【1372】 $\lim\limits_{x\to 0}\left(\frac{2}{\pi}\arccos x\right)^{\frac{1}{x}}$.

解 由于

$$\lim_{x\to 0}\frac{\ln\left(\frac{2}{\pi}\arccos x\right)}{x}=\lim_{x\to 0}\frac{-1}{\sqrt{1-x^2}\arccos x}=-\frac{2}{\pi},$$

所以$\lim\limits_{x\to 0}\left(\frac{2}{\pi}\arccos x\right)^{\frac{1}{x}}=e^{-\frac{2}{\pi}}$.

【1373】 $\lim\limits_{x\to 0}\left(\frac{\cos x}{\operatorname{ch} x}\right)^{\frac{1}{x^2}}$.

解 由于$\lim\limits_{x\to 0}\frac{\ln\cos x-\ln\operatorname{ch} x}{x^2}=\lim\limits_{x\to 0}\frac{-\tan x-\operatorname{th} x}{2x}=-\lim\limits_{x\to 0}\frac{\sec^2 x+\frac{1}{\operatorname{ch}^2 x}}{2}=-1$,所以

$$\lim_{x\to 0}\left(\frac{\cos x}{\operatorname{ch} x}\right)^{\frac{1}{x^2}}=e^{-1}.$$

【1374】 $\lim\limits_{x\to 0}\left(\frac{1+e^x}{2}\right)^{\coth x}$.

解 由于$\lim\limits_{x\to 0}\frac{\ln(1+e^x)-\ln 2}{\operatorname{th} x}=\lim\limits_{x\to 0}\frac{\frac{e^x}{1+e^x}}{\frac{1}{\operatorname{ch}^2 x}}=\frac{1}{2}$,所以$\lim\limits_{x\to 0}\left(\frac{1+e^x}{2}\right)^{\coth x}=e^{\frac{1}{2}}$.

【1375】 若当$x\to 0$时,曲线$y=f(x)$通过坐标原点$(0,0)$[$\lim\limits_{x\to 0}f(x)=f(0)=0$],且在此有斜角$\alpha$,求$\lim\limits_{x\to 0}\frac{y}{x}$.

解 $\lim\limits_{x\to 0}\frac{y}{x}=\lim\limits_{x\to 0}\frac{f(x)-f(0)}{x}=f'(0)=\tan\alpha$.

注 所谓在坐标原点有斜角 α 是指 $f'(0)=\tan\alpha$，注意到当 $x\to0$ 时，$f(x)\to0$，以及 $f'(0)$ 存在，如果再假定 $f'(x)$ 在 $x=0$ 连续，则也可用洛必达法则求得

$$\lim_{x\to0}\frac{y}{x}=\lim_{x\to0}\frac{y'}{1}=f'(0)=\tan\alpha.$$

【1376】 若当 $x\to0^+$ 时，连续曲线 $y=f(x)$ 通过坐标原点 $(0,0)$ $[\lim\limits_{x\to0^+}f(x)=0]$，并且当 $0<x<\varepsilon$ 时，此曲线完全位于两直线 $y=-kx$ 及 $y=kx(k\neq\infty)$ 所组成的锐角之内，证明：$\lim\limits_{x\to0^+}x^{f(x)}=1$.

证 当 $x\to0^+$ 时，有 $x\ln x\to0$. 按题设应有

$$-kx\leqslant f(x)\leqslant kx(k>0,0<x<\varepsilon),$$

而当 $x>0$ 且很小时，有 $\ln x<0$，故

$$kx\ln x\leqslant f(x)\ln x\leqslant -kx\ln x,$$

从而有

$$e^{kx\ln x}\leqslant e^{f(x)\ln x}\leqslant e^{-kx\ln x}.$$

当 $x\to0^+$ 时，不等式两端均趋于 $e^0=1$，注意到 $e^{f(x)\ln x}=x^{f(x)}$，即有 $\lim\limits_{x\to0^+}x^{f(x)}=1$.

【1377】 证明：若函数 $f(x)$ 的二阶导数 $f''(x)$ 存在，则

$$f''(x)=\lim_{h\to0}\frac{f(x+h)+f(x-h)-2f(x)}{h^2}.$$

提示 由于 $f''(x)$ 仅存在而没有假设连续，故无法连续使用洛必达法则.

证 当 $h\to0$ 时，$f(x+h)+f(x-h)-2f(x)\to0$ 及 $h^2\to0$，且分子、分母（视为 h 的函数）都有导数，又注意到分母的导数 $2h\neq0(h\to0$ 但 $h\neq0)$，故对

$$\lim_{h\to0}\frac{f(x+h)+f(x-h)-2f(x)}{h^2}$$

使用洛必达法则有

$$\lim_{h\to0}\frac{f(x+h)+f(x-h)-2f(x)}{h^2}=\lim_{h\to0}\frac{f'(x+h)-f'(x-h)}{2h}$$

$$=\frac{1}{2}\lim_{h\to0}\left[\frac{f'(x+h)-f'(x)}{h}+\frac{f'(x-h)-f'(x)}{-h}\right]$$

$$=\frac{1}{2}[f''(x)+f''(x)]=f''(x).$$

【1378】 研究洛必达法则对下列函数的可能性：

(1) $\lim\limits_{x\to0}\dfrac{x^2\sin\dfrac{1}{x}}{\sin x}$；　(2) $\lim\limits_{x\to\infty}\dfrac{x-\sin x}{x+\sin x}$；

(3) $\lim\limits_{x\to+\infty}\dfrac{e^{-2x}(\cos x+2\sin x)+e^{-x^2}\sin^2x}{e^{-x}(\cos x+\sin x)}$；　(4) $\lim\limits_{x\to+\infty}\dfrac{1+x+\sin x\cos x}{(x+\sin x\cos x)e^{\sin x}}$.

解 (1) 分子、分母分别求导数，得商为 $\dfrac{2x\sin\dfrac{1}{x}-\cos\dfrac{1}{x}}{\cos x}$，由于 $\lim\limits_{x\to0}\left(2x\sin\dfrac{1}{x}-\cos\dfrac{1}{x}\right)$ 不存在，因此不能运用洛必达法则. 但是，原极限是存在的. 事实上，有

$$\lim_{x\to0}\frac{x^2\sin\frac{1}{x}}{\sin x}=\lim_{x\to0}\frac{x}{\sin x}\cdot\lim_{x\to0}x\sin\frac{1}{x}=1\cdot0=0.$$

(2) 分子、分母分别求导数，得商为 $\dfrac{1-\cos x}{1+\cos x}$，由于 $\lim\limits_{x\to\infty}\dfrac{1-\cos x}{1+\cos x}$ 不存在，因此不能运用洛必达法则. 但

是，原极限是存在的. 事实上，有

$$\lim_{x\to\infty}\frac{x-\sin x}{x+\sin x}=\lim_{x\to\infty}\frac{1-\dfrac{\sin x}{x}}{1+\dfrac{\sin x}{x}}=1.$$

(3) 如果运用洛必达法则，就会有

$$\lim_{x\to+\infty}\frac{e^{-2x}(\cos x+2\sin x)+e^{-x^2}\sin^2 x}{e^{-x}(\cos x+\sin x)}$$

$$=\lim_{x\to+\infty}\frac{-5e^{-2x}\sin x-2xe^{-x^2}\sin^2 x+e^{-x^2}\sin 2x}{-2e^{-x}\sin x}$$

$$=\lim_{x\to+\infty}\left(\frac{5}{2}e^{-x}+xe^{-x^2+x}\sin x-e^{-x^2+x}\cos x\right)=0.$$

这个结果是错误的. 事实上，若取 $x_n=n\pi+\frac{3\pi}{4}$，则 $\lim\limits_{x\to\infty}x_n=+\infty$. 对于数列 $\{x_n\}$，原式的分母 $e^{-x_n}(\cos x_n+\sin x_n)=\sqrt{2}e^{-x_n}\cdot\sin\left(x_n+\frac{\pi}{4}\right)=\sqrt{2}e^{-\left(n\pi+\frac{3\pi}{4}\right)}\sin(n+1)\pi=0$，而分子不为零，此时原式的极限不存在，从而对于 $x\to+\infty$，原式的极限不存在.

原因是在求极限 $\lim\limits_{x\to+\infty}\frac{f(x)}{g(x)}$ 时，虽然 $f(x)$ 及 $g(x)$ 均连续且极限为零，但其导数在数列 $x_n=n\pi(n=1,2,\cdots)$ 上两者同时出现了零点. 因此，一方面本题不符合运用洛必达法则的条件；另一方面也不允许在求极限过程中，用 $\sin x$ 作除数，上、下约分后再求极限.

(4) 如果运用洛必达法则，就会有

$$\lim_{x\to+\infty}\frac{1+x+\sin x\cos x}{(x+\sin x\cos x)e^{\sin x}}=\lim_{x\to+\infty}\frac{1+\cos 2x}{e^{\sin x}[1+\cos 2x+\cos x\cdot(x+\sin x\cos x)]}$$

$$=\lim_{x\to+\infty}\frac{2\cos^2 x}{e^{\sin x}[2\cos^2 x+\cos x\cdot(x+\sin x\cos x)]}$$

$$=\lim_{x\to+\infty}\frac{1}{e^{\sin x}\left[1+\dfrac{1}{2\cos x}(x+\sin x\cos x)\right]}.$$

由于 $e^{\sin x}\geqslant e^{-1}$，$x+\sin x\cos x\geqslant x-1$，故当 $x>1$ 时，有

$$\left|e^{\sin x}\left[1+\frac{1}{2\cos x}(x+\sin x\cos x)\right]\right|\geqslant e^{-1}\left[\frac{1}{2|\cos x|}(x-1)-1\right]$$

$$\geqslant e^{-1}\left[\frac{1}{2}(x-1)-1\right]\to+\infty(x\to+\infty),$$

从而得 $\lim\limits_{x\to+\infty}\frac{1+x+\sin x\cos x}{(x+\sin x\cos x)e^{\sin x}}=0$.

这个结果是错误的. 事实上，对于不同的数列

$$x_n'=2n\pi+\frac{\pi}{2}\text{ 及 }x_n''=2n\pi(n=1,2,\cdots),$$

令 $n\to\infty$，则分别取不同的极限 $\frac{1}{e}$ 及 1，从而原极限是不存在的. 原因与(3) 的情况类似，只是注意到 $\cos x$ 在 $x_n=n\pi+\frac{\pi}{2}$ 的点列上$(n=1,2,\cdots)$取值为零. 因此，本题不符合运用洛必达法则的条件；当然也不允许在中间过程中用 $\cos x$ 作除数，上、下约分后再求极限.

【1379】 设有一弓形，其弦长为 b，拱高为 h，半径为 R，又有内接于此弓形的等腰三角形. 若当 R 不变时弓形的弧长趋于零，求弓形面积与内接三角形面积之比的极限. 利用所得结果推出弓形面积的近似公式：

$$S\approx\frac{2}{3}bh.$$

解 设弓形所张的中心角为 α，如图 2.51 所示，$AB=b$，$DC=h$，$\angle AOB=\alpha$，$\triangle ABC$ 为内接等腰三角形，其面积为

$$\frac{1}{2}bh=R^2\left(\sin\frac{\alpha}{2}-\frac{1}{2}\sin\alpha\right).$$

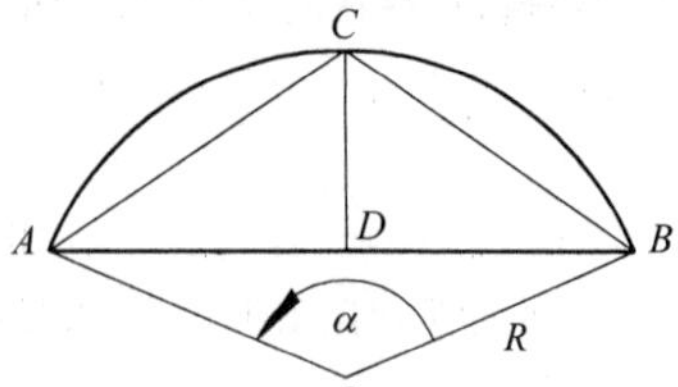

图 2.51

弓形面积为 $\frac{1}{2}R^2(\alpha-\sin\alpha)$.

当弧长趋于零时，α 趋于零，于是，弓形面积与内接等腰三角形面积之比的极限为

$$\lim_{\alpha\to 0}\frac{\frac{1}{2}R^2(\alpha-\sin\alpha)}{R^2\left(\sin\frac{\alpha}{2}-\frac{1}{2}\sin\alpha\right)}=\lim_{\alpha\to 0}\frac{\frac{1}{2}(1-\cos\alpha)}{\frac{1}{2}\left(\cos\frac{\alpha}{2}-\cos\alpha\right)}=\lim_{\alpha\to 0}\frac{\sin^2\frac{\alpha}{2}}{\sin\frac{3\alpha}{4}\cdot\sin\frac{\alpha}{4}}=\lim_{\alpha\to 0}\frac{\left(\frac{\alpha}{2}\right)^2}{\frac{3\alpha}{4}\cdot\frac{\alpha}{4}}=\frac{4}{3}.$$

由此得弓形面积的近似公式为 $S\approx\frac{4}{3}\cdot\frac{1}{2}bh=\frac{2}{3}bh$.

第10节 泰勒公式（习题1380—1422）

知识点预览

序号	知识点	题目序号	所在页码
1	泰勒公式	1380—1404	P146
2	五个重要的麦克劳林展开式	1405—1422	P155

知识点 1 泰勒公式

1. 泰勒局部公式 若函数 $f(x)$ 满足：

(1) 函数 $f(x)$ 在点 x_0 的某邻域$(x_0-\delta,x_0+\delta)$ 内有定义；

(2) 在此邻域内有直到$n-1$ 阶导数 $f'(x),f''(x),\cdots,f^{(n-1)}(x)$；

(3) 在点 x_0 存在 n 阶导数 $f^{(n)}(x_0)$，则

$$f(x)=\sum_{k=0}^{n}\frac{f^{(k)}(x_0)}{k!}(x-x_0)^k+o[(x-x_0)^n].$$

特别地，当 $x_0=0$ 时，有 $f(x)=\sum_{k=0}^{n}\frac{f^{(k)}(0)}{k!}x^k+o(x^n)$，称此式为 $f(x)$ 的麦克劳林公式.

在上述条件下，泰勒公式是唯一的.

2. 泰勒公式 若函数 $f(x)$ 满足：

(1) 函数 $f(x)$ 在闭区间$[a,b]$ 上有定义；

(2) $f(x)$ 在$[a,b]$ 上有连续的导数 $f'(x),f''(x),\cdots,f^{(n-1)}(x)$；

(3) 当 $a<x<b$ 时，存在有限的导数 $f^{(n)}(x)$，则

$$f(x)=\sum_{k=0}^{n-1}\frac{f^{(k)}(a)}{k!}(x-a)^k+R_n(x)(a\leqslant x\leqslant b),$$

其中

$$R_n(x)=\frac{f^{(n)}[a+\theta(x-a)]}{n!}(x-a)^n(0<\theta<1)\text{(拉格朗日余项)},$$

或 $R_n(x)=\dfrac{f^{(n)}[a+\theta_1(x-a)]}{(n-1)!}(1-\theta_1)^{n-1}(x-a)^n(0<\theta_1<1)$(柯西余项).

注 这里的点 a 可以改为 $[a,b]$ 中任意一点 x_0.

习题 1380—1396 求泰勒展开式

【1380】 将 $P(x)=1+3x+5x^2-2x^3$ 改写为二项式 $x+1$ 的非负整数次幂多项式.

解 $P'(x)=3+10x-6x^2, P''(x)=10-12x, P'''(x)=-12, P^{(4)}(x)=0.$

$$P'(-1)=-13, P''(-1)=22, P'''(-1)=-12, P(-1)=5.$$

按泰勒公式有

$$P(x)=P(-1)+\frac{P'(-1)}{1!}(x+1)+\frac{P''(-1)}{2!}(x+1)^2+\frac{P'''(-1)}{3!}(x+1)^3+R_4(x),$$

这里 $R_4(x)=0$,即展开式中的余项为零,将上述结果代入,即得

$$P(x)=5-13(x+1)+11(x+1)^2-2(x+1)^3.$$

【写出下列函数按变量 x 的非负整数次幂的展开式,至含有所指阶数的项为止(1381—1391)】

【1381】 $\dfrac{1+x+x^2}{1-x+x^2}$ 到含 x^4 的项. $f^{(4)}(0)$ 等于什么?

解 $\dfrac{1+x+x^2}{1-x+x^2}=(1+x+x^2)\dfrac{1+x}{1+x^3}=(1+x)(1+x+x^2)[1-x^3+o(x^6)]$

$$=1+2x+2x^2-2x^4+o(x^4).$$

$f^{(4)}(0)=4!\cdot(-2)=-48.$

【1382】 $\dfrac{(1+x)^{100}}{(1-2x)^{40}(1+2x)^{60}}$ 到含 x^2 的项.

解 设 $f(x)=\dfrac{(1+x)^{100}}{(1-2x)^{40}(1+2x)^{60}}$,则

$$f'(x)=\frac{60(1+x)^{99}(1+6x)}{(1-2x)^{41}(1+2x)^{61}},$$

$$f''(x)=\frac{60(1+x)^{98}(65+728x+2\,196x^2+48x^3)}{(1-2x)^{42}(1+2x)^{62}},$$

而 $f(0)=1, f'(0)=60, f''(0)=3\,900$. 由泰勒公式有

$$\frac{(1+x)^{100}}{(1-2x)^{40}(1+2x)^{60}}=1+60x+1\,950x^2+o(x^2).$$

【1383】 $\sqrt[m]{a^m+x}\,(a>0)$ 到含 x^2 的项.

解 设 $f(x)=\sqrt[m]{a^m+x}$,则

$$f'(x)=\frac{1}{m}(a^m+x)^{\frac{1-m}{m}}, f''(x)=\frac{(1-m)(a^m+x)^{\frac{1-2m}{m}}}{m^2},$$

而 $f(0)=a, f'(0)=\dfrac{1}{m}a^{1-m}, f''(0)=\dfrac{1-m}{m^2}a^{1-2m}$. 于是

$$\sqrt[m]{a^m+x}=a+\frac{1}{ma^{m-1}}x+\frac{1-m}{2m^2a^{2m-1}}x^2+o(x^2).$$

【1384】 $\sqrt{1-2x+x^3}-\sqrt[3]{1-3x+x^2}$ 到含 x^3 的项.

解　方法一　设 $f(x)=\sqrt{1-2x+x^3}-\sqrt[3]{1-3x+x^2}$，则

$$f'(x)=\frac{1}{2}(3x^2-2)(1-2x+x^3)^{-\frac{1}{2}}-\frac{1}{3}(2x-3)(1-3x+x^2)^{-\frac{2}{3}},$$

$$f''(x)=3x(1-2x+x^3)^{-\frac{1}{2}}-\frac{1}{4}(3x^2-2)^2(1-2x+x^3)^{-\frac{3}{2}}-\frac{2}{3}(1-3x+x^2)^{-\frac{2}{3}}+\frac{2}{9}(2x-3)^2(1-3x+x^2)^{-\frac{5}{3}},$$

$$f'''(x)=3(1-2x+x^3)^{-\frac{1}{2}}-\frac{3}{2}x(3x^2-2)(1-2x+x^3)^{-\frac{3}{2}}+\frac{3}{8}(3x^2-2)^3(1-2x+x^3)^{-\frac{5}{2}}-3x(3x^2-2)(1-2x+x^3)^{-\frac{3}{2}}+\frac{4}{9}(2x-3)(1-3x+x^2)^{-\frac{5}{3}}+\frac{8}{9}(2x-3)(1-3x+x^2)^{-\frac{5}{3}}-\frac{10}{27}(2x-3)^3(1-3x+x^2)^{-\frac{8}{3}},$$

而 $f(0)=0, f'(0)=0, f''(0)=\frac{1}{3}, f'''(0)=6$，故

$$\sqrt{1-2x+x^3}-\sqrt[3]{1-3x+x^2}=\frac{1}{6}x^2+x^3+o(x^3).$$

方法二

$$\begin{aligned}\sqrt{1-2x+x^3}&=[1+(x^3-2x)]^{\frac{1}{2}}\\&=1+\frac{1}{2}(x^3-2x)+\frac{\frac{1}{2}\left(-\frac{1}{2}\right)}{2}(x^3-2x)^2+\frac{\frac{1}{2}\left(-\frac{1}{2}\right)\left(-\frac{3}{2}\right)}{6}(x^3-2x)^3\\&=1-x-\frac{1}{2}x^2+o(x^3),\end{aligned}$$

$$\begin{aligned}\sqrt[3]{1-3x+x^2}&=[1+(x^2-3x)]^{\frac{1}{3}}\\&=1+\frac{1}{3}(x^2-3x)+\frac{\frac{1}{3}\left(-\frac{2}{3}\right)}{2}(x^2-3x)^2+\frac{\frac{1}{3}\left(-\frac{2}{3}\right)\left(-\frac{5}{3}\right)}{6}(x^2-3x)^3+o(x^3)\\&=1-x-\frac{2}{3}x^2-x^3+o(x^3).\end{aligned}$$

所以

$$\begin{aligned}\sqrt{1-2x+x^3}-\sqrt[3]{1-3x+x^2}&=\left[1-x-\frac{1}{2}x^2+o(x^3)\right]-\left[1-x-\frac{2}{3}x^2-x^3+o(x^3)\right]\\&=\frac{1}{6}x^2+x^3+o(x^3).\end{aligned}$$

【1385】 e^{2x-x^2} 到含 x^5 的项.

解

$$\begin{aligned}e^{2x-x^2}&=1+(2x-x^2)+\frac{(2x-x^2)^2}{2!}+\frac{(2x-x^2)^3}{3!}+\frac{(2x-x^2)^4}{4!}+\frac{(2x-x^2)^5}{5!}+o(x^5)\\&=1+2x+x^2-\frac{2}{3}x^3-\frac{5}{6}x^4-\frac{1}{15}x^5+o(x^5).\end{aligned}$$

【1386】 $\dfrac{x}{e^x-1}$ 到含 x^4 的项.

解　当 x 很小时，令 $\dfrac{e^x-1}{x}=1+\Delta$，则有

$$\Delta=\frac{x}{2}+\frac{x^2}{6}+\frac{x^3}{24}+\frac{x^4}{120}+o(x^4),$$

其中 Δ 也很小. 于是，$\dfrac{x}{e^x-1}=\dfrac{1}{\dfrac{e^x-1}{x}}=\dfrac{1}{1+\Delta}=1-\Delta+\Delta^2-\Delta^3+\Delta^4+o(x^4)$.

注意到

$$\Delta^2=\frac{x^2}{4}+\frac{x^3}{6}+\frac{5x^4}{72}+o(x^4),\Delta^3=\frac{x^3}{8}+\frac{x^4}{8}+o(x^4),\Delta^4=\frac{x^4}{16}+o(x^4),$$

则得 $\dfrac{x}{e^x-1}=1-\dfrac{x}{2}+\dfrac{x^2}{12}-\dfrac{x^4}{720}+o(x^4)$.

【1387】 $\sqrt[3]{\sin x^3}$ 到含 x^{13} 的项.

解
$$\sqrt[3]{\sin x^3}=\left[x^3-\frac{x^9}{3!}+\frac{x^{15}}{5!}+o(x^{15})\right]^{\frac{1}{3}}=x\left[1+\left(\frac{x^{12}}{120}-\frac{x^6}{6}+o(x^{12})\right)\right]^{\frac{1}{3}}$$
$$=x\left[1+\frac{1}{3}\left(\frac{x^{12}}{120}-\frac{x^6}{6}+o(x^{12})\right)-\frac{1}{9}\left(\frac{x^{12}}{120}-\frac{x^6}{6}+o(x^{12})\right)^2+o(x^{12})\right]$$
$$=x-\frac{7}{18}x^7-\frac{1}{3\,240}x^{13}+o(x^{13}).$$

【1388】 $\ln\cos x$ 到含 x^6 的项.

解
$$\ln\cos x=\frac{1}{2}\ln(1-\sin^2x)=-\frac{1}{2}\left[\sin^2x+\frac{\sin^4x}{2}+\frac{\sin^6x}{3}+o(\sin^6x)\right]$$
$$=-\frac{1}{2}\left\{\left[x-\frac{x^3}{3!}+\frac{x^5}{5!}+o(x^6)\right]^2+\frac{1}{2}\left[x-\frac{x^3}{3!}+\frac{x^5}{5!}+o(x^6)\right]^4+\right.$$
$$\left.\frac{1}{3}\left[x-\frac{x^3}{3!}+\frac{x^5}{5!}+o(x^6)\right]^6+o(x^6)\right\}$$
$$=-\frac{1}{2}x^2-\frac{1}{12}x^4-\frac{1}{45}x^6+o(x^6),$$

其中用到 $\lim\limits_{x\to0}\dfrac{\sin x}{x}=1$，故 $o(\sin^6x)$ 可换为 $o(x^6)$.

【1389】 $\sin(\sin x)$ 到含 x^3 的项.

解
$$\sin(\sin x)=\sin x-\frac{\sin^3x}{3!}+o(x^4)$$
$$=\left[x-\frac{x^3}{3!}+o(x^4)\right]-\frac{1}{3!}\left[x-\frac{x^3}{3!}+o(x^4)\right]^3+o(x^4)$$
$$=x-\frac{1}{3}x^3+o(x^3).$$

【1390】 $\tan x$ 到含 x^5 的项.

解 **方法一** 当 x 很小时，有

$$\sin x=x-\frac{1}{6}x^3+\frac{1}{120}x^5+o(x^6),\cos x=1-\frac{x^2}{2}+\frac{x^4}{24}+o(x^5)=1-\Delta,$$

其中 $\Delta=\dfrac{x^2}{2}-\dfrac{x^4}{24}+o(x^5)$ 很小，易见 $\Delta^2=\dfrac{x^4}{4}+o(x^5)$. 于是

$$\tan x=\frac{\sin x}{\cos x}=\left[x-\frac{1}{6}x^3+\frac{1}{120}x^5+o(x^6)\right]\frac{1}{1-\Delta}$$
$$=\left[x-\frac{1}{6}x^3+\frac{1}{120}x^5+o(x^6)\right]\left[1+\Delta+\Delta^2+o(x^4)\right]$$
$$=\left[x-\frac{1}{6}x^3+\frac{1}{120}x^5+o(x^6)\right]\left[1+\frac{x^2}{2}+\frac{5}{24}x^4+o(x^4)\right]$$
$$=x+\frac{1}{3}x^3+\frac{2}{15}x^5+o(x^5).$$

方法二　记 $f(x)=\tan x$，则

$$f'(x)=\sec^2 x,$$
$$f''(x)=2\sec^2 x\tan x,$$
$$f'''(x)=4\sec^2 x\tan^2 x+2\sec^4 x,$$
$$f^{(4)}(x)=8\sec^2 x\tan^3 x+16\sec^4 x\tan x,$$
$$f^{(5)}(x)=16\sec^2 x\tan^4 x+24\sec^4 x\tan^2 x+64\sec^4 x\tan^2 x+16\sec^6 x,$$

所以 $f'(0)=1, f''(0)=0, f'''(0)=2, f^{(4)}(0)=0, f^{(5)}(x)=16$. 于是

$$f(x)=\tan x=x+\frac{1}{3}x^3+\frac{2}{15}x^5+o(x^5).$$

【1391】 $\ln\dfrac{\sin x}{x}$ 到含 x^6 的项.

解 $\ln\dfrac{\sin x}{x}=\ln\dfrac{x-\dfrac{x^3}{3!}+\dfrac{x^5}{5!}-\dfrac{x^7}{7!}+o(x^8)}{x}$

$$=\ln\left\{1+\left[-\frac{x^2}{6}+\frac{x^4}{120}-\frac{x^6}{5\,040}+o(x^6)\right]\right\}$$

$$=\left[-\frac{x^2}{6}+\frac{x^4}{120}-\frac{x^6}{5\,040}+o(x^6)\right]-\frac{1}{2}\left[-\frac{x^2}{6}+\frac{x^4}{120}-\frac{x^6}{5\,040}+o(x^6)\right]^2+$$
$$\frac{1}{3}\left[-\frac{x^2}{6}+\frac{x^4}{120}-\frac{x^6}{5\,040}+o(x^6)\right]^3+o(x^6)$$

$$=-\frac{x^2}{6}-\frac{x^4}{180}-\frac{x^6}{2\,835}+o(x^6).$$

【1392】 求函数 $f(x)=\sqrt{x}$ 按照 $x-1$ 的非负整数次幂展开式的前三项.

解 $f'(x)=\dfrac{1}{2\sqrt{x}}, f''(x)=-\dfrac{1}{4x\sqrt{x}}, f(1)=1, f'(1)=\dfrac{1}{2}, f''(1)=-\dfrac{1}{4}$.

于是 $\sqrt{x}=1+\dfrac{1}{2}(x-1)-\dfrac{1}{8}(x-1)^2+o[(x-1)^2]$.

【1393】 将函数 $f(x)=x^x-1$ 按照 $x-1$ 的非负整数次幂展开到含有 $(x-1)^3$ 的项.

解

$$f'(x)=x^x(1+\ln x), f''(x)=x^x(1+\ln x)^2+x^{x-1},$$
$$f'''(x)=x^x(1+\ln x)^3+2x^{x-1}(1+\ln x)+x^{x-1}\left(\frac{x-1}{x}+\ln x\right).$$

而 $f(1)=0, f'(1)=1, f''(1)=2, f'''(1)=3$，故

$$x^x-1=(x-1)+(x-1)^2+\frac{1}{2}(x-1)^3+o[(x-1)^3].$$

【1394】 在点 $x=0$ 的邻域中，用抛物线（二次多项式）近似地代替函数 $y=a\operatorname{ch}\dfrac{x}{a}$ $(a>0)$.

解 $y|_{x=0}=a, y'|_{x=0}=\operatorname{sh}\dfrac{x}{a}\Big|_{x=0}=0, y''|_{x=0}=\dfrac{1}{a}\operatorname{ch}\dfrac{x}{a}\Big|_{x=0}=\dfrac{1}{a}$.

于是 $a\operatorname{ch}\dfrac{x}{a}=a+\dfrac{x^2}{2a}+o(x^2)$.

【1395】 按分式 $\dfrac{1}{x}$ 的非负整数次幂展开 $f(x)=\sqrt{1+x^2}-x\ (x>0)$ 到含 $\dfrac{1}{x^3}$ 的项.

解 由于 $\sqrt{1+\left(\dfrac{1}{x}\right)^2}=1+\dfrac{1}{2}\cdot\dfrac{1}{x^2}-\dfrac{1}{8}\cdot\dfrac{1}{x^4}+o\left(\dfrac{1}{x^4}\right)$，于是

$$f(x)=\sqrt{1+x^2}-x=x\sqrt{1+\left(\frac{1}{x}\right)^2}-x=\frac{1}{2x}-\frac{1}{8x^3}+o\left(\frac{1}{x^3}\right).$$

【1396】 求函数 $f(h)=\ln(x+h)(x>0)$ 按增量 h 的非负整数次幂的展开式，到含 h^n 的项($n\in\mathbf{N}$).

解 $\ln(x+h)=\ln\left[x\left(1+\frac{h}{x}\right)\right]=\ln x+\ln\left(1+\frac{h}{x}\right)$

$$=\ln x+\frac{h}{x}-\frac{h^2}{2x^2}+\frac{h^3}{3x^3}-\cdots+(-1)^{n-1}\frac{h^n}{nx^n}+o(h^n).$$

习题 1397—1400 泰勒展开式的应用

【1397】 设 $f(x+h)=f(x)+hf'(x)+\cdots+\frac{h^n}{n!}f^{(n)}(x+\theta h)(0<\theta<1)$，且 $f^{(n+1)}(x)\neq 0$，证明：$\lim\limits_{h\to 0}\theta=\frac{1}{n+1}$.

证 按题设，有 $f(x+h)=f(x)+hf'(x)+\cdots+\frac{h^n}{n!}f^{(n)}(x+\theta h)$，其中 $0<\theta<1$.

又因 $f^{(n+1)}(x)$ 存在，故

$$f(x+h)=f(x)+hf'(x)+\cdots+\frac{h^n}{n!}f^{(n)}(x)+\frac{h^{n+1}}{(n+1)!}f^{(n+1)}(x)+o(h^{n+1}).$$

比较上面两式，得

$$\frac{h^n}{n!}f^{(n)}(x+\theta h)=\frac{h^n}{n!}f^{(n)}(x)+\frac{h^{n+1}}{(n+1)!}f^{(n+1)}(x)+o(h^{n+1}).$$

从而有

$$\theta\cdot\frac{f^{(n)}(x+\theta h)-f^{(n)}(x)}{\theta h}=\frac{1}{n+1}f^{(n+1)}(x)+o(1),$$

由于 $\lim\limits_{h\to 0}\frac{f^{(n)}(x+\theta h)-f^{(n)}(x)}{\theta h}=f^{(n+1)}(x)\neq 0$，故由上式知 $\lim\limits_{h\to 0}\theta$ 存在，且

$$\lim_{h\to 0}\theta=\frac{\frac{1}{n+1}f^{(n+1)}(x)}{f^{(n+1)}(x)}=\frac{1}{n+1}.$$

【1398】 设 $f(x)$ 在 $(-\infty,+\infty)$ 上二阶可微，$M_k=\sup\limits_{-\infty<x<+\infty}|f^{(k)}(x)|<+\infty(k=0,1,2)$. 证明：$M_1^2\leqslant 2M_0M_2$.

证 将 $f(x+h)$ 与 $f(x-h)$ 在 x 点展开，有

$$f(x+h)=f(x)+f'(x)h+\frac{f''(\xi_1)}{2}h^2(\text{其中 }\xi_1\text{ 介于 }x\text{ 与 }x+h\text{ 之间}),$$

$$f(x-h)=f(x)-f'(x)h+\frac{f''(\xi_2)}{2}h^2(\text{其中 }\xi_2\text{ 介于 }x-h\text{ 与 }x\text{ 之间}),$$

两式相减，得

$$f(x+h)-f(x-h)=2f'(x)h+\frac{h^2}{2}[f''(\xi_1)-f''(\xi_2)],$$

即

$$2f'(x)h=f(x+h)-f(x-h)-\frac{h^2}{2}[f''(\xi_1)-f''(\xi_2)].$$

所以

$$2h\mid f'(x)\mid\leqslant\mid 2hf'(x)\mid\leqslant\mid f(x+h)\mid+\mid f(x-h)\mid+\frac{h^2}{2}[\mid f''(\xi_1)\mid+\mid f''(\xi_2)\mid]$$

$$\leqslant 2M_0+h^2M_2,$$

即 $M_2h^2-2\mid f'(x)\mid h+2M_0\geqslant 0$.

由于此式对任何 h 都成立，故二次式的判别式必满足 $4\mid f'(x)\mid^2-4M_2\cdot 2M_0\leqslant 0$，即

$$\mid f'(x)\mid^2\leqslant 2M_0M_2.$$

由此可得 $M_1^2\leqslant 2M_0M_2$.

【1399】 证明：若函数 $f(x)$ 满足：

(1) 在闭区间$[a,b]$上有二阶导数 $f''(x)$；

(2) $f'(a)=f'(b)=0$，则在(a,b)内至少存在一点 c，使得

$$\mid f''(c)\mid\geqslant\frac{4}{(b-a)^2}\mid f(b)-f(a)\mid.$$

证 将 $f(x)$ 在 $x=a$ 和 $x=b$ 展开可得

$$f(x)=f(a)+f'(a)(x-a)+\frac{f''(c_1)}{2}(x-a)^2,c_1\in(a,b),$$

$$f(x)=f(b)+f'(b)(x-b)+\frac{f''(c_2)}{2}(x-b)^2,c_2\in(a,b),$$

由此得到

$$f\left(\frac{a+b}{2}\right)=f(a)+f'(a)\left(\frac{a+b}{2}-a\right)+\frac{f''(c_1)}{2}\left(\frac{a+b}{2}-a\right)^2$$

$$=f(a)+\frac{f'(a)}{2}(b-a)+\frac{f''(c_1)}{2}\left(\frac{b-a}{2}\right)^2,c_1\in(a,b),$$

$$f\left(\frac{a+b}{2}\right)=f(b)+f'(b)\left(\frac{a+b}{2}-b\right)+\frac{f''(c_2)}{2}\left(\frac{a+b}{2}-b\right)^2$$

$$=f(b)+\frac{f'(b)}{2}(a-b)+\frac{f''(c_2)}{2}\left(\frac{a-b}{2}\right)^2,c_2\in(a,b).$$

于是

$$\mid f(b)-f(a)\mid=\frac{1}{2}\left(\frac{b-a}{2}\right)^2\mid f''(c_1)-f''(c_2)\mid$$

$$\leqslant\frac{(b-a)^2}{8}(\mid f''(c_1)\mid+\mid f''(c_2)\mid)\leqslant\frac{(b-a)^2}{4}\mid f''(c)\mid,$$

其中 $c=c_1$ 或 $c=c_2$，并且满足 $\mid f''(c)\mid=\max\{\mid f''(c_1)\mid,\mid f''(c_2)\mid\}$，即

$$\mid f''(c)\mid\geqslant\frac{4}{(b-a)^2}\mid f(b)-f(a)\mid.$$

【1400】 汽车从某点开始行驶，在 t 秒内走完了路程，所经过的距离为 s. 证明：汽车运动的加速度的绝对值在某瞬间不小于$\frac{4s}{t^2}$.

解 利用 1399 题的结果即可得证. 此时 $s=f(t)$，$f(t)-f(0)=s$，$t-0=t$，故汽车运动的加速度 $a=\left.\frac{\mathrm{d}^2s}{\mathrm{d}t^2}\right|_{t=t_1}$ 的绝对值 $\mid a\mid\geqslant\frac{4s}{t^2}$.

习题 1401—1404 近似计算与误差估计

【1401】 估计下列近似公式的绝对误差：

(1) $e^x \approx 1+x+\frac{x^2}{2!}+\cdots+\frac{x^n}{n!}, 0 \leqslant x \leqslant 1$；　(2) $\sin x \approx x-\frac{x^3}{6}, |x| \leqslant \frac{1}{2}$；

(3) $\tan x \approx x+\frac{x^3}{3}, |x| \leqslant 0.1$；　(4) $\sqrt{1+x} \approx 1+\frac{x}{2}-\frac{x^2}{8}, 0 \leqslant x \leqslant 1$.

解 用拉格朗日余项公式估计误差

$$R_{n+1}(x)=\frac{f^{(n+1)}(\theta x)}{(n+1)!}x^{n+1}(0<\theta<1).$$

(1) 由 $f(x)=e^x$ 及 $0 \leqslant x \leqslant 1$，得 $f^{(n+1)}(\theta x)=e^{\theta x}<e$. 于是，当 $0 \leqslant x \leqslant 1$ 时，有

$$|R_{n+1}(x)|<\frac{e}{(n+1)!}|x|^{n+1} \leqslant \frac{e}{(n+1)!}<\frac{3}{(n+1)!}.$$

(2) 由 $f(x)=\sin x$，得 $|f^{(5)}(\theta x)|=\left|\sin\left(\theta x+\frac{5}{2}\pi\right)\right| \leqslant 1$，于是，当 $|x| \leqslant \frac{1}{2}$ 时，有

$$|R_4(x)| \leqslant \frac{1}{5!}|x|^5 \leqslant \frac{1}{5!}\cdot\frac{1}{2^5}=\frac{1}{3\,840}.$$

(3) 由 $f(x)=\tan x$，得

$$f'(x)=\sec^2 x,\qquad f''(x)=2\sec^2 x\tan x,$$

$$f'''(x)=\frac{6}{\cos^4 x}-\frac{4}{\cos^2 x},\qquad f^{(4)}(x)=\frac{24\sin x}{\cos^5 x}-\frac{8\sin x}{\cos^3 x},$$

$$f^{(5)}(x)=\frac{16}{\cos^2 x}+\frac{120\sin^2 x}{\cos^6 x},\qquad f^{(6)}(x)=\frac{32\sin x}{\cos^3 x}+\frac{240\sin x}{\cos^5 x}+\frac{720\sin^3 x}{\cos^7 x}.$$

因为 $f^{(5)}(x)$ 是偶函数，又当 $0 \leqslant x \leqslant 0.1$ 时，$f^{(6)}(x) \geqslant 0$，所以 $f^{(5)}(x)$ 在 $x=\pm 0.1$ 处达到最大值，注意到

$$f'(0)=1, f''(0)=0, f'''(0)=2, f^{(4)}(0)=0,$$

及

$$\cos^2 0.1=1-\sin^2 0.1>0.9, |f^{(5)}(x)| \leqslant \frac{16}{0.9}+\frac{120\times 0.1^2}{0.9^3}<20,$$

于是当 $0 \leqslant x \leqslant 0.1$ 时，$|R_5(x)| \leqslant \frac{0.1^5}{5!}\times 20<2\times 10^{-6}$.

(4) 由 $f(x)=\sqrt{1+x}$ 及 $0 \leqslant x \leqslant 1$，得 $|f'''(x)|=\frac{3}{8}\left|\frac{1}{(1+x)^{\frac{5}{2}}}\right| \leqslant \frac{3}{8}$.

于是当 $0 \leqslant x \leqslant 1$ 时，$|R_3(x)| \leqslant \frac{3}{8}\cdot\frac{1}{3!}=\frac{1}{16}$.

【1402】 近似公式 $\cos x=1-\frac{x^2}{2}$ 对于怎样的 x 能精确到 0.000 1?

解 误差 $\Delta \leqslant \frac{|x|^4}{4!}$，需 $\frac{|x|^4}{4!}<0.000\,1$，于是 $|x|<0.221\,34$(弧度) $=12°41'$.

【1403】 利用泰勒公式做近似计算并估计误差：

(1) $\sqrt[3]{30}$；　(2) $\sqrt[5]{250}$；　(3) $\sqrt[12]{4\,000}$；

(4) $\sqrt{e}$；　(5) $\sin 18°$；　(6) $\ln 1.2$；

(7) $\arctan 0.8$；　(8) $\arcsin 0.45$；　(9) $(1.1)^{1.2}$.

解 (1) $\sqrt[3]{30}=3\left(1+\frac{1}{9}\right)^{\frac{1}{3}} \approx 3\left[1+\frac{1}{3}\cdot\frac{1}{9}+\frac{\frac{1}{3}\left(\frac{1}{3}-1\right)}{2!}\left(\frac{1}{9}\right)^2\right] \approx 3.107\,0$；

$$\Delta<3\cdot\frac{\frac{1}{3}\cdot\frac{2}{3}\cdot\frac{5}{3}}{3!}\cdot\left(\frac{1}{9}\right)^3 \approx 2.54\times 10^{-4}.$$

(2) $\sqrt[5]{250}=3\left(1+\frac{7}{243}\right)^{\frac{1}{5}}\approx 3\left[1+\frac{1}{5}\cdot\frac{7}{243}+\frac{\frac{1}{5}\left(\frac{1}{5}-1\right)}{2!}\left(\frac{7}{243}\right)^2\right]\approx 3.017\ 1$;

$$\Delta<3\cdot\frac{1}{3!}\cdot\frac{1}{5}\cdot\frac{4}{5}\cdot\frac{9}{5}\cdot\left(\frac{7}{243}\right)^3\approx 3.45\times 10^{-6}.$$

(3) $\sqrt[12]{4\ 000}=2\left(1-\frac{3}{128}\right)^{\frac{1}{12}}\approx 2\left(1-\frac{1}{12}\cdot\frac{3}{128}\right)\approx 1.996\ 0$;

$$\Delta<\left(\frac{3}{128}\right)^2\frac{1}{1-\frac{3}{128}}\approx 5.625\times 10^{-4}.$$

(4) $\sqrt{e}\approx 1+\frac{1}{2}+\frac{1}{2!}\left(\frac{1}{2}\right)^2+\frac{1}{3!}\left(\frac{1}{2}\right)^3+\frac{1}{4!}\left(\frac{1}{2}\right)^4+\frac{1}{5!}\left(\frac{1}{2}\right)^5+\frac{1}{6!}\left(\frac{1}{2}\right)^6\approx 1.648\ 72$;

$$\Delta=\frac{1}{7!}\left(\frac{1}{2}\right)^7+\frac{1}{8!}\left(\frac{1}{2}\right)^8+\cdots<\frac{1}{7!}\left(\frac{1}{2}\right)^7\cdot\frac{1}{1-\frac{1}{8}\cdot\frac{1}{2}}\approx 1.7\times 10^{-6}.$$

(5) $\sin 18^\circ\approx\frac{\pi}{10}-\frac{1}{3!}\left(\frac{\pi}{10}\right)^3+\frac{1}{5!}\left(\frac{\pi}{10}\right)^5\approx 0.309\ 017$;

$$\Delta<\frac{1}{7!}\left(\frac{\pi}{10}\right)^7\approx 6\times 10^{-8}.$$

(6) $\ln 1.2=\ln(1+0.2)\approx 0.2-\frac{1}{2}(0.2)^2+\frac{1}{3}(0.2)^3-\frac{1}{4}(0.2)^4+\frac{1}{5}(0.2)^5-\frac{1}{6}(0.2)^6+\frac{1}{7}(0.2)^7\approx 0.182\ 322$;

$$\Delta<\frac{1}{8}(0.2)^8\approx 3.2\times 10^{-7}.$$

(7) $\arctan 0.8\approx 0.8-\frac{1}{3}(0.8)^3+\frac{1}{5}(0.8)^5-\frac{1}{7}(0.8)^7+\cdots-\frac{1}{39}(0.8)^{39}$

$\approx 0.674\ 74$ (弧度) $\approx 38^\circ 39'35''$;

$$\Delta<\frac{1}{41}(0.8)^{41}\approx 2.6\times 10^{-6}.$$

(8) $\arcsin 0.45\approx 0.45+\frac{1}{2\cdot 3}(0.45)^3+\frac{1\cdot 3}{2\cdot 4\cdot 5}(0.45)^5+\cdots+\frac{1\cdot 3\cdot 5\cdot 7\cdot 9\cdot 11}{2\cdot 4\cdot 6\cdot 8\cdot 10\cdot 12\cdot 13}(0.45)^{13}$

$\approx 0.466\ 76$(弧度) $\approx 26^\circ 44'37''$.

$$\Delta=\frac{1\cdot 3\cdot 5\cdot 7\cdot 9\cdot 11\cdot 13}{2\cdot 4\cdot 6\cdot 8\cdot 10\cdot 12\cdot 14\cdot 15}(0.45)^{15}+\frac{1\cdot 3\cdots 15}{2\cdot 4\cdots 16\cdot 17}(0.45)^{17}+\cdots$$

$$<\frac{1}{15}(0.45)^{15}[1+(0.45)^2+\cdots]<\frac{1}{15}\cdot\frac{(0.45)^{15}}{1-(0.45)^2}\approx 5.26\times 10^{-7}.$$

(9) 事实上,只要计算 $\ln 1.1$.

$$\ln 1.1=\ln(1+0.1)\approx 0.1-\frac{(0.1)^2}{2}+\cdots+\frac{(0.1)^5}{5}\approx 0.095\ 3,$$

取五项,所以

$$(1.1)^{1.2}=e^{1.2\ln 1.1}\approx e^{1.2\times 0.095\ 3}\approx 1.121\ 17;$$

$$\Delta=\frac{1}{4!}e^{1.2\times 0.095\ 30}(0.095\ 3\times 1.2)^4<7.9\times 10^{-6}.$$

【1404】 计算:

(1) e 精确到 10^{-9};　(2) $\sin 1^\circ$ 精确到 10^{-8};　(3) $\cos 9^\circ$ 精确到 10^{-5};

(4) $\sqrt{5}$ 精确到 10^{-4};　(5) lg 11 精确到 10^{-5}.

解 (1)$\Delta=\dfrac{1}{(n+1)!}+\dfrac{1}{(n+2)!}+\dfrac{1}{(n+3)!}+\cdots$

$$=\frac{1}{(n+1)!}\left[1+\frac{1}{n+2}+\frac{1}{(n+2)(n+3)}+\cdots\right]$$

$$<\frac{1}{(n+1)!}\left[1+\frac{1}{n+1}+\frac{1}{(n+1)^2}+\cdots\right]$$

$$=\frac{1}{(n+1)!}\cdot\frac{1}{1-\frac{1}{n+1}}=\frac{1}{n!n}.$$

要使 $\Delta<10^{-9}$，只要 $n!n>10^9$，即 $n\geqslant 11$. 于是

$$e\approx 1+1+\frac{1}{2!}+\frac{1}{3!}+\cdots+\frac{1}{11!}\approx 2.718\ 281\ 828.$$

(2)$\Delta<\dfrac{1}{(2n+1)!}\left(\dfrac{\pi}{180}\right)^{2n+1}$，要使 $\Delta<10^{-8}$，只要

$$\frac{1}{(2n+1)!}\left(\frac{\pi}{180}\right)^{2n+1}<10^{-8}，即\ n\geqslant 3.$$

于是

$$\sin 1°\approx\frac{\pi}{180}-\frac{1}{3!}\left(\frac{\pi}{180}\right)^3\approx 0.017\ 452\ 41.$$

(3)$\Delta<\dfrac{1}{(2n)!}\left(\dfrac{\pi}{20}\right)^{2n}$，要使 $\Delta<10^{-5}$，只要$\dfrac{1}{(2n)!}\left(\dfrac{\pi}{20}\right)^{2n}<10^{-5}$，即 $n\geqslant 3$. 于是

$$\cos 9°\approx 1-\frac{1}{2!}\left(\frac{\pi}{20}\right)^2+\frac{1}{4!}\left(\frac{\pi}{20}\right)^4\approx 0.987\ 69.$$

(4)$\sqrt{5}=2\left(1+\dfrac{1}{4}\right)^{\frac{1}{2}}$，$\Delta<\dfrac{2\cdot(2n-1)!!}{2^{n+1}(n+1)!}\left(\dfrac{1}{4}\right)^{n+1}$，要使 $\Delta<10^{-4}$，只要

$$\frac{2(2n-1)!!}{2^{n+1}(n+1)!}\left(\frac{1}{4}\right)^{n+1}<10^{-4}，即\ n\geqslant 4.$$

于是

$$\sqrt{5}\approx 2\left[1+\frac{1}{2}\cdot\frac{1}{4}-\frac{1\cdot 1}{2!\cdot 2^2}\left(\frac{1}{4}\right)^2+\frac{1\cdot 3}{3!\cdot 2^3}\left(\frac{1}{4}\right)^3\right]\approx 2.236\ 1.$$

(5)$\lg 11=1+\lg(1+0.1)$，$\Delta<\dfrac{1}{n+1}(0.1)^{n+1}$. 要使 $\Delta<10^{-5}$，只要$\dfrac{1}{n+1}(0.1)^{n+1}<10^{-5}$，即 $n\geqslant 4$.

于是 $\lg 11\approx 1+[0.1-\dfrac{1}{2}(0.1)^2+\dfrac{1}{3}(0.1)^3-\dfrac{1}{4}(0.1)^4]\cdot\dfrac{1}{\ln 10}\approx 1.041\ 39.$

知识点 2 五个重要的麦克劳林展开式

(1)$e^x=1+x+\dfrac{x^2}{2!}+\cdots+\dfrac{x^n}{n!}+o(x^n)$；

(2)$\sin x=x-\dfrac{x^3}{3!}+\cdots+(-1)^{n-1}\dfrac{x^{2n-1}}{(2n-1)!}+o(x^{2n})$；

(3)$\cos x=1-\dfrac{x^2}{2!}+\cdots+(-1)^n\dfrac{x^{2n}}{(2n)!}+o(x^{2n+1})$；

(4)$(1+x)^m=1+mx+\dfrac{m(m-1)}{2!}x^2+\cdots+\dfrac{m(m-1)\cdots(m-n+1)}{n!}x^n+o(x^n)$；

(5)$\ln(1+x)=x-\dfrac{x^2}{2}+\cdots+(-1)^{n-1}\dfrac{x^n}{n}+o(x^n)$.

习题 1405—1415 利用五个重要展开式求极限

【利用五个重要展开式，求下列函数的极限(1405—1415)】

【1405】 $\lim\limits_{x\to0}\dfrac{\cos x-e^{-\frac{x^2}{2}}}{x^4}$.

解 $\lim\limits_{x\to0}\dfrac{\cos x-e^{-\frac{x^2}{2}}}{x^4}=\lim\limits_{x\to0}\dfrac{\left[1-\dfrac{x^2}{2!}+\dfrac{x^4}{4!}+o(x^4)\right]-\left[1-\dfrac{x^2}{2}+\dfrac{1}{2!}\cdot\dfrac{x^4}{4}+o(x^4)\right]}{x^4}$

$=\lim\limits_{x\to0}\dfrac{\left(\dfrac{1}{4!}-\dfrac{1}{4\cdot2!}\right)x^4+o(x^4)}{x^4}=-\dfrac{1}{12}.$

【1406】 $\lim\limits_{x\to0}\dfrac{e^x\sin x-x(1+x)}{x^3}$.

解 $\lim\limits_{x\to0}\dfrac{e^x\sin x-x(1+x)}{x^3}=\lim\limits_{x\to0}\dfrac{\left[1+x+\dfrac{x^2}{2!}+o(x^2)\right]\cdot\left[x-\dfrac{x^3}{3!}+o(x^3)\right]-x(1+x)}{x^3}$

$=\lim\limits_{x\to0}\dfrac{\dfrac{1}{3}x^3+o(x^3)}{x^3}=\lim\limits_{x\to0}\left[\dfrac{1}{3}+\dfrac{o(x^3)}{x^3}\right]=\dfrac{1}{3}.$

【1407】 $\lim\limits_{x\to+\infty}x^{\frac{3}{2}}(\sqrt{x+1}+\sqrt{x-1}-2\sqrt{x})$.

解 $\lim\limits_{x\to+\infty}x^{\frac{3}{2}}(\sqrt{x+1}+\sqrt{x-1}-2\sqrt{x})$

$=\lim\limits_{x\to+\infty}x^{\frac{3}{2}}\left[x^{\frac{1}{2}}\left(1+\dfrac{1}{x}\right)^{\frac{1}{2}}+x^{\frac{1}{2}}\left(1-\dfrac{1}{x}\right)^{\frac{1}{2}}-2x^{\frac{1}{2}}\right]$

$=\lim\limits_{x\to+\infty}x^2\left[\left(1+\dfrac{1}{2x}-\dfrac{1}{8x^2}+o\left(\dfrac{1}{x^2}\right)\right)+\left(1-\dfrac{1}{2x}-\dfrac{1}{8x^2}+o\left(\dfrac{1}{x^2}\right)-2\right)\right]$

$=\lim\limits_{x\to+\infty}\left[-\dfrac{1}{4}+o(1)\right]=-\dfrac{1}{4}.$

【1408】 $\lim\limits_{x\to+\infty}(\sqrt[6]{x^6+x^5}-\sqrt[6]{x^6-x^5})$.

解 $\lim\limits_{x\to+\infty}(\sqrt[6]{x^6+x^5}-\sqrt[6]{x^6-x^5})=\lim\limits_{x\to+\infty}x\left[\left(1+\dfrac{1}{x}\right)^{\frac{1}{6}}-\left(1-\dfrac{1}{x}\right)^{\frac{1}{6}}\right]$

$=\lim\limits_{x\to+\infty}x\left[\left(1+\dfrac{1}{6x}+o\left(\dfrac{1}{x}\right)\right)-\left(1-\dfrac{1}{6x}+o\left(\dfrac{1}{x}\right)\right)\right]=\lim\limits_{x\to+\infty}\left[\dfrac{1}{3}+o(1)\right]=\dfrac{1}{3}.$

【1409】 $\lim\limits_{x\to\infty}\left[\left(x^3-x^2+\dfrac{x}{2}\right)e^{\frac{1}{x}}-\sqrt{x^6-1}\right]$.

解 $\lim\limits_{x\to\infty}\left[\left(x^3-x^2+\dfrac{x}{2}\right)e^{\frac{1}{x}}-\sqrt{x^6+1}\right]$

$=\lim\limits_{x\to\infty}\left[\left(x^3-x^2+\dfrac{x}{2}\right)\left(1+\dfrac{1}{x}+\dfrac{1}{2x^2}+\dfrac{1}{6x^3}+o\left(\dfrac{1}{x^3}\right)\right)-x^3\left(1+o\left(\dfrac{1}{x^3}\right)\right)\right]$

$=\lim\limits_{x\to\infty}\left[\dfrac{1}{6}+o(1)\right]=\dfrac{1}{6}.$

【1410】 $\lim\limits_{x\to0^+}\dfrac{a^x-a^{-x}-2}{x^2}(a>0)$.

解 $\lim\limits_{x\to0^+}\dfrac{a^x-a^{-x}-2}{x^2}=\lim\limits_{x\to0^+}\dfrac{e^{x\ln a}+e^{-x\ln a}-2}{x^2}$

$$=\lim_{x\to0^+}\frac{1}{x^2}\left\{\left[1+x\ln a+\frac{x^2}{2!}\ln^2 a+o(x^2)\right]+\left[1-x\ln a+\frac{x^2}{2!}\ln^2 a+o(x^2)\right]-2\right\}$$
$$=\lim_{x\to0^+}[\ln^2 a+o(1)]=\ln^2 a.$$

【1411】 $\lim\limits_{x\to\infty}\left[x-x^2\ln\left(1+\frac{1}{x}\right)\right]$.

解 $\lim\limits_{x\to\infty}\left[x-x^2\ln\left(1+\frac{1}{x}\right)\right]=\lim\limits_{x\to\infty}\left[x-x^2\left(\frac{1}{x}-\frac{1}{2x^2}+o\left(\frac{1}{x^2}\right)\right)\right]=\lim\limits_{x\to\infty}\left[\frac{1}{2}+o(1)\right]=\frac{1}{2}$.

【1412】 $\lim\limits_{x\to0}\left(\frac{1}{x}-\frac{1}{\sin x}\right)$.

解
$$\lim_{x\to0}\left(\frac{1}{x}-\frac{1}{\sin x}\right)=\lim_{x\to0}\frac{\sin x-x}{x\sin x}=\lim_{x\to0}\frac{\sin x-x}{x^2}$$
$$=\lim_{x\to0}\frac{-\frac{x^3}{3!}+o(x^4)}{x^2}=\lim_{x\to0}\left[-\frac{1}{3!}x+o(x^2)\right]=0.$$

【1413】 $\lim\limits_{x\to0}\frac{1}{x}\left(\frac{1}{x}-\cot x\right)$.

解 方法一

$$\lim_{x\to0}\frac{1}{x}\left(\frac{1}{x}-\cot x\right)=\lim_{x\to0}\frac{1}{x}\left[\frac{1}{x}-\left(\frac{1}{x}-\frac{x}{3}-\frac{x^3}{45}+o(x^3)\right)\right]$$
$$=\lim_{x\to0}\left[\frac{1}{3}+o(x^2)\right]=\frac{1}{3}.$$

方法二

$$\lim_{x\to0}\frac{1}{x}\left(\frac{1}{x}-\cot x\right)=\lim_{x\to0}\frac{\sin x-x\cos x}{x^2\sin x}$$
$$=\lim_{x\to0}\frac{x-\frac{x^3}{3!}+o(x^3)-x\left[1-\frac{x^2}{2}+o(x^2)\right]}{x^3}$$
$$=\lim_{x\to0}\frac{\left(\frac{1}{2}-\frac{1}{6}\right)x^3+o(x^3)}{x^3}=\frac{1}{3}.$$

【1414】 $\lim\limits_{x\to+\infty}\left[\sqrt[3]{x^3+x^2+x+1}-\sqrt{x^2+x+1}\cdot\frac{\ln(e^x+x)}{x}\right]$.

解 当 $x\to+\infty$ 时,有

$$\sqrt[3]{x^3+x^2+x+1}=x\left[1+\left(\frac{1}{x}+\frac{1}{x^2}+\frac{1}{x^3}\right)\right]^{\frac{1}{3}}$$
$$=x\left[1+\frac{1}{3}\left(\frac{1}{x}+\frac{1}{x^2}+\frac{1}{x^3}\right)+o\left(\frac{1}{x}+\frac{1}{x^2}+\frac{1}{x^3}\right)\right]$$
$$=x+\frac{1}{3}+o\left(\frac{1}{x}\right)+o(1)=x+\frac{1}{3}+o(1),$$

$$\sqrt{x^2+x+1}=x\left[1+\left(\frac{1}{x}+\frac{1}{x^2}\right)\right]^{\frac{1}{2}}$$
$$=x\left[1+\frac{1}{2}\left(\frac{1}{x}+\frac{1}{x^2}\right)+o\left(\frac{1}{x}+\frac{1}{x^2}\right)\right]=x+\frac{1}{2}+o(1),$$

$$\frac{\ln(e^x+x)}{x}=\frac{1}{x}\ln[e^x(1+xe^{-x})]=1+\frac{1}{x}\ln(1+xe^{-x})$$
$$=1+o\left(\frac{1}{x}\right)(\text{这是由于}\lim_{x\to+\infty}\ln(1+xe^{-x})=0).$$

于是

$$\sqrt[3]{x^3+x^2+x+1}-\sqrt{x^2+x+1}\cdot\frac{\ln(e^x+x)}{x}$$
$$=\left[x+\frac{1}{3}+o(1)\right]-\left[x+\frac{1}{2}+o(1)\right]\left[1+o\left(\frac{1}{x}\right)\right]$$
$$=\left[x+\frac{1}{3}+o(1)\right]-\left[x+\frac{1}{2}+o(1)\right]=-\frac{1}{6}+o(1).$$

从而有

$$\lim_{x\to+\infty}\left[\sqrt[3]{x^3+x^2+x+1}-\sqrt{x^2+x+1}\cdot\frac{\ln(e^x+x)}{x}\right]=\lim_{x\to+\infty}\left[-\frac{1}{6}+o(1)\right]=-\frac{1}{6}.$$

【1415】 $\lim\limits_{x\to+\infty}\left[(x+a)^{1+\frac{1}{x}}-x^{1+\frac{1}{x+a}}\right]$.

解 当 $x\to+\infty$ 时,有 $\left(1+\frac{a}{x}\right)^{\frac{1}{x}}=e^{\frac{1}{x}\ln\left(1+\frac{a}{x}\right)}=e^{o\left(\frac{1}{x}\right)}=1+o\left(\frac{1}{x}\right)$ 及

$$x^{\frac{1}{x+a}-\frac{1}{x}}=x^{-\frac{a}{x(x+a)}}=e^{-\frac{a}{x(x+a)}\ln x}=e^{o\left(\frac{1}{x}\right)}=1+o\left(\frac{1}{x}\right),$$

并注意到 $\lim\limits_{x\to+\infty}x^{\frac{1}{x}}=1$,于是得

$$(x+a)^{1+\frac{1}{x}}-x^{1+\frac{1}{x+a}}=(x+a)(x+a)^{\frac{1}{x}}-x\cdot x^{\frac{1}{x+a}}$$
$$=(x+a)\cdot x^{\frac{1}{x}}\left(1+\frac{a}{x}\right)^{\frac{1}{x}}-x\cdot x^{\frac{1}{x}}x^{\frac{1}{x+a}-\frac{1}{x}}$$
$$=x^{\frac{1}{x}}\left\{(x+a)\left[1+o\left(\frac{1}{x}\right)\right]-x\left[1+o\left(\frac{1}{x}\right)\right]\right\}$$
$$=x^{\frac{1}{x}}\{[x+a+o(1)]-[x+o(1)]\}=x^{\frac{1}{x}}[a+o(1)].$$

从而有 $\lim\limits_{x\to+\infty}\left[(x+a)^{1+\frac{1}{x}}-x^{1+\frac{1}{x+a}}\right]=\lim\limits_{x\to+\infty}x^{\frac{1}{x}}[a+o(1)]=a$.

习题 1416—1422 最简多项式逼近

【当 $x\to0$ 时,求出无穷小量 y 的形如 Cx^n(C 为常数)的主项(1416—1418)】

【1416】 $y=\tan(\sin x)-\sin(\tan x)$.

解 $\sin x=x-\frac{x^3}{3!}+\frac{x^5}{5!}-\frac{x^7}{7!}+\cdots$,$\tan x=x+\frac{x^3}{3}+\frac{2x^5}{15}+\frac{x^7}{35}+\cdots$,从而

$$y=\left[\sin x+\frac{1}{3}\sin^3x+\frac{2}{15}\sin^5x+\frac{1}{35}\sin^7x+o(\sin^7x)\right]-$$
$$\left[\tan x-\frac{1}{3!}\tan^3x+\frac{1}{5!}\tan^5x-\frac{1}{7!}\tan^7x+o(\tan^7x)\right]$$
$$=\left[\left(x-\frac{1}{6}x^3+\frac{1}{120}x^5-\frac{1}{5\,040}x^7+o(x^7)\right)+\frac{1}{3}\left(x-\frac{1}{6}x^3+\frac{1}{120}x^5-\frac{1}{5\,040}x^7+o(x^7)\right)^3+\right.$$
$$\left.\frac{2}{15}\left(x-\frac{1}{6}x^3+\frac{1}{120}x^5-\frac{1}{5\,040}x^7+o(x^7)\right)^5+\frac{1}{35}\left(x-\frac{x^3}{6}+\frac{x^5}{120}-\frac{x^7}{5\,040}+o(x^7)\right)^7\right]-$$
$$\left[\left(x+\frac{x^3}{3}+\frac{2x^5}{15}+\frac{x^7}{35}+o(x^7)\right)-\frac{1}{3!}\left(x+\frac{x^3}{3}+\frac{2x^5}{15}+\frac{x^7}{35}+o(x^7)\right)^3+\right.$$
$$\left.\frac{1}{5!}\left(x+\frac{x^3}{3}+\frac{2x^5}{15}+\frac{x^7}{35}+o(x^7)\right)^5-\frac{1}{7!}\left(x+\frac{x^3}{3}+\frac{2x^5}{15}+\frac{x^7}{35}+o(x^7)\right)^7+o(x^7)\right]$$
$$=\frac{x^7}{30}+o(x^7).$$

故 $y=\tan(\sin x)-\sin(\tan x)$ 的主项为 $\frac{x^7}{30}$.

【1417】 $y=(1+x)^x-1$.

解 $y=e^{x\ln(1+x)}-1=e^{x\left[x-\frac{x^2}{2}+o(x^2)\right]}-1=e^{x^2-\frac{x^3}{2}+o(x^3)}-1$

$$=1+[x^2-\frac{x^3}{2}+o(x^3)]+o\left(x^2-\frac{x^3}{2}+o(x^3)\right)-1=x^2+o(x^2).$$

故 $y=(1+x)^x-1$ 的主项为 x^2.

【1418】 $y=1-\dfrac{(1+x)^{\frac{1}{x}}}{e}$.

解 $y=1-e^{\frac{1}{x}\ln(1+x)-1}=1-e^{\frac{1}{x}\left[x-\frac{x^2}{2}+o(x^2)\right]-1}=1-e^{-\frac{x}{2}+o(x)}$

$$=1-\left[1+\left(-\frac{x}{2}+o(x)\right)+o\left(-\frac{x}{2}+o(x)\right)\right]=\frac{x}{2}+o(x).$$

故 $y=1-\dfrac{(1+x)^{\frac{1}{x}}}{e}$ 的主项为 $\dfrac{x}{2}$.

【1419】 当选择怎样的系数 a 与 b 时,量 $x-(a+b\cos x)\sin x$ 为当 $x\to 0$ 时关于 x 的5阶无穷小.

解 $x-(a+b\cos x)\sin x$

$$=x-a\left[x-\frac{x^3}{3!}+\frac{x^5}{5!}+o(x^5)\right]-\frac{b}{2}\left[2x-\frac{1}{3!}(2x)^3+\frac{1}{5!}(2x)^5+o(x^5)\right]$$

$$=(1-a-b)x+\left(\frac{a}{6}+\frac{2b}{3}\right)x^3-\left(\frac{a}{120}+\frac{2b}{15}\right)x^5+o(x^5).$$

要此量为当 $x\to 0$ 时关于 x 的5阶无穷小,当且仅当

$$\begin{cases}1-a-b=0,\\ \dfrac{a}{6}+\dfrac{2b}{3}=0,\\ \dfrac{a}{120}+\dfrac{2b}{15}\neq 0,\end{cases}$$

解得 $a=\dfrac{4}{3}$,$b=-\dfrac{1}{3}$.

【1420】 假设 $|x|$ 为无穷小量,推出下列各式的简单的近似公式:

(1) $\dfrac{1}{R^2}-\dfrac{1}{(R+x)^2}$ $(R>0)$; (2) $\sqrt[3]{\dfrac{1+x}{1-x}}-\sqrt[3]{\dfrac{1-x}{1+x}}$;

(3) $\dfrac{A}{x}\left[1-\left(1+\dfrac{x}{100}\right)^{-n}\right]$; (4) $\dfrac{\ln 2}{\ln\left(1+\dfrac{x}{100}\right)}$.

解 (1) $\dfrac{1}{R^2}-\dfrac{1}{(R+x)^2}=\dfrac{1}{R^2}\left[1-\left(1+\dfrac{x}{R}\right)^{-2}\right]\approx\dfrac{1}{R^2}\left[1-1+\dfrac{2x}{R}\right]=\dfrac{2x}{R^3}$;

(2) $\sqrt[3]{\dfrac{1+x}{1-x}}-\sqrt[3]{\dfrac{1-x}{1+x}}=\left(1+\dfrac{2x}{1-x}\right)^{\frac{1}{3}}-\left(1-\dfrac{2x}{1+x}\right)^{\frac{1}{3}}$

$$\approx\left[1+\frac{2x}{3(1-x)}\right]-\left[1-\frac{2x}{3(1+x)}\right]=\frac{4x}{3(1-x^2)}\approx\frac{4}{3}x;$$

(3) $\dfrac{A}{x}\left[1-\left(1+\dfrac{x}{100}\right)^{-n}\right]\approx\dfrac{A}{x}\left[1-\left(1-\dfrac{nx}{100}\right)\right]=\dfrac{nA}{100}$;

(4) $\dfrac{\ln 2}{\ln\left(1+\dfrac{x}{100}\right)}=\dfrac{\ln 2}{\dfrac{x}{100}-\dfrac{x^2}{20\ 000}+\cdots}\approx\dfrac{\ln 2}{\dfrac{x}{100}}=\dfrac{100\ln 2}{x}\approx\dfrac{70}{x}$.

【1421】 假设 $|x|$ 为无穷小量,推出形如 $x=\alpha\sin x+\beta\tan x$ 且精确到 x^5 项的近似

公式.应用此公式近似地求小角度的弧长.

解 $x=\alpha\left[x-\frac{x^3}{3!}+\frac{x^5}{5!}+o(x^6)\right]+\beta\left[x+\frac{x^3}{3}+\frac{2x^5}{15}+o(x^5)\right]$

$$=(\alpha+\beta)x-\left(\frac{\alpha}{6}-\frac{\beta}{3}\right)x^3+\left(\frac{\alpha}{120}+\frac{2\beta}{15}\right)x^5+o(x^5),$$

所以$(1-\alpha-\beta)x+\left(\frac{\alpha}{6}-\frac{\beta}{3}\right)x^3-\left(\frac{\alpha}{120}+\frac{2\beta}{15}\right)x^5+o(x^5)=0$.

要使此近似公式精确到 x^5 项,当且仅当$\begin{cases}1-\alpha-\beta=0,\\ \frac{\alpha}{6}-\frac{\beta}{3}=0.\end{cases}$ 解得 $\alpha=\frac{2}{3}$,$\beta=\frac{1}{3}$. 于是,近似公式为

$$x\approx\frac{2}{3}\sin x+\frac{1}{3}\tan x.$$

弧长 = 中心角 × 半径,设中心角为 x,半径为 R,则弧长 $=Rx\approx\frac{2R}{3}\sin x+\frac{R}{3}\tan x$,此即小角度的弧长的近似公式.

【1422】 估计下面的切比雪夫法则的相对误差:圆弧长近似地等于以此弧的弦为底,以其拱高的$\sqrt{\frac{4}{3}}$为高的等腰三角形两腰的和.

解 如图 2.52 所示,$BC=R\sin\alpha$,

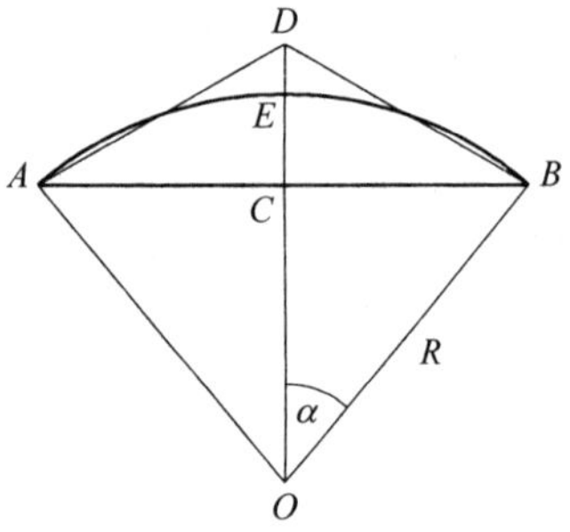

图 2.52

$$BC^2=R^2\sin^2\alpha=\frac{R^2}{2}(1-\cos 2\alpha),$$

$$DC=\sqrt{\frac{4}{3}}EC=\sqrt{\frac{4}{3}}R(1-\cos\alpha),$$

$$DC^2=\frac{4}{3}R^2(1-2\cos\alpha+\cos^2\alpha)=R^2\left(2-\frac{8}{3}\cos\alpha+\frac{2}{3}\cos 2\alpha\right).$$

于是

$$BD^2=BC^2+DC^2=R^2\left(\frac{5}{2}-\frac{8}{3}\cos\alpha+\frac{1}{6}\cos 2\alpha\right)$$

$$=R^2\left[\frac{5}{2}-\frac{8}{3}\left(1-\frac{1}{2}\alpha^2+\frac{1}{24}\alpha^4-\frac{1}{720}\alpha^6\right)+\frac{1}{6}\left(1-2\alpha^2+\frac{2}{3}\alpha^4-\frac{4}{45}\alpha^6\right)\right]+o(\alpha^7)$$

$$=R^2\left(\alpha^2-\frac{1}{90}\alpha^6\right)+o(\alpha^7)=R^2\alpha^2\left[1-\frac{1}{90}\alpha^4+o(\alpha^5)\right]=R^2\alpha^2(1-\Delta),$$

其中 $\Delta=\frac{1}{90}\alpha^4+o(\alpha^5)$.

$$BD=R\alpha\sqrt{1-\Delta}=R\alpha\left[1-\frac{1}{2}\Delta+o(\Delta^2)\right]=R\alpha\left[1-\frac{1}{180}\alpha^4+o(\alpha^5)\right],$$

从而得

$$|\widehat{BE}-BD|=\left|R\alpha-R\alpha\left[1-\frac{\alpha^4}{180}+o(\alpha^5)\right]\right|=\frac{\alpha^5}{180}R+o(\alpha^6).$$

因此,所求的相对误差为

$$\left|\frac{\widehat{AB}-(AD+DB)}{\widehat{AB}}\right|=\left|\frac{2\widehat{BE}-2BD}{2\widehat{BE}}\right|=\frac{|\widehat{BE}-BD|}{|\widehat{BE}|}=\frac{\frac{\alpha^5}{180}R+o(\alpha^6)}{\alpha R}=\frac{\alpha^4}{180}+o(\alpha^5).$$

可见 α 愈小,相对误差就愈小,就愈精确.

第11节 函数的极值与最值（习题1423—1470）

知识点预览

序号	知识点	题目序号	所在页码
1	极值的概念与判别	1423—1453	P161
2	最大值与最小值	1454—1470	P167

知识点1 极值的概念与判别

1. 极值的概念 设 $f(x)$ 在点 x_0 的某邻域 $U(x_0;\delta)$ 内有定义，且对 $\forall x \in U(x_0;\delta)$ 有

$$f(x) \leqslant f(x_0)\ (f(x) \geqslant f(x_0)),$$

则称函数 $f(x)$ 在点 x_0 取得极大(小)值，称点 x_0 为极大(小)值点.

若 $\forall x \in U^o(x_0;\delta)$，有

$$f(x) < f(x_0)\ (f(x) > f(x_0)),$$

则称函数 $f(x)$ 在点 x_0 取得严格极大(小)值. 严格极值也称为极值.

极大值点与极小值点统称为极值点，极大值与极小值统称为极值.

2. 极值的判别

极值存在的必要条件 设函数 $f(x)$ 在点 x_0 的某邻域内有定义，且在点 x_0 可导，若点 x_0 为 $f(x)$ 的极值点，则必有 $f'(x_0)=0$. 称满足方程 $f'(x)=0$ 的点为 $f(x)$ 的驻点或者稳定点.

导数为零和导数不存在的点统称为可疑点.

极值存在的充分条件

第一法则 设函数 $f(x)$ 在点 x_0 连续，在邻域 $U^o(x_0;\delta)$ 内可导，则

(1) 若当 $x \in (x_0-\delta, x_0)$ 时 $f'(x) \leqslant 0$，当 $x \in (x_0, x_0+\delta)$ 时 $f'(x) \geqslant 0$，则 x_0 为 $f(x)$ 的极小值点；

(2) 若当 $x \in (x_0-\delta, x_0)$ 时 $f'(x) \geqslant 0$，当 $x \in (x_0, x_0+\delta)$ 时 $f'(x) \leqslant 0$，则 x_0 为 $f(x)$ 的极大值点；

(3) 若 $f'(x)$ 在上述两个区间内同号，则 x_0 不是 $f(x)$ 的极值点.

注 若(1)(2)中为严格不等号，则 x_0 为严格极值点.

第二法则 设 x_0 为函数 $f(x)$ 的驻点，$f''(x_0)$ 存在且不等于零，则

(1) 如果 $f''(x_0) < 0$，那么 $f(x)$ 在点 x_0 取极大值；

(2) 如果 $f''(x_0) > 0$，那么 $f(x)$ 在点 x_0 取极小值；

第三法则 设 $f(x)$ 在点 x_0 的某邻域内存在直到 $n-1$ 阶导函数，在 x_0 处 n 阶可导，且

$$f'(x_0) = f''(x_0) = \cdots = f^{(n-1)}(x_0) = 0,\ f^{(n)}(x_0) \neq 0,$$

则(1) 当 n 为奇数时，$f(x)$ 在 x_0 点不取极值；

(2) 当 n 为偶数时，$f(x)$ 在 x_0 点取极值，且 $f^{(n)}(x_0)<0$ 时，取极大值；$f^{(n)}(x_0)>0$ 时，取极小值.

注 第二法则和第三法则中得到的极值点均为严格极值点.

习题 1423—1437 判定函数是否取极值

【研究下列函数的极值(1423—1431)】

【1423】 $y=2+x-x^2$.

解 $y'=1-2x$，令 $y'=0$ 得 $x=\frac{1}{2}$. 由于 $y''(0)=-2<0$，所以当 $x=\frac{1}{2}$ 时，函数 y 取极大值，且 $y(\frac{1}{2})=2+\frac{1}{2}-\frac{1}{4}=\frac{9}{4}$.

【1424】 $y=(x-1)^3$.

解 由于 $y'=3(x-1)^2>0$ (除 $x=1$ 外)，即函数在$(-\infty,+\infty)$ 单调递增，故函数 y 无极值.

【1425】 $y=(x-1)^4$.

解 $y'=4(x-1)^3$，令 $y'=0$ 得 $x=1$. 当 $x<1$ 时 $y'<0$，当 $x>1$ 时 $y'>0$，所以函数 y 当 $x=1$ 时取极小值 $y(1)=0$.

【1426】 $y=x^m(1-x)^n$(m 及 n 为正整数).

提示 求得驻点后，仅对影响导数符号的点讨论即可，例如，对 $x=0$，由于$(1-x)^{n-1}$ 及 $m-(m+n)x$ 在 $x=0$ 的小邻域内不改变符号，仅讨论 x^{m-1} 的符号即可.

解 $y'=x^{m-1}$，由 $y'=0$ 得 $x=0, x=1, x=\frac{m}{m+n}$.

(1) 对 $x=\frac{m}{m+n}$. 不论 m,n 是奇数还是偶数，由于当 $0<x<\frac{m}{m+n}$ 时，$y'>0$，当$\frac{m}{m+n}<x<1$ 时，$y'<0$，所以函数 y 在 $x=\frac{m}{m+n}$ 处有极大值 $y(\frac{m}{m+n})=\frac{m^m n^n}{(m+n)^{m+n}}$.

(2) 对 $x=0$. 若 m 为偶数，则当 $0<x<\frac{m}{m+n}$ 时，$y'>0$，当 $x<0$ 时，$y'<0$，所以函数 y 在 $x=0$ 处有极小值 $y(0)=0$.

若 m 为奇数，则 y' 在 $x=0$ 邻近不变号，故无极值.

(3) 对 $x=1$. 同理可知，若 n 为偶数，函数 y 在 $x=1$ 处有极小值 $y(1)=0$. 若 n 为奇数，函数 y 在 $x=1$ 处无极值.

【1427】 $y=\cos x+\operatorname{ch} x$.

解 $y'=-\sin x+\operatorname{sh} x$，令 $y'=0$ 得 $x=0$. 由于

$$y''=-\cos x+\operatorname{ch} x, y''(0)=0, y'''=\sin x+\operatorname{sh} x, y'''(0)=0,$$

$$y^{(4)}=\cos x+\operatorname{ch} x, y^{(4)}(0)=2>0,$$

所以当 $x=0$ 时，有极小值 $y(0)=2$.

【1428】 $y=(x+1)^{10}e^{-x}$.

解 $y'=e^{-x}(x+1)^9(9-x)$，令 $y'=0$，得 $x=-1$ 或 $x=9$. 由于

$$y'\begin{cases}<0, x<-1,\\ >0, -1<x<9,\\ <0, x>9,\end{cases}$$

所以当 $x=-1$ 时，有极小值 $y(-1)=0$；当 $x=9$ 时，有极大值 $y(9)=10^{10}\mathrm{e}^{-9}$.

【1429】 $y=\left(1+x+\dfrac{x^2}{2!}+\cdots+\dfrac{x^n}{n!}\right)\mathrm{e}^{-x}$（$n$ 为正整数）.

解 $y'=-\dfrac{1}{n!}\mathrm{e}^{-x}x^n$，令 $y'=0$ 得 $x=0$.

(1) 若 n 为偶数，由于 $y'<0$（除 $x=0$ 外），故函数 y 无极值；

(2) 若 n 为奇数，则当 $x<0$ 时，$y'>0$，当 $x>0$ 时，$y'<0$，所以当 $x=0$ 时有极大值 $y(0)=1$.

【1430】 $y=|x|$.

解 当 $x=0$ 时，得 $y=0$，又在 $x=0$ 的邻域内对于任意 $x\neq0$，恒有 $y=|x|>0$，所以当 $x=0$ 时，函数有极小值 $y(0)=0$. 注意，$y'|_{x=0}$ 不存在.

【1431】 $y=x^{\frac{1}{3}}(1-x)^{\frac{2}{3}}$.

解 $y'=\dfrac{1-3x}{3\sqrt[3]{x^2(1-x)}}$，令 $y'=0$ 得 $x=\dfrac{1}{3}$. 又 y 在点 $x=0$ 和 $x=1$ 处导数不存在.

$$y'\begin{cases}>0, x<0,\\ >0, 0<x<\dfrac{1}{3},\\ <0, \dfrac{1}{3}<x<1,\\ >0, x>1,\end{cases}$$

所以，当 $x=0$ 时无极值；当 $x=\dfrac{1}{3}$ 时有极大值 $y\left(\dfrac{1}{3}\right)=\dfrac{1}{3}\sqrt[3]{4}$；当 $x=1$ 时有极小值 $y(1)=0$.

【1432】 设 $f(x)=(x-x_0)^n\varphi(x)$（n 为正整数），其中函数 $\varphi(x)$ 在 x_0 处连续，且 $\varphi(x_0)\neq0$. 研究函数 $f(x)$ 在点 x_0 的极值情况.

解 由于 $\varphi(x)$ 在 x_0 处连续且 $\varphi(x_0)\neq0$，所以 $\varphi(x)$ 在点 x_0 的充分小邻域 $(x_0-\delta, x_0+\delta)$ 内与 $\varphi(x_0)$ 同号. 于是，$f(x)$ 的符号与 n 的奇偶性及 $\varphi(x_0)$ 的符号有关.

(1) 若 n 为奇数，则当 x 经过 x_0 时，函数 $f(x)$ 的值变号，所以，函数 $f(x)$ 在点 x_0 不取极值；

(2) 若 n 为偶数，则 $(x-x_0)^n>0(x\neq x_0)$.

若 $\varphi(x_0)>0$，则 $f(x)>f(x_0)=0(0<|x-x_0|<\delta)$，故在 x_0 处取极小值 $f(x_0)=0$；

若 $\varphi(x_0)<0$，则 $f(x)<f(x_0)=0(0<|x-x_0|<\delta)$，故在 x_0 处取极大值 $f(x_0)=0$.

【1433】 设 $f(x)=\dfrac{P(x)}{Q(x)}$，$f'(x)=\dfrac{P_1(x)}{Q^2(x)}$ 及 x_0 为 $f(x)$ 的临界点，即 $P_1(x_0)=0$，$Q(x_0)\neq0$. 证明：$\operatorname{sgn} f''(x_0)=\operatorname{sgn} P'(x_0)$.

证 因为

$$f''(x)=\frac{P'_1(x)Q^2(x)-2Q(x)Q'(x)P_1(x)}{Q^4(x)},$$

于是 $f''(x_0)=\dfrac{P'_1(x_0)}{Q^2(x_0)}$. 由于 $Q^2(x_0)>0$，所以有 $\operatorname{sgn} f''(x_0)=\operatorname{sgn} P'(x_0)$.

【1434】 可否断定：若函数 $f(x)$ 在点 x_0 有极大值，则在此点某充分小邻域内，函数 $f(x)$ 在点 x_0 的左侧递增，而在其右侧递减？

解 不能断定. 例如,函数

$$f(x)=\begin{cases}2-x^2\left(2+\sin\dfrac{1}{x}\right), & x\neq 0.\\ 2, & x=0,\end{cases}$$

则 $f(x)-f(0)=-x^2\left(2+\sin\dfrac{1}{x}\right)<0(x\in(-\delta,\delta),x\neq 0)$,所以 $f(x)$ 在点 $x=0$ 有极大值 $f(0)=2$. 易知 $x\neq 0$ 时,有

$$f'(x)=\cos\frac{1}{x}-2x\left(2+\sin\frac{1}{x}\right),$$

由于 $f'\left(\dfrac{1}{2k\pi}\right)=1-\dfrac{2}{k\pi}>0(k>2)$,$f'\left(\dfrac{1}{2k\pi+\frac{\pi}{2}}\right)=-\dfrac{6}{2k\pi+\frac{\pi}{2}}<0$,故在 $x=0$ 的任意小邻域内 $f'(x)$ 的符号时正时负,故在 $x=0$ 的左侧或右侧的任意小邻域内 $f(x)$ 都是振荡的,即不具有单调性.

【**1435**】 证明:$f(x)=\begin{cases}e^{-\frac{1}{x^2}}, & x\neq 0,\\ 0, & x=0\end{cases}$ 在点 $x=0$ 有极小值,尽管 $f^{(n)}(0)=0(n=1,2,\cdots)$. 作出此函数的图像.

证 在 1203 题中已证 $f^{(n)}(0)=0(n=1,2,\cdots)$. 由于

$$f'(x)=\frac{2}{x^3}e^{-\frac{1}{x^2}},f''(x)=\frac{4-6x^2}{x^6}e^{-\frac{1}{x^2}},$$

又当 $x<0$ 时 $f'(x)<0$,当 $x>0$ 时 $f'(x)>0$,故 $f(0)=0$ 为极小值. 令 $f''(x)=0$,解得拐点 $x=\pm\sqrt{\dfrac{2}{3}}$. 又由 $f(x)=f(-x)$,$\lim\limits_{x\to\infty}f(x)=1$ 可知,$f(x)$ 为偶函数,$y=1$ 为渐近线,图像如图 2.53 所示.

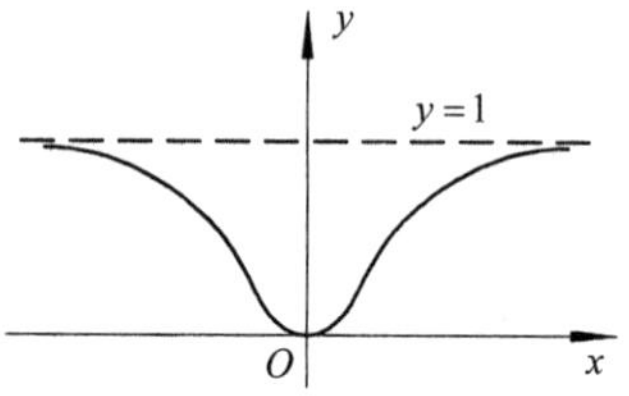

图 2.53

【**1436**】 研究下列函数的极值并作出其图像:

(1) $f(x)=\begin{cases}e^{-\frac{1}{|x|}}\left(\sqrt{2}+\sin\dfrac{1}{x}\right), & x\neq 0,\\ 0, & x=0;\end{cases}$

(2) $f(x)=\begin{cases}e^{-\frac{1}{|x|}}\left(\sqrt{2}+\cos\dfrac{1}{x}\right), & x\neq 0,\\ 0, & x=0.\end{cases}$

解 由于 $\sqrt{2}+\sin\dfrac{1}{x}>0$,$\sqrt{2}+\cos\dfrac{1}{x}>0$ 及 $e^{-\frac{1}{|x|}}>0$,故对于(1) 和(2) 均有 $f(x)>f(0)(x\neq 0)$,故这两个函数在 $x=0$ 均有极小值 $f(0)=0$. 对于 $x\neq 0$,(1) 和(2) 均存在 $f'(x)$,但易知 $f'(x)=0$ 无解,因而无其他极值. 它们的图像分别如图 2.54 及图 2.55 所示.

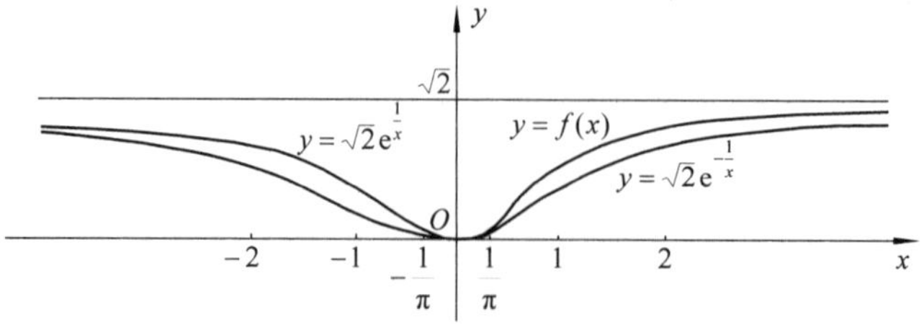

图 2.54

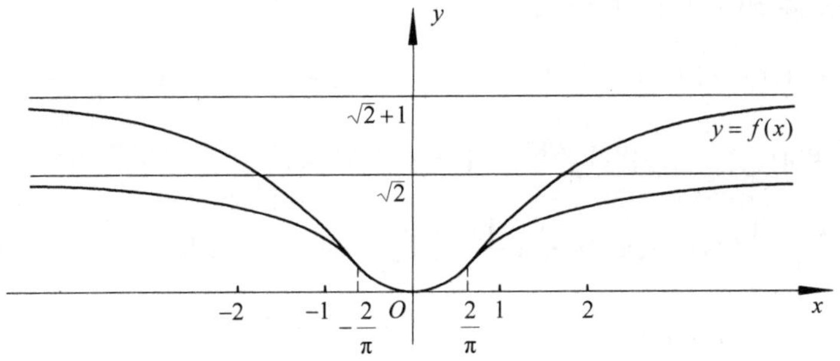

图 2.55

【1437】 研究函数 $f(x)=\begin{cases}|x|\left(2+\cos\dfrac{1}{x}\right), & x\neq 0,\\ 0, & x=0\end{cases}$ 在点 $x=0$ 处的极值. 并作出此函数的图像.

解 由于当 $x\neq 0$ 时，恒有 $f(x)>f(0)$，故 $f(x)$ 在 $x=0$ 有极小值 $f(0)=0$，其图像如图 2.56 所示，它对称于 Oy 轴，又当 $x\to 0$ 时，$f(x)\to 0$.

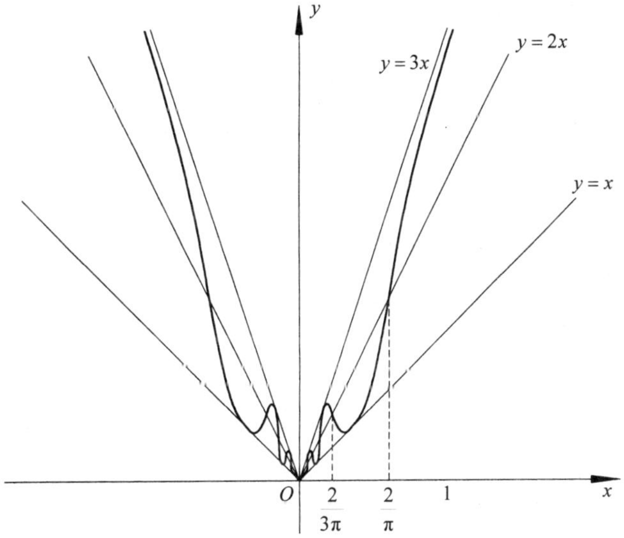

图 2.56

习题 1438—1453 求函数的极值

【求下列函数的极值(1438—1453)**】**

【1438】 $y=x^3-6x^2+9x-4$.

解 $y'=3x^2-12x+9$，令 $y'=0$ 得 $x=1$ 或 $x=3$. 因为

$$y''=6x-12,\ y''(1)=-6<0,\ y''(3)=6>0,$$

故当 $x=1$ 时有极大值 $y(1)=0$，当 $x=3$ 时有极小值 $y(3)=-4$.

【1439】 $y=2x^2-x^4$.

解 $y'=4x-4x^3$，令 $y'=0$ 得 $x=\pm 1$ 或 $x=0$. 因为

$$y''=4-12x^2,\ y''(-1)=-8<0,\ y''(0)=4>0,\ y''(1)=-8<0,$$

故当 $x=-1$ 时有极大值 $y=1$，当 $x=0$ 时有极小值 $y=0$，当 $x=1$ 时有极大值 $y=1$.

【1440】 $y=x(x-1)^2(x-2)^3$.

解 $y'=(x-1)(x-2)^2(6x^2-10x+2)$. 令 $y'=0$ 得 $x=1,2$ 或 $\frac{5\pm\sqrt{13}}{6}$.

当 $x<\frac{5-\sqrt{13}}{6}$ 时, $y'<0$; 当 $\frac{5-\sqrt{13}}{6}<x<1$ 时, $y'>0$;

当 $1<x<\frac{5+\sqrt{13}}{6}$ 时, $y'<0$; 当 $\frac{5+\sqrt{13}}{6}<x<2$ 时, $y'>0$; 当 $x>2$ 时, $y'>0$.

故当 $x=\frac{5-\sqrt{13}}{6}$ 时有极小值 $y=-\frac{(5-\sqrt{13})(1+\sqrt{13})^2(7+\sqrt{13})^3}{6^6}$, $x=1$ 时有极大值 $y=0$, $x=\frac{5+\sqrt{13}}{6}$ 时有极小值 $y=-\frac{(5+\sqrt{13})(\sqrt{13}-1)^2(7-\sqrt{13})^3}{6^6}$, $x=2$ 时无极值.

【1441】 $y=x+\frac{1}{x}$.

解 $y'=1-\frac{1}{x^2}$, 令 $y'=0$ 得 $x=\pm1$.

当 $x<-1$ 时, $y'>0$; 当 $-1<x<0$ 时, $y'<0$; 当 $0<x<1$ 时, $y'<0$; 当 $x>1$ 时, $y'>0$.
所以, 当 $x=-1$ 时有极大值 $y=-2$, 当 $x=1$ 时有极小值 $y=2$.

【1442】 $y=\frac{2x}{1+x^2}$.

解 $y'=\frac{2(1-x^2)}{(1+x^2)^2}$, 令 $y'=0$ 得 $x=\pm1$.

当 $x<-1$ 时, $y'<0$; 当 $-1<x<1$ 时, $y'>0$; 当 $x>1$ 时, $y'<0$.
所以, 当 $x=-1$ 时有极小值 $y=-1$, 当 $x=1$ 时有极大值 $y=1$.

【1443】 $y=\frac{x^2-3x+2}{x^2+2x+1}$.

解 $y'=\frac{5x-7}{(x+1)^3}$, 令 $y'=0$ 得 $x=\frac{7}{5}$.

当 $-1<x<\frac{7}{5}$ 时, $y'<0$; 当 $x>\frac{7}{5}$ 时, $y'>0$. 所以, 当 $x=\frac{7}{5}$ 时有极小值 $y=-\frac{1}{24}$.

【1444】 $y=\sqrt{2x-x^2}$.

解 定义域为[0,2], $y'=\frac{1-x}{\sqrt{2x-x^2}}$, 令 $y'=0$ 得 $x=1$.

当 $0<x<1$ 时, $y'>0$; 当 $1<x<2$ 时, $y'<0$. 所以, 当 $x=1$ 时有极大值 $y=1$.

【1445】 $y=x\sqrt[3]{x-1}$.

解 $y'=\frac{4x-3}{3(x-1)^{\frac{2}{3}}}$, 令 $y'=0$ 得 $x=\frac{3}{4}$.

当 $x<\frac{3}{4}$ 时, $y'<0$; 当 $x>\frac{3}{4}$ 时, $y'>0$. 所以, 当 $x=\frac{3}{4}$ 时有极小值 $y=-\frac{3}{8}\sqrt[3]{2}$.

此外, 当 $x=1$ 时 y 不可导, 当 x 经过 1 时, 导数不变号, 故当 $x=1$ 时 y 不取极值.

【1446】 $y=xe^{-x}$.

解 $y'=e^{-x}(1-x)$, 令 $y'=0$ 得 $x=1$.

当 $x<1$ 时, $y'>0$; 当 $x>1$ 时, $y'<0$. 所以, 当 $x=1$ 时有极大值 $y=e^{-1}$.

【1447】 $y=\sqrt{x}\ln x$.

解 $y'=\frac{1}{2\sqrt{x}}(\ln x+2)$, 令 $y'=0$ 得 $x=e^{-2}$.

当 $0<x<\mathrm{e}^{-2}$ 时，$y'<0$；当 $x>\mathrm{e}^{-2}$ 时，$y'>0$. 所以，当 $x=\mathrm{e}^{-1}$ 时有极小值 $y=-\dfrac{2}{\mathrm{e}}$.

【1448】 $y=\dfrac{\ln^2 x}{x}$.

解 $y'=\dfrac{2\ln x-\ln^2 x}{x^2}$，令 $y'=0$ 得 $x=1$ 或 e^2.

当 $0<x<1$ 时，$y'<0$；当 $1<x<\mathrm{e}^2$ 时，$y'>0$；当 $x>\mathrm{e}^2$ 时，$y'<0$.

所以，当 $x=1$ 时有极小值 $y=0$；当 $x=\mathrm{e}^2$ 时有极大值 $y=\dfrac{4}{\mathrm{e}^2}$.

【1449】 $y=\cos x+\dfrac{1}{2}\cos 2x$.

解 $y'=-\sin x(1+2\cos x)$，令 $y'=0$ 得 $x=k\pi$ 或 $x=\pm\dfrac{2\pi}{3}+2k\pi(k\in\mathbf{Z})$.

因为 $y''=-\cos x-2\cos 2x$，$y''|_{x=k\pi}=(-1)^{k+1}-2<0$，$y''|_{x=\pm\frac{2\pi}{3}+2k\pi}=\dfrac{1}{2}+1>0$.

所以，当 $x=k\pi$ 时有极大值 $y=(-1)^k+\dfrac{1}{2}$；当 $\pm\dfrac{2\pi}{3}+2k\pi$ 时有极小值 $y=-\dfrac{3}{4}$.

【1450】 $y=\dfrac{10}{1+\sin^2 x}$.

解 当 $x=k\pi(k\in\mathbf{Z})$ 时，$\sin x=0$，此时有极大值 $y=10$；

当 $x=\left(k+\dfrac{1}{2}\right)\pi(k\in\mathbf{Z})$ 时，$|\sin x|=1$，此时有极小值 $y=5$.

【1451】 $y=\arctan x-\dfrac{1}{2}\ln(1+x^2)$.

解 $y'=\dfrac{1-x}{1+x^2}$，令 $y'=0$ 得 $x=1$. 当 $x<1$ 时，$y'>0$；当 $x>1$ 时，$y'<0$. 所以，当 $x=1$ 时有极大值 $y=\dfrac{\pi}{4}-\dfrac{1}{2}\ln 2$.

【1452】 $y=\mathrm{e}^x\sin x$.

解 $y'=\mathrm{e}^x(\sin x+\cos x)$，令 $y'=0$ 得 $x=-\dfrac{\pi}{4}+2k\pi$ 或 $x=\dfrac{3\pi}{4}+2k\pi(k\in\mathbf{Z})$.

因为 $y''=2\mathrm{e}^x\cos x$，$y''|_{x=-\frac{\pi}{4}+2k\pi}>0$，$y''|_{x=\frac{3\pi}{4}+2k\pi}<0$，所以，当 $x=-\dfrac{\pi}{4}+2k\pi(k\in\mathbf{Z})$ 时有极小值 $y=-\dfrac{\sqrt{2}}{2}\mathrm{e}^{-\frac{\pi}{4}}+2k\pi$；当 $x=\dfrac{3\pi}{4}+2k\pi(k\in\mathbf{Z})$ 时有极大值 $y=\dfrac{\sqrt{2}}{2}\mathrm{e}^{\frac{3\pi}{4}+2k\pi}$.

【1453】 $y=|x|\mathrm{e}^{|x-1|}$.

解 当 $x<0$ 时，$y=-x\mathrm{e}^{x-1}$，$y'=-(x+1)\mathrm{e}^{x-1}$. 令 $y'=0$ 得 $x=-1$.

当 $x<-1$ 时，$y'>0$；当 $-1<x<0$ 时，$y'<0$. 所以，当 $x=-1$ 时有极大值 $y=\mathrm{e}^{-2}$.

当 $0<x<1$ 时，有 $y=x\mathrm{e}^{x-1}$，$y'=(x+1)\mathrm{e}^{x-1}>0$，所以，当 $x=0$ 时有极小值 $y=0$；

而当 $x>1$ 时，有 $y=x\mathrm{e}^{1-x}$，$y'=(1-x)\mathrm{e}^{1-x}<0$，所以，当 $x=1$ 时有极大值 $y=1$.

知识点2 最大值与最小值

在闭区间 $[a,b]$ 上，连续函数 $f(x)$ 或者在其驻点或导数不存在的点（可疑点）达到最大（最小）值，或者在所给闭区间的端点 a 和 b 达到最大（最小）值.

习题 1454—1458　求函数在所给闭区间上的最值

【求下列函数在所给闭区间上的最大值和最小值(1454—1458)】

【1454】 $f(x)=2^x$,在闭区间$[-1,5]$上.

解 由于$f'(x)=2^x\ln 2>0$,故$f(x)=2^x$在$[-1,5]$上严格递增.于是,它的最小值和最大值分别为$m=\frac{1}{2}$及$M=32$.

【1455】 $f(x)=x^2-4x+6$,在闭区间$[-3,10]$上.

解 $f'(x)=2x-4, f''(x)=2$,令$f'(x)=0$得$x=2$.故

$$m=\min\{f(2),f(-3),f(10)\}=2, M=\max\{f(2),f(-3),f(10)\}=66.$$

【1456】 $f(x)=|x^2-3x+2|$,在闭区间$[-10,10]$上.

解 由于$f'(x)=\begin{cases}2x-3, & x<1\text{ 或 }x>2,\\ \text{不存在}, & x=1\text{ 或 }x=2,\\ 3-2x, & 1<x<2,\end{cases}$故

$$m=\min\left\{f(1),f(2),f\left(\frac{3}{2}\right),f(-10),f(10)\right\}=0,$$

$$M=\max\left\{f(1),f(2),f\left(\frac{3}{2}\right),f(-10),f(10)\right\}=132.$$

【1457】 $f(x)=x+\frac{1}{x}$,在闭区间$[0.01,100]$上.

解 $f'(x)=1-\frac{1}{x^2}$,令$f'(x)=0$得$x=\pm 1$,所以所求最小值和最大值分别为

$$m=\min\{f(1),f(0,01),f(100)\}=2, M=\max\{f(1),f(0,01),f(100)\}=100.01.$$

【1458】 $f(x)=\sqrt{5-4x}$,在闭区间$[-1,1]$上.

解 $f'(x)=-\frac{2}{\sqrt{5-4x}}<0$.因此,函数$f(x)$在$[-1,1]$上严格递减,所以最小值和最大值分别为

$$m=f(1)=1, M=f(-1)=3.$$

习题 1459—1463　求函数在所给闭区间上的确界

【求下列函数在所给区间上的上确界(sup)与下确界(inf)(1459—1462)】

【1459】 $f(x)=xe^{-0.01x}$ 在区间$(0,+\infty)$内.

解 当$x\in(0,+\infty)$时,$f(x)>0$,而$\lim\limits_{x\to 0^+}f(x)=0$.于是$\inf\{f(x)\}=0$.
其次,求极值判断得知,当$x=100$时,函数$f(x)$取极大值,并且是唯一的极值,即为最大值.于是

$$\sup\{f(x)\}=f(100)=\frac{100}{e}.$$

【1460】 $f(x)=\left(1+x+\frac{x^2}{2!}+\cdots+\frac{x^n}{n!}\right)e^{-x}$ 在区间$(0,+\infty)$内.

解 $f'(x)=-\frac{x^n}{n!}e^{-x}<0$,即$f(x)$在$(0,+\infty)$内严格递减,且$\lim\limits_{x\to+\infty}f(x)=0$,$f(0)=1$.故

$$\inf\{f(x)\}=0, \sup\{f(x)\}=1.$$

【1461】 $f(x)=\frac{1+x^2}{1+x^4}$ 在区间$(0,+\infty)$内.

解 $f(x)>0$ 且 $\lim\limits_{x\to+\infty}f(x)=0$. 于是 $\inf\{f(x)\}=0$.

$$f'(x)=\frac{2x(1+x^4)-(1+x^2)\cdot 4x^3}{(1+x^4)^2}=\frac{2x(1-2x^2-x^4)}{(1+x^4)^2},$$

令 $f'(x)=0$，得 $x=\sqrt{\sqrt{2}-1}$，容易验证，当 $x=\sqrt{\sqrt{2}-1}$ 时函数 $f(x)$ 有极大值且是最大值. 于是

$$\sup\{f(x)\}=f(\sqrt{\sqrt{2}-1})=\frac{1}{2}(1+\sqrt{2}).$$

【1462】 $f(x)=e^{-x^2}\cos x^2$ 在区间 $(-\infty,+\infty)$ 内.

解 可以求得函数的最小值和最大值分别为

$$m=f\left(\pm\sqrt{\frac{3\pi}{4}}\right)=-\frac{\sqrt{2}}{2}e^{-\frac{3\pi}{4}},M=f(0)=1.$$

于是 $\inf\{f(x)\}=-\frac{\sqrt{2}}{2}e^{-\frac{3\pi}{4}}$，$\sup\{f(x)\}=1$.

【1463】 求函数 $f(\xi)=\dfrac{1+\xi}{3+\xi^2}$ 在区间 $(x,+\infty)$ 内的下确界与上确界，作出下列函数的图像：

$$m(x)=\inf_{x<\xi<+\infty}f(\xi),M(x)=\sup_{x<\xi<+\infty}f(\xi).$$

解 由于 $f(-3)$，$f(1)$ 分别是函数 $f(\xi)$ 的极小值和极大值，又 $\lim\limits_{\xi\to+\infty}f(\xi)=0$，故

当 $-\infty<x\leqslant-3$ 时，$m(x)=f(-3)=-\dfrac{1}{6}$；当 $-3<x\leqslant-1$ 时，$m(x)=\dfrac{1+x}{3+x^2}$；

当 $-1<x<+\infty$ 时，$m(x)=0$；当 $-\infty<x\leqslant1$ 时，$M(x)=f(1)=\dfrac{1}{2}$；

当 $1<x<+\infty$ 时，$M(x)=\dfrac{1+x}{3+x^2}$.

函数 $m(x)$ 及 $M(x)$ 的图像分别如图 2.57 及图 2.58 所示.

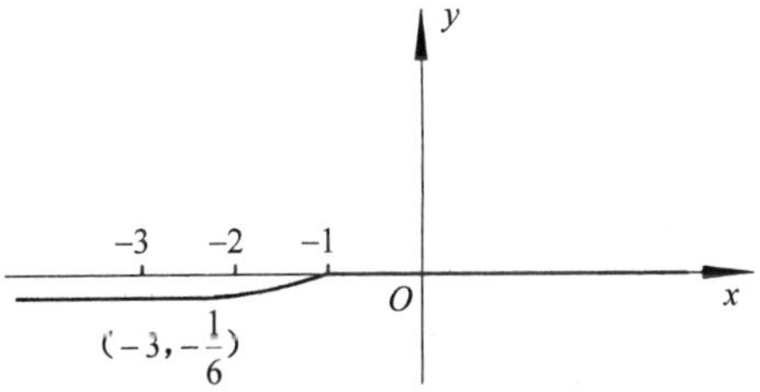

图 2.57

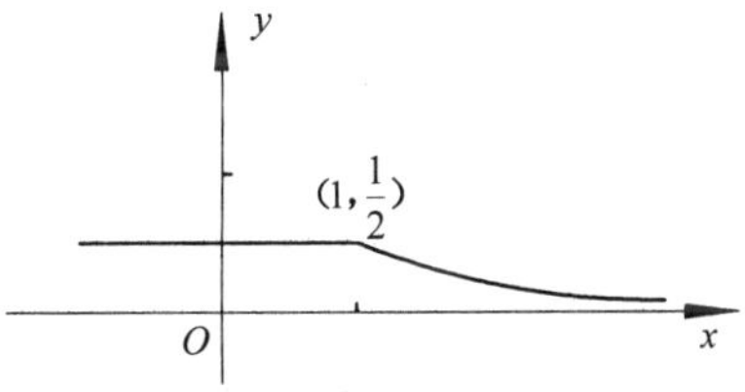

图 2.58

习题 1464—1464 用最值证明不等式

【1464】 证明下列不等式：

(1) 当 $|x|\leqslant2$ 时，$|3x-x^3|\leqslant2$；

(2) 若 $0\leqslant x\leqslant1$ 及 $p>1$，则 $\dfrac{1}{2^{p-1}}\leqslant x^p+(1-x)^p\leqslant1$；

(3) 当 $m>0,n>0$ 及 $0\leqslant x\leqslant a$ 时，$x^m(a-x)^n\leqslant\dfrac{m^m n^n}{(m+n)^{m+n}}a^{m+n}$；

(4) $\dfrac{x+a}{2^{\frac{n-1}{n}}}\leqslant\sqrt[n]{x^n+a^n}\leqslant x+a\ (x>0,a>0,n>1)$；

(5) $|a\sin x+b\cos x|\leqslant\sqrt{a^2+b^2}$.

证 (1) 设 $f(x)=3x-x^3$，令 $f'(x)=3-3x^2=0$，得 $x=\pm1$，所以在 $[-2,2]$ 上，$f(x)$ 的最小值和最大值分别为

$$m=\min\{f(-1),f(1),f(-2),f(2)\}=-2,$$
$$M=\max\{f(-1),f(1),f(-2),f(2)\}=2.$$

于是 $|3x-x^3|\leqslant 2$.

(2) 设 $f(x)=x^p+(1-x)^p$，令 $f'(x)=px^{p-1}-p(1-x)^{p-1}=0$，得 $x=\frac{1}{2}$，所以在 $[0,1]$ 上，$f(x)$ 的最小值和最大值分别为

$$m=\min\left\{f(0),f(1),f\left(\frac{1}{2}\right)\right\}=\frac{1}{2^{p-1}},M=\max\left\{f(0),f(1),f\left(\frac{1}{2}\right)\right\}=1.$$

所以 $\frac{1}{2^{p-1}}\leqslant x^p+(1-x)^p\leqslant 1$.

(3) 设 $f(x)=x^m(a-x)^n$，令 $f'(x)=mx^{m-1}(a-x)^n-nx^m(a-x)^{n-1}=0$，得 $x=\frac{ma}{m+n}$，故在 $[0,a]$ 上，$f(x)$ 的最大值为

$$M=\max\left\{f(0),f(a),f\left(\frac{ma}{m+n}\right)\right\}=\frac{m^mn^n}{(m+n)^{m+n}}a^{m+n}.$$

所以 $x^m(a-x)^n\leqslant\left(\frac{ma}{m+n}\right)^m\left(a-\frac{ma}{m+n}\right)^n=\frac{m^mn^n}{(m+n)^{m+n}}a^{m+n}$.

(4) 设 $f(x)=\frac{(x^n+a^n)^{\frac{1}{n}}}{x+a}$，令 $f'(x)=\frac{a(x^n+a^n)^{\frac{1}{n}-1}(x^{n-1}-a^{n-1})}{(x+a)^2}=0$，得 $x=a$，又 $\lim\limits_{x\to0^+}f(x)=\lim\limits_{x\to+\infty}f(x)=1$，所以 $f(x)$ 的最小值和最大值分别为

$$m=\min\{f(+0),f(+\infty),f(a)\}=\frac{1}{2^{\frac{n-1}{n}}},M=\max\{f(+0),f(+\infty),f(a)\}=1.$$

所以 $\frac{1}{2^{\frac{n-1}{n}}}\leqslant\frac{(x^n+a^n)^{\frac{1}{n}}}{x+a}\leqslant 1$. 由于 $x+a>0$，于是 $\frac{x+a}{2^{\frac{n-1}{n}}}\leqslant\sqrt[n]{x^n+a^n}\leqslant x+a$.

(5) $a\sin x+b\cos x=\sqrt{a^2+b^2}\sin(x+\varphi)$，其中 $\cos\varphi=\frac{a}{\sqrt{a^2+b^2}}$，$\sin\varphi=\frac{b}{\sqrt{a^2+b^2}}$，所以，恒有

$$|a\sin x+b\cos x|\leqslant\sqrt{a^2+b^2}.$$

习题 1465—1470 最值的其他应用

【1465】 求以下各数列的最大项：

(1) $\frac{n^{10}}{2^n}(n=1,2,\cdots)$； (2) $\frac{\sqrt{n}}{n+10\ 000}(n=1,2,\cdots)$； (3) $\sqrt[n]{n}(n=1,2,\cdots)$.

解 (1) 令 $f(x)=\frac{x^{10}}{2^x}$，则 $f'(x)=\frac{x^9(10-x\ln 2)}{2^x}$，易知当 $x=\frac{10}{\ln 2}$ 时，$f(x)$ 有极大值，并且是唯一的极值. 从而，最大项为

$$\max\left(\frac{n^{10}}{2^n}\right)=\max\left\{\frac{(N-1)^{10}}{2^{N-1}},\frac{N^{10}}{2^N},\frac{(N+1)^{10}}{2^{N+1}}\right\},$$

其中 $N=\left[\frac{10}{\ln 2}\right]=14$. 于是，最大项为 $\max\left(\frac{n^{10}}{2^n}\right)=\max\left\{\frac{13^{10}}{2^{13}},\frac{14^{10}}{2^{14}},\frac{15^{10}}{2^{15}}\right\}=\frac{14^{10}}{2^{14}}$.

(2) 令 $f(x)=\frac{\sqrt{x}}{x+10\ 000}$，则 $f'(x)=\frac{\frac{1}{2\sqrt{x}}(x+10\ 000)-\sqrt{x}}{(x+10\ 000)^2}=\frac{10\ 000-x}{2\sqrt{x}(x+10\ 000)^2}$，易知当 $x=$

10 000 时，$f(x)=\dfrac{\sqrt{x}}{x+10\ 000}$ 有极大值，并且是唯一的极值. 于是，最大项为

$$\max\left(\frac{\sqrt{n}}{n+10\ 000}\right)=f(10\ 000)=\frac{1}{200}.$$

(3) 令 $f(x)=x^{\frac{1}{x}}(x>0)$，则 $f'(x)=x^{\frac{1}{x}}\cdot\dfrac{1-\ln x}{x^2}$，易知当 $x=\mathrm{e}$ 时，$f(x)=x^{\frac{1}{x}}$ 有极大值，并且是唯一的极值. 于是，最大项为 $\max(\sqrt[n]{n})=\max\{\sqrt[3]{3},\sqrt{2}\}=\sqrt[3]{3}$.

【1466】 求多项式 $P(x)=x(x-1)^2(x+2)$ 在闭区间$[-2,1]$上“与零的偏差”，就是求

$$E_P=\sup_{-2\leqslant x\leqslant 1}|P(x)|.$$

解 $P'(x)=2(x-1)(2x^2+2x-1)$，令 $P'(x)=0$ 得 $x=1$ 或$\dfrac{-1\pm\sqrt{3}}{2}$，所以

$$E_P=\max\left\{|P(-2)|\cdot|P(1)|,\left|P\left(\frac{-1-\sqrt{3}}{2}\right)\right|,\left|P\left(\frac{-1+\sqrt{3}}{2}\right)\right|\right\}=\left|P\left(\frac{-1-\sqrt{3}}{2}\right)\right|=\frac{9+6\sqrt{3}}{4}.$$

【1467】 应当选择怎样的系数 q，才能使多项式 $P(x)=x^2+q$ 在闭区间$[-1,1]$上与零的偏差最小，即

$$E_P=\sup_{-1\leqslant x\leqslant 1}|P(x)|-\min?$$

解 $P'(x)=2x$，令 $P'(x)=0$ 得 $x=0$，所以

$$E_P=\max\{|P(0)|,|P(1)|,|P(-1)|\}=\max\{|q|,|1+q|\}.$$

当 $|q|=|1+q|$ 时，E_P 最小，解得 $q=-\dfrac{1}{2}$.

【1468】 数 $\Delta=\sup\limits_{a\leqslant x\leqslant b}|f(x)-g(x)|$ 称为函数 $f(x)$ 与 $g(x)$ 在闭区间$[a,b]$上的绝对偏差，也称为振幅. 求函数 $f(x)=x^2$ 与 $g(x)=x^3$ 在闭区间$[0,1]$上的绝对偏差.

解 设 $h(x)=f(x)-g(x)=x^2-x^3$，令 $h'(x)=2x-3x^2=0$，得 $x=0$ 或$\dfrac{2}{3}$，所以在$[0,1]$上，$h(x)$ 的最小值和最大值分别为

$$m=\min\left\{h(0),h(1),h\left(\frac{2}{3}\right)\right\}=0,M=\max\left\{h(0),h(1),h\left(\frac{2}{3}\right)\right\}=\frac{4}{27}.$$

所以，绝对偏差 $\Delta=\dfrac{4}{27}$.

【1469】 在闭区间$[x_1,x_2]$上用线性函数 $g(x)=(x_1+x_2)x+b$ 近似地代替函数 $f(x)=x^2$，使函数 $f(x)$ 与 $g(x)$ 的绝对偏差（参阅上题）最小，并求此最小绝对偏差.

解 设 $h(x)=f(x)-g(x)=x^2-[(x_1+x_2)x+b]$，$h'(x)=2x-(x_1+x_2)=0$，得 $x=\dfrac{x_1+x_2}{2}$，所以在$[x_1,x_2]$上，$h(x)$ 的最小值和最大值分别为

$$m=\min\left\{h(x_1),h(x_2),h\left(\frac{x_1+x_2}{2}\right)\right\}=\min\left\{-x_1x_2-b,-\frac{(x_1+x_2)^2}{4}-b\right\}=-\frac{(x_1+x_2)^2}{4}-b,$$

$$M=\max\left\{h(x_1),h(x_2),h\left(\frac{x_1+x_2}{2}\right)\right\}=\max\left\{-x_1x_2-b,-\frac{(x_1+x_2)^2}{4}-b\right\}=-x_1x_2-b.$$

所以函数 $f(x)$ 与 $g(x)$ 的绝对偏差 $\Delta=\max\left\{\left|b+\dfrac{(x_1+x_2)^2}{4}\right|,|b+x_1x_2|\right\}$.

要使 Δ 最小，需$\left|b+\dfrac{(x_1+x_2)^2}{4}\right|=|b+x_1x_2|$，解得 $b=-\dfrac{1}{8}(x_1^2+x_2^2+6x_1x_2)$.

此时 $g(x)=(x_1+x_2)x-\dfrac{1}{8}(x_1^2+x_2^2+6x_1x_2)$，最小绝对偏差 $\Delta=\dfrac{1}{8}(x_1-x_2)^2$.

【1470】 求函数 $f(x)=\max\{2|x|,|1+x|\}$ 的最小值.

解 $y=2|x|$ 及 $y=|1+x|$ 的图像如图 2.59 所示，它们的交点是 $A\left(-\frac{1}{3},\frac{2}{3}\right)$ 及 $B(1,2)$. 从而

$$f(x)=\begin{cases}2x, & 1\leqslant x<+\infty,\\ 1+x, & -\frac{1}{3}\leqslant x\leqslant 1,\\ -2x, & -\infty<x\leqslant-\frac{1}{3}.\end{cases}$$

于是，函数 $f(x)$ 的最小值为 $f\left(-\frac{1}{3}\right)=\frac{2}{3}$.

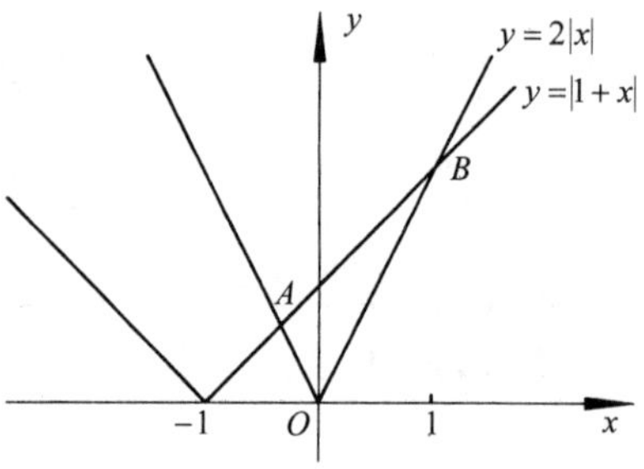

图 2.59

第12节 函数的作图法（习题1471—1555）

知识点预览

序号	知识点	题目序号	所在页码
1	作函数图像	1471—1550	P172
2	作曲线族的图像	1551—1555	P207

知识点1 作函数图像

作函数 $y=f(x)$ 的图像的步骤：

(1) 确定函数 $f(x)$ 的存在域，并研究函数在其存在域边界点的性质；

(2) 判断函数图像的对称性和周期性；

(3) 求出函数的不连续点及连续区间；

(4) 确定函数的零点及同号区间；

(5) 求出极值点并判定函数的上升和下降区间；

(6) 确定拐点及函数图像的凹凸区间；

(7) 若有渐近线，则求出渐近线；

(8) 指出函数图像的各种特性.

习题 1471—1530 显式函数的图像

【作出下列函数的图像(1471—1530)**】**

【1471】 $y=3x-x^3$.

解 定义域为 $\mathbf{R}$，y 为奇函数，图像关于原点对称.

$y'=3-3x^2$，令 $y'=0$ 得 $x=\pm1$；$y''=-6x$，令 $y''=0$ 得 $x=0$.

列表

x		-1		0		1	
y'	$-$	0	$+$	$+$	$+$	0	$-$
y''	$+$	$+$	$+$	0	$-$	$-$	$-$
y	↘	极小值点	↗	拐点	↗	极大值点	↘

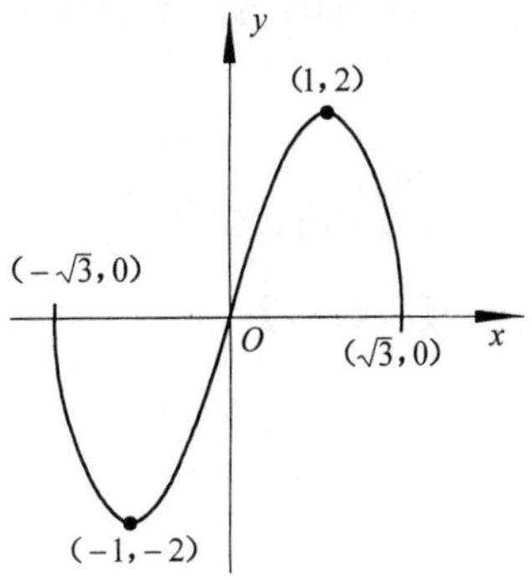

图 2.60

当 $x=-1$ 时，$y=-2$；$x=0,\pm\sqrt{3}$ 时，$y=0$；$x=1$ 时，$y=2$.
图像如图 2.60 所示.

【1472】 $y=1+x^2-\dfrac{x^4}{2}$.

解 定义域为 $\mathbf{R}$，函数 y 为偶函数，故图像关于 Oy 轴对称. 令 $y=0$ 得 $x=\pm\sqrt{1+\sqrt{3}}$.

$y'=2x-2x^3$，令 $y'=0$，得 $x=0,\pm1$；$y''=2-6x^2$，令 $y''=0$，得 $x=\pm\dfrac{1}{\sqrt{3}}$.

列表

x		0		$\frac{1}{\sqrt{3}}$		1	
y'	$-$	0	$+$	$+$	$+$	0	$-$
y''	$+$	$+$	$+$	0	$-$	$-$	$-$
y	↘	极小值点	↗	拐点	↗	极大值点	↘

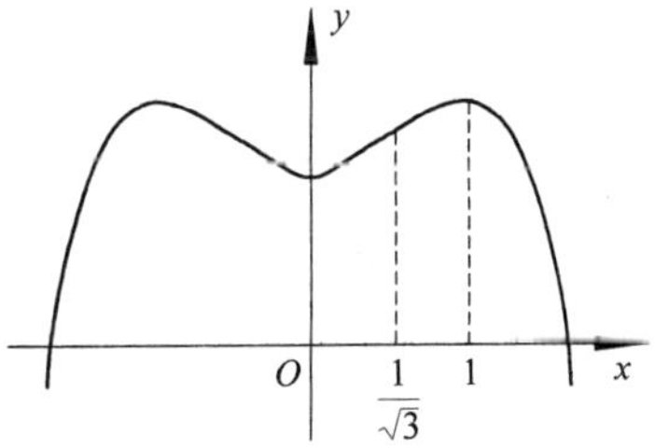

图 2.61

当 $x=0$ 时，$y=1$；$x=\dfrac{1}{\sqrt{3}}$ 时，$y=\dfrac{23}{18}$；$x=1$ 时，$y=\dfrac{3}{2}$.

图像如图 2.61 所示.

【1473】 $y=(x+1)(x-2)^2$.

解 $y'=3x(x-2)$，令 $y'=0$ 得 $x=0$ 或 2；$y''=6x-6$，令 $y''=0$ 得 $x=1$.

列表

x		0		1		2	
y'	$+$	0	$-$		$-$	0	$+$
y''	$-$	$-$	$-$	0	$+$	$+$	$+$
y	↗	极大值点	↘	拐点	↘	极小值点	↗

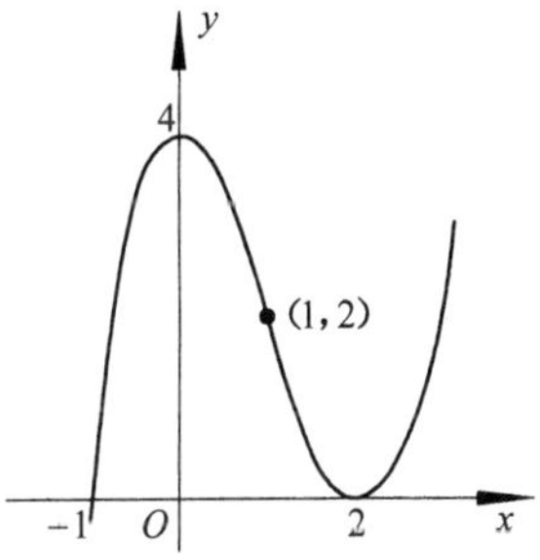

图 2.62

当 $x=0$ 时，$y=4$；$x=1$ 时，$y=2$；$x=2,-1$ 时，$y=0$. 图像如图2.62所示.

【1474】 $y=\dfrac{2-x^2}{1+x^4}$.

解 定义域为 $\mathbf{R}$，y 为偶函数，图像关于 Oy 轴对称. 令 $y=0$ 得 $x=\pm\sqrt{2}$.

$y'=\dfrac{2x(x^4-4x^2-1)}{(1+x^4)^2}$，令 $y'=0$ 得 $x=0$ 或 $\pm\sqrt{2+\sqrt{5}}$；

$y''=-\dfrac{2(3x^8-20x^6-12x^4+12x^2+1)}{(1+x^4)^3}$，令 $y''=0$ 得 $x=\pm2.67$ 或 ±0.77. 经判别知，它们为拐点.

又因 $y''|_{x=0}=-2<0$，故有极大值 $y(0)=2$；$y''|_{x=\pm\sqrt{2+\sqrt{5}}}>0$，故此时有极小值 $y=1-\dfrac{\sqrt{5}}{2}$.

渐近线为 $y=0$. 事实上，

$$k=\lim_{n\to\infty}\frac{y}{x}=\lim_{x\to\infty}\frac{2-x^2}{x(1+x^4)}=0,$$

$$b=\lim_{x\to\infty}(y-kx)=\lim_{x\to+\infty}\frac{2-x^2}{1+x^4}=0.$$

图像如图 2.63 所示.

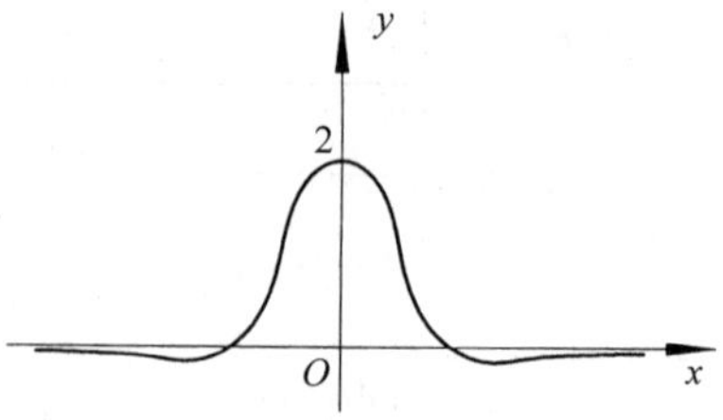

图 2.63

【1475】 $y=\dfrac{x^2-1}{x^2-5x+6}$.

解 定义域为 $\mathbf{R}\backslash\{2,3\}$,令 $y=0$ 得 $x=\pm1$.
渐近线:$x=2,x=3$ 和 $y=1$.

$$y'=\frac{-5x^2+14x-5}{(x^2-5x+6)^2},y''=\frac{2(5x^3-21x^2+15x+17)}{(x^2-5x+6)^3},$$

令 $y'=0$ 得 $x=\dfrac{7\pm2\sqrt6}{5}$. 令 $y''=0$ 得 $x\approx-0.586$. 经判别知,$y\big|_{x=\frac{7-2\sqrt6}{5}}=4\sqrt6-10$ 为极小值,$y\big|_{x=\frac{7+2\sqrt6}{5}}=-4\sqrt6-10$ 为极大值,$(-0.586,-0.07)$ 为拐点. 由于

$$y=1-\frac{3}{x-2}+\frac{8}{x-3},$$

故可用图像相加法作出此函数图像如图 2.64.

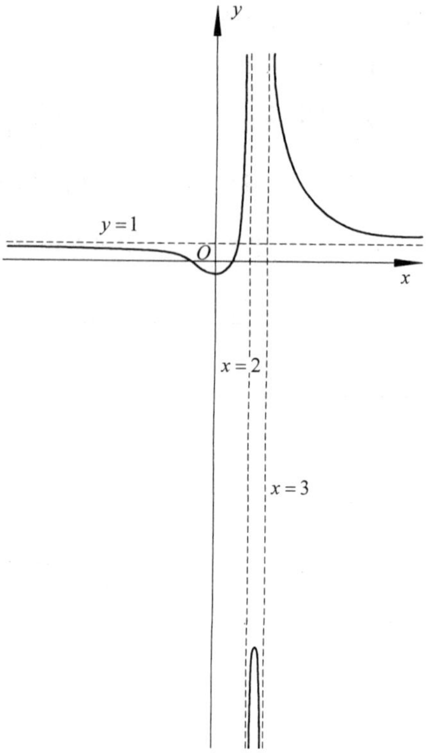

图 2.64

【1476】 $y=\dfrac{x}{(1+x)(1-x)^2}$.

解 定义域为 $\mathbf{R}\backslash\{1,-1\}$,令 $y=0$ 得 $x=0$. 渐近线:$y=0,x=-1$ 和 $x=1$.

$$y'=\frac{2x^2+x+1}{(1+x)^2(1-x)^3},y''=\frac{2(3x^3+3x^2+5x+1)}{(1+x)^3(1-x)^4},$$

$y'=0$ 无实根,故无极值点. 令 $y''=0$ 得 $x\approx-0.22$,经判别知,它为拐点,此时 $y\approx-0.20$.
当 $x<-1$ 时,$y'>0$,曲线上升;当 $-1<x<1$ 时,$y'>0$,曲线上升;当 $x>1$ 时,$y'<0$,曲线下降. 图像如图 2.65 所示.

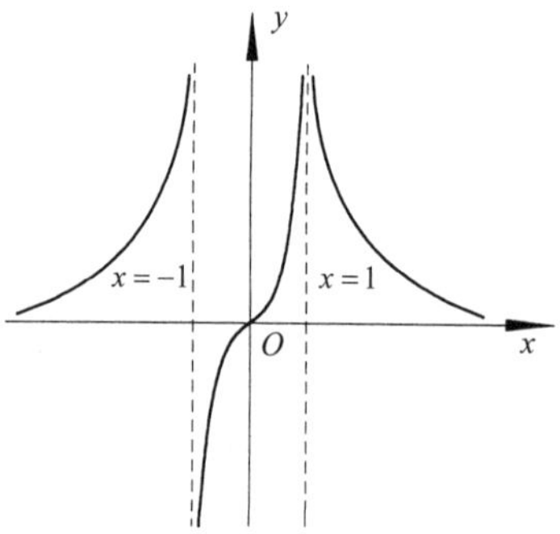

图 2.65

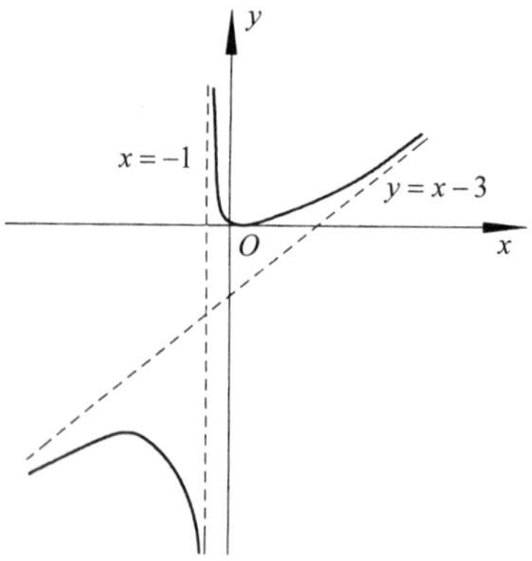

图 2.66

【1477】 $y=\dfrac{x^4}{(1+x)^3}$.

解 定义域为 $\mathbf{R}\backslash\{-1\}$,令 $y=0$ 得 $x=0$. 不连续点:$x=-1$.

斜渐近线：$y=x-3$，事实上，$k=\lim\limits_{x\to\infty}\dfrac{y}{x}=1$，$b=\lim\limits_{x\to\infty}(y-x)=-3$.

垂直渐近线：$x=-1$. $y'=\dfrac{x^3(x+4)}{(1+x)^4}$，令 $y'=0$，得 $x=0$ 或 $x=-4$.

$y''=\dfrac{12x^2}{(1+x)^5}$，当 $x<-1$ 时，$y''<0$，图像凹；当 $x>-1$ 时，$y''>0$，图像凸；

又 $y''|_{x=-4}<0$，故当 $x=-4$ 时有极大值 $y=-\dfrac{256}{27}$；由于 y' 经过 $x=0$ 从负变到正，故当 $x=0$ 时取得极小值 $y=0$. 图像如图 2.66 所示.

【1478】 $y=\left(\dfrac{1+x}{1-x}\right)^4$.

解 定义域为 $\mathbf{R}\backslash\{1\}$，令 $y=0$ 得 $x=-1$. 垂直渐近线：$x=1$.

又 $k=\lim\limits_{x\to\infty}\dfrac{y}{x}=0$，$b=\lim\limits_{x\to\infty}(y-kx)=1$，故水平渐近线为 $y=1$.

$y'=\dfrac{8(1+x)^3}{(1-x)^5}$，令 $y'=0$ 得 $x=-1$；

$y''=\dfrac{16(x+1)^2(x+4)}{(1-x)^6}$，令 $y''=0$ 得 $x=-1$ 或 -4.

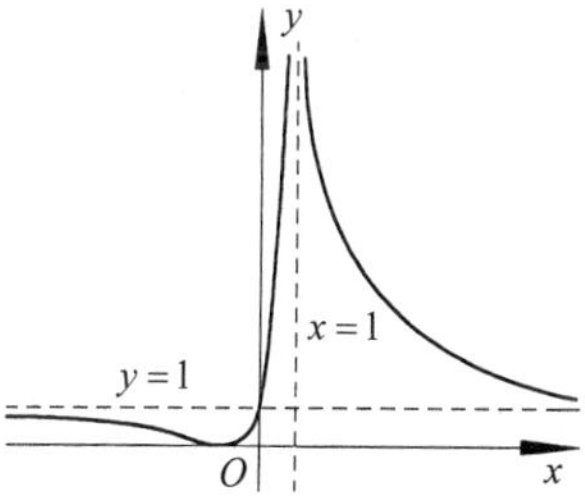

图 2.67

列表

x		-4		-1		1	
y'	$-$	$-$	$-$	0	$+$	∞	$-$
y''	$-$	0	$+$	0	$+$	∞	$+$
y	↘	拐点	↘	极小值点	↗	不连续点	↘

当 $x=-4$ 时，$y=\dfrac{81}{625}$；当 $x=-1$ 时，$y=0$；当 $x=0$ 时，$y=1$. 图像如图 2.67 所示.

【1479】 $y=\dfrac{x^2(x-1)}{(x+1)^2}$.

解 定义域为 $\mathbf{R}\backslash\{-1\}$，令 $y=0$ 得 $x=0$ 及 $x=1$. 垂直渐近线：$x=-1$.

斜渐近线：$y=x-3$. 事实上，$k=\lim\limits_{x\to\infty}\dfrac{y}{x}=1$，$b=\lim\limits_{x\to\infty}(y-x)=-3$.

$y'=\dfrac{x(x^2+3x-2)}{(x+1)^3}$，令 $y'=0$ 得 $x=0$ 或 $\dfrac{-3\pm\sqrt{17}}{2}$；$y''=\dfrac{10x-2}{(x+1)^4}$，令 $y''=0$ 得 $x=\dfrac{1}{5}$.

列表

x		$-\dfrac{\sqrt{17}+3}{2}$		-1		0		$\dfrac{1}{5}$		$\dfrac{\sqrt{17}-3}{2}$	
y'	$+$	0	$-$	∞	$+$	0	$-$	$-$	$-$	0	$+$
y''	$-$	$-$	$-$	∞	$-$	$-$	$-$	0	$+$	$+$	$+$
y	↗	极大值点	↘	不连续点	↗	极大值点	↘	拐点	↘	极小值点	↗

当 $x=-\dfrac{\sqrt{17}+3}{2}$ 时，有极大值 $y=-\dfrac{17\sqrt{17}+71}{16}$；当 $x=0$ 时，有极小值 $y=0$；

当 $x=\dfrac{\sqrt{17}-3}{2}$ 时，有极小值 $y=\dfrac{17\sqrt{17}-71}{16}$；当 $x=\dfrac{1}{5}$ 时，$y=-\dfrac{1}{45}$.

图像如图 2.68 所示.

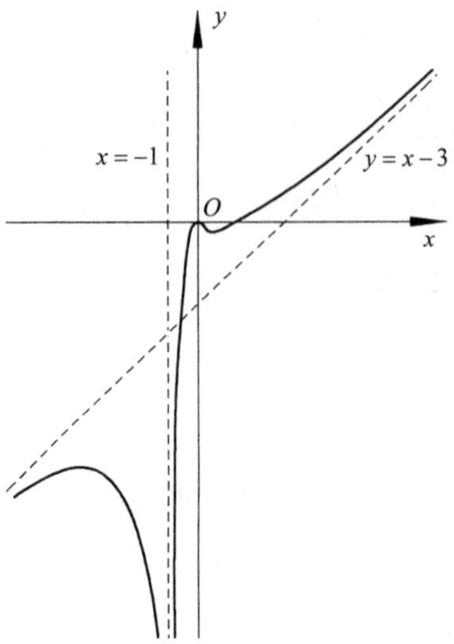

图 2.68

【1480】 $y=\dfrac{x}{(1-x^2)^2}$.

解 定义域为 $\mathbf{R}\backslash\{1,-1\}$,令 $y=0$ 得 $x=0$.

渐近线:$x=-1$,$x=1$ 及 $y=0$.

函数 y 为奇函数,故图像关于原点对称.

$y'=\dfrac{3x^2+1}{(1-x^2)^3}$,令 $y'=0$,无实根.

$y''=\dfrac{12x(x^2+1)}{(1-x^2)^4}$,令 $y''=0$,得 $x=0$.

经判别知:无极值,(0,0) 为拐点.

列表

x		-1		0		1	
y'	$-$	∞	$+$	$+$	$+$	∞	$-$
y''	$-$	∞	$-$	0	$+$	∞	$+$
y	↘	不连续点	↗	拐点	↗	不连续点	↘

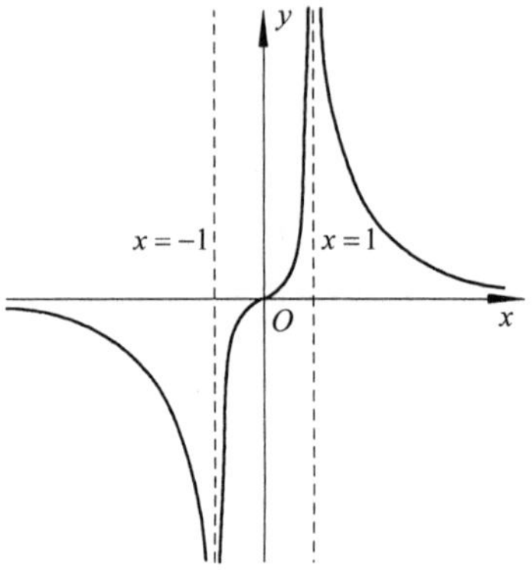

图 2.69

图像如图 2.69 所示.

【1481】 $y=\dfrac{(x+1)^3}{(x-1)^2}$.

解 定义域为 $\mathbf{R}\backslash\{1\}$,令 $y=0$ 得 $x=-1$.

垂直渐近线:$x=1$;斜渐近线:$y=x+5$.

事实上,$k=\lim\limits_{x\to\infty}\dfrac{y}{x}=1$,$b=\lim\limits_{x\to\infty}(y-x)=5$.

$y'=\dfrac{(x+1)^2(x-5)}{(x-1)^3}$,令 $y'=0$ 得 $x=-1$ 或 5.

$y''=\dfrac{24(x+1)}{(x-1)^4}$,令 $y''=0$ 得 $x=-1$.

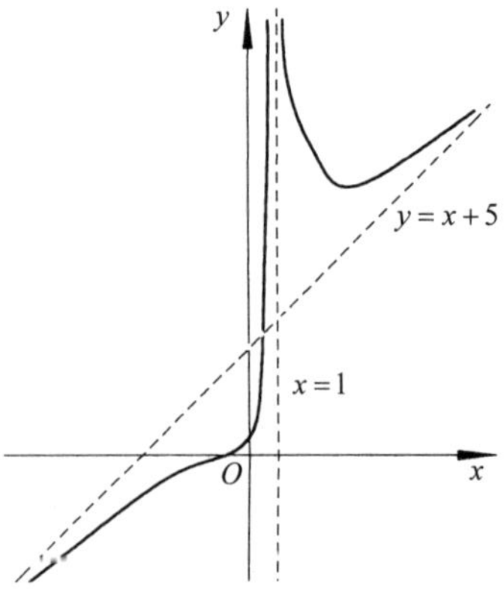

图 2.70

列表

x		-1		1		5	
y'	$+$	0	$+$	∞	$-$	0	$+$
y''	$-$	0	$+$	∞	$+$	$+$	$+$
y	↗	拐点	↗	不连续点	↘	极小值点	↗

当 $x=-1$ 时，$y=0$；当 $x=5$ 时，$y=\dfrac{27}{2}$. 图像如图 2.70 所示.

【1482】 $y=\dfrac{x^4+8}{x^3+1}$.

解 定义域为 $\mathbf{R}\backslash\{-1\}$，无零点，垂直渐近线：$x=-1$；斜渐近线：$y=x$. 事实上，

$$k=\lim_{x\to\infty}\frac{y}{x}=1,b=\lim_{x\to\infty}(y-x)=0.$$

$$y'=\frac{x^6+4x^3-24x^2}{(x^3+1)^2},y''=\frac{-6x^5+96x^4+12x^2-48x}{(x^3+1)^3}.$$

令 $y'=0$，得 $x=0,2$ 及 $x\approx-2.4$.

$y''|_{x=2}>0$，故当 $x=2$ 时有极小值 $y=\dfrac{8}{3}$；$y''|_{x=-2.4}<0$；

故当 $x\approx-2.4$ 时有极大值 $y\approx-3.2$.

渐近线 $y=x$ 与曲线交于点(8,8)，图像如图 2.71 所示.

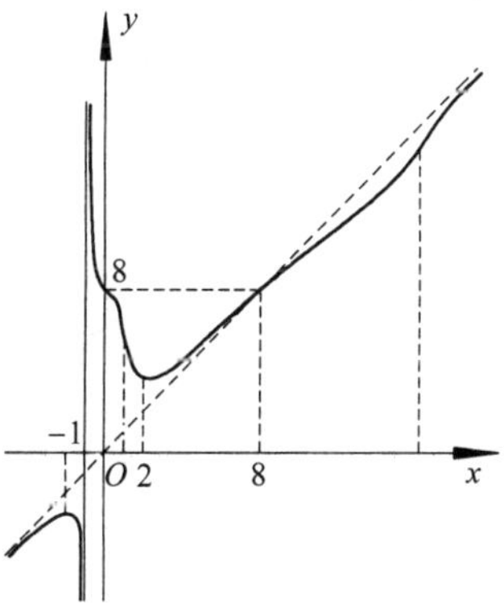

图 2.71

【1483】 $y=\dfrac{1}{1+x}-\dfrac{10}{3x^2}+\dfrac{1}{1-x}$.

解 定义域为 $\mathbf{R}\backslash\{0,1,-1\}$，图像关于 Oy 轴对称. 令 $y=0$ 得 $x=\pm\dfrac{\sqrt{10}}{4}$.

渐近线：$x=0,x=-1,x=1$ 和 $y=0$.

$y'=\dfrac{4(8x^4-10x^2+5)}{3x^3(1-x^2)^2}$，$y'=0$ 无实根，无极值点；

$y''=\dfrac{4(24x^6-42x^4+45x^2-15)}{x^4(1-x^2)^3}$，令 $y''=0$，得 $x=\pm\sqrt{\dfrac{1}{2}}$.

经判别知，拐点为 $\left(\pm\sqrt{\dfrac{1}{2}},-\dfrac{8}{3}\right)$.

当 $x>0$ 时，$y'>0$，曲线上升.

当 $0<x<\sqrt{\dfrac{1}{2}}$ 时，$y''<0$，图像呈凹状；

当 $\sqrt{\dfrac{1}{2}}<x<1$ 时，$y''>0$，图像呈凸状；

当 $1<x<+\infty$ 时，$y''<0$，图像呈凹状.

图像如图 2.72 所示.

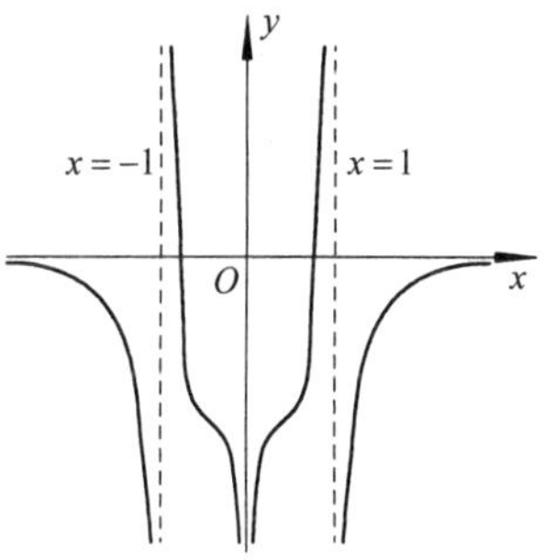

图 2.72

【1484】 $y=(x-3)\sqrt{x}$.

解 定义域：$0\leqslant x<+\infty$. 令 $y=0$ 得 $x=0$ 和 $x=3$.

$y'=\dfrac{3(x-1)}{2\sqrt{x}}$，令 $y'=0$ 得 $x=1$；

$y''=\frac{3(x+1)}{4x\sqrt{x}}>0(0<x<+\infty)$,故图像始终是凸的.

因$y''|_{x=1}>0$,故当 $x=1$ 时有极小值 $y=-2$;当 $x=0$ 时,$y=0$.

图像如图 2.73 所示.

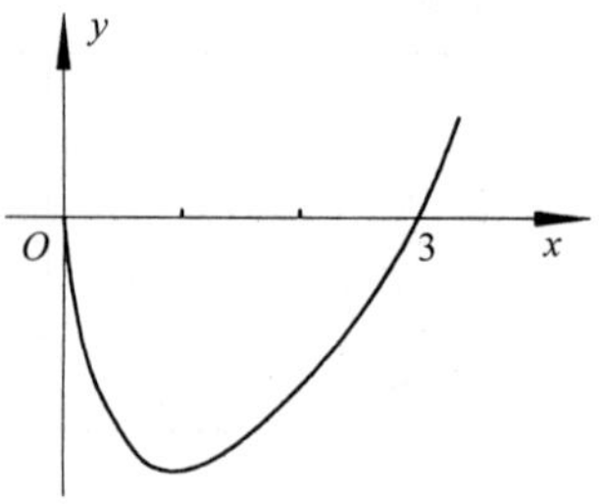

图 2.73

【 1485 】 $y=\pm\sqrt{8x^2-x^4}$.

解 定义域:$[-2\sqrt{2},2\sqrt{2}]$.令 $y=0$ 得 $x=0$ 和 $x=\pm2\sqrt{2}$.

图像关于坐标原点及坐标轴对称.下面就第一象限来讨论:

$y'=\frac{2(4-x^2)}{\sqrt{8-x^2}}$,令 $y'=0$ 得 $x=2$; $y''=\frac{2x(x^2-12)}{(8-x^2)^{\frac{3}{2}}}$,令 $y''=0$,得 $x=0$.

对于 $x=0$ 来说,如果将曲线由第三象限穿向第一象限看成一分支曲线的话,则也可理解为拐点.同样由第四象限到第二象限的那个分支也有同样情况,故曲线呈双纽状.

当 $0<x<2$ 时,$y'>0$;当 $2<x<2\sqrt{2}$ 时,$y'<0$,故当 $x=2$ 时,有极大值 $y=4$.

当 $x=2\sqrt{2}$ 及 $x=0$ 时,有 $y=0$.曲线以 $x=2\sqrt{2}$ 为垂直切线.图像如图 2.74 所示.

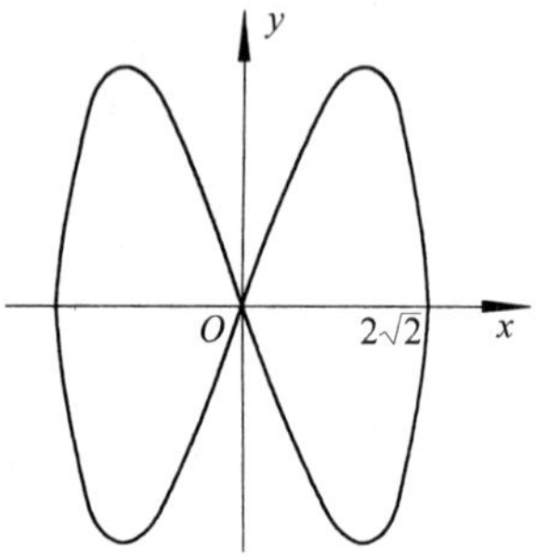

图 2.74

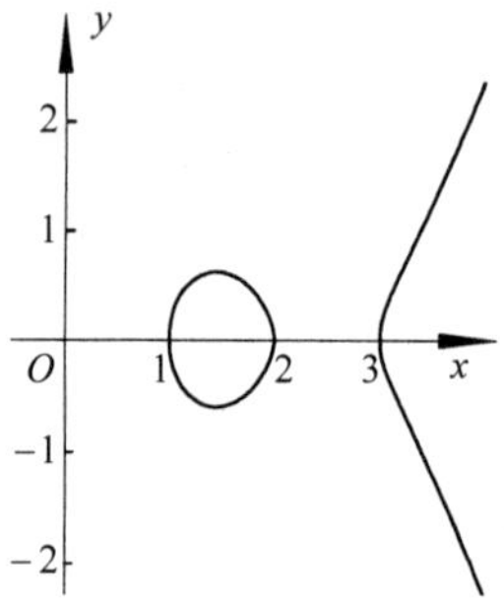

图 2.75

【 1486 】 $y=\pm\sqrt{(x-1)(x-2)(x-3)}$.

解 定义域:$1\leqslant x\leqslant 2$ 及 $3\leqslant x<+\infty$.

令 $y=0$ 得 $x=1,x=2$ 和 $x=3$.图像关于 Ox 轴对称.下面就第一象限来讨论:

$$y'=\frac{3x^2-12x+11}{2\sqrt{(x-1)(x-2)(x-3)}},$$

令 $y'=0$,得 $x=\frac{6-\sqrt{3}}{3}$,经判别知,此时有 y 极大值

$$|y|=\frac{1}{3}\sqrt[4]{12}.$$

当 $x>3$ 时,$y'>0$,函数递增,图像是上升的.图像如图 2.75 所示.

【 1487 】 $y=\sqrt[3]{x^3-x^2-x+1}$.

解 定义域为 $\mathbf{R}$,令 $y=0$ 得 $x=-1$ 和 $x=1$.又当 $x=0$ 时,$y=1$.

渐近线:$y=x-\frac{1}{3}$.事实上,$k=\lim\limits_{x\to\infty}\frac{y}{x}=1,b=\lim\limits_{x\to\infty}(y-x)=-\frac{1}{3}$.

$$y'=\frac{3x^2-2x-1}{3\sqrt[3]{(x^3-x^2-x+1)^2}},$$

令 $y'=0$,得 $x=-\frac{1}{3}$;

当 $x=\pm1$ 时,$y'=\infty$.

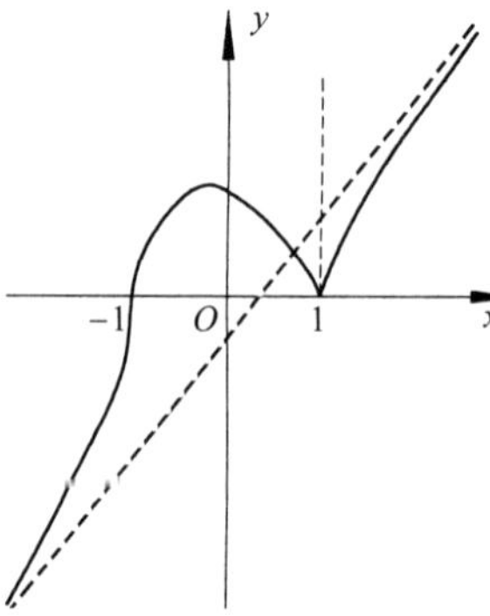

图 2.76

$y''=\frac{-8}{9}\cdot\frac{1}{(x-1)^{\frac{4}{3}}(x+1)^{\frac{5}{3}}}$，当 $x=\pm1$ 时，$y''=\infty$.

列表

x		-1		$-\frac{1}{3}$		1	
y'	+	∞	+	0	−	∞	+
y''	+	∞	−	−	−	∞	−
y	↗	拐点	↗	极大值点	↘	极小值点	↗

当 $x=-\frac{1}{3}$ 时，有极大值 $y=\frac{32}{27}$；当 $x=1$ 时，有极小值 $y=0$. 图像如图 2.76 所示.

【1488】 $y=\sqrt[3]{x^2}-\sqrt[3]{x^2+1}$.

解 定义域为 $\mathbf{R}$，图像关于 Oy 轴对称.

$$y'=\frac{2}{3}\cdot\frac{(x^2+1)^{\frac{2}{3}}-x^{\frac{4}{3}}}{x^{\frac{1}{3}}(x^2+1)^{\frac{2}{3}}},$$

当 x 经过 $x=0$ 时，y' 由负变正，故当 $x=0$ 时，有极小值 $y=-1$，且 $y'|_{x=0^-}=-\infty$，$y'|_{x=0^+}=+\infty$. 又当 $x<0$ 时，$y'<0$；当 $x>0$ 时，$y'>0$. 同时 $y'=0$ 和 $y=0$ 均无实根，故知图像是凹的，且以 $y=0$ 为渐近线，图像如图 2.77 所示.

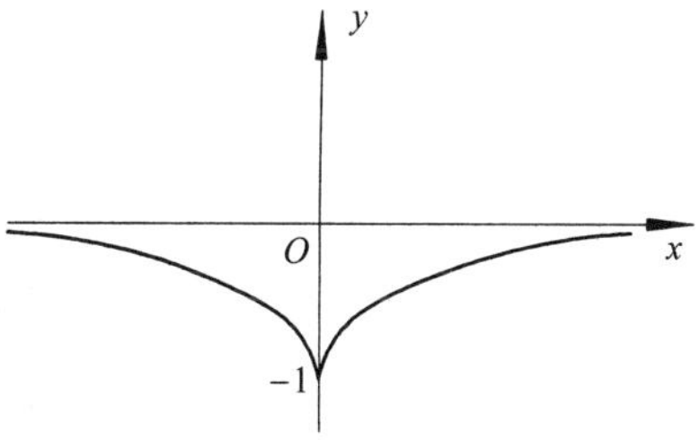

图 2.77

【1489】 $y=(x+2)^{\frac{2}{3}}-(x-2)^{\frac{2}{3}}$.

解 定义域为 $\mathbf{R}$，函数 y 为奇函数，故图像关于原点对称. 渐近线：$y=0$. 令 $y=0$ 得 $x=0$.

$y'=\frac{2}{3}\cdot\frac{(x-2)^{\frac{1}{3}}-(x+2)^{\frac{1}{3}}}{(x+2)^{\frac{1}{3}}(x-2)^{\frac{1}{3}}}$，当 $x=\pm2$ 时，$y'=\infty$.

$y''=\frac{2}{9}\cdot\frac{(x+2)^{\frac{4}{3}}-(x-2)^{\frac{4}{3}}}{(x+2)^{\frac{4}{3}}(x-2)^{\frac{4}{3}}}$，令 $y''=0$ 得 $x=0$.

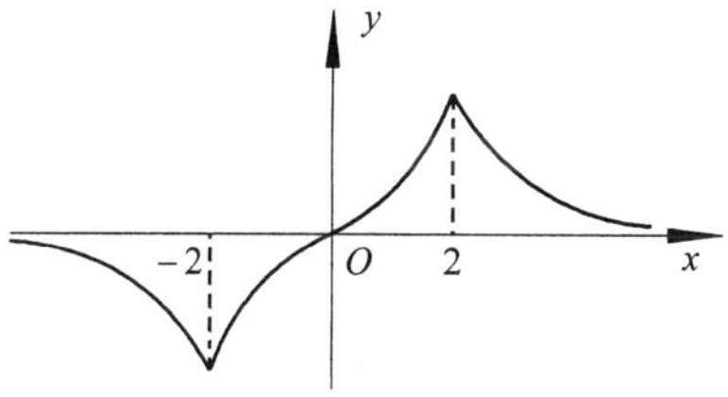

图 2.78

列表

x		-2		0		2	
y'	−	∞	+	+	+	∞	−
y''	−	∞	−	0	+	∞	+
y	↘	最小值点	↗	拐点	↗	最大值点	↘

当 $x=-2$ 时，有最小值 $y=-\sqrt[3]{16}$；当 $x=2$ 时，有最大值 $y=\sqrt[3]{16}$. 图像如图 2.78 所示.

【1490】 $y=(x+1)^{\frac{2}{3}}+(x-1)^{\frac{2}{3}}$.

解 定义域为 $\mathbf{R}$，图像关于 Oy 轴对称.

$$y'=\frac{2}{3}\left[\frac{1}{(x+1)^{\frac{1}{3}}}+\frac{1}{(x-1)^{\frac{1}{3}}}\right],$$

令 $y'=0$ 得 $x=0$；当 $x=\pm1$ 时，$y'=\infty$.

$y''=-\frac{2}{9}\left[\frac{1}{(x+1)^{\frac{4}{3}}}+\frac{1}{(x-1)^{\frac{4}{3}}}\right]<0$，图像始终呈凹状.

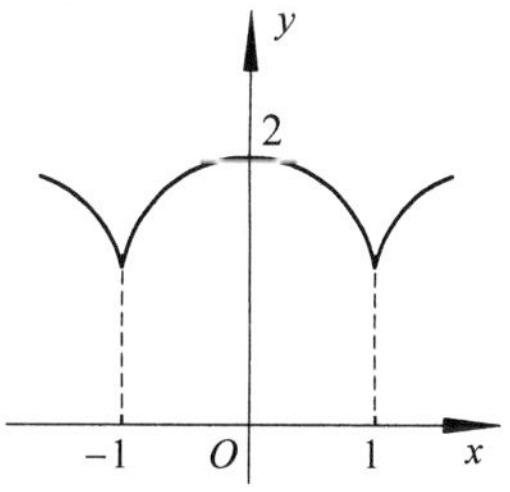

图 2.79

当 $x=\pm1$ 时，有最小值 $y=\sqrt[3]{4}$；当 $x=0$ 时，有极大值 $y=2$. 图像如图 2.79 所示.

【1491】 $y=\dfrac{x}{\sqrt[3]{x^2-1}}$.

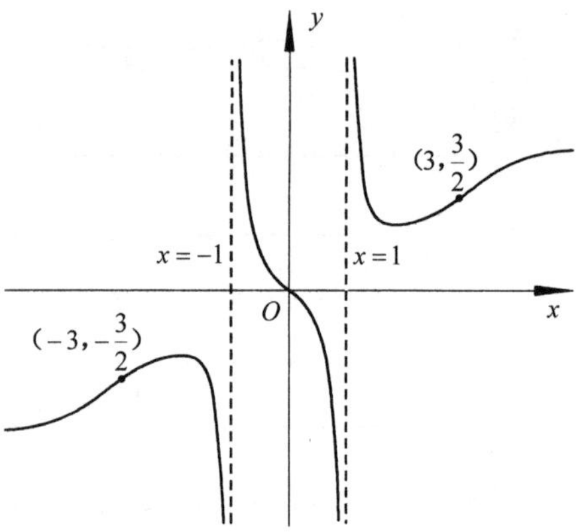

图 2.80

解 定义域为 $\mathbf{R}\backslash\{-1,1\}$，图像关于坐标原点对称.

令 $y=0$ 得 $x=0$.

$y'=\dfrac{x^2-3}{3(x^2-1)^{\frac{4}{3}}}$，令 $y'=0$，得 $x=\pm\sqrt{3}$.

当 $x=\pm 1$ 时，$y'=\infty$.

$y''=-\dfrac{2x(x^2-9)}{9(x^2-1)^{\frac{7}{3}}}$，令 $y''=0$ 得 $x=0$ 或 ± 3.

列表

x		-3		$-\sqrt{3}$		-1		0		1		$\sqrt{3}$		3	
y'	$+$	$+$	$+$	0	$-$	∞	$-$	$-$	$-$	∞	$-$	0	$+$	$+$	$+$
y''	$+$	0	$-$	$-$	$-$	∞	$+$	0	$-$	∞	$+$	$+$	$+$	0	$-$
y	↗	拐点	↗	极大值点	↘	不连续点	↘	拐点	↘	不连续点	↘	极小值点	↗	拐点	↗

渐近线：$x=-1$，$x=1$. 当 $x=\pm\sqrt{3}$ 时，$y=\pm\dfrac{\sqrt{3}}{\sqrt[3]{2}}$；当 $x=\pm 3$ 时，$y=\pm\dfrac{3}{2}$. 图像如图 2.80 所示.

【1492】 $y=\dfrac{x^2\sqrt{x^2-1}}{2x^2-1}$.

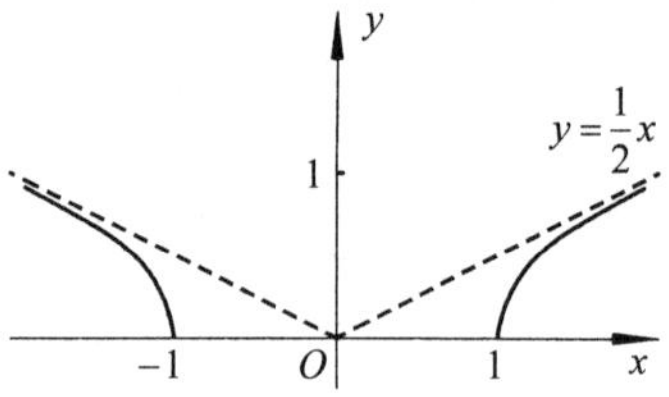

图 2.81

解 定义域：$|x|\geqslant 1$. 图像关于 Oy 轴对称，且位于 Ox 轴的上方.

渐近线：$y=\pm\dfrac{x}{2}$.

$y'=\dfrac{2x^5-3x^3+2x}{(2x^2-1)^2\sqrt{x^2-1}}$，$y''=\dfrac{-6x^4+3x^2+2}{(2x^2-1)^3(x^2-1)^{\frac{3}{2}}}$.

当 $x>1$ 时，$y'>0$，$y''<0$，图像上升，且呈凹状. 图像如图 2.81 所示.

【1493】 $y=\dfrac{(1+x)^{\frac{3}{2}}}{\sqrt{x}}$.

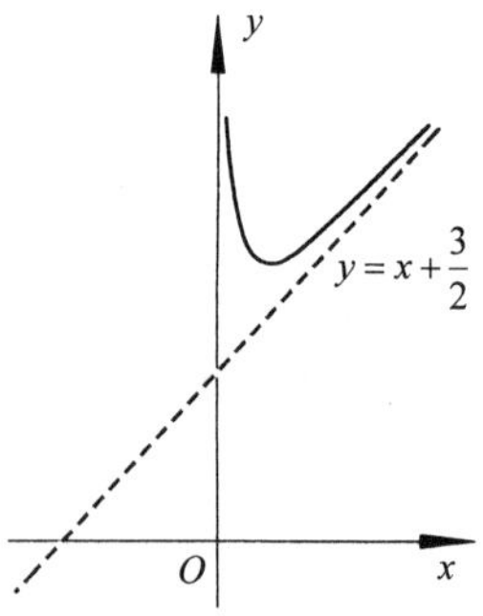

图 2.82

解 定义域：$x>0$. 渐近线：$x=0$ 及 $y=x+\dfrac{3}{2}$.

$y'=\dfrac{(2x-1)\sqrt{x+1}}{2x\sqrt{x}}$，令 $y'=0$ 得 $x=\dfrac{1}{2}$；

$y''=\dfrac{3}{4x^{\frac{5}{2}}(x+1)^{\frac{1}{2}}}>0$，故图像是凸的.

当 $x=\dfrac{1}{2}$ 时，有极小值 $y=\dfrac{3}{2}\sqrt{3}$. 图像如图 2.82 所示.

【1494】 $y=1-x+\sqrt{\dfrac{x^3}{3+x}}$.

解 定义域：$(-\infty,-3)\cup[0,+\infty)$ 及 $x<-3$. 令 $y=0$ 得 $x=\dfrac{5+\sqrt{13}}{2}$.

斜渐近线：$y=\dfrac{5}{2}-2x$. 事实上，$k=\lim\limits_{x\to-\infty}\dfrac{y}{x}=-2$，

$$b=\lim_{x\to-\infty}(y-kx)=\lim_{x\to-\infty}\left(1+x+\sqrt{\frac{x^3}{x+3}}\right)\xlongequal{t=-x}\lim_{t\to+\infty}\left(1-t+\sqrt{\frac{t^3}{t-3}}\right)$$

$$=1+\lim_{t\to+\infty}t\left(\sqrt{\frac{t}{t-3}}-1\right)=\frac{5}{2}.$$

水平渐近线:$y=-\frac{1}{2}$.事实上,

$$k=\lim_{x\to+\infty}\frac{y}{x}=0,$$

$$b=\lim_{x\to+\infty}(y-kx)=\lim_{x\to+\infty}\left(1-x+\sqrt{\frac{x^3}{x+3}}\right)$$

$$=\lim_{x\to+\infty}\frac{\frac{x^3}{x-3}-(x-1)^2}{\sqrt{\frac{x^3}{x+1}}+x-1}=-\frac{1}{2}.$$

由于$\lim\limits_{x\to-3}y=\infty$,故垂直渐近线为$x=-3$.

$y'=-1+\frac{\sqrt{x}(2x+9)}{2(x+3)^{\frac{3}{2}}}$,令$y'=0$得$x=-4$;

$y''=\frac{27}{4(x+3)^2\sqrt{x(x+3)}}>0$,图像呈凸状.

当$x=-4$时,有极小值$y=13$.图像如图2.83所示.

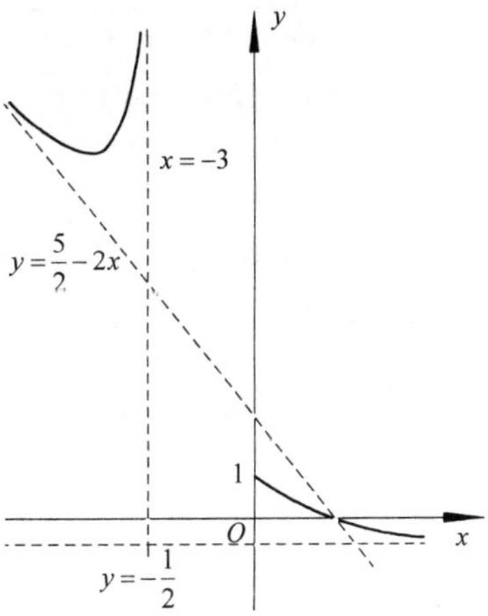

图2.83

【1495】 $y=\sqrt[3]{\frac{x^2}{x+1}}$.

解 定义域为$\mathbf{R}\backslash\{-1\}$,令$y=0$得$x=0$.垂直渐近线:$x=-1$.

$$y'=\frac{x+2}{3(x+1)\sqrt[3]{x(x+1)}},$$

令$y'=0$得$x=-2$.当$x=0$时,$y'=\infty$.

$$y''=-\frac{2(x^2+4x+1)}{9x(x+1)^2\sqrt[3]{x(x+1)}},$$

令$y''=0$得$x=-2\pm\sqrt{3}$.

经判别知,当$x=0$时,有极小值$y=0$;当$x=-2$时,有极大值$y=\sqrt[3]{4}$.拐点为$\left(\sqrt{3}-2,\sqrt[3]{\frac{3\sqrt{3}-5}{2}}\right)$和$\left(-\sqrt{3}-2,-\sqrt[3]{\frac{3\sqrt{3}+5}{2}}\right)$.图像如图2.84所示.

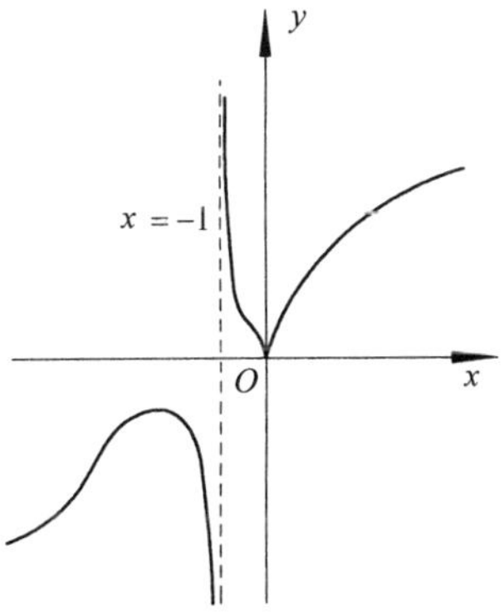

图2.84

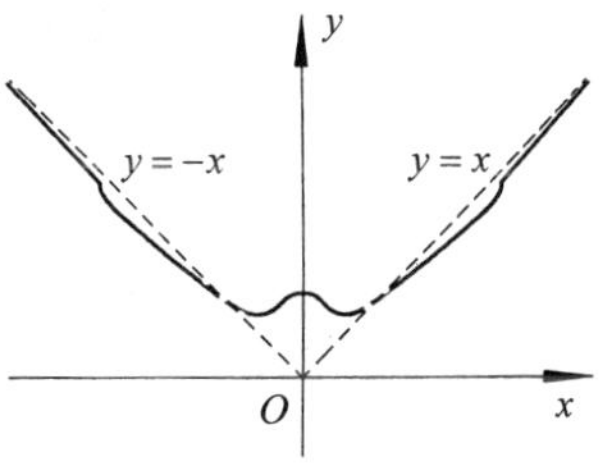

图2.85

【1496】 $y=\sqrt{\frac{x^4+3}{x^2+1}}$.

解 定义域为 $\mathbf{R}$,图像关于 Oy 轴对称. 函数值始终是正的. 渐近线:$y=\pm x$.

$y'=\frac{x(x-1)(x+1)(x^2+3)}{(x^4+3)^{\frac{1}{2}}(x^2+1)^{\frac{3}{2}}}$,令 $y'=0$ 得 $x=0$ 或 ± 1;

$y''=\frac{-x^8+20x^6+18x^4+36x^2-9}{(x^4+3)^{\frac{3}{2}}(x^2+1)^{\frac{5}{2}}}$,令 $y''=0$ 得 $x\approx\pm 0.47$ 或 ± 4.58. 经判别知,它们均为拐点:当 $x\approx\pm 0.47$ 时,$y\approx 1.58$;当 $x\approx\pm 4.58$ 时,$y\approx 4.49$.

当 $x=0$ 时有极大值 $y=\sqrt{3}$;当 $x=\pm 1$ 时有极小值 $y=\sqrt{2}$. 图像如图 2.85 所示.

【1497】 $y=\sin x+\cos^2 x$.

解 定义域为 $\mathbf{R}$,函数的周期 $T=2\pi$,在一个周期 $0\leqslant x\leqslant 2\pi$ 内的图像讨论如下:

令 $y=0$ 得 $x=\pi+\arcsin\frac{\sqrt{5}-1}{2}$ 及 $x=2\pi-\arcsin\frac{\sqrt{5}-1}{2}$.

$y'=\cos x(1-2\sin x)$,令 $y'=0$ 得 $x=\frac{\pi}{6},\frac{\pi}{2},\frac{5\pi}{6}$ 及 $\frac{3\pi}{2}$;

$y''=-\sin x-2\cos 2x$,令 $y''=0$ 得 $4\sin^2 x-\sin x-2=0$,解得

$x_1=\arcsin\frac{1+\sqrt{33}}{8}$,此时 $y_1=\frac{19+3\sqrt{33}}{32}$;

$x_2=\pi-\arcsin\frac{1+\sqrt{33}}{8}$,此时 $y_2=\frac{19+3\sqrt{33}}{32}$;

$x_3=\pi+\arcsin\frac{\sqrt{33}-1}{8}$,此时 $y_3=\frac{19-3\sqrt{33}}{32}$;

$x_4=2\pi-\arcsin\frac{\sqrt{33}-1}{8}$ 此时 $y_4=\frac{19-3\sqrt{33}}{32}$.

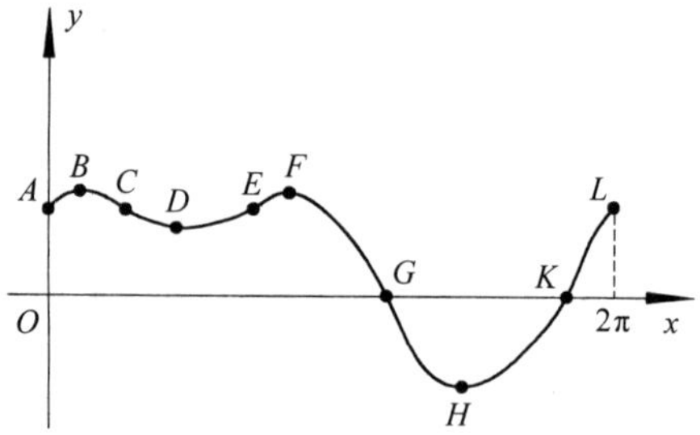

图 2.86

经判断知:点 (x_1,y_1),(x_2,y_2),(x_3,y_3) 和 (x_4,y_4) 均为拐点;

当 $x=\frac{\pi}{2}$ 时,有极小值 $y=1$;当 $x=\frac{3\pi}{2}$ 时,有极小值 $y=-1$;

当 $x=\frac{\pi}{6}$ 和 $x=\frac{5\pi}{6}$ 时,有极大值 $y=\frac{5}{4}$. 如图 2.86 所示. 图中主要点的坐标为:

$A(0,1)$,$B\left(\frac{\pi}{6},\frac{5}{4}\right)$,$C\left(\arcsin\frac{1+\sqrt{33}}{8},\frac{19+3\sqrt{33}}{32}\right)$,$D\left(\frac{\pi}{2},1\right)$,

$E\left(\pi-\arcsin\frac{1+\sqrt{33}}{8},\frac{19+3\sqrt{33}}{32}\right)$,$F\left(\frac{5}{6}\pi,\frac{5}{4}\right)$,$G\left(\pi+\arcsin\frac{\sqrt{33}-1}{8},\frac{19-3\sqrt{33}}{32}\right)$,

$H\left(\frac{3}{2}\pi,-1\right)$,$K\left(2\pi-\arcsin\frac{\sqrt{33}-1}{8},\frac{19-3\sqrt{33}}{32}\right)$ 和 $L(2\pi,1)$.

【1498】 $y=(7+2\cos x)\sin x$.

解 定义域为 $\mathbf{R}$,图像关于原点对称. 函数的周期 $T=2\pi$.

在一个周期 $-\pi\leqslant x\leqslant\pi$ 内的图像讨论如下:

令 $y=0$ 得 $x=0$ 或 $\pm\pi$.

$y'=7\cos x+2\cos 2x$,令 $y'=0$ 得 $2\cos 2x+7\cos x=0$,解之得

$$x=\arccos\frac{1}{4},x=-\arccos\frac{1}{4};$$

$y''=-7\sin x-4\sin 2x$，令 $y''=0$ 得 $\sin x(7+8\cos x)=0$，解得

$x_1=0, y_1=0; x_{2,3}=\pm\arccos\left(-\frac{7}{8}\right), y_{2,3}=\pm\frac{21}{32}\sqrt{15}$；

$x_{4,5}=\pm\pi, y_{4,5}=0.$

经判别知：点 (x_1,y_1)，(x_2,y_2)，(x_3,y_3)，(x_4,y_4) 和 (x_5,y_5) 均为拐点.

当 $x=-\arccos\frac{1}{4}$ 时，有极小值 $y=-\frac{15}{8}\sqrt{15}$；

当 $x=\arccos\frac{1}{4}$ 时，有极大值 $y=\frac{15}{8}\sqrt{15}$. 图像如图 2.87 所示，图中主要点的坐标为：

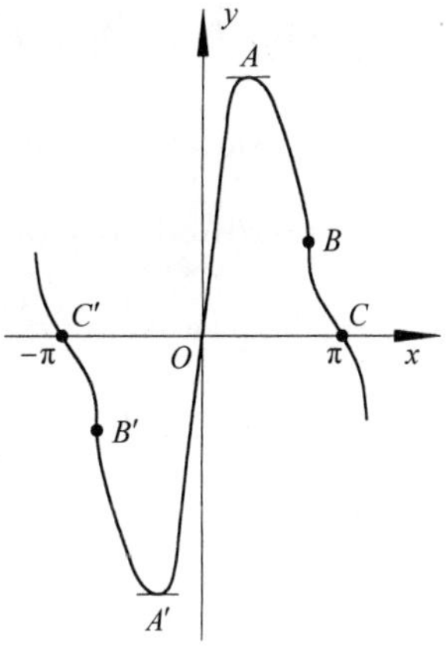

图 2.87

$A\left(\arccos\frac{1}{4},\frac{15}{8}\sqrt{15}\right)$，$B\left(\arccos\left(-\frac{7}{8}\right),\frac{21}{32}\sqrt{15}\right)$，$C(\pi,0)$，

$A'\left(-\arccos\frac{1}{4},-\frac{15}{8}\sqrt{15}\right)$，$B'\left(-\arccos\left(-\frac{7}{8}\right),-\frac{21}{32}\sqrt{15}\right)$，$C'(-\pi,0)$.

【1499】 $y=\sin x+\frac{1}{3}\sin 3x$.

解 定义域为 **R**，函数 y 为奇函数，图像关于坐标原点对称. 函数的周期 $T-2\pi$. 在一个周期 $-\pi\leqslant x\leqslant\pi$ 内讨论图像. 令 $y=0$ 得 $x=0$ 或 $\pm\pi$.

$y'=\cos x+\cos 3x$，令 $y'=0$ 得 $x=-\frac{3\pi}{4},-\frac{\pi}{2},-\frac{\pi}{4},\frac{\pi}{4},\frac{\pi}{2},\frac{3\pi}{4}$；

$y''=-\sin x-3\sin 3x$，令 $y''=0$ 得

$$x_1=0, y_1=0; x_{2,3}=\pm\arcsin\sqrt{\frac{5}{6}}, y_{2,3}=\pm\frac{4}{27}\sqrt{30};$$

$$x_{4,5}=\pm\left(\pi-\arcsin\sqrt{\frac{5}{6}}\right), y_{4,5}=\pm\frac{4}{27}\sqrt{30}; x_{6,7}=\pm\pi, y_{6,7}=0.$$

经判别知：(x_1,y_1)，(x_2,y_2)，(x_3,y_3)，(x_4,y_4)，(x_5,y_5)，(x_6,y_6) 和 (x_7,y_7) 均为拐点.

当 $x=-\frac{3\pi}{4}$ 或 $-\frac{\pi}{4}$ 时，有极小值 $y=-\frac{2}{3}\sqrt{2}$；

当 $x=\frac{\pi}{2}$ 时，$y=\frac{2}{3}$；

当 $x=-\frac{\pi}{2}$ 时，有极大值 $y=-\frac{2}{3}$；

当 $x=\frac{\pi}{4}$ 或 $\frac{3\pi}{4}$ 时，$y=\frac{2}{3}\sqrt{2}$.

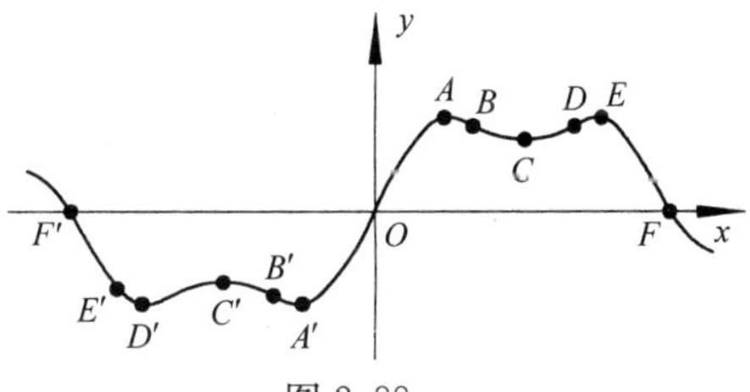

图 2.88

图像如图 2.88 所示，图中主要点的坐标：

$$A\left(\frac{\pi}{4},\frac{2}{3}\sqrt{2}\right), B\left(\arcsin\sqrt{\frac{5}{6}},\frac{4}{27}\sqrt{30}\right), C\left(\frac{\pi}{2},\frac{2}{3}\right),$$

$$D\left(\pi-\arcsin\sqrt{\frac{5}{6}},\frac{4}{27}\sqrt{30}\right), E\left(\frac{3\pi}{4},\frac{2}{3}\sqrt{2}\right), F(\pi,0),$$

点 A',B',C',D',E',F' 和点 A,B,C,D,E,F 关于原点对称.

【1500】 $y=\cos x-\frac{1}{2}\cos 2x$.

解 定义域为 **R**，图像关于 Oy 轴对称. 函数的周期 $T=2\pi$. 在一个周期 $-\pi\leqslant x\leqslant\pi$ 内讨论图像.

令 $y=0$ 得 $x=\pm\arccos\frac{1-\sqrt{3}}{2}$.

$y'=-\sin x+\sin 2x$,令 $y'=0$ 得 $x=0,\pm\frac{\pi}{3},\pm\pi$;

$y''=-\cos x+2\cos 2x$,令 $y''=0$ 得

$x_{1,2}=\pm\arccos\frac{1+\sqrt{33}}{8}$,$y_{1,2}=\frac{3+3\sqrt{33}}{32}$;

$x_{3,4}=\pm\arccos\frac{1-\sqrt{33}}{8}$,$y_{3,4}=\frac{3-3\sqrt{33}}{32}$.

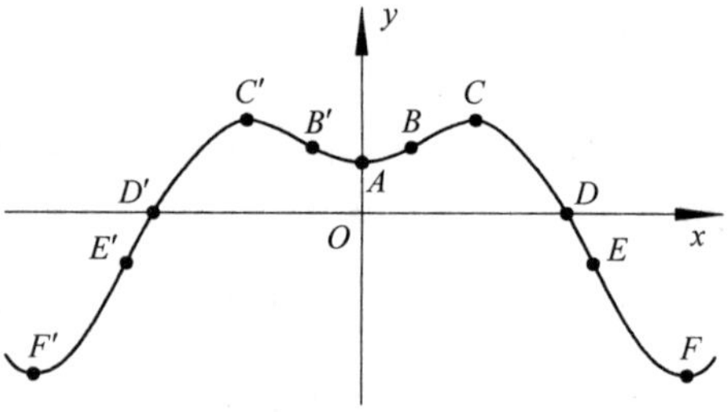

图 2.89

经判别知:(x_1,y_1),(x_2,y_2),(x_3,y_3) 和 (x_4,y_4) 均为拐点.

当 $x=0$ 时,有极小值 $y=\frac{1}{2}$;当 $x=\pm\pi$ 时,有极小值 $y=-\frac{3}{2}$;当 $x=\pm\frac{\pi}{3}$ 时,有极大值 $y=\frac{3}{4}$. 图像如图 2.89 所示,图中主要点的坐标为

$A\left(0,\frac{1}{2}\right)$,$B\left(\arccos\frac{1+\sqrt{33}}{8},\frac{3+3\sqrt{33}}{32}\right)$,$C\left(\frac{\pi}{3},\frac{3}{4}\right)$,$D\left(\arccos\frac{1-\sqrt{3}}{2},0\right)$,

$E\left(\arccos\frac{1-\sqrt{33}}{8},\frac{3-3\sqrt{33}}{32}\right)$,$F\left(\pi,-\frac{3}{2}\right)$,

点 B',C',D',E',F' 与点 B,C,D,E,F 关于 Oy 轴对称.

【1501】 $y=\sin^4 x+\cos^4 x$.

解 定义域为 **R**,图像关于 Oy 轴对称. 由于

$$y=\sin^4 x+\cos^4 x=\left(\frac{1-\cos 2x}{2}\right)^2+\left(\frac{1+\cos 2x}{2}\right)^2=\frac{1}{4}(3+\cos 4x),$$

故函数的周期 $T=\frac{\pi}{2}$. 在一个周期 $-\frac{\pi}{4}\leqslant x\leqslant\frac{\pi}{4}$ 内讨论图像.

$y'=-\sin 4x$,令 $y'=0$,得 $x=0$ 或 $\pm\frac{\pi}{4}$;

$y''=-4\cos 4x$,令 $y''=0$,得 $x_{1,2}=\pm\frac{\pi}{8}$,$y_{1,2}=\frac{3}{4}$.

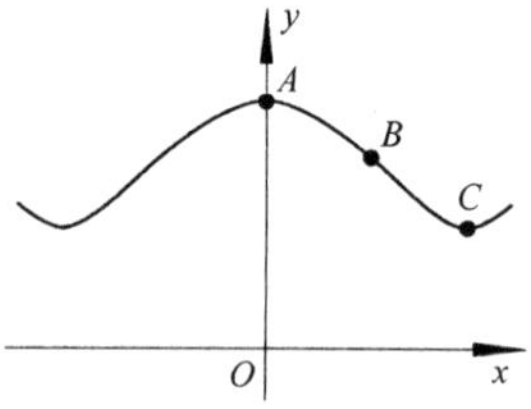

图 2.90

经判别知:点 (x_1,y_1),(x_2,y_2) 均为拐点.

当 $x=0$ 时,有极大值 $y=1$;当 $x=\pm\frac{\pi}{4}$ 时,有极小值 $y=\frac{1}{2}$.

图像如图 2.90 所示,图中主要点的坐标为:$A(0,1)$,$B\left(\frac{\pi}{8},\frac{3}{4}\right)$,$C\left(\frac{\pi}{4},\frac{1}{2}\right)$.

【1502】 $y=\sin x\sin 3x$.

解 定义域为 **R**,图像关于 Oy 轴对称. 由于

$$y=\sin x\sin 3x=-\left(\cos 2x-\frac{1}{4}\right)^2+\frac{9}{16},$$

故函数的周期 $T=\pi$. 在一个周期 $-\frac{\pi}{2}\leqslant x\leqslant\frac{\pi}{2}$ 内讨论图像.

令 $y=0$ 得 $x=0$ 或 $\pm\frac{\pi}{3}$.

$y'=2\sin 4x-\sin 2x$,令 $y'=0$ 得 $x=0,\pm\frac{\pi}{2},\pm\frac{1}{2}\arccos\frac{1}{4}$;

$y''=8\cos 4x-2\cos 2x$,令 $y''=0$ 得

$$x_{1,2}=\pm\frac{1}{2}\arccos\frac{1+\sqrt{129}}{16},y_{1,2}=\frac{3+3\sqrt{129}}{128};$$

$$x_{3,4}=\pm\frac{1}{2}\arccos\frac{1-\sqrt{129}}{16},y_{3,4}=\frac{3-3\sqrt{129}}{128}.$$

经判别知：(x_1,y_1)，(x_2,y_2)，(x_3,y_3) 和 (x_4,y_4) 均为拐点.

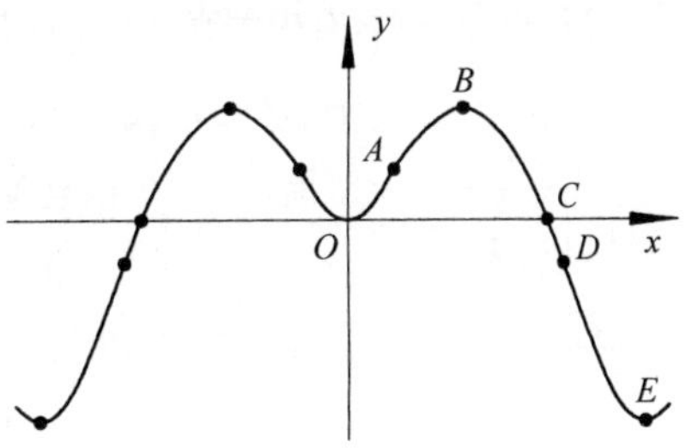

图 2.91

当 $x=0$ 时，有极小值 $y=0$；当 $x=\pm\frac{\pi}{2}$ 时，$y=-1$；

当 $x=\pm\frac{1}{2}\arccos\frac{1}{4}$ 时，有极大值 $y=\frac{9}{16}$.

图像如图 2.91 所示，图中主要点的坐标为：

$$A\left(\frac{1}{2}\arccos\frac{1+\sqrt{129}}{16},\frac{3+3\sqrt{129}}{128}\right),B\left(\frac{1}{2}\arccos\frac{1}{4},\frac{9}{16}\right),$$

$$C\left(\frac{\pi}{3},0\right),D\left(\frac{1}{2}\arccos\frac{1-\sqrt{129}}{16},\frac{3-3\sqrt{129}}{128}\right),E\left(\frac{\pi}{2},-1\right).$$

【1503】 $y=\dfrac{\sin x}{\sin\left(x+\frac{\pi}{4}\right)}$.

解 定义域：$\left\{x\,\middle|\,x\in\mathbf{R},x\neq k\pi-\frac{\pi}{4},k\in\mathbf{Z}\right\}$.

利用 $\sin(\pi+x)=-\sin x$，易知函数的周期 $T=\pi$. 在一个周期 $0\leqslant x\leqslant\pi$ 内讨论图像.

不连续点：$x=\frac{3\pi}{4}$. 令 $y=0$ 得 $x=0$ 或 π. 渐近线：$x=\frac{3\pi}{4}$.

$y'=\dfrac{1}{\sqrt{2}\sin^2\left(x+\frac{\pi}{4}\right)}>0$，无极值，函数递增，图像是上升的；

$y''=-\dfrac{\sqrt{2}\cos\left(x+\frac{\pi}{4}\right)}{\sin^3\left(x+\frac{\pi}{4}\right)}$，令 $y''=0$ 得 $x=\frac{\pi}{4}$，对应的 $y=\frac{\sqrt{2}}{2}$

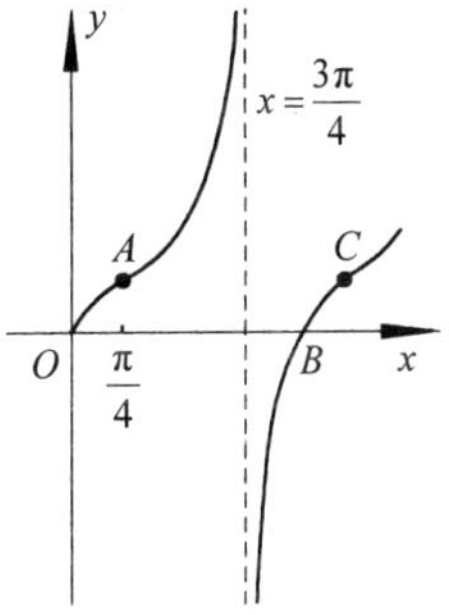

图 2.92

经判别知，拐点为 $\left(\frac{\pi}{4},\frac{\sqrt{2}}{2}\right)$. 图像如图 2.92 所示，图中主要点的坐标为

$$A\left(\frac{\pi}{4},\frac{\sqrt{2}}{2}\right),B(\pi,0),C\left(\frac{5\pi}{4},\frac{\sqrt{2}}{2}\right).$$

【1504】 $y=\dfrac{\cos x}{\cos 2x}$.

解 定义域：$\left\{x\,\middle|\,x\in\mathbf{R},x\neq\frac{k\pi}{2}+\frac{\pi}{4},k\in\mathbf{Z}\right\}$.

图像关于 Oy 轴对称. 函数的周期 $T=2\pi$. 在一个周期 $-\pi\leqslant x\leqslant\pi$ 内讨论图像.

令 $y=0$ 得 $x=\pm\frac{\pi}{2}$. 渐近线：$x=\pm\frac{\pi}{4}$ 及 $x=\pm\frac{3\pi}{4}$.

$y'=\dfrac{\sin x(1+2\cos^2 x)}{\cos^2 2x}$，令 $y'=0$ 得 $x=0$ 或 $\pm\pi$；

$y''=\dfrac{1}{\cos^3 2x}[3\cos x\cos^2 2x+4\sin 2x\sin x(1+2\cos^2 x)]$，令 $y''=0$ 得 $x=\pm\frac{\pi}{2}$.

经判别知：

当 $x=0$ 时，有极小值 $y=1$；

当 $x=\pm\pi$ 时，有极大值 $y=-1$；点 $\left(\pm\dfrac{\pi}{2},0\right)$ 均为拐点.

当 $0<x<\pi$ 时，$y'>0$，函数递增，图像是上升的；

当 $-\pi<x<0$ 时，$y'<0$，函数递减，图像是下降的. 图像如图 2.93 所示.

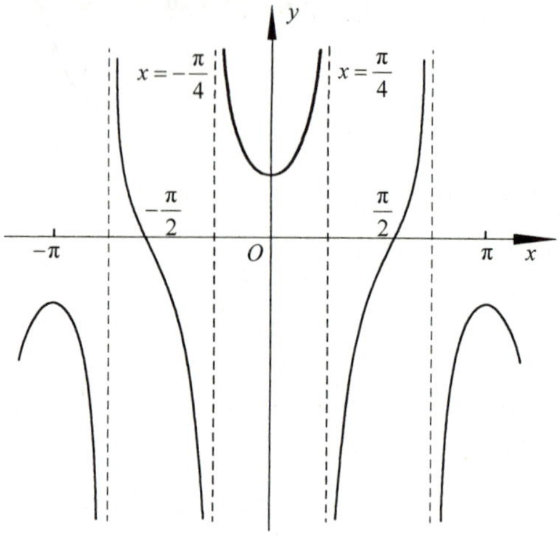

图 2.93

【 1505 】 $y=2x-\tan x$.

解 定义域为 $\mathbf{R}$，令 $y=0$ 得 $x=0$ 及 $x\approx\pm0.37\pi,\cdots$. 对称中心：$(k\pi,2k\pi)(k\in\mathbf{Z})$. 渐近线：$x=\dfrac{2k+1}{2}\pi(k=0,\pm1,\pm2,\cdots)$.

$y'=2-\sec^2x$，令 $y'=0$ 得 $x=\dfrac{\pi}{4}+k\pi$ 或 $x=-\left(\dfrac{\pi}{4}+k\pi\right)$.

经判别知：当 $x=\dfrac{\pi}{4}+k\pi$ 时，有极大值 $y=\dfrac{\pi}{2}-1+2k\pi$；

当 $x=-\left(\dfrac{\pi}{4}+k\pi\right)$ 时，有极小值 $y=-\left(\dfrac{\pi}{2}-1+2k\pi\right)(k=0,1,2,\cdots)$.

$y''=-2\sec^2x\tan x$，令 $y''=0$ 得 $x=k\pi(k=0,\pm1,\pm2,\cdots)$.

经判别知，点 $(k\pi,2k\pi)(k=0,\pm1,\pm2,\cdots)$ 为拐点.

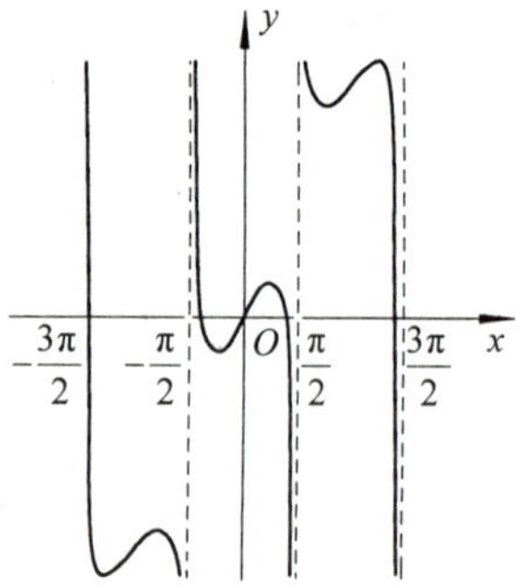

图 2.94

图像如图 2.94 所示(仅描绘区间 $\left(-\dfrac{3\pi}{2},\dfrac{3\pi}{2}\right)$ 内的图像).

【 1506 】 $y=e^{2x-x^2}$.

解 定义域为 $\mathbf{R}$，函数值始终为正，故图像在 Ox 轴上方. 又 $y=e^{-(x-1)^2+1}$，故图像关于直线 $x=1$ 对称. 渐近线：$y=0$.

$y'=(2-2x)e^{2x-x^2}$，令 $y'=0$ 得 $x=1$.

经判别知，当 $x=1$ 时有极大值 $y=e$；

$y''=2(2x^2-4x+1)e^{2x-x^2}$，令 $y''=0$ 得 $x=1\pm\dfrac{\sqrt{2}}{2}$.

经判别知，点 $\left(1\pm\dfrac{\sqrt{2}}{2},\sqrt{e}\right)$ 为拐点.

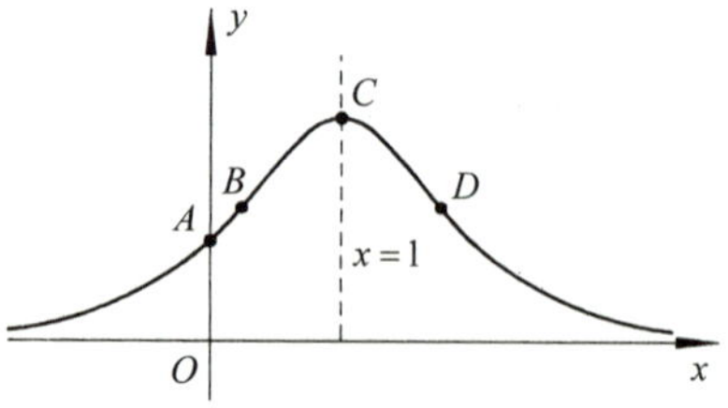

图 2.95

图像如图 2.95 所示，图中各点的位置：

$$A(0,1),B\left(1-\frac{\sqrt{2}}{2},\sqrt{e}\right),C(1,e),D\left(1+\frac{\sqrt{2}}{e},\sqrt{e}\right).$$

【1507】 $y=(1+x^2)e^{-x^2}$.

解 定义域为 $\mathbf{R}$，函数 y 为偶函数，故图像关于 Oy 轴对称，且在 Ox 轴的上方. 渐近线：$y=0$.

$y'=-2x^3e^{-x^2}$，令 $y'=0$ 得 $x=0$.

当 $x<0$ 时，$y'>0$；当 $x>0$ 时，$y'<0$. 故当 $x=0$ 时，取极大值 $y=1$.

$y''=2x^2e^{-x^2}(2x^2-3)$，令 $y''=0$ 得 $x=\pm\sqrt{\dfrac{3}{2}}$.

经判别知，点 $\left(\pm\sqrt{\dfrac{3}{2}},\dfrac{5}{2}e^{-\frac{3}{2}}\right)$ 为拐点.

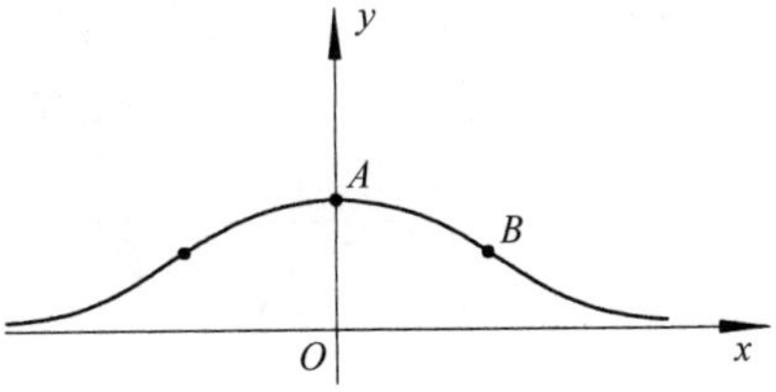

图 2.96

图像如图 2.96 所示，图中主要点的坐标：$A(0,1)$，$B\left(\sqrt{\dfrac{3}{2}},\dfrac{5}{2}e^{-\frac{3}{2}}\right)$.

【1508】 $y=x+e^{-x}$.

解 定义域为 $\mathbf{R}$，$y'=1-e^{-x}$，令 $y'=0$ 得 $x=0$，$y=1$.

$y''=e^{-x}>0$，图像是凸的，故当 $x=0$ 时有极小值 $y=1$.

斜渐近线：$y=x$. 事实上，$k=\lim\limits_{x\to+\infty}\dfrac{y}{x}=1$，$b=\lim\limits_{x\to+\infty}(y-x)=0$.

图像如图 2.97 所示.

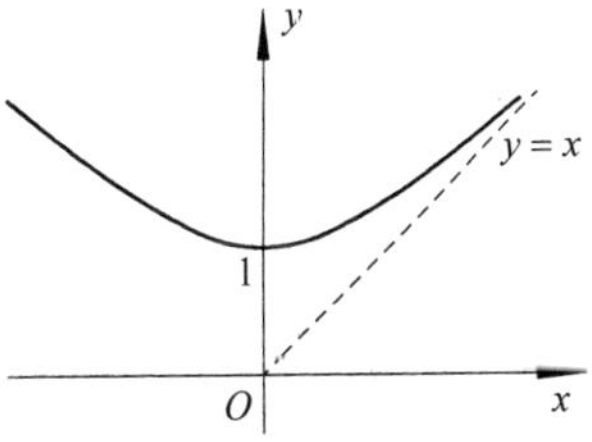

图 2.97

【1509】 $y=x^{\frac{2}{3}}e^{-x}$.

解 定义域为 $\mathbf{R}$，令 $y=0$ 得 $x=0$. 渐近线：$y=0(x\to+\infty)$.

$y'=-x^{-\frac{1}{3}}e^{-x}\left(x-\dfrac{2}{3}\right)$，令 $y'=0$ 得 $x=\dfrac{2}{3}$；当 $x=0$ 时，$y'=\infty$.

经判别知：当 $x=0$ 时有极小值 $y=0$，且 $(0,0)$ 点为尖点；当 $x=\dfrac{2}{3}$ 时有极大值 $y=\sqrt[3]{\dfrac{4}{9}}e^{-\frac{2}{3}}$. 由此可知函数值始终为正的，故图像在 Ox 轴上方.

$$y''=\frac{1}{9}e^{-x}x^{-\frac{4}{3}}(9x^2-12x-2),$$

令 $y''=0$，得 $x_1=\dfrac{2-\sqrt{6}}{3}$，$y_1\approx0.34$；$x_2=\dfrac{2+\sqrt{6}}{3}$，$y_2\approx0.30$. 经判别知，点 (x_1,y_1) 和 (x_2,y_2) 均为拐点.

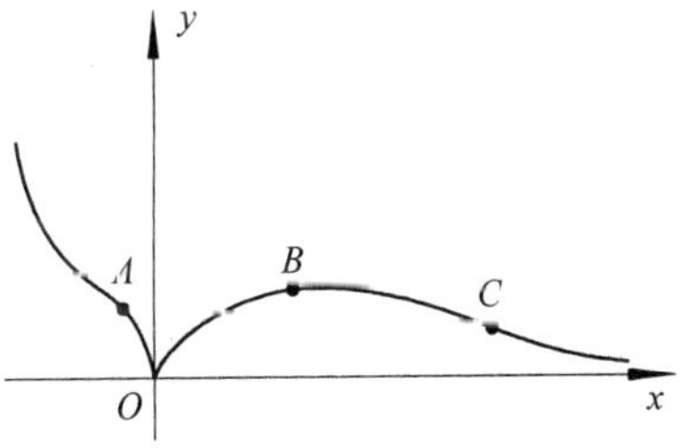

图 2.98

图像如图 2.98 所示，图中主要点的坐标：

$$A\left(-\frac{2-\sqrt{6}}{3},0.34\right),B\left(\frac{2}{3},\sqrt[3]{\frac{4}{9}}e^{-\frac{2}{3}}\right),C\left(\frac{2+\sqrt{6}}{3},0.30\right).$$

【1510】 $y=\dfrac{e^x}{1+x}$.

解 定义域为 $\mathbf{R}\backslash\{-1\}$，当 $x<-1$ 时，函数值为负的；当 $x>-1$ 时，函数值为正的.

垂直渐近线：$x=-1$. 水平渐近线：$y=0(x\to-\infty)$. 事实上，

$$k=\lim_{x\to-\infty}\frac{y}{x}=0,b=\lim_{x\to-\infty}(y-kx)=0.$$

$y'=\dfrac{xe^x}{(1+x)^2}$，令 $y'=0$ 得 $x=0$. 经判别知，当 $x=0$ 时有极小值 $y=1$.

$y''=\dfrac{e^x(x^2+1)}{(1+x)^3}$，当 $x<-1$ 时，$y''<0$，图像是凹的；当 $x>-1$ 时，$y''>0$，图像是凸的.

图像如图 2.99 所示.

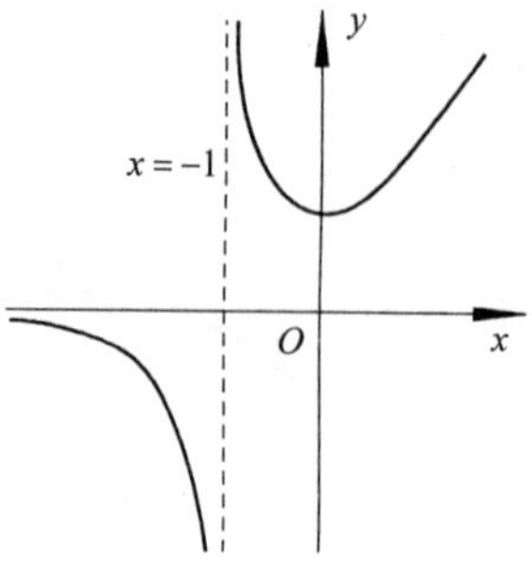

图 2.99

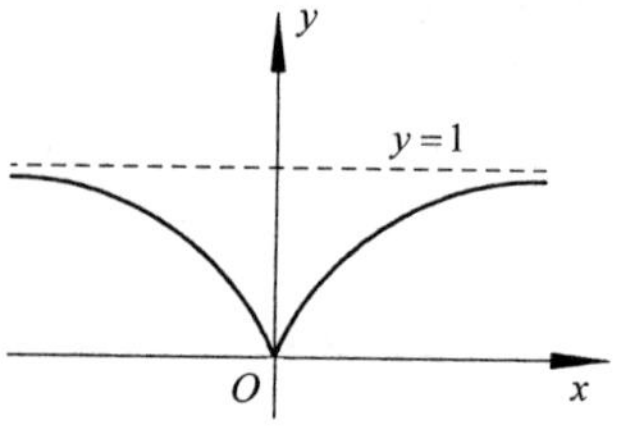

图 2.100

【1511】 $y=\sqrt{1-\mathrm{e}^{-x^2}}$.

解 定义域为 **R**,图像关于 Oy 轴对称. 令 $y=0$ 得 $x=0$. 函数值非负. $x=0$ 时,有最小值 $y=0$. 渐近线:$y=1$.

$y'=\dfrac{x\mathrm{e}^{-x^2}}{\sqrt{1-\mathrm{e}^{-x^2}}}$,当 $x<0$ 时 $y'<0$;当 $x>0$ 时 $y'>0$.

$$y''=\mathrm{e}^{-x^2}\frac{1-3x^2-\mathrm{e}^{-x^2}+2x^2\mathrm{e}^{-x^2}}{(1-\mathrm{e}^{-x^2})\sqrt{1-\mathrm{e}^{-x^2}}},$$

令 $g(t)=1-3t-\mathrm{e}^{-t}+2t\mathrm{e}^{-t}(0\leqslant t<+\infty)$,易证 $g(t)\leqslant 0$. 于是,对于 $x\neq 0$,恒有 $y''<0$,图像呈凹状. $(0,0)$ 点为尖点. 图像如图 2.100 所示.

【1512】 $y=\dfrac{\ln x}{\sqrt{x}}$.

解 定义域:$(0,+\infty)$. 令 $y=0$ 时,$x=1$. 渐近线:$x=0(x\to 0^+)$,$y=0(x\to+\infty)$.

$y'=\dfrac{2-\ln x}{2x^{\frac{3}{2}}}$,令 $y'=0$ 得 $x=\mathrm{e}^2$. 经判别知,当$x=\mathrm{e}^2$ 时有极大值 $y=\dfrac{2}{\mathrm{e}}$.

$y''=\dfrac{3\ln x-8}{4x^{\frac{5}{2}}}$,令 $y''=0$ 得 $x=\mathrm{e}^{\frac{8}{3}}$,经判别知,点$\left(\mathrm{e}^{\frac{8}{3}},\dfrac{8}{3}\mathrm{e}^{-\frac{1}{3}}\right)$为拐点.

图像如图 2.101 所示. 图中主要点的坐标:$A(1,0)$,$B\left(\mathrm{e}^2,\dfrac{2}{\mathrm{e}}\right)$,$C\left(\mathrm{e}^{\frac{8}{3}},\dfrac{8}{3}\mathrm{e}^{-\frac{1}{3}}\right)$.

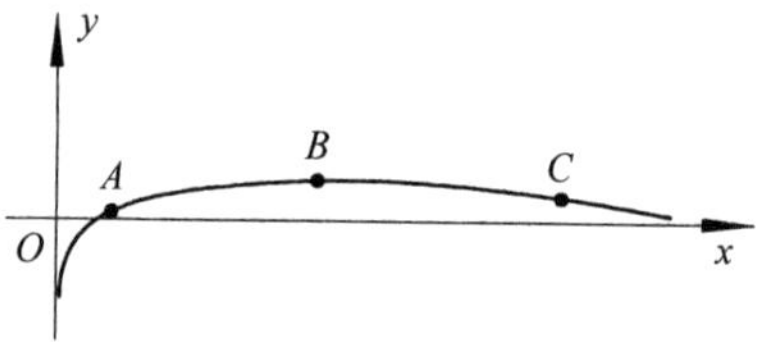

图 2.101

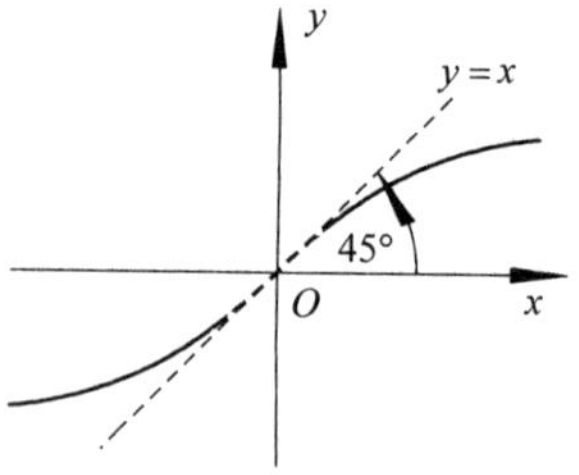

图 2.102

【1513】 $y=\ln(x+\sqrt{x^2+1})$.

解 定义域为 **R**,由于

$$y(-x)=\ln(\sqrt{x^2+1}-x)=-\ln(x+\sqrt{x^2+1})=-y(x),$$

故函数 y 为奇函数,图像关于坐标原点对称. 令 $y=0$ 得 $x=0$.

$y'=\dfrac{1}{\sqrt{x^2+1}}>0$,故函数递增,无极值点.

$y''=-\dfrac{x}{(x^2+1)^{\frac{3}{2}}}$,令 $y''=0$,得 $x=0$,在点$(0,0)$ 处切线斜率为 $k=1$.

经判别知，点(0,0)为拐点. 图像如图 2.102 所示.

【1514】 $y=\sqrt{x^2+1}\ln(x+\sqrt{x^2+1})$.

解 定义域为 $\mathbf{R}$，函数 y 为奇函数，故图像关于坐标原点对称.

令 $y=0$ 得 $x=0$.

$$y'=1+\frac{x}{\sqrt{x^2+1}}\ln(x+\sqrt{x^2+1}),$$

$$y''=\frac{\ln(x+\sqrt{x^2+1})+x\sqrt{x^2+1}}{(x^2+1)^{\frac{3}{2}}},$$

当 $x>0$ 时，$y''>0$，图像是凸的；当 $x<0$ 时，$y''<0$，图像是凹的. 故点(0,0)为拐点，在点 $x=0$ 处切线斜率 $k=1$. 从而，函数图像始终上升，如图 2.103 所示.

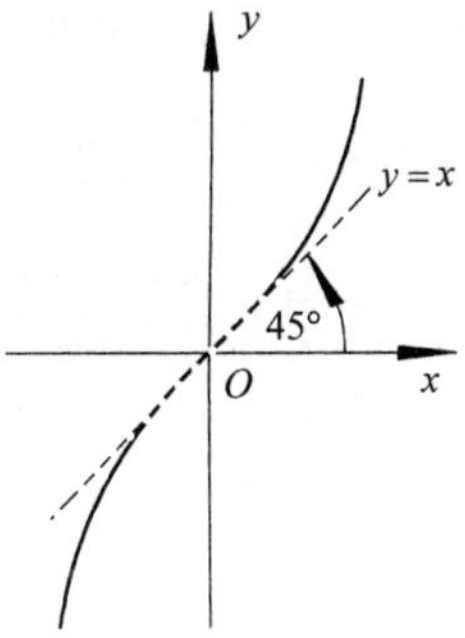

图 2.103

【1515】 $y=\dfrac{\arcsin x}{\sqrt{1-x^2}}$.

解 定义域为$(-1,1)$，y 为奇函数，图像关于坐标原点对称. 令 $y=0$ 得 $x=0$. 渐近线：$x=\pm1$.

$y'=\dfrac{\sqrt{1-x^2}+x\arcsin x}{(1-x^2)^{\frac{3}{2}}}>0(|x|<1)$，函数递增，图像始终上升.

$y''=\dfrac{3x}{(1-x^2)^2}+\dfrac{(1+2x^2)\arcsin x}{(1-x^2)^{\frac{5}{2}}}$，令 $y''=0$ 得 $x=0$.

当 $-1<x<0$ 时，$y''<0$，图像是凹的；当 $0<x<1$ 时，$y''>0$，图像是凸的. 点(0,0)为拐点，在点 $x=0$ 处切线斜率为 $k=1$. 图像如图 2.104 所示.

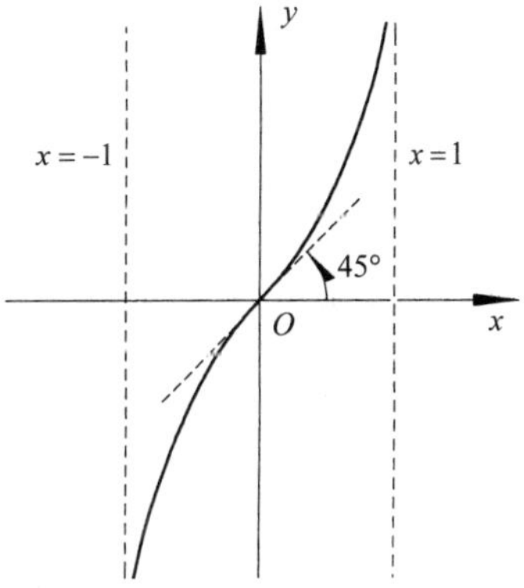

图 2.104

【1516】 $y=x+\arctan x$.

解 定义域为 $\mathbf{R}$，y 为奇函数，图像关于原点对称. 令 $y=0$ 得 $x=0$. 渐近线：$y=x-\frac{\pi}{2}$，$y=x+\frac{\pi}{2}$. 事实上，

$$k=\lim_{x\to\infty}\frac{y}{x}=1,b_1=\lim_{x\to-\infty}(y-kx)=-\frac{\pi}{2},b_2=\lim_{x\to+\infty}(y-kx)=\frac{\pi}{2}.$$

$y'=1+\dfrac{1}{1+x^2}>0$，函数递增，图像始终上升，无极值点.

$y''=-\dfrac{2x}{(1+x^2)^2}$，令 $y''=0$ 得 $x=0$，点(0,0)为拐点.

在点 $x=0$ 处切线斜率为 $k=2$. 图像如图 2.105 所示.

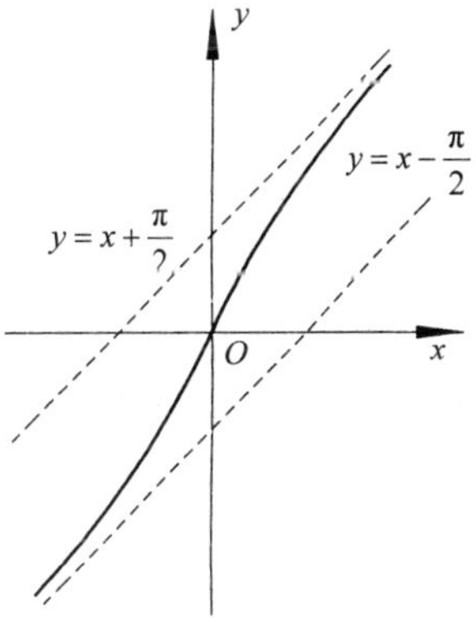

图 2.105

【1517】 $y=\dfrac{x}{2}+\operatorname{arccot} x$.

解 定义域为 $\mathbf{R}$，令 $y=0$ 得 $x\approx-5.95$.

渐近线：$y=\dfrac{x}{2}+\pi$，$y=\dfrac{x}{2}$. 事实上，

$$k_1=\lim_{x\to-\infty}\frac{\frac{x}{2}+\operatorname{arccot} x}{x}=\frac{1}{2},b_1=\lim_{x\to-\infty}\left[\left(\frac{x}{2}+\operatorname{arccot} x\right)-\frac{1}{2}x\right]=\pi;$$

$$k_2=\lim_{x\to+\infty}\frac{\frac{x}{2}+\operatorname{arccot} x}{x}=\frac{1}{2},b_2=\lim_{x\to+\infty}\left[\left(\frac{x}{2}+\operatorname{arccot} x\right)-\frac{1}{2}x\right]=0.$$

$y'=\dfrac{1}{2}-\dfrac{1}{1+x^2}$，令 $y'=0$ 得 $x=\pm1$.

当 $x<-1$ 或 $x>1$ 时，$y'>0$，函数递增，图像上升；当 $-1<x<1$ 时，$y'<0$，函数递减，图像下降；故当 $x=1$ 时，有极小值 $y=\frac{1}{2}+\frac{\pi}{4}$；当 $x=-1$ 时，有极大值 $y=-\frac{1}{2}+\frac{3\pi}{4}$.

$y''=\frac{2x}{(1+x^2)^2}$，令 $y''=0$ 得 $x=0$.

当 $x<0$ 时，$y''<0$，图像是凹的；当 $x>0$ 时，$y''>0$，图像是凸的. 点 $\left(0,\frac{\pi}{2}\right)$ 为拐点. 图像如图 2.106 所示.

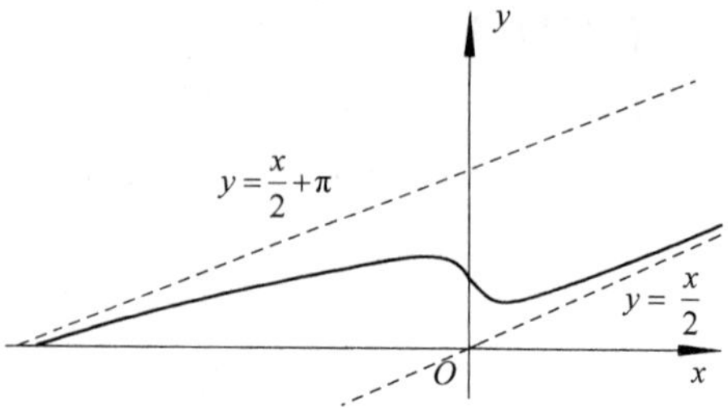

图 2.106

【1518】 $y=x\arctan x$.

解 定义域为 **R**，令 $y=0$ 得 $x=0$. 图像关于 Oy 轴对称. 函数值不为负，故图像始终在 Ox 轴上方.

渐近线：$y=-\frac{\pi}{2}x-1(x\to-\infty)$；$y=\frac{\pi}{2}x-1(x\to+\infty)$.

$y'=\frac{x}{1+x^2}+\arctan x$，令 $y'=0$ 得 $x=0$.

$x<0$ 时，$y'<0$；$x>0$ 时，$y'>0$. 故 $x=0$ 时，有极小值 $y=0$.

$y''=\frac{2}{(1+x^2)^2}>0$，图像是凸的. 图像如图 2.107 所示.

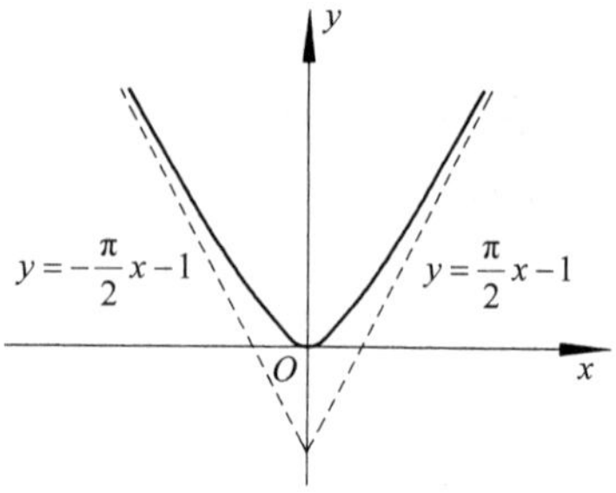

图 2.107

【1519】 $y=\arcsin\frac{2x}{1+x^2}$.

解 定义域为 **R**，令 $y=0$ 得 $x=0$. 图像关于坐标原点对称. 渐近线：$y=0$. 事实上，

$$k=\lim_{x\to\infty}\frac{\arcsin\frac{2x}{1+x^2}}{x}=0, b=\lim_{x\to\infty}(y-kx)=0.$$

$$y'=\frac{2\operatorname{sgn}(1-x^2)}{1+x^2}(|x|\neq1),$$

当 $|x|<1$ 时，$y'>0$，函数递增，图像上升；$|x|>1$ 时，$y'<0$，函数递减，图像下降.

当 $x=1$ 时，$y'_-(1)=1$，$y'_+(1)=-1$，故点 $\left(1,\frac{\pi}{2}\right)$ 为尖点，且当 $x=1$ 时有最大值 $y=\frac{\pi}{2}$.

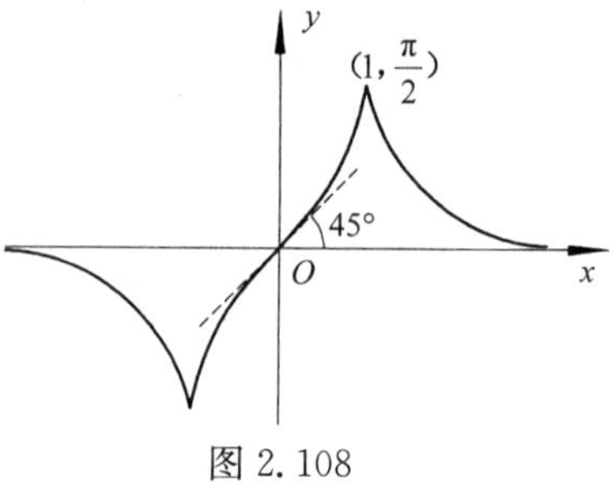

图 2.108

当 $x=-1$ 时，有 $y'_-(-1)=-1$，$y'_+(-1)=1$，故点 $\left(-1,-\frac{\pi}{2}\right)$ 也为尖点，且当 $x=-1$ 时有最小值 $y=-\frac{\pi}{2}$. 点 $(0,0)$ 为拐点. 图像如图 2.108 所示.

【1520】 $y=\arccos\frac{1-x^2}{1+x^2}$.

解 定义域为 **R**，令 $y=0$ 得 $x=0$. 图像关于 Oy 轴对称. 函数值不为负，图像始终在 Ox 轴上方.

渐近线：$y=\pi$. 事实上

$$k=\lim_{x\to\infty}\frac{\arccos\frac{1-x^2}{1+x^2}}{x}=0, b=\lim_{x\to\infty}\arccos\frac{1-x^2}{1+x^2}=\pi.$$

$$y'=\begin{cases}\dfrac{2}{1+x^2}, & x>0,\\ -\dfrac{2}{1+x^2}, & x<0,\end{cases}$$

当 $x>0$ 时，$y'>0$，函数递增，图像上升；当 $x<0$ 时，$y'<0$，函数递减，图像下降. 故当 $x=0$ 时，有极小值 $y=0$.

当 $x=0$ 时，有 $y'_+(0)=2$，$y'_-(0)=-2$，点(0,0)为角点.

$$y''=\begin{cases}-\dfrac{4x}{(1+x^2)^2}, & x>0,\\ \dfrac{4x}{(1+x^2)^2}, & x<0,\end{cases}$$

当 $x>0$ 时，$y''<0$，图像是凹的；

当 $x<0$ 时，$y''<0$，图像也是凹的.

图像如图 2.109 所示.

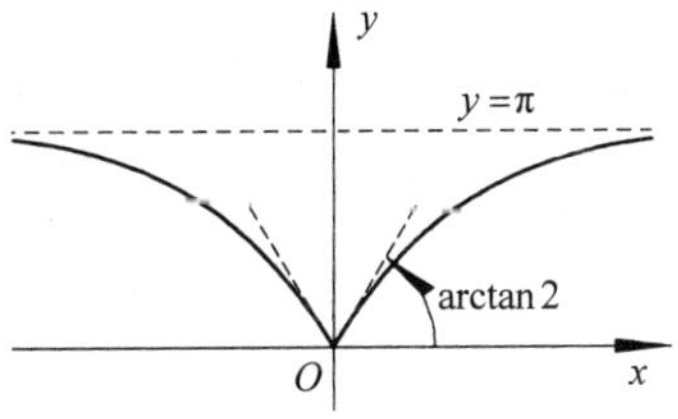

图 2.109

【1521】 $y=(x+2)e^{\frac{1}{x}}$.

解 定义域为 **R**，令 $y=0$ 得 $x=-2$. 不连续点：$x=0$. 渐近线：$y=x+3$. 事实上，

$$k=\lim_{x\to\infty}\frac{(x+2)e^{\frac{1}{x}}}{x}=1,b=\lim_{x\to\infty}[(x+2)e^{\frac{1}{x}}-x]\xlongequal{t=\frac{1}{x}}\lim_{t\to 0}\left(2e^t+\frac{e^t-1}{t}\right)=3.$$

$y'=e^{\frac{1}{x}}\left(\dfrac{x^2-x-2}{x^2}\right)$，令 $y'=0$ 得 $x=2$ 或 -1.

当 $0<x<2$ 时，$y'<0$，函数递减，图像下降；

当 $-1<x<0$ 时，$y'<0$，函数递减，图像下降；

当 $x<-1$ 或 $x>2$ 时，$y'>0$，函数递增，图像上升.

故当 $x=-1$ 时，有极大值 $y=\dfrac{1}{e}$；当 $x=2$ 时，有极小值 $y=4\sqrt{e}$.

$y''=\dfrac{(5x+2)e^{\frac{1}{x}}}{x^4}$，令 $y''=0$ 得 $x=-\dfrac{2}{5}$.

当 $x<-\dfrac{2}{5}$ 时，$y''<0$，图像是凹的；当 $x>-\dfrac{2}{5}$ 且 $x\neq 0$ 时，$y''>0$，图像是凸的 点 $\left(-\dfrac{2}{5},\dfrac{8}{5}e^{-\frac{5}{2}}\right)$ 是拐点.

又 $\lim\limits_{x\to 0^-}y=0$，$\lim\limits_{x\to 0^+}y=+\infty$，故图像如图 2.110 所示.

图中各点位置

$$A(-2,0),B(-1,e^{-1}),C\left(-\frac{2}{5},\frac{8}{5}e^{-\frac{5}{2}}\right),D(2,4\sqrt{e}).$$

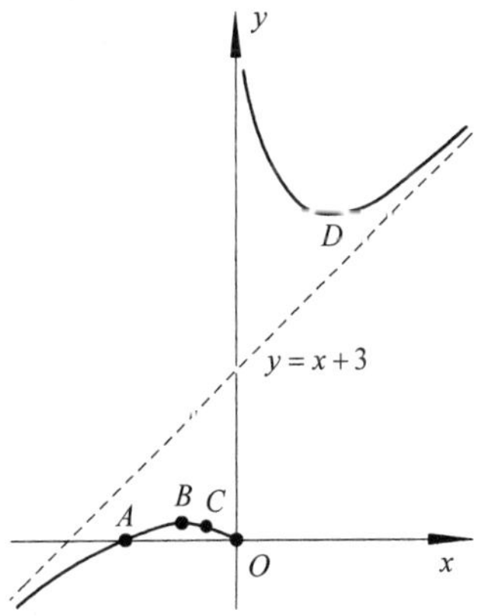

图 2.110

【1522】 $y=2^{\sqrt{x^2+1}-\sqrt{x^2-1}}$.

解 定义域：$(-\infty,-1]\cup[1,+\infty)$. 图像关于 Oy 轴对称.

渐近线：$y=1$. 事实上，

$$k=\lim_{x\to\infty}\frac{2^{\sqrt{x^2+1}-\sqrt{x^2-1}}}{x}=0,b=\lim_{x\to\infty}[2^{\sqrt{x^2+1}-\sqrt{x^2-1}}]=1.$$

$$y'(1)=-\infty,y'_-(-1)=+\infty.$$

$$y'(x)=\left(\frac{x}{\sqrt{x^2+1}}-\frac{x}{\sqrt{x^2-1}}\right)2^{\sqrt{x^2+1}-\sqrt{x^2-1}}\ln 2.$$

故当 $x<-1$ 时，$y'>0$，函数递增，图像上升；

$x>1$ 时，$y'<0$，函数递减，图像下降.

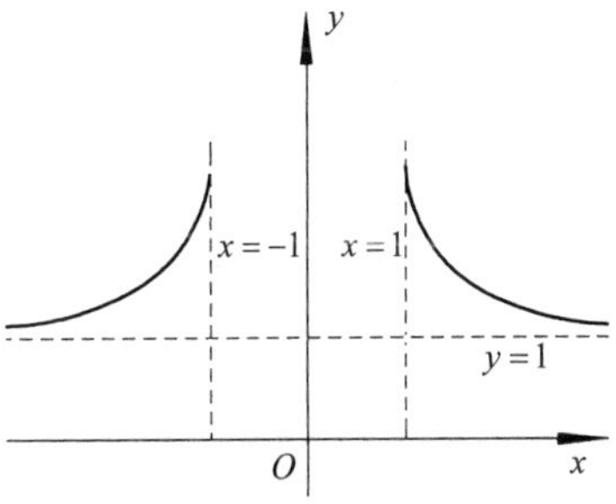

图 2.111

$$y''(x)=(\ln 2)^2 2^{\sqrt{x^2+1}-\sqrt{x^2-1}}\left(\frac{x}{\sqrt{x^2+1}}-\frac{x}{\sqrt{x^2-1}}\right)^2+2^{\sqrt{x^2+1}-\sqrt{x^2-1}}\left(\frac{1}{\sqrt{(x^2+1)^3}}+\frac{1}{\sqrt{(x^2-1)^3}}\right)\ln 2>0.$$

故图像呈凸状. 图像如图 2.111 所示.

【1523】 $y=\ln\dfrac{x^2-3x+2}{x^2+1}$.

解 定义域:$(-\infty,1)\cup(2,+\infty)$. 与坐标轴的交点:$(0,\ln 2)$,$\left(\frac{1}{3},0\right)$.

渐近线:$y=0$. 事实上,

$$k=\lim_{x\to\infty}\frac{\ln\frac{x^2-3x+2}{x^2+1}}{x}=0,b=\lim_{x\to\infty}\ln\frac{x^2-3x+2}{x^2+1}=0.$$

$y'=\dfrac{3x^2-2x-3}{(x-1)(x-2)(x^2+1)}$,令 $y'=0$ 得 $x=\dfrac{1-\sqrt{10}}{3}$.

经判别知,当 $x=\dfrac{1-\sqrt{10}}{3}$ 时有极大值 $y\approx 1.12$.

$$y''=\frac{-6x^5+15x^4-30x^2+30x-13}{(x-1)^2(x-2)^2(x^2+1)^2}.$$

令 $y''=0$ 得 $x\approx-1.52$,此时 $y\approx 0.99$. 经判别知,它为拐点. 当 $x<-1.52$ 时,$y''>0$,图像是凸的;当 $x>2$ 时,$y''<0$,图像是凹的. 当 $x\to1^-$ 或 $x\to2^+$ 时,$y\to-\infty$.

图像如图 2.112 所示. 图中主要点的坐标:

$A(-1.52,0.99)$,$B\left(\frac{1-\sqrt{10}}{3},1.12\right)$,$C(0,\ln 2)$,$D\left(\frac{1}{3},0\right)$.

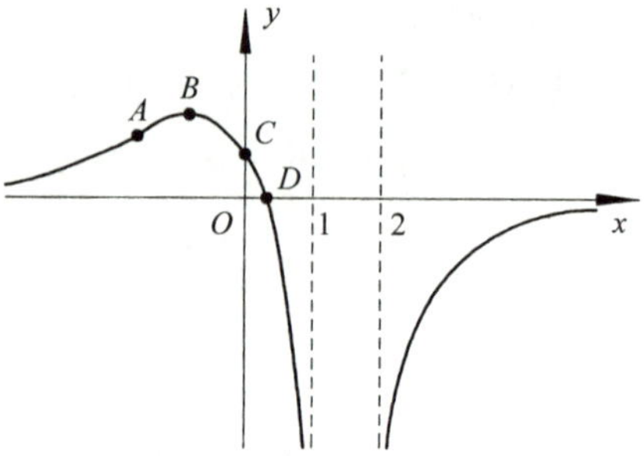

图 2.112

【1524】 $y=a\arcsin\dfrac{x}{a}-\sqrt{a^2-x^2}\ (a>0)$.

解 定义域:$[-a,a]$. 与坐标轴的交点:$(0,-a)$,$(0.67a,0)$.

$$y'=\frac{a+x}{\sqrt{a^2-x^2}}>0,\ |x|<a,$$

故函数递增,图像上升. 又

$$y'_-(a)=+\infty,y'_+(-a)=0,y''=\frac{a(a+x)}{(a^2-x^2)^{\frac{3}{2}}}>0(|x|<a),$$

故图像是凸的.

图像如图 2.113 所示. 图中主要点的坐标

$$A\left(-a,-\frac{\pi}{2}a\right),B(0,-a),C(0.67a,0),D\left(a,\frac{\pi}{2}a\right).$$

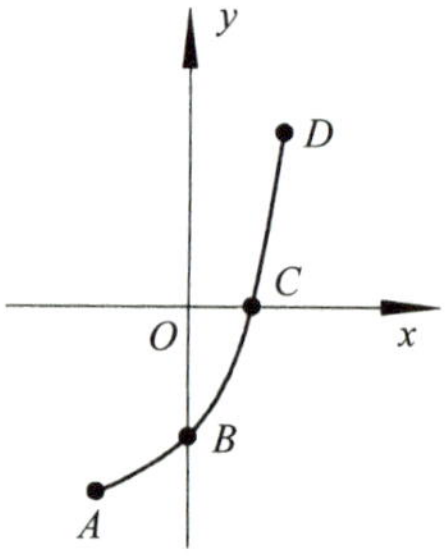

图 2.113

【1525】 $y=\arccos\dfrac{1-x}{1-2x}$.

解 定义域:$\left|\dfrac{1-x}{1-2x}\right|\leqslant 1$,解得 $x\leqslant 0$ 或 $x\geqslant\dfrac{2}{3}$,即定义域为$(-\infty,0]\cup[\frac{2}{3}+\infty)$.

渐近线:$y=\frac{\pi}{3}$. 事实上,

$$k=\lim_{x\to\infty}\frac{\arccos\frac{1-x}{1-2x}}{x}=0,b=\lim_{x\to\infty}\arccos\frac{1-x}{1-2x}=\frac{\pi}{3}.$$

$$y' = \begin{cases} -\dfrac{1}{(1-2x)\sqrt{3x^2-2x}}, & x \leqslant 0, \\ \dfrac{1}{(1-2x)\sqrt{3x^2-2x}}, & x \geqslant \dfrac{2}{3}. \end{cases}$$

$$y'' = \begin{cases} \dfrac{1}{(3x^2-2x)^{\frac{3}{2}}(1-2x)^2}(9x-12x^2-1), & x \leqslant 0, \\ \dfrac{1}{(3x^2-2x)^{\frac{3}{2}}(1-2x)^2}(12x^2-9x+1), & x \geqslant \dfrac{2}{3}. \end{cases}$$

$x \leqslant 0$ 时，$y'' < 0$，图像是凹的；$x \geqslant \dfrac{2}{3}$ 时，$y'' > 0$，图像是凸的.

又当 $x < 0$ 时，$y' < 0$，函数递减，图像下降；

当 $x > \dfrac{2}{3}$ 时，$y' < 0$，函数递减，图像也下降；

$$y'_-(0) = -\infty, y'_+\left(\frac{2}{3}\right) = -\infty.$$

图像如图 2.114 所示.

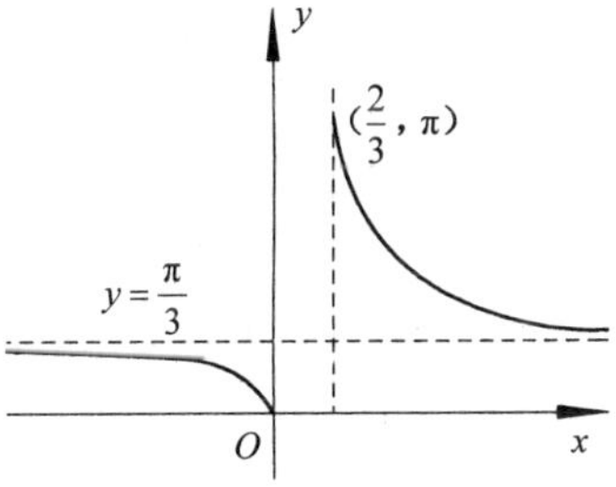

图 2.114

【1526】 $y = x^x$.

解 一般只讨论 $x > 0$. 函数值始终为正，故图像在 Ox 轴上方.

$y' = x^x(1+\ln x)$，令 $y' = 0$ 得 $x = \dfrac{1}{\mathrm{e}}$.

经判别知，当 $x = \dfrac{1}{\mathrm{e}}$ 时有极小值 $y = \left(\dfrac{1}{\mathrm{e}}\right)^{\frac{1}{\mathrm{e}}}$.

$y'' = x^x\left[(1+\ln x)^2 + \dfrac{1}{x}\right] > 0$，图像是凸的. 图像如图 2.115 所示.

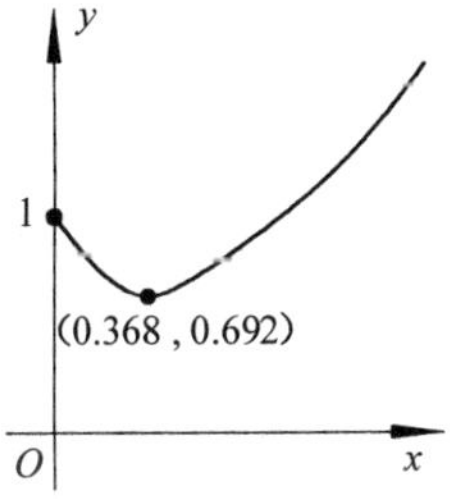

图 2.115

【1527】 $y = x^{\frac{1}{x}}$.

解 一般只讨论 $x > 0$. 渐近线：$y = 1$. 事实上，$k = \lim\limits_{x \to +\infty} x^{\frac{1}{x}-1} = 0$，$b = \lim\limits_{x \to +\infty} x^{\frac{1}{x}} = 1$.

$y' = x^{\frac{1}{x}-2}(1-\ln x)$. 令 $y' = 0$ 得 $x = \mathrm{e}$.

当 $x < \mathrm{e}$ 时，$y' > 0$，函数递增，图像上升；当 $x > \mathrm{e}$ 时，$y' < 0$，函数递减，图像下降.

故当 $x = \mathrm{e}$ 时，有极大值 $y = \mathrm{e}^{\frac{1}{\mathrm{e}}}$.

$y'' = x^{\frac{1}{x}-4}(1-2\ln x+\ln^2 x-3x+2x\ln x)$，令 $y'' = 0$ 得 $x \approx \mathrm{e}^{1.47}$.

当 $0 < x < \mathrm{e}^{1.47}$ 时，$y'' < 0$，图像是凹的；

当 $x > \mathrm{e}^{1.47}$ 时，$y'' > 0$，图像是凸的.

故$(\mathrm{e}^{1.47}, (\mathrm{e}^{1.47})^{\mathrm{e}^{-1.47}})$是拐点.

图像如图 2.116 所示，图中各点位置：$A(\mathrm{e}, \mathrm{e}^{\frac{1}{\mathrm{e}}})$，$B(\mathrm{e}^{1.47}, (\mathrm{e}^{1.47})^{\mathrm{e}^{-1.47}})$.

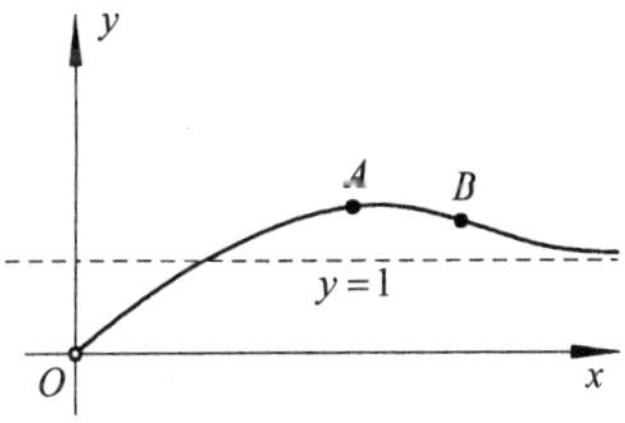

图 2.116

【1528】 $y = (1+x)^{\frac{1}{x}}$.

解 定义域：$\{x \mid x > -1, x \neq 0\}$. 函数值始终为正，故图像在 Ox 轴上方.

$$y' = \frac{(1+x)^{\frac{1}{x}}}{x^2}\left[\frac{x}{1+x} - \ln(1+x)\right],$$

易证 $\dfrac{x}{1+x} - \ln(1+x) < 0$，故 $y' < 0$，函数递减，图像下降.

渐近线：$x = -1$ 和 $y = 1$. 图像是凸的. $x = 0$ 为可去间断点.

图像如图 2.117 所示.

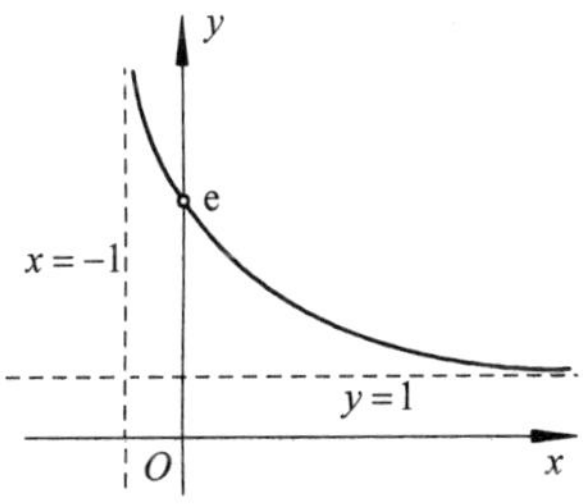

图 2.117

【1529】 $y = x\left(1+\dfrac{1}{x}\right)^x (x > 0)$.

解 $y'=\left(1+\frac{1}{x}\right)^x+x\left(1+\frac{1}{x}\right)^x\left[\ln\left(1+\frac{1}{x}\right)-\frac{1}{x+1}\right]>0$,

易证 $\ln\left(1+\frac{1}{x}\right)-\frac{1}{x+1}>0(x>0)$,故 $y'>0$,函数递增,图像上升.

渐近线:$y=\mathrm{e}\left(x-\frac{1}{2}\right)$. 事实上,

$$k=\lim_{x\to+\infty}\left(1+\frac{1}{x}\right)^x=\mathrm{e}.$$

$$b=\lim_{x\to+\infty}\frac{\left(1+\frac{1}{x}\right)^x-\mathrm{e}}{\frac{1}{x}}\xlongequal{t=\frac{1}{x}}\lim_{t\to0^+}\frac{(1+t)^{\frac{1}{t}}-\mathrm{e}}{t}=\lim_{t\to0^+}\frac{\mathrm{e}^{\frac{\ln(1+t)}{t}}-\mathrm{e}}{t}$$

$$=\mathrm{e}\lim_{t\to0^+}\frac{\mathrm{e}^{\frac{\ln(1+t)}{t}-1}-1}{t}=\mathrm{e}\lim_{t\to0^+}\frac{\frac{\ln(1+t)}{t}-1}{t}=\mathrm{e}\lim_{t\to0^+}\frac{\ln(1+t)-t}{t^2}=-\frac{\mathrm{e}}{2}.$$

图像如图 2.118 所示.

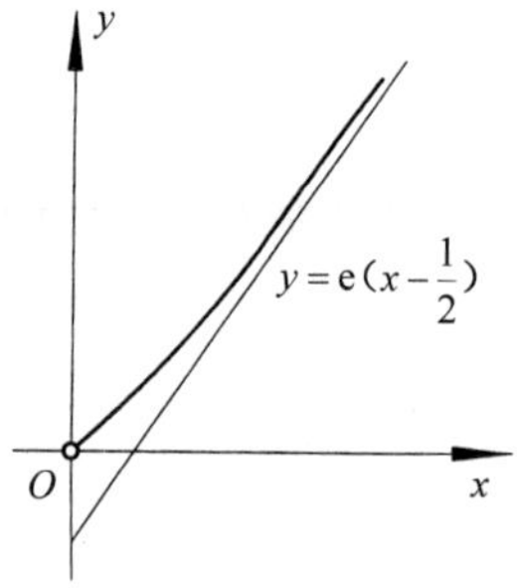

图 2.118

【1530】 $y=\dfrac{\frac{1}{\mathrm{e}^{1-x^2}}}{1+x^2}$(不研究凹凸性).

解 定义域:$\mathbf{R}\backslash\{-1,1\}$,函数值始终为正,图像在 Ox 轴的上方. 图像关于 Oy 轴对称.

渐近线:$y=0$,$x=-1$ 及 $x=1$.

$y'=\dfrac{2x^3\mathrm{e}^{\frac{1}{1-x^2}}(3-x^2)}{(1-x^2)^2(1+x^2)^2}$,令 $y'=0$ 得 $x=0$ 或 $x=\pm\sqrt{3}$.

经判别知:当 $x=0$ 时有极小值 $y=\mathrm{e}$;

$x=-\sqrt{3}$ 时有极大值 $y=\dfrac{1}{4\sqrt{\mathrm{e}}}$;$x=\sqrt{3}$ 时有极大值 $y=\dfrac{1}{4\sqrt{\mathrm{e}}}$.

图像如图 2.119 所示. 图中主要点的坐标:

$$A(0,\mathrm{e}),B\left(\sqrt{3},\frac{1}{4\sqrt{\mathrm{e}}}\right),C\left(-\sqrt{3},\frac{1}{4\sqrt{\mathrm{e}}}\right).$$

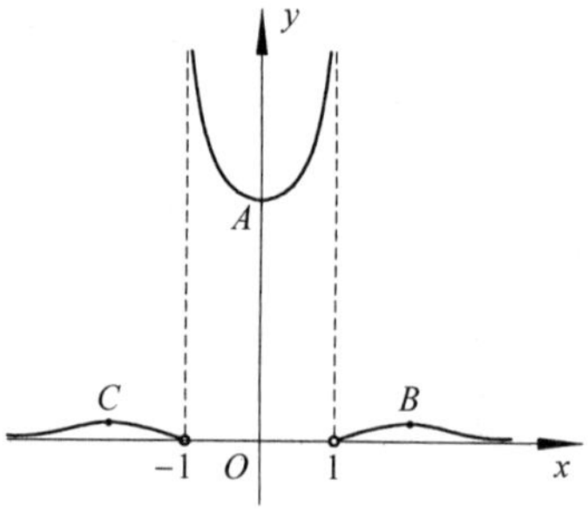

图 2.119

习题 1531—1540 参数方程表示的函数的图像

【作出下列参数方程所表示的曲线(1531—1540)】

【1531】 $x=\dfrac{(t+1)^2}{4}$,$y=\dfrac{(t-1)^2}{4}$.

解 先把此参数方程化成直角坐标系下的方程

$$\sqrt{x}=\frac{|t+1|}{2},\sqrt{y}=\frac{|t-1|}{2}.$$

当 $t\geqslant1$ 时,$\sqrt{x}=\dfrac{t+1}{2}$,$\sqrt{y}=\dfrac{t-1}{2}$,相减得

$$\sqrt{x}-\sqrt{y}=1(x\geqslant1,x>y).\quad ①$$

当 $t\leqslant-1$ 时,$\sqrt{x}=\dfrac{-t-1}{2}$,$\sqrt{y}=\dfrac{1-t}{2}$,因而

$$\sqrt{y}-\sqrt{x}=1(y\geqslant1,y>x).\quad ②$$

当 $-1\leqslant t\leqslant1$ 时,$\sqrt{x}=\dfrac{t+1}{2}$,$\sqrt{y}=\dfrac{1-t}{2}$,相加得

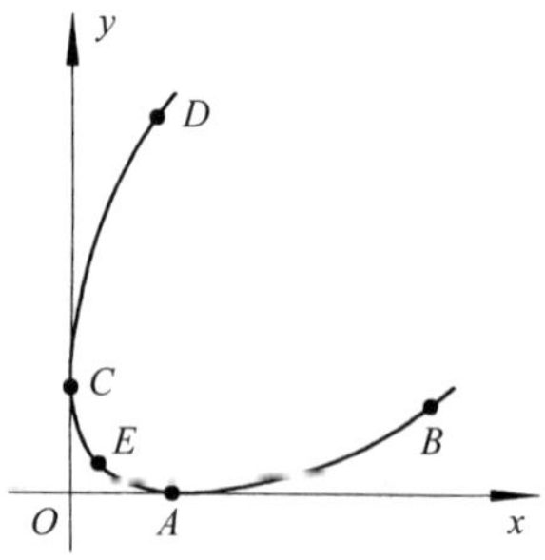

图 2.120

$$\sqrt{x}+\sqrt{y}=1(0\leqslant x\leqslant1,0\leqslant y\leqslant1).\quad ③$$

由方程 ①②③ 即得所给曲线的图像. 图像关于 $y=x$ 对称，如图 2.120 所示. 图中主要点的坐标：

$$A(1,0),B(4,1),C(0,1),D(1,4),E\left(\frac{1}{4},\frac{1}{4}\right).$$

【1532】 $x=2t-t^2, y=3t-t^3$.

解 $x'_t=2(1-t), y'_t=3(1-t^2)$.

列表

t	x'_t	y'_t	x	y
$(-\infty,-1)$	$+$	$-$	由 $-\infty$ 上升到 -3	由 $+\infty$ 下降到 -2
$(-1,1)$	$+$	$+$	由 -3 上升到 1	由 -2 上升到 2
$(1,+\infty)$	$-$	$-$	由 1 下降到 $-\infty$	由 2 下降到 $-\infty$

$\frac{dy}{dx}=\frac{3(1-t^2)}{2(1-t)}=\frac{3}{2}(1+t)(t\neq 1)$. 令 $\frac{dy}{dx}=0$ 得 $t=-1, x=-3, y=-2$.

由于 $t=1\pm\sqrt{1-x}$，故定义域为 $x\leqslant 1$，且图像有两支.

$\frac{d^2y}{dx^2}=\frac{3}{4(1-t)}$，故当 $t>1$ 时图像呈凹状，当 $t<1$ 时图像呈凸状.

当 $x=0$ 时，$t=0$ 或 $t=2$，此时 $y=0$ 或 $y=-2$；

当 $y=0$ 时，$t=0,\sqrt{3},-\sqrt{3}$，此时 $x=0,2\sqrt{3}-3,-2\sqrt{3}-3$.

图像如图 2.121 所示. 图中主要点的坐标：

$$A(-2\sqrt{3}-3,0),B(-3,-2),D(1,2),E(0,-2).$$

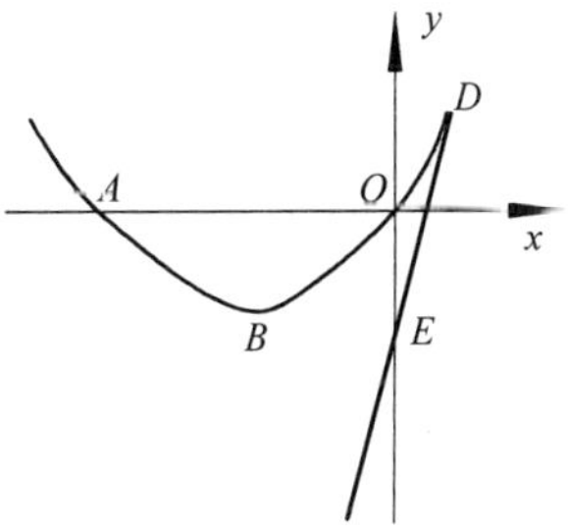

图 2.121

【1533】 $x=\frac{t^2}{t-1}, y=\frac{t}{t^2-1}$.

解 $x'_t=\frac{t(t-2)}{(t-1)^2}, y'_t=-\frac{1+t^2}{(t^2-1)^2}$.

考虑 $x'_t=0, y'_t=0$ 及 x'_t, y'_t 趋 $+\infty$ 的 t 值：$t=0, \pm 1$ 及 2.

列表

t	x'_t	y'_t	x	y
$(-\infty,-1)$	$+$	$-$	由 $-\infty$ 上升到 $-\frac{1}{2}$	由 0 下降到 $-\infty$
$(-1,0)$	$+$	$-$	由 $-\frac{1}{2}$ 上升到 0	由 $+\infty$ 下降到 0
$(0,1)$	$-$	$-$	由 0 下降到 $-\infty$	由 0 下降到 $-\infty$
$(1,2)$	$-$	$-$	由 $+\infty$ 下降到 4	由 $+\infty$ 下降到 $\frac{2}{3}$
$(2,+\infty)$	$+$	$-$	由 4 上升到 $+\infty$	由 $\frac{2}{3}$ 下降到 0

$\frac{dy}{dx}=-\frac{1+t^2}{t(t-2)(t+1)^2}$，当 $x\in(-\infty,0)$ 或 $(4,+\infty)$ 时，$\frac{dy}{dx}<0$，函数递减，图像下降.

$\frac{d^2y}{dx^2}=\frac{2(t-1)^3(t^4+3t^2+4t+1)}{t^3(t-2)^3(t+1)^4}$，令 $\frac{d^2y}{dx^2}=0$ 得 $t\approx-0.33$，经判别知，点 $(-0.08,0.30)$ 为拐点.

令 $\frac{dx}{dy}=0$ 得 $t=0,2$ 及 -1，其中当 $t=0$ 及 2 时有垂直切线，切点为 $(0,0)$ 及 $\left(4,\frac{2}{3}\right)$.

当 $t=-1$ 时，$x=-\dfrac{1}{2}$ 为垂直渐近线. 事实上

$$\lim_{x\to-\frac{1}{2}} y=\lim_{t\to-1}\frac{t}{t^2-1}=\infty.$$

斜渐近线为 $y=\dfrac{1}{2}x-\dfrac{3}{4}$. 事实上

$$k=\lim_{x\to\infty}\frac{y}{x}=\lim_{t\to1}\frac{1}{t(t+1)}=\frac{1}{2},$$

$$b=\lim_{x\to\infty}\left(y-\frac{x}{2}\right)=-\lim_{t\to1}\frac{t(t+2)}{2(t+1)}=-\frac{3}{4}.$$

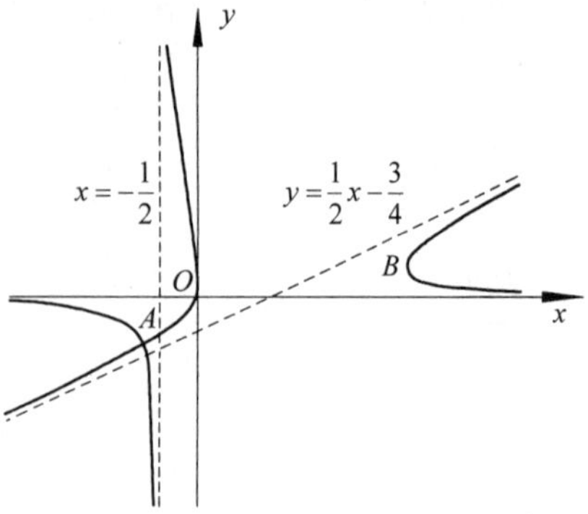

图 2.122

又 $x\to+\infty$ 即 $t\to1^+$ 时，$y\to+\infty$ 或当 $t\to+\infty$ 时，$y\to0$；

当 $x\to-\infty$ 即 $t\to-\infty$ 时，$y\to0$ 或 $t\to1^-$ 时，$y\to-\infty$.

总之，$\lim\limits_{x\to+\infty}y=+\infty$ 或 0，$\lim\limits_{x\to-\infty}y=0$ 或 $-\infty$. 图像如图2.122 所示.

图中主要点的坐标：$A\left(-\dfrac{4}{3},-\dfrac{2}{3}\right)$，$B\left(4,\dfrac{2}{3}\right)$.

【**1534**】 $x=\dfrac{t^2}{1-t^2}$，$y=\dfrac{1}{1+t^2}$.

解 由于以 $-t$ 替换 t，x 值及 y 值不变，故只须考虑 $t>0$. 又因 $t^2=\dfrac{x}{1+x}$，故 $x\geqslant0$ 或 $x\leqslant-1$.

$x'_t=\dfrac{2t}{(1-t^2)^2}$，$y'_t=\dfrac{-2t}{(1+t^2)^2}$，$\dfrac{\mathrm{d}y}{\mathrm{d}x}=-\left(\dfrac{1-t^2}{1+t^2}\right)^2<0$，函数递减，图像下降.

$\dfrac{\mathrm{d}^2y}{\mathrm{d}x^2}=\dfrac{4(1-t^2)^3}{(1+t^2)^3}$，当 $|t|<1$ 时图像呈凸状，当 $|t|>1$ 时图像呈凹状.

考虑 $x'_t=0$，$y'_t=0$ 及 x'_t，y'_t 趋于 ∞ 的 t 值：$t=0$，$t=1$.

列表

t	x'_t	y'_t	x	y
$(0,1)$	$+$	$-$	由 0 上升到 $+\infty$	由 1 下降到 $\frac{1}{2}$
$(1,+\infty)$	$+$	$-$	由 $-\infty$ 上升到 -1	由 $\frac{1}{2}$ 下降到 0

渐近线为 $y=\dfrac{1}{2}$. 事实上，

$$k=\lim_{x\to\infty}\frac{y}{x}=\lim_{t\to\pm1}\frac{1-t^2}{t^2(1+t^2)}=0,$$

$$b=\lim_{x\to\infty}(y-kx)=\lim_{t\to\pm1}\frac{1}{1+t^2}=\frac{1}{2}.$$

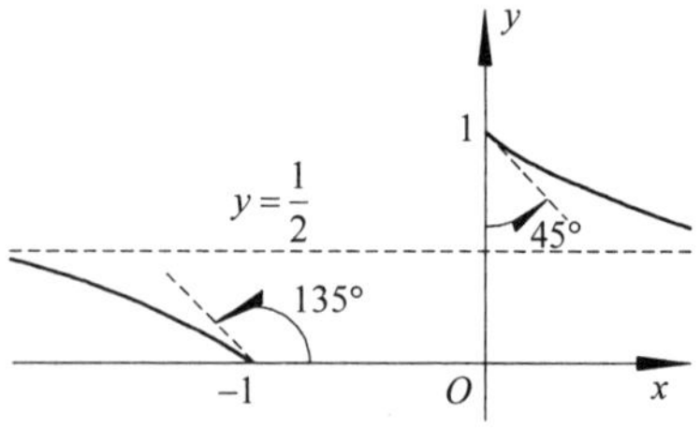

图 2.123

在点 $(-1,0)$ 处 $(t\to+\infty)$，$\dfrac{\mathrm{d}y}{\mathrm{d}x}=-1$；而在点 $(0,1)$ 处 $(t=0)$ 仍有 $\dfrac{\mathrm{d}y}{\mathrm{d}x}=-1$. 这说明在这两点处的切线均与 Ox 轴成 135° 的角. 图像如图 2.123 所示.

【**1535**】 $x=t+\mathrm{e}^{-t}$，$y=2t+\mathrm{e}^{-2t}$.

解 $x'_t=\dfrac{\mathrm{e}^t-1}{\mathrm{e}^t}$，$y'_t=\dfrac{2(\mathrm{e}^{2t}-1)}{\mathrm{e}^{2t}}$，$\dfrac{\mathrm{d}y}{\mathrm{d}x}=\dfrac{2(\mathrm{e}^t+1)}{\mathrm{e}^t}$，$\dfrac{\mathrm{d}^2y}{\mathrm{d}x^2}=\dfrac{2}{1-\mathrm{e}^t}$.

列表

t	x'_t	y'_t	x	y	$\frac{dy}{dx}$	$\frac{d^2y}{dx^2}$	图像
$(-\infty,0)$	$-$	$-$	由 $+\infty$ 下降到 1	由 $+\infty$ 下降到 1	$+$	$+$	上升，凹状
$(0,+\infty)$	$+$	$+$	由 1 上升到 $+\infty$	由 1 上升到 $+\infty$	$+$	$-$	上升，凸状

渐近线：$y=2x$. 事实上，

$$k=\lim_{x\to+\infty}\frac{y}{x}=\lim_{x\to+\infty}\frac{2t+e^{-2t}}{t+e^{-t}}=2,$$

$$b=\lim_{x\to+\infty}(y-2x)=\lim_{x\to+\infty}[(2t+e^{-2t})-2t-2e^{-t}]=0.$$

当 $t=0$ 时，对应于曲线上的点 $A(1,1)$，此点的导数 $\frac{dy}{dx}=4$. 当 $t=-\ln 2$ 时，曲线与渐近线相交. 图像如图 2.124 所示.

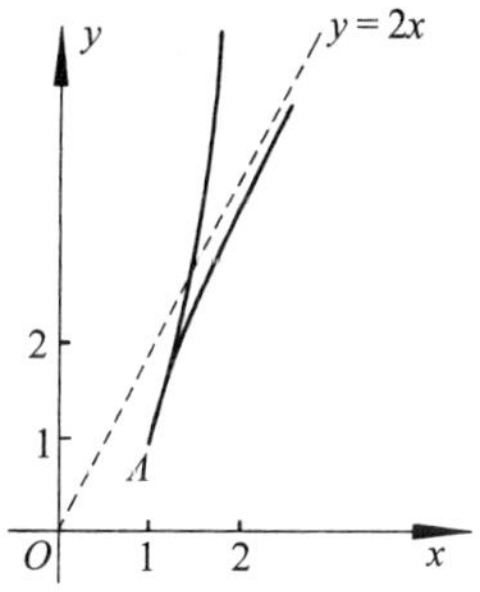

图 2.124

【1536】 $x=a\cos 2t, y=a\cos 3t(a>0)$.

解 由于 $a\cos 2(t+2\pi)=a\cos 2t$ 及 $a\cos 3(t+2\pi)=a\cos 3t$，因此，只须考虑 t 在 $(0,2\pi)$ 内变化时，x 及 y 的变化情况.

$$x'_t=-2a\sin 2t, y'_t=-3a\sin 3t, \frac{dy}{dx}=\frac{3\sin 3t}{2\sin 2t}.$$

考虑 $x'_t=0, y'_t=0$ 的值：$t=0,\frac{\pi}{3},\frac{\pi}{2},\frac{2\pi}{3},\pi,\frac{4\pi}{3},\frac{3\pi}{2},\frac{5\pi}{3}$ 及 2π.

列表

t	x'_t	y'_t	x	y	$\frac{dy}{dx}$	图像
$(0,\frac{\pi}{3})$	$-$	$-$	由 a 下降到 $-\frac{a}{2}$	由 a 下降到 $-a$	$+$	上升
$(\frac{\pi}{3},\frac{\pi}{2})$	$-$	$+$	由 $-\frac{a}{2}$ 下降到 $-a$	由 $-a$ 上升到 0	$-$	下降
$(\frac{\pi}{2},\frac{2\pi}{3})$	$+$	$+$	由 $-a$ 上升到 $-\frac{a}{2}$	由 0 上升到 a	$+$	上升
$(\frac{2\pi}{3},\pi)$	$+$	$-$	由 $-\frac{a}{2}$ 上升到 a	由 a 下降到 $-a$	$-$	下降
$(\pi,\frac{4\pi}{3})$	$-$	$+$	由 a 下降到 $-\frac{a}{2}$	由 $-a$ 上升到 a	$-$	下降
$(\frac{4\pi}{3},\frac{3\pi}{2})$	$-$	$-$	由 $-\frac{a}{2}$ 下降到 $-a$	由 a 下降到 0	$+$	上升
$(\frac{3\pi}{2},\frac{5\pi}{3})$	$+$	$-$	由 $-a$ 上升到 $-\frac{a}{2}$	由 0 下降到 $-a$	$-$	下降
$(\frac{5\pi}{3},2\pi)$	$+$	$+$	由 $-\frac{a}{2}$ 上升到 a	由 $-a$ 上升到 a	$+$	上升

当 $t=\frac{\pi}{3}$ 时，$\frac{dy}{dx}=0$，此时 $x=-\frac{a}{2}, y=-a$；

当 $t=\frac{\pi}{2}$ 时，$\frac{dy}{dx}=\infty(t\to\left(\frac{\pi}{2}\right)^-, \frac{dy}{dx}=-\infty; t\to\left(\frac{\pi}{2}\right)^+, \frac{dy}{dx}=+\infty)$，此时 $x=-a, y=0$；

当 $t=\frac{2\pi}{3}$ 时，$\frac{dy}{dx}=0$，此时 $x=-\frac{a}{2}, y=a$；

当 $t=\pi$ 时，利用洛必达法则可求得 $\frac{dy}{dx}=-\frac{9}{4}$，此时 $x=a, y=-a$；

当 $t=0$ 时，利用洛必达法则可求得 $\frac{dy}{dx}=\frac{9}{4}$，此时 $x=y=a$.

图像如图 2.125 所示. 图中主要点的坐标：

$A(a,a), B\left(\frac{a}{2},0\right), C\left(0,-\frac{\sqrt{2}}{2}a\right), D\left(-\frac{a}{2},-a\right), E(-a,0), F\left(-\frac{a}{2},a\right), G\left(0,\frac{\sqrt{2}}{2}a\right), H(a,-a)$.

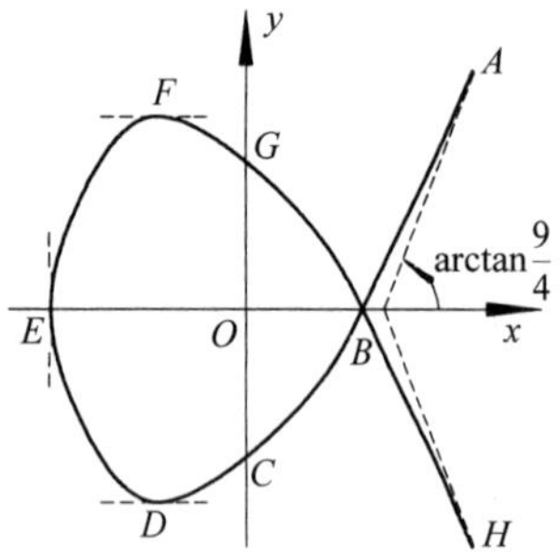

图 2.125

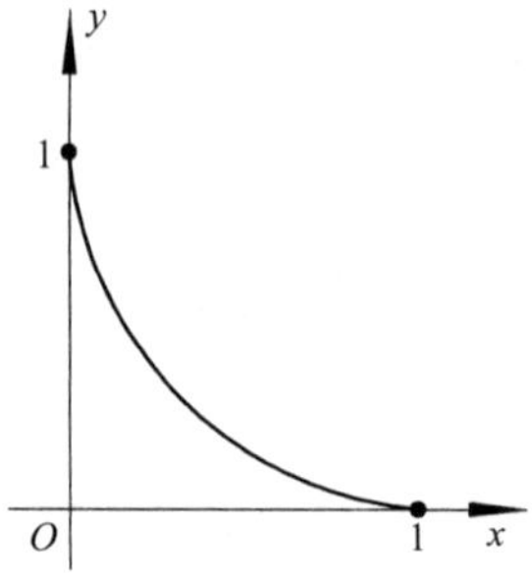

图 2.126

【1537】 $x=\cos^4 t, y=\sin^4 t$.

解 $\sqrt{x}=\cos^2 t, \sqrt{y}=\sin^2 t$，相加即得 $\sqrt{x}+\sqrt{y}=1$，图像如图 2.126 所示.（参看 1531 题）

【1538】 $x=t\ln t,\ y=\frac{\ln t}{t}$.

解 当 $t>0$ 时，x 及 y 才有意义.

当 $0<t\leqslant 1$ 时，令 $u=\frac{1}{t}$，则 $u\geqslant 1$，且 $x=-\frac{\ln u}{u}, y=-u\ln u$，所以图像关于直线 $x+y=0$ 对称. 以下讨论图像的极值点、凹凸性及拐点，不妨设 $t\geqslant 1$，则

$$\frac{dy}{dx}=\frac{1-\ln t}{t^2(1+\ln t)},\ \frac{d^2y}{dx^2}=\frac{2\ln^2 t-4}{t^3(1+\ln t)^2}.$$

令 $1-\ln t=0$，得 $t=e$. 经判别知，当 $t=e$ 时有极大值 $y=\frac{1}{e}$.

令 $\ln^2 t-2=0$，得 $t=e^{\sqrt{2}}$，相应的点 $B\left(\sqrt{2}e^{\sqrt{2}},\frac{\sqrt{2}}{e^{\sqrt{2}}}\right)$ 为拐点.

当 $1\leqslant t\leqslant e^{\sqrt{2}}$，即当 $0\leqslant x\leqslant\sqrt{2}e^{\sqrt{2}}$ 时，图像呈凹状；当 $t\geqslant e^{\sqrt{2}}$，即当 $x\geqslant\sqrt{2}e^{\sqrt{2}}$ 时，图像呈凸状.

列表

t	x'_t	y'_t	x	y	$\frac{dy}{dx}$	图像
$(0,\frac{1}{e})$	$-$	$+$	由 0 下降到 $-\frac{1}{e}$	由 $-\infty$ 上升到 $-e$	$-$	下降
$(\frac{1}{e},e)$	$+$	$+$	由 $-\frac{1}{e}$ 上升到 e	由 $-e$ 上升到 $\frac{1}{e}$	$+$	上升
$(e,+\infty)$	$+$	$-$	由 e 上升到 $+\infty$	由 $\frac{1}{e}$ 下降到 0	$-$	下降

曲线通过点(0,0),在此点切线的倾角为 45°. 水平渐近线为 $y=0$,事实上

$$k=\lim_{x\to+\infty}\frac{y}{x}=\lim_{t\to+\infty}\frac{1}{t^2}=0,$$

$$b=\lim_{x\to+\infty}(y-kx)=\lim_{t\to+\infty}\frac{\ln t}{t}=\lim_{t\to+\infty}\frac{1}{t}=0.$$

垂直渐近线为 $x=0$. 事实上,

$$\lim_{x\to0}y=\lim_{t\to0^+}y=\lim_{t\to0^+}\frac{\ln t}{t}=-\infty.$$

图像如图 2.127 所示.

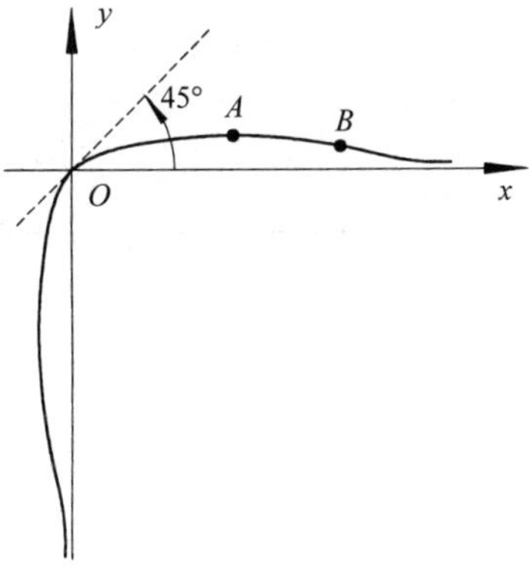

图 2.127

【1539】 $x=\dfrac{a}{\cos^3 t},y=a\tan^3 t(a>0)$.

解 将此参数方程化为直角坐标系下的方程:

$$x^{\frac{2}{3}}-y^{\frac{2}{3}}=a^{\frac{2}{3}}.$$

显然,$|x|\geqslant a$ 且图像关于两坐标轴都对称,故只须考虑在第一象限的函数图像. 由于

$$y'=x^{-\frac{1}{3}}y^{\frac{1}{3}},y''=\frac{1}{3}x^{-\frac{2}{3}}y^{\frac{1}{3}}(y^{-\frac{2}{3}}-x^{-\frac{2}{3}}),$$

而当 $x>0,y>0$ 时,有 $x>y$. 从而有 $y'>0,y''>0$,故图像上升,且呈凸状.

在 $(a,0)$ 点的切线的倾角为 0°. 图像如图 2.128 所示.

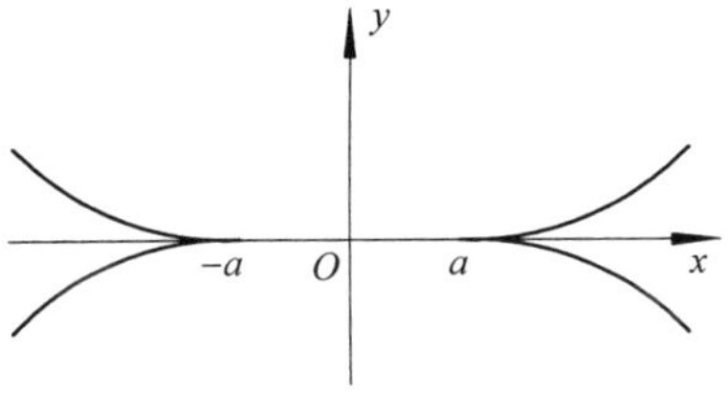

图 2.128

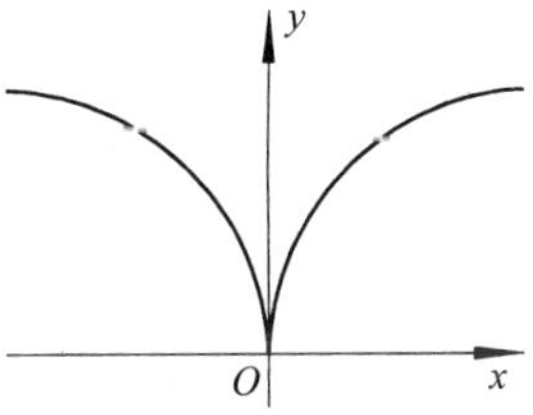

图 2.129

【1540】 $x=a(\operatorname{sh}t-t),y=a(\operatorname{ch}t-1)(a>0)$.

解 当用 $-t$ 替换 t,x 值变号,而 y 值不变,故图像关于 Oy 轴对称.

$$x'_t=a(\operatorname{ch}t-1),y'_t=a\operatorname{sh}t,\frac{\mathrm{d}y}{\mathrm{d}x}=\frac{\mathrm{e}^t+1}{\mathrm{e}^t-1},\frac{\mathrm{d}^2y}{\mathrm{d}x^2}=-\frac{4\mathrm{e}^{2t}}{a(\mathrm{e}^t-1)^4}.$$

列表

t	x'_t	y'_t	x	y	$\frac{\mathrm{d}y}{\mathrm{d}x}$	$\frac{\mathrm{d}^2y}{\mathrm{d}x^2}$	图像
$(-\infty,0)$	+	−	由 $-\infty$ 上升到 0	由 $+\infty$ 下降到 0	−	−	下降
$(0,+\infty)$	+	+	由 0 上升到 $+\infty$	由 0 上升到 $+\infty$	+	−	上升

当 $t\to0^-$ 时,$x\to0^-,\frac{\mathrm{d}y}{\mathrm{d}x}\to-\infty$;当 $t\to0^+$ 时,$x\to0^+,\frac{\mathrm{d}y}{\mathrm{d}x}\to+\infty$.

因此,在(0,0)点的切线垂直于 Ox 轴. 图像如图 2.129 所示.

习题 1541—1545 隐函数的图像

【把下列曲线方程化为参数方程,然后作出这些曲线的图像(1541—1545)】

【1541】 $x^3+y^3-3axy=0(a>0)$.

解 设 $y=tx$,代入方程,并消去 x^2,即得 $x=\dfrac{3at}{1+t^3},y=\dfrac{3at^2}{1+t^3}$.

$$x'_t=\frac{6a\left(\frac{1}{2}-t^3\right)}{(1+t^3)^2},y'_t=\frac{3at(2-t^3)}{(1+t^3)^2}.$$

考虑 $x'_t=0,y'_t=0$ 及 x'_t,y'_t 趋于无穷的 t 值：$t=-1,0,\frac{1}{\sqrt[3]{2}}$ 及$\sqrt[3]{2}$.

列表

t	x'_t	y'_t	x	y
$(-\infty,-1)$	$+$	$-$	由 0 上升到 $+\infty$	由 0 下降到 $-\infty$
$(-1,0)$	$+$	$-$	由 $-\infty$ 上升到 0	由 $+\infty$ 下降到 0
$(0,\frac{1}{\sqrt[3]{2}})$	$+$	$+$	由 0 上升到 $\sqrt[3]{4a}$	由 0 上升到 $\sqrt[3]{2a}$
$(\frac{1}{\sqrt[3]{2}},\sqrt[3]{2})$	$-$	$+$	由 $\sqrt[3]{4a}$ 下降到 $\sqrt[3]{2a}$	由 $\sqrt[3]{2a}$ 上升到 $\sqrt[3]{4a}$
$(\sqrt[3]{2},+\infty)$	$-$	$-$	由 $\sqrt[3]{2a}$ 下降到 0	由 $\sqrt[3]{4a}$ 下降到 0

$$\frac{\mathrm{d}y}{\mathrm{d}x}=\frac{t(2-t^3)}{1-2t^3},$$

当 $t=0$ 时，$x=0,y=0,\frac{\mathrm{d}y}{\mathrm{d}x}=0$；

当 $t\to+\infty$ 时，$x=0,y=0,\frac{\mathrm{d}y}{\mathrm{d}x}=\lim\limits_{t\to+\infty}\frac{t(2-t^3)}{1-2t^3}=\infty$.

这说明，坐标原点是曲线的二重点. 曲线的一支与 Ox 轴相切，一支与 Oy 轴相切. 渐近线：$x+y+a=0$. 事实上

$$k=\lim_{x\to\infty}\frac{y}{x}=\lim_{t\to-1}\frac{3at^2(1+t^3)}{3at(1+t^3)}=-1,$$

$$b=\lim_{x\to\infty}(y-kx)=\lim_{t\to-1}\frac{3at^2+3at}{1+t^3}=\lim_{t\to-1}\frac{6at+3a}{3t^2}=-a.$$

图像如图 2.130 所示. 图中主要点的坐标：

$$A(\sqrt[3]{4}a,\sqrt[3]{2}a),B\left(\frac{3}{2}a,\frac{3}{2}a\right),C(\sqrt[3]{2}a,\sqrt[3]{4}a).$$

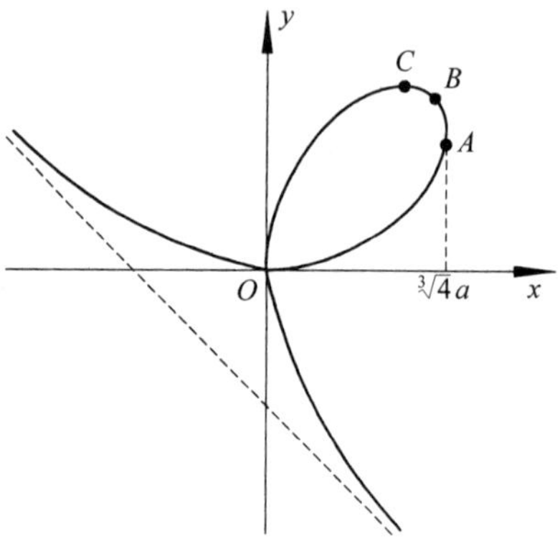

图 2.130

【 1542 】 $x^2+y^2=x^4+y^4$.

解 显然曲线关于两坐标轴对称，同时关于直线 $y=x$ 对称.

设 $x=ty$，则当 $y\neq0$ 时，得 $y=\pm\sqrt{\frac{t^2+1}{t^4+1}}$. 根据对称性，不妨限于考察方程

$$\begin{cases}x=t\sqrt{\dfrac{t^2+1}{t^4+1}},\\ y=\sqrt{\dfrac{t^2+1}{t^4+1}}\end{cases}(0\leqslant t\leqslant1).$$

由于$0\leqslant x\leqslant1,x\leqslant y$，故曲线界于纵轴正半轴与直线 $y=x$ 之间，由此根据对称性即可作出全部图像. 当 t 由 0 连续变到 1 时，曲线上的点$(0,1)$ 连续变化到点$(1,1)$. 由于

$$\frac{\mathrm{d}x}{\mathrm{d}t}=\sqrt{\frac{t^2+1}{t^4+1}}+\sqrt{\frac{t^4+1}{t^2+1}}\cdot\frac{t^2(1-2t^2-t^4)}{(t^4+1)^2},\frac{\mathrm{d}y}{\mathrm{d}t}=\sqrt{\frac{t^4+1}{t^2+1}}\cdot\frac{t(1-2t^2-t^4)}{(t^4+1)^2},$$

令$\frac{\mathrm{d}y}{\mathrm{d}x}=0$，得 $t=0,\sqrt{\sqrt{2}-1}$. 相应地，有 $x=0,y=1$；$x=\frac{1}{\sqrt{2}},y=\frac{1}{\sqrt[4]{2}}$.

经判别知：当 $x=0$ 时，y 取极小值 $y=1$；当 $x=\frac{1}{\sqrt{2}}$ 时，y 取极大值 $y=\frac{1}{\sqrt[4]{2}}$.

类似地,当 $y=0$ 时,x 取极小值 $x=1$;当 $y=\dfrac{1}{\sqrt{2}}$ 时,x 取极大值 $x=\sqrt{\dfrac{1+\sqrt{2}}{2}}$.

由对称性可知:当 $x=0$ 时,y 有极小值 $|y|=1$;当 $|x|=\dfrac{1}{\sqrt{2}}$ 时,y 有极大值 $|y|=\dfrac{1}{\sqrt[4]{2}}$;当 $y=0$ 时,x 有极小值 $|x|=1$;当 $|y|=\dfrac{1}{\sqrt{2}}$ 时,x 有极大值 $|x|=\sqrt{\dfrac{1+\sqrt{2}}{2}}$.

值得注意的是,当 $t=1$ 即在点(1,1)处时,$\dfrac{dy}{dx}=-1$,因而曲线在点(1,1)处光滑连接.

原点(0,0)是一个孤立点,再计算其余几点的坐标如下:

t	0	0.2	0.4	0.6	$\sqrt{\sqrt{2}-1}$	0.8	0.9	1
x	0	0.20	0.42	0.65	0.71	0.86	0.94	1
y	1	1.02	1.06	1.09	1.10	1.08	1.04	1

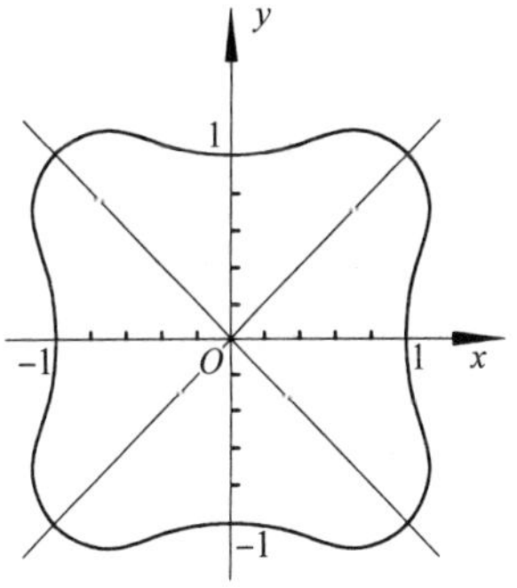

图 2.131

曲线与两坐标轴的交点为(−1,0),(1,0),(0,1)及(0,−1).图像如图2.131所示.

【1543】 $x^2y^2=x^3-y^3$.

解 设 $y=tx$,代入原方程,即得

$$x=\frac{1-t^3}{t^2},\ y=\frac{1-t^3}{t}\ (t\neq 0),\ x'_t=-\frac{2+t^3}{t^3},\ y'_t=-\frac{1+2t^3}{t^2},\ \frac{dy}{dx}=\frac{t(1+2t^3)}{2+t^3}.$$

分别令 $x'_t=0$,$y'_t=0$ 及 $x'_t,y'_t\to\infty$,得 $t=-\sqrt[3]{2},-\dfrac{1}{\sqrt[3]{2}},0$.

列表

t	x'_t	y'_t	x	y	$\dfrac{dy}{dx}$	图像
$(-\infty,-\sqrt[3]{2})$	−	+	由 $+\infty$ 下降到 $\dfrac{3}{\sqrt[3]{4}}$	由 $-\infty$ 上升到 $\dfrac{3}{\sqrt[3]{2}}$		下降
$\left(-\sqrt[3]{2},-\dfrac{1}{\sqrt[3]{2}}\right)$	+	+	由 $\dfrac{3}{\sqrt[3]{4}}$ 上升到 $\dfrac{3}{\sqrt[3]{2}}$	由 $-\dfrac{3}{\sqrt[3]{2}}$ 上升到 $-\dfrac{3}{\sqrt[3]{4}}$	+	上升
$\left(-\dfrac{1}{\sqrt[3]{2}},0\right)$	+	−	由 $\dfrac{3}{\sqrt[3]{2}}$ 上升到 $+\infty$	由 $-\dfrac{3}{\sqrt[3]{4}}$ 下降到 $-\infty$	−	下降
$(0,+\infty)$	−	−	由 $+\infty$ 下降到 $-\infty$	由 $+\infty$ 下降到 $-\infty$	+	上升

$$\left.\frac{dy}{dx}\right|_{t=-\sqrt[3]{2}}=\infty,\ \left.\frac{dy}{dx}\right|_{t=-\frac{1}{\sqrt[3]{2}}}=0,\ \left.\frac{dy}{dx}\right|_{t=1}=1.$$

图像通过点 $A\left(\dfrac{3}{\sqrt[3]{4}},-\dfrac{3}{\sqrt[3]{2}}\right)$,$B\left(\dfrac{3}{\sqrt[3]{2}},-\dfrac{3}{\sqrt[3]{4}}\right)$ 及 $O(0,0)$.如图2.132所示.

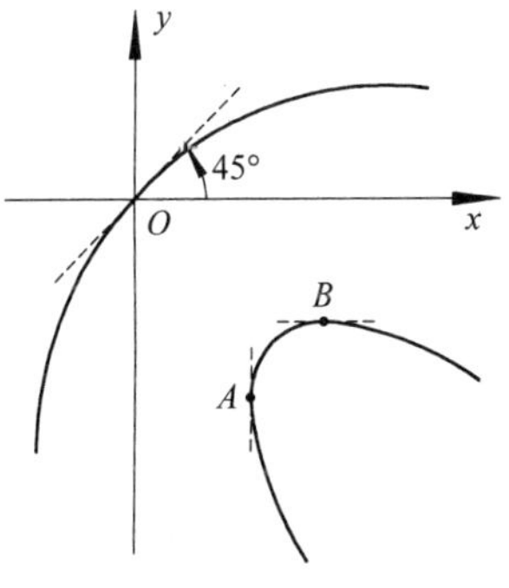

图 2.132

【1544】 $x^y=y^x(x>0,y>0)$.

解 由方程易知直线 $y=x$ 是图像的一部分.对于 $y\neq x$ 的部分,图像显然关于直线 $y=x$ 对称.

设 $x=(1+t)^{\frac{1}{t}}$,则 $y=(1+t)^{1+\frac{1}{t}}$,即当 $x\neq y$ 时,曲线的参数方程为

$$\begin{cases}x=(1+t)^{\frac{1}{t}},\\ y=(1+t)^{1+\frac{1}{t}}.\end{cases}$$

由条件 $x>0,y>0$ 知，t 满足 $-1<t<+\infty$，由于

$$\lim_{t\to-1^+}x=\lim_{t\to-1^+}(1+t)^{\frac{1}{t}}=+\infty,\ \lim_{t\to-1^+}y=\lim_{t\to-1^+}(1+t)^{1+\frac{1}{t}}=1,\ \lim_{t\to+\infty}x=1,\ \lim_{t\to+\infty}y=+\infty,$$

故直线 $x=1$ 和 $y=1$ 是曲线的渐近线. 又因 $\lim\limits_{t\to0}x=\lim\limits_{t\to0}y=\mathrm{e}$，故点 (e,e) 是曲线上的二重点. 由于

$$\frac{\mathrm{d}y}{\mathrm{d}t}=(1+t)^{1+\frac{1}{t}}\left[\frac{t-\ln(1+t)}{t^2}\right],\frac{\mathrm{d}x}{\mathrm{d}t}=(1+t)^{\frac{1}{t}}\left[\frac{t-(1+t)\ln(1+t)}{t^2(1+t)}\right],$$

于是

$$\frac{\mathrm{d}y}{\mathrm{d}x}=(1+t)\left[1+\frac{t^2}{t-(1+t)\ln(1+t)}\right].$$

容易证明：$\lim\limits_{t\to0}\dfrac{\mathrm{d}y}{\mathrm{d}x}=-1$，并且当 $t\in(0,+\infty)$ 即 $x\in(1,\mathrm{e})$ 时，恒有 $\dfrac{\mathrm{d}y}{\mathrm{d}x}<0$. 事实上，设

$$g(x)=t^2-[(1+t)\ln(1+t)-t],$$

则 $g(0)=0$，并且容易证明

$$g'(t)=2t-\ln(1+t)>0,(1+t)\ln(1+t)-t>0.$$

从而，有 $g(t)=t^2-[(1+t)\ln(1+t)-t]>0$，即 $\dfrac{t^2}{(1+t)\ln(1+t)-t}>1$.

于是

$$\frac{\mathrm{d}y}{\mathrm{d}x}=(1+t)\left[1-\frac{t^2}{(1+t)\ln(1+t)-t}\right]<0.$$

由对称性知，对于 $t\in(-1,0)$，也有 $\dfrac{\mathrm{d}y}{\mathrm{d}x}<0$. 而当 $t=0$ 时，有

$$\left.\frac{\mathrm{d}y}{\mathrm{d}x}\right|_{t=0}=\lim_{t\to0}\frac{\mathrm{d}y}{\mathrm{d}x}=-1,$$

所以，图像始终是下降的，并呈凸状，无极值和拐点. 对应于 t 的变化范围 0 至 1.

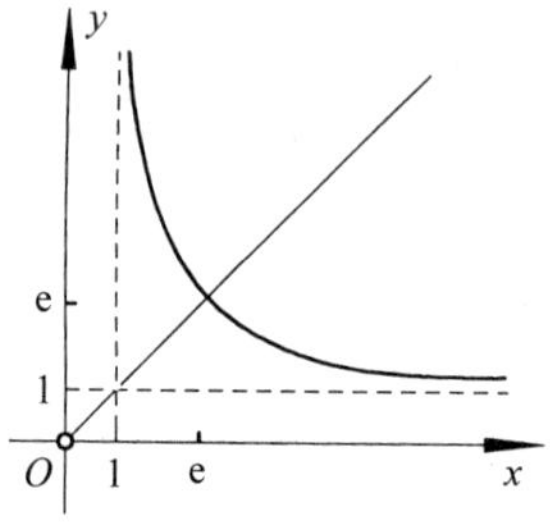

图 2.133

计算几点坐标如下：

t	0	-0.2	-0.4	-0.6	-0.8	-0.9	$t\to-1$
x	e	3.05	3.59	4.50	7.48	12.9	$x\to+\infty$
y	e	2.44	2.15	1.84	1.49	1.29	$y\to1$

综上所述，曲线的图像由两部分组成，一部分是直线 $y=x$，另一部分是对称于直线 $y=x$ 的曲线，如图 2.133 所示.

【1545】 作出曲线 $\mathrm{ch}^2x-\mathrm{ch}^2y=1$ 的图像.

解 显然曲线的图像关于两坐标轴对称，故只须在第一象限范围内进行讨论. 考虑渐近线

$$\begin{aligned}\lim_{x\to+\infty}\frac{y}{x}&=\lim_{x\to+\infty}\frac{\ln(\mathrm{sh}\,x+\sqrt{\mathrm{sh}^2x-1})}{x}\\&=\lim_{x\to+\infty}\frac{1}{\mathrm{sh}\,x+\sqrt{\mathrm{sh}^2x-1}}\left(\mathrm{ch}\,x+\frac{\mathrm{sh}\,x}{\sqrt{\mathrm{sh}^2x-1}}\mathrm{ch}\,x\right)\\&=\lim_{x\to+\infty}\frac{\mathrm{ch}\,x}{\sqrt{\mathrm{sh}^2x-1}}=\lim_{x\to+\infty}\sqrt{\frac{\mathrm{sh}^2x+1}{\mathrm{sh}^2x-1}}=1.\end{aligned}$$

为求 $\lim\limits_{x\to+\infty}(y-x)$，令 $u=y-x=\ln(\mathrm{sh}\,x+\sqrt{\mathrm{sh}^2x-1})-x$，因为

$$\lim_{x\to+\infty}\mathrm{e}^u=\lim_{x\to+\infty}\frac{\mathrm{sh}\,x+\sqrt{\mathrm{sh}^2x-1}}{\mathrm{e}^x}=\lim_{x\to+\infty}\frac{\mathrm{ch}\,x+\dfrac{\mathrm{sh}\,x\mathrm{ch}\,x}{\sqrt{\mathrm{sh}^2x-1}}}{\mathrm{e}^x}=\lim_{x\to+\infty}\frac{\mathrm{ch}\,x(\mathrm{sh}\,x+\sqrt{\mathrm{sh}^2x-1})}{\mathrm{e}^x\sqrt{\mathrm{sh}^2x-1}}=1,$$

所以 $\lim\limits_{x\to+\infty}(y-x)=0$. 因此，直线 $y=x$ 是原曲线的渐近线.

因为当 $y=0$ 时，$\operatorname{ch} y$ 取最小值 1，所以 x 必须满足 $\operatorname{ch}^2 x\geqslant 2$ 或 $|x|\geqslant\ln(1+\sqrt{2})$，并且当 $y=0$ 时，$|x|=\ln(1+\sqrt{2})$.

曲线方程也可表示成 $(\operatorname{ch} x-\operatorname{ch} y)(\operatorname{ch} x+\operatorname{ch} y)=1$，从而令

$$\operatorname{ch} x-\operatorname{ch} y=t,\text{即 } \operatorname{ch} x+\operatorname{ch} y=\frac{1}{t}.$$

所以对于第一象限部分的曲线方程可表示为

$$\begin{cases}\operatorname{ch} x=\dfrac{t+\dfrac{1}{t}}{2},\\ \operatorname{ch} y=\dfrac{\dfrac{1}{t}-t}{2}\end{cases}(0<t\leqslant\sqrt{2}-1).$$

由原方程知 $2\operatorname{ch} x\operatorname{sh} x-2\operatorname{ch} y\operatorname{sh} y\cdot y'=0$ 或 $y'=\dfrac{\operatorname{ch} x\operatorname{sh} x}{\operatorname{ch} y\operatorname{sh} y}>0$，因而，图像上升.

又由于

$$\begin{aligned}y''&=\frac{(\operatorname{ch}^2 x+\operatorname{sh}^2 x)\operatorname{ch} y\operatorname{sh} y-(\operatorname{sh}^2 y+\operatorname{ch}^2 y)\cdot y'\cdot\operatorname{ch} x\operatorname{sh} x}{(\operatorname{ch} y\operatorname{sh} y)^2}\\&=\frac{(\operatorname{ch}^2 x+\operatorname{sh}^2 x)\operatorname{ch}^2 y\operatorname{sh}^2 y-(\operatorname{sh}^2 y+\operatorname{ch}^2 y)\operatorname{ch}^2 x\operatorname{sh}^2 x}{(\operatorname{ch} y\operatorname{sh} x)^3},\end{aligned}$$

而

$$\begin{aligned}&(\operatorname{ch}^2 x+\operatorname{sh}^2 x)\operatorname{ch}^2 y\operatorname{sh}^2 y-(\operatorname{sh}^2 y+\operatorname{ch}^2 y)\operatorname{ch}^2 x\operatorname{sh}^2 x\\&=\operatorname{ch}^2 x\operatorname{ch}^2 y(\operatorname{sh}^2 y-\operatorname{sh}^2 x)+\operatorname{sh}^2 x\operatorname{sh}^2 y(\operatorname{ch}^2 y-\operatorname{ch}^2 x)\\&=\operatorname{ch}^2 x\operatorname{ch}^2 y(\operatorname{ch}^2 y-\operatorname{ch}^2 x)+\operatorname{sh}^2 x\operatorname{sh}^2 y(\operatorname{ch}^2 y-\operatorname{ch}^2 x)\\&=(\operatorname{ch}^2 y-\operatorname{ch}^2 x)(\operatorname{ch}^2 x\operatorname{ch}^2 y+\operatorname{sh}^2 x\operatorname{sh}^2 y)\\&=-(\operatorname{ch}^2 x\operatorname{ch}^2 y+\operatorname{sh}^2 x\operatorname{sh}^2 y)<0,\end{aligned}$$

于是 $y''<0$ 恒成立. 所以，曲线呈凹状.

计算其余几点的坐标如下：

t	$\sqrt{2}-1$	0.4	0.3	0.2	0.1	$t\to 0$
x	$\ln(1+\sqrt{2})$	0.92	1.07	1.61	2.31	$x\to+\infty$
y	0	0.33	0.98	1.53	2.28	$y\to+\infty$

曲线图像如图 2.134 所示.

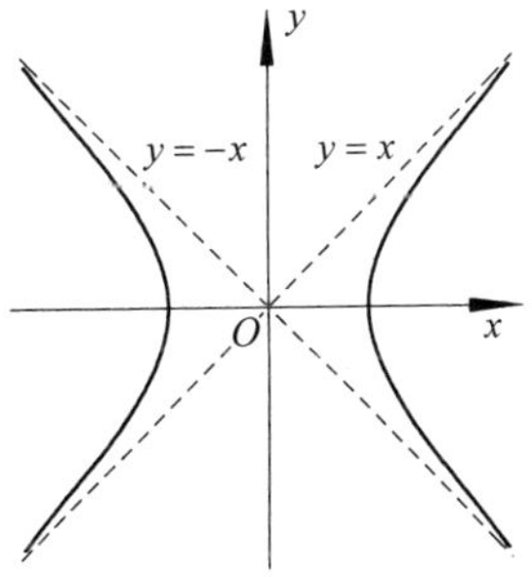

图 2.134

习题 1546—1550 用极坐标表示的函数的图像

【作出下列用极坐标$(\varphi, r)(r \geqslant 0)$表示的函数的图像(1546—1550)】

【1546】 $r = a + b\cos\varphi (0 < a \leqslant b)$.

解 当 $a = b$ 时,$r = a(1+\cos\varphi)$,这是心脏线,如图 2.135 所示;

当 $0 < a < b$ 时,其几何轨迹叫做蚶线(也称蜗线),由于 $r(-\varphi) = r(\varphi)$,故图像关于极轴对称.

由于当 $r \geqslant 0$ 时,$|\varphi| \leqslant \alpha = \arccos\left(-\frac{a}{b}\right)$,故当 $\varphi = 0$ 时 r 有极大值 $a+b$;

又由于 $r' = -b\sin\varphi < 0$,故当 φ 由 0 变到 α 时,r 由 $a+b$ 变到 0. 如图 2.136 所示.

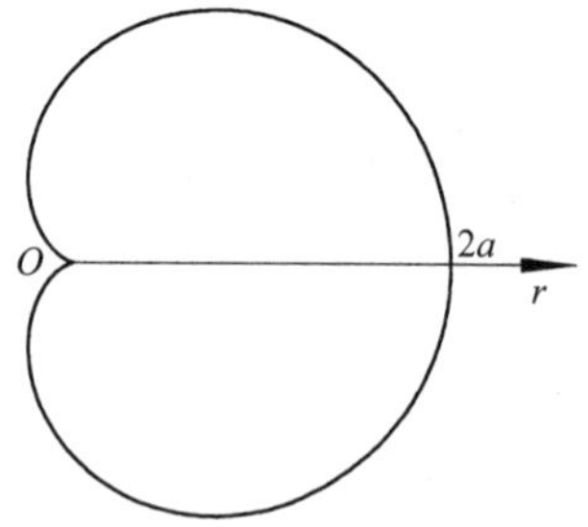

图 2.135

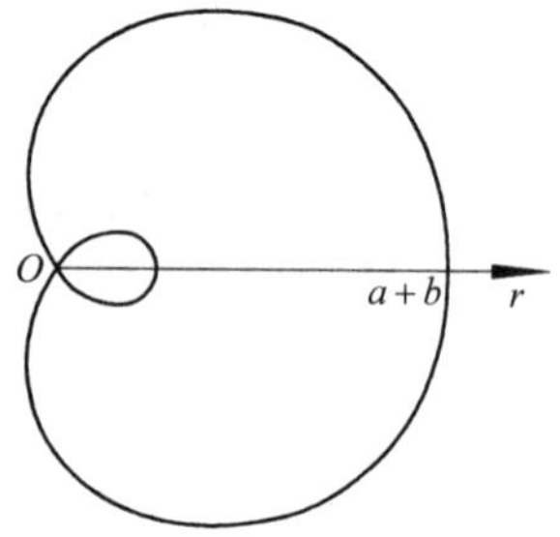

图 2.136

【1547】 $r = a\sin 3\varphi (a > 0)$.

解 由于 $r\left(\varphi + \frac{2\pi}{3}\right) = r(\varphi)$,故函数 r 是以 $\frac{2\pi}{3}$ 为周期的函数. 函数的定义域为

$$0 \leqslant \varphi \leqslant \frac{\pi}{3}, \frac{2\pi}{3} \leqslant \varphi \leqslant \pi, \frac{4\pi}{3} \leqslant \varphi \leqslant \frac{5\pi}{3}.$$

为此,只要讨论 $0 \leqslant \varphi \leqslant \frac{\pi}{3}$ 即可.

$$r' = 3a\cos 3\varphi \begin{cases} > 0, \varphi \in \left(0, \frac{\pi}{6}\right), \\ < 0, \varphi \in \left(\frac{\pi}{6}, \frac{\pi}{3}\right), \end{cases}$$

故当 $\varphi = \frac{\pi}{6}$ 时 r 有极大值 $r = a$;当 $\varphi = 0$ 及 $\frac{\pi}{3}$ 时,$r = 0$.

射线 $\varphi = \frac{\pi}{6}, \varphi = \frac{5\pi}{6}$ 及 $\varphi = \frac{3\pi}{2}$ 为图像的三条对称轴. 曲线在点 O 自交且为三重点,整个图像有三个形状相同的瓣. 如图 2.137 所示.

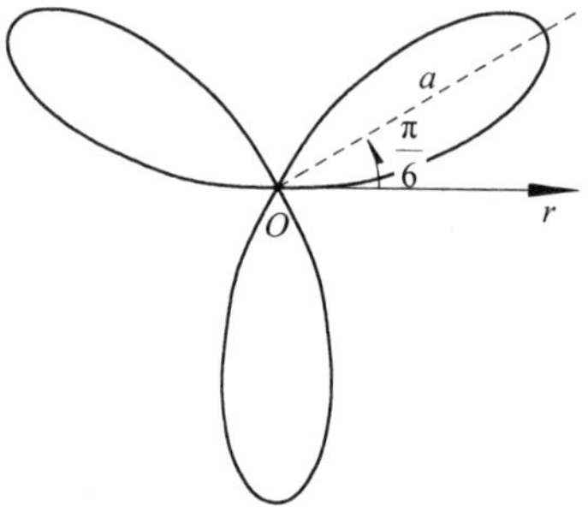

图 2.137

【1548】 $r = \frac{a}{\sqrt{\cos 3\varphi}} (a > 0)$.

解 由于 $r\left(\varphi + \frac{2\pi}{3}\right) = r(\varphi)$,故函数 r 是以 $\frac{2\pi}{3}$ 为周期的函数. 显然图像关于极轴对称.

函数的定义域为:$|\varphi| < \frac{\pi}{6}$ 及 $\frac{\pi}{2} < |\varphi| < \frac{5\pi}{6}$. 为此只要讨论 $-\frac{\pi}{6} \leqslant \varphi \leqslant \frac{\pi}{6}$ 即可.

$$r' = \frac{3a\sin 3\varphi}{2(\cos 3\varphi)^{\frac{3}{2}}} \begin{cases} < 0, & \varphi \in \left(-\frac{\pi}{6}, 0\right), \\ > 0, & \varphi \in \left(0, \frac{\pi}{6}\right), \end{cases}$$

故当 $\varphi=0$ 时有极小值 $r=a$. 当 φ 由 0 单调地增大到 $\frac{\pi}{6}$ 时,r 由 a 单调地增大到 $+\infty$,在这种意义上,$\varphi=\frac{\pi}{6}$ 为曲线的渐近线. 同样地,$\varphi=-\frac{\pi}{6}$ 也为渐近线.

由周期性可知,当 $\varphi=\pm\frac{2\pi}{3}$ 时有极小值 $r=a$. $\varphi=\pm\frac{\pi}{2}$ 及 $\varphi=\pm\frac{5\pi}{6}$ 均为曲线的渐近线.

最后,研究在点 $(a,0)$ 附近的状态. 为此,只要考虑在该点切线的斜率:

$$\tan\alpha=\frac{\frac{dr}{d\varphi}\sin\varphi+r\cos\varphi}{\frac{dr}{d\varphi}\cos\varphi-r\sin\varphi},$$

又 $\frac{dr}{d\varphi}=\frac{3a\sin 3\varphi}{2(\cos 3\varphi)^{\frac{3}{2}}}$,代入上式,即得

$$\tan\alpha=\frac{3a\sin 3\varphi\sin\varphi+2a\cos\varphi\cos 3\varphi}{3a\sin 3\varphi\cos\varphi-2a\sin\varphi\cos 3\varphi}.$$

于是,$\tan\alpha\big|_{\varphi=0}=\infty$,即在 $(a,0)$ 点曲线的切线垂直于极轴. 如图 2.138 所示.

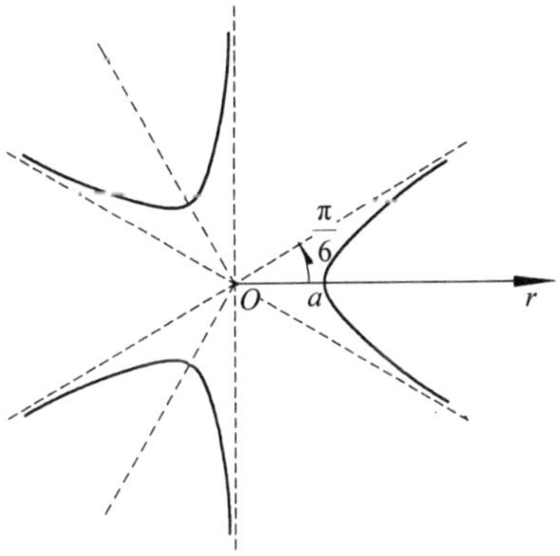

图 2.138

【1549】 $r=a\frac{\text{th}\,\varphi}{\varphi-1}$,其中 $\varphi>1(a>0)$.

解 由于

$$\lim_{\varphi\to1}r=\lim_{\varphi\to1}\frac{a\,\text{th}\,\varphi}{\varphi-1}=+\infty,\ \lim_{\varphi\to+\infty}r=\lim_{\varphi\to+\infty}\frac{a\,\text{th}\,\varphi}{\varphi-1}=\lim_{\varphi\to+\infty}\frac{a}{\text{ch}^2\varphi}=0,$$

从而,曲线以 $\varphi=1$ 为渐近线,以极点为渐近点. 又

$$\frac{dr}{d\varphi}=a\cdot\frac{\frac{1}{\text{ch}^2\varphi}(\varphi-1)-\text{th}\,\varphi}{(\varphi-1)^2}=a\cdot\frac{(\varphi-1)-\frac{1}{2}\text{sh}\,2\varphi}{(\varphi-1)^2\text{ch}^2\varphi},$$

当 $1<\varphi<+\infty$ 时,恒有 $(\varphi-1)-\frac{1}{2}\text{sh}\,2\varphi<0$. 事实上,令 $y(\varphi)=(\varphi-1)-\frac{1}{2}\text{sh}\,2\varphi$,则 $y(1)=-\frac{1}{2}\text{sh}\,2<0$,而 $y'(\varphi)=1-\text{ch}\,2\varphi<0$,故 $y(\varphi)\leqslant y(1)<0$,即当 $1<\varphi<+\infty$ 时有 $\frac{dr}{d\varphi}<0$,即当 φ 增大时 r 单调减小.

为考察当 $r\to+\infty$ 时曲线的变化趋势,令 $y_1=x\tan 1$,$y_2=a\frac{\text{th}\,\varphi}{\varphi-1}\sin\varphi$,由于

$$y_2-y_1=a\frac{\text{th}\,\varphi}{\varphi-1}\sin\varphi-x\tan 1=a\frac{\text{th}\,\varphi}{\varphi-1}\sin\varphi-a\frac{\text{th}\,\varphi}{\varphi-1}\cos\varphi\tan 1$$

$$=a\frac{\operatorname{th}\varphi}{\varphi-1}\cos\varphi\frac{\sin\varphi}{\cos\varphi}-a\frac{\operatorname{th}\varphi}{\varphi-1}\cos\varphi\tan 1=a\operatorname{th}\varphi\cos\varphi\frac{\tan\varphi-\tan 1}{\varphi-1},$$

从而

$$\lim_{\varphi\to 1}(y_2-y_1)=\lim_{\varphi\to 1}a\operatorname{th}\varphi\cos\varphi\frac{\tan\varphi-\tan 1}{\varphi-1}=\frac{a\operatorname{th}1}{\cos 1}.$$

于是，在直角坐标系下，当 $r\to+\infty$ 时，曲线 $r=a\dfrac{\operatorname{th}\varphi}{\varphi-1}$ 的渐近线为

$$y=x\tan 1+a\frac{\operatorname{th}1}{\cos 1}.$$

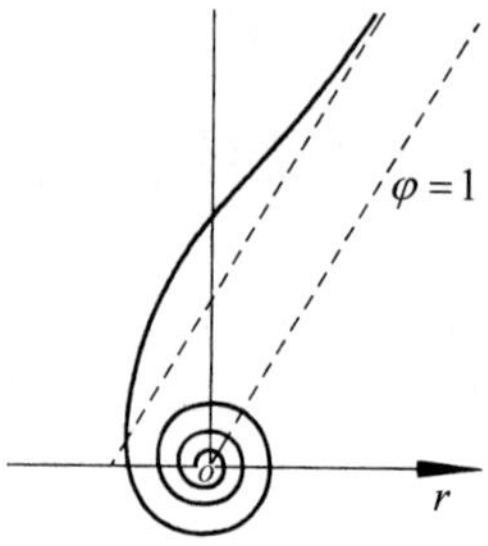

图 2.139

计算几点的坐标如下表：

φ	1.2	1.4	$\frac{\pi}{2}$	1.6	1.8	2	2.5	π	5	$\frac{3\pi}{2}$	2π	10	$\varphi\to+\infty$
r	$4.15a$	$2.20a$	$1.59a$	$1.53a$	$1.17a$	$0.96a$	$0.65a$	$0.46a$	$0.24a$	$0.21a$	$0.18a$	$0.11a$	$r\to 0$

综上分析知，该曲线是螺状线，如图 2.139 所示.

【1550】 $\cos\varphi=\dfrac{r-1}{r^2}$.

解 由方程容易判定，曲线关于极轴对称，因而只需在 $0\leqslant\varphi\leqslant\pi$ 范围内研究图像. 方程可化为

$$r=\frac{1\pm\sqrt{1-4\cos\varphi}}{2\cos\varphi}.$$

由于必有 $1-4\cos\varphi\geqslant 0$，故角的最小值应为 $\varphi=\arccos\dfrac{1}{4}$，对应 $r=2$. 由 $r>0$ 知曲线方程为

$$r=\frac{1+\sqrt{1-4\cos\varphi}}{2\cos\varphi}\left(\arccos\frac{1}{4}\leqslant\varphi<\frac{\pi}{2}\right), \qquad ①$$

$$r=\frac{1-\sqrt{1-4\cos\varphi}}{2\cos\varphi}\left(\frac{\pi}{2}<\varphi\leqslant\pi\right). \qquad ②$$

首先研究方程 ① 所表示的曲线的图像. 因为随着 φ 的增加，$2\cos\varphi$ 减小，$\sqrt{1-4\cos\varphi}$ 增大，因而 r 随 φ 增加而单调增加. 事实上，易证 $\dfrac{\mathrm{d}r}{\mathrm{d}\varphi}>0$. 又

$$\lim_{\varphi\to\frac{\pi}{2}^-}r=\lim_{\varphi\to\frac{\pi}{2}^-}\frac{1+\sqrt{1-4\cos\varphi}}{2\cos\varphi}=+\infty,$$

所以，当 $r\to+\infty$ 时有渐近线 $\varphi=\dfrac{\pi}{2}$. 又由 $\cos\varphi=\dfrac{r-1}{r^2}$，得 $x=\dfrac{r-1}{r}$，故当 $r\to+\infty$ 时 $x\to 1$，即当 $r\to+\infty$ 时，曲线与直线 $r=\dfrac{1}{\cos\varphi}$ 无限接近（直角坐标系下 $x=1$ 为渐近线）.

下面研究拐点. 由

$$\frac{\mathrm{d}(\cos\varphi)}{\mathrm{d}r}=\frac{r^2-2r(r-1)}{r^4}=\frac{2-r}{r^3},\ -\sin\varphi\frac{\mathrm{d}\varphi}{\mathrm{d}r}=\frac{2-r}{r^3},\ \frac{\mathrm{d}r}{\mathrm{d}\varphi}=\frac{r^3}{r-2}\sin\varphi,$$

从而

$$\frac{\mathrm{d}^2r}{\mathrm{d}\varphi^2}=\frac{3r^2(r-2)-r^3}{(r-2)^2}\frac{\mathrm{d}r}{\mathrm{d}\varphi}\sin\varphi+\frac{r^3}{r-2}\cos\varphi=\frac{r^3(2r^3-6r^2)}{(r-2)^3}\sin^2\varphi+\frac{r^3}{r-2}\cos\varphi$$

$$=\frac{r^5(2r-6)}{(r-2)^3}\left[1-\frac{(r-1)^2}{r^4}\right]+\frac{r^3}{r-2}\cdot\frac{r-1}{r^2}$$

$$=\frac{r\{(2r-6)[r^4-(r-1)^2]+(r-2)^2(r-1)\}}{(r-2)^3}.$$

由 $r^2+2\left(\frac{dr}{d\varphi}\right)^2-r\frac{d^2r}{d\varphi^2}=0$ 得 $2r^4-3r^2+8r-6=0$，经判别知：拐点的 r 介于$\frac{\sqrt{5}-1}{2}$ 和 1 之间.

再研究方程 ②. 由于

$$\lim_{\varphi\to\frac{\pi}{2}^-} r=\lim_{\varphi\to\frac{\pi}{2}^-}\frac{1-\sqrt{1-4\cos\varphi}}{2\cos\varphi}=1,$$

事实上，由 $\cos\varphi=\frac{r-1}{r^2}$ 也可得：当 $\varphi=\frac{\pi}{2}$ 时，$r=1$. 因而点$\left(1,\frac{\pi}{2}\right)$是曲线上的点. 又

$$\begin{aligned}\frac{dr}{d\varphi}&=\frac{1}{(2\cos\varphi)^2}\left[(1-4\cos\varphi)^{-\frac{1}{2}}(-2\sin\varphi)(2\cos\varphi)+2\sin\varphi(1-\sqrt{1-4\cos\varphi})\right]\\&=\frac{2\sin\varphi[(1-\sqrt{1-4\cos\varphi})\sqrt{1-4\cos\varphi}-2\cos\varphi]}{(2\cos\varphi)^2\sqrt{1-4\cos\varphi}}\\&=\frac{2\sin\varphi[\sqrt{1-4\cos\varphi}-(1-2\cos\varphi)]}{(2\cos\varphi)^2\sqrt{1-4\cos\varphi}}.\qquad ③\end{aligned}$$

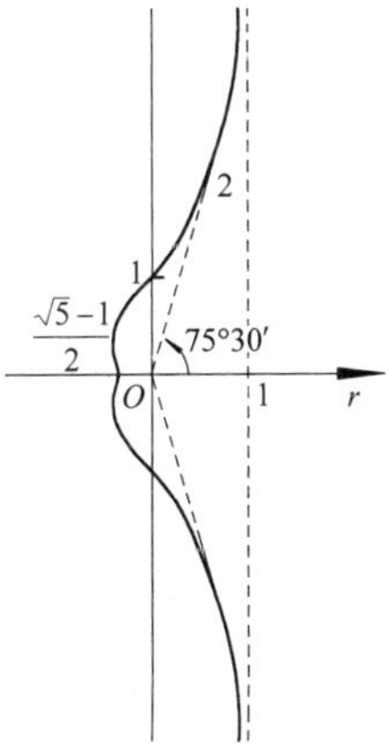

图 2.140

容易证明：$f(\varphi)=\sqrt{1-4\cos\varphi}-(1-2\cos\varphi)<0$. 事实上，有

$$f'(\varphi)=2\sin\varphi\left(\frac{1}{\sqrt{1-4\cos\varphi}}-1\right)<0 \text{ 且 } f\left(\frac{\pi}{2}\right)=0.$$

又因当 $\varphi\in\left(\frac{\pi}{2},\pi\right)$时，③ 的其它因子均为正，故$\frac{dr}{d\varphi}<0$，即 r 随 φ 的增加而单调下降，并且当 $\varphi=\pi$ 时达到极小值 $r=\frac{\sqrt{5}-1}{2}$. 事实上，$\frac{dr}{d\varphi}$ 经过 $\varphi=\pi$ 从负变到正.

计算几点的坐标列表如下：

φ	75°30′	76°5′	77°10′	81°	84°	87°	$\varphi\to\left(\frac{\pi}{2}\right)^-$	90°	105°	140°	155°	180°
r	2	2.5	3	5	8.85	19.7	$r\to+\infty$	1	0.81	0.66	0.63	0.62

曲线如图 2.140 所示.

知识点 2 作曲线族的图像

根据曲线方程中参数的变化范围作出函数的图像.

习题 1551—1555 曲线族的图像

【作出下列曲线族的图像（a 表示参变量）(1551—1555)】

【 1551 】 $y=x^2-2x+a$.

解 将方程变形得 $y-(a-1)=(x-1)^2$. 作平移

$$\begin{cases}x=x'+1,\\y=y'+(a-1),\end{cases}$$

即得标准方程 $y'=x'^2$，此为呈凸状的抛物线.

当 $a>1$ 时，抛物线的顶点位于第一象限；当 $a<1$ 时，抛物线的顶点位于第四象限；当 $a=1$ 时，抛物线的顶点为(1,0).

不论 a 为何值，此抛物线的顶点位于直线 $x=1$ 上. 如图 2.141 所示.

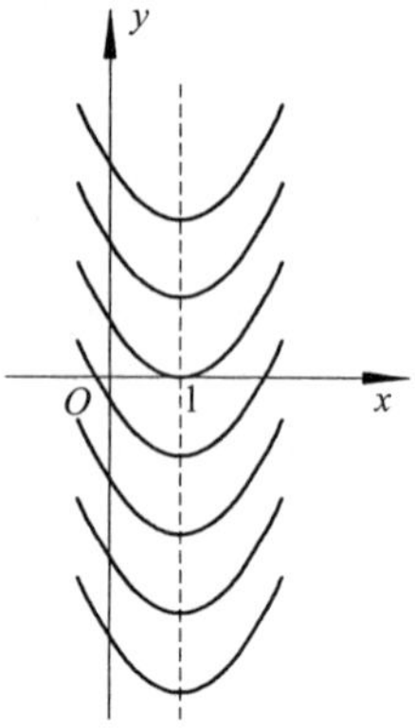

图 2.141

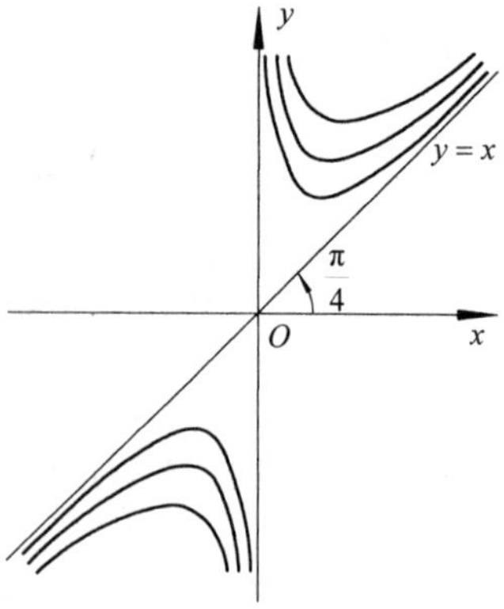

图 2.142

【1552】 $y=x+\dfrac{a^2}{x}$.

解 当 $a=0$ 时为直线 $y=x$；

当 $a\neq 0$ 时为双曲线族，图像可由 $y=x$ 和 $y=\dfrac{a^2}{x}$ 相加而成，曲线族均以直线 $y=x$ 和 $x=0$ 为渐近线. 当 $x=|a|$ 时有极小值 $2|a|$；当 $x=-|a|$ $(a\neq 0)$ 时有极大值 $-2|a|$. 如图 2.142 所示.

【1553】 $y=x\pm\sqrt{a(1-x^2)}$.

解 由 $y-x=\pm\sqrt{a(1-x^2)}$ 知，$a\geqslant 0$ 时，$|x|\leqslant 1$；$a\leqslant 0$ 时，$|x|\geqslant 1$，且有 $(y-x)^2+ax^2=a$.

作仿射变换 $\begin{cases}\xi_1=-x+y,\\ \xi_2=x,\end{cases}$ 则原方程变形为 $\xi_1^2+a\xi_2^2=a$.

当 $0<a<+\infty$ 时为椭圆族；当 $-\infty<a<0$ 时为双曲线族；当 $a=0$ 时为直线 $y=x$. 全族曲线均通过点 $(-1,-1)$ 及 $(1,1)$.

$y'=1\mp\dfrac{ax}{\sqrt{a(1-x^2)}}$，令 $y'=0$，得 $x^2=\dfrac{1}{1+a}$，则 $1+a>0$ 即 $a>-1$.

$y''=\mp\dfrac{a^2}{[a(1-x^2)]^{\frac{3}{2}}}$，当 $y\geqslant x$ 时此式取负号；当 $y\leqslant x$ 时此式取正号.

于是

(1) 当 $y\geqslant x$ 时，有

(ⅰ) 若 $a>0$，则当 $x=\dfrac{1}{\sqrt{1+a}}$ 时，由于 $y''<0$，故取极大值 $\sqrt{1+a}$；

若 $-1<a<0$，则当 $x=-\dfrac{1}{\sqrt{1+a}}$ 时也取极大值 $-\sqrt{1+a}$.

(ⅱ) 由于 $y''<0$，故曲线是凹的.

(2) 当 $y\leqslant x$ 时，有

(ⅰ) 若 $a>0$，当 $x=-\dfrac{1}{\sqrt{1+a}}$ 时有极小值 $-\sqrt{1+a}$；

若 $-1<a<0$，当 $x=\dfrac{1}{\sqrt{1+a}}$ 时有极小值 $\sqrt{1+a}$.

(ⅱ) 由于 $y''>0$，故曲线是凸的.

此外，当 $a<0$ 时，曲线有渐近线，容易求得它们为 $y=(1\pm\sqrt{-a})x$. 椭圆族、双曲线族与直线已为大

家所熟悉，故图略.

【1554】 $y=\frac{x}{2}+e^{-ax}$.

解 原方程可变形为 $y-\frac{x}{2}=e^{-ax}$. 作仿射变换 $\begin{cases}\xi_1=-\frac{x}{2}+y,\\ \xi_2=x,\end{cases}$ 则原方程化成标准形式 $\xi_1=e^{-a\xi_2}$.

当 $a\neq 0$ 时，表示一指数曲线族；当 $a=0$ 时，表示直线 $y=1+\frac{x}{2}$. 全族曲线均通过点(0,1).

$y'=\frac{1}{2}-ae^{-ax}$，$y''=a^2e^{-ax}>0$，故曲线呈凸状.

若 $a>0$，令 $y'=0$ 得 $x=\frac{1}{a}\ln 2a$. 则当 $x=\frac{1}{a}\ln 2a$ 时有极小值 $\frac{1}{2a}(1+\ln 2a)$；若 $a\leqslant 0$，则 $y'>0$，故函数 y 递增.

现求渐近线：当 $a>0$ 时，

$$k=\lim_{x\to+\infty}\frac{y}{x}=\lim_{x\to+\infty}\left(\frac{1}{2}+\frac{1}{xe^{ax}}\right)=\frac{1}{2},$$

$$b=\lim_{x\to+\infty}(y-kx)=0,$$

故渐近线为 $y=\frac{x}{2}$. 同法求得当 $a<0$ 时，渐近线也为 $y=\frac{x}{2}$，此时应考虑 $x\to-\infty$. 图像如图 2.143 所示.

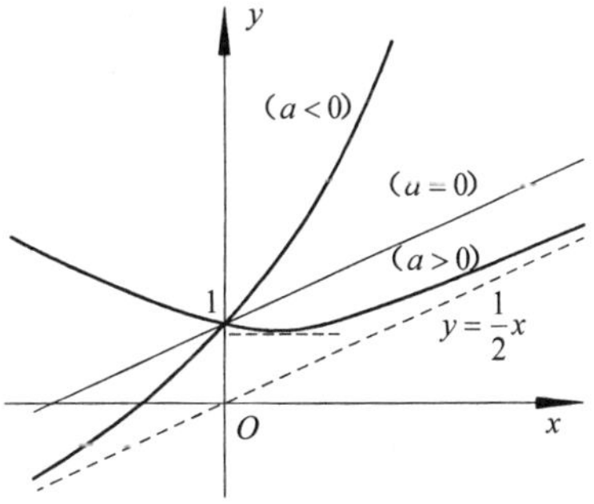

图 2.143

【1555】 $y=xe^{-\frac{x}{a}}$

解 全族曲线均通过原点.

$y'=e^{-\frac{x}{a}}\left(1-\frac{x}{a}\right)$. 令 $y'=0$ 得 $x=a$.

$y''=e^{-\frac{x}{a}}\left(\frac{x}{a^2}-\frac{2}{a}\right)$，令 $y''=0$ 得 $x=2a$.

经判别知：若 $a>0$，则当 $x=a$ 时有极大值 ae^{-1}；若 $a<0$，则当 $x=a$ 时有极小值 ae^{-1}. 点 $(2a,2ae^{-2})$ 为拐点.

容易求得，渐近线为 $y=0$. 与 1554 题类似，当 $a>0$ 时考虑 $x\to+\infty$；当 $a<0$ 时考虑 $x\to-\infty$，又曲线族与直线 $y=x$ 在原点相切，故图像如图 2.144 所示.

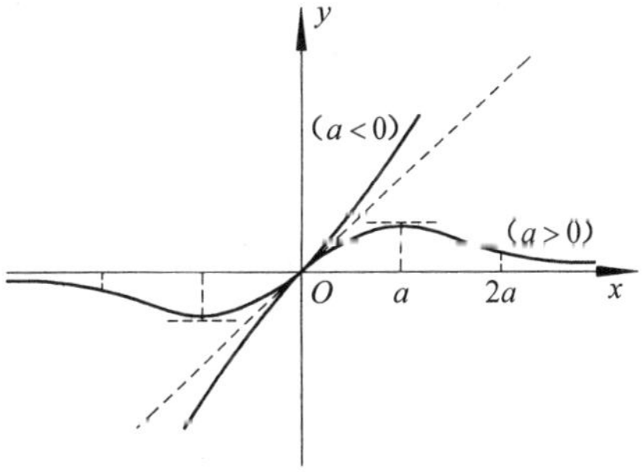

图 2.144

第13节 函数极值的应用（习题1556—1590）

知识点预览

知识点	题目序号	所在页码
函数极值的应用	1556—1590	P210

知识点 函数极值的应用

函数极值在现实生活中有很多的应用价值，特别是函数极值在高等数学中的应用更为广泛. 在函数极值的求解过程中，经常需要解决其极值和最值之间的关系，因此在实际问题解决中，要根据所遇到的实际问题，一方面要判断其极值和最值是否存在，另一方面要根据极值的充分条件判断最终的结果.

习题 1556—1590 函数极值的应用

【1556】 证明：若函数 $f(x)$ 非负，则函数 $F(x)=Cf^2(x)(C>0)$ 与函数 $f(x)$ 有相同的极值点.

证 不妨设 x_0 为 $F(x)$ 的极大值点，则 $\exists\delta>0$，当 $x\in(x_0-\delta,x_0+\delta)$ 时，有

$$F(x_0)\geqslant F(x),\qquad ①$$

即 $Cf^2(x_0)\geqslant Cf^2(x)$. 根据 $C>0$，以及 $f(x)$ 非负知，当 $x\in(x_0-\delta,x_0+\delta)$ 时，有

$$f(x_0)\geqslant f(x).$$

这就证明了 x_0 点也为 $f(x)$ 的极大值点.

反之，若 x_0 为 $f(x)$ 的极大值点，则 $\exists\delta>0$，当 $x\in(x_0-\delta,x_0+\delta)$ 时，有 $f(x_0)\geqslant f(x)$，于是，$Cf^2(x_0)\geqslant Cf^2(x)$，即 ① 式成立. 这就证明了 x_0 点也为 $F(x)$ 的极大值点.

同理，若 x_0 为极小值点时，也可证明 $F(x)$ 与 $f(x)$ 有相同的极小值点.

【1557】 证明：若当 $-\infty<x<+\infty$ 时，函数 $\varphi(x)$ 严格单调递增，则函数 $f(x)$ 与 $\varphi(f(x))$ 有相同的极值点.

证 不妨设 x_0 点为 $f(x)$ 的极大值点，则 $\exists\delta>0$，当 $x\in(x_0-\delta,x_0+\delta)\backslash\{x_0\}$ 时，有

$$f(x_0)\geqslant f(x).\qquad ①$$

因为函数 $\varphi(x)$ 严格单调递增，故当 $x\in(x_0-\delta,x_0+\delta)\backslash\{x_0\}$ 时，有

$$\varphi(f(x_0))\geqslant\varphi(f(x)).\qquad ②$$

这就证明了点 x_0 也是 $\varphi(f(x))$ 的极大值点.

反之也对，因为由 ②，从 $\varphi(x)$ 的严格单调递增性质知必有 ①.

同理，若 x_0 为 $f(x)$ 的极小值点，也可证明 $f(x)$ 与 $\varphi(f(x))$ 有相同的极小值点.

【1558】 两正数的和等于常数 a，求这两正数的 m 次幂与 n 次幂$(m>0,n>0)$之积的最大值.

解 设一正数为 x，则由题设，只需求函数

$$f(x)=x^m(a-x)^n(0<x<a)$$

在$(0,a)$ 内的最大值. 由于

$$f'(x)=x^{m-1}(a-x)^{n-1}[ma-(m+n)x],$$

令 $f'(x)=0$，即得 $x=\dfrac{m}{m+n}a$.

当 $0<x<\dfrac{m}{m+n}a$ 时，$f'(x)>0$；当 $\dfrac{m}{m+n}a<x<a$ 时，$f'(x)<0$. 因此，当 $x=\dfrac{m}{m+n}a$ 时，$f(x)$ 有极大值，也是最大值，

$$f\left(\frac{m}{m+n}a\right)=\frac{a^{m+n}m^mn^n}{(m+n)^{m+n}}.$$

【1559】 两正数的乘积等于常数 a，求这两数的 m 次幂与 n 次幂($m>0,n>0$)之和的最小值.

解 设一正数为 x，则由题设，只需求函数 $f(x)=x^m+\left(\frac{a}{x}\right)^n(0<x<+\infty)$ 的最小值.

$f'(x)=\frac{mx^{m+n}-na^n}{x^{n+1}}$，令 $f'(x)=0$，得 $x_0=\left(\frac{n}{m}\right)^{\frac{1}{m+n}}a^{\frac{n}{m+n}}$.

显然，$x<x_0$ 时有 $f'(x)<0$，$x>x_0$ 时有 $f'(x)>0$，故当 $x=x_0$ 时，函数 $f(x)$ 有唯一的极小值，也为最小值，即

$$f\left[\left(\frac{n}{m}\right)^{\frac{1}{m+n}}a^{\frac{n}{m+n}}\right]=(m+n)\left(\frac{a^{mn}}{m^m n^n}\right)^{\frac{1}{m+n}}.$$

【1560】 当对数的底取何值时存在这样的数：它本身和它的对数相等？

解 **方法一** 设所求的数为 a，则 $a>0,a\neq 1$，且由题设条件，$\exists x>0$，使得

$$\log_a x=x \text{ 或 } a^x=x. \tag{①}$$

显然，方程 ① 等价于方程组

$$\begin{cases} y=a^x, \\ y=x, \end{cases} \tag{②}$$

即在直角坐标系内，曲线 $y=a^x$ 与 $y=x$ 的交点处，方程 ① 与方程组 ② 等价. 于是问题转化为：求数 a，使两曲线有交点.

由指数函数的单调性知，当 $0<a<1$ 时，两曲线有唯一的交点；

当 $a>1$ 时，若存在数 a_0，使得两曲线相切，则由 a^x 对固定的 $x>0$ 随 a 的增大而增大，可知当 $a>a_0$ 时，两曲线无交点；当 $1<a<a_0$ 时，两曲线有两个交点.

下求 a_0. 设 $y=a_0^x$ 与 $y=x$ 相切于点$(x_0,a_0^{x_0})$，因而有

$$\begin{cases} a_0^{x_0}\ln a_0=1, \\ a_0^{x_0}-x_0=0. \end{cases}$$

解得 $a_0=\mathrm{e}^{\frac{1}{\mathrm{e}}}$，$x_0=\mathrm{e}$.

综上，当 $0<a\leqslant \mathrm{e}^{\frac{1}{\mathrm{e}}}(a\neq 1)$ 时，② 有解，从而 ① 有解. 如图 2.145 中曲线$(a)(b)(c)(d)$ 所示.

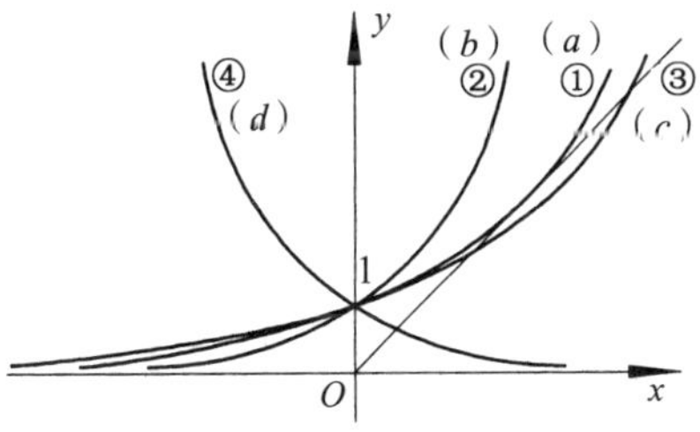

图 2.145

方法二 方程 ① 转化为 $a=x^{\frac{1}{x}}=\mathrm{e}^{\frac{\ln x}{x}}$，设 $f(x)=\mathrm{e}^{\frac{\ln x}{x}}$，则由 $f'(x)=\mathrm{e}^{\frac{\ln x}{x}}\cdot\frac{1-\ln x}{x^2}=0$ 得 $x=\mathrm{e}$. 显然当 x 从左向右通过 e 时 $f'(x)$ 由正变负，故 $f(\mathrm{e})=\mathrm{e}^{\frac{1}{\mathrm{e}}}\approx 1.445$ 为极大值. 从而$0<x^{\frac{1}{x}}\leqslant \mathrm{e}^{\frac{1}{\mathrm{e}}}$.

因此当 $0<a\leqslant \mathrm{e}^{\frac{1}{\mathrm{e}}}$ 且 $a\neq 1$ 时，有 $\log_a x=x$.

【1561】 从面积为给定值 S 的一切矩形中，求其周长最小者.

解 设矩形的一边长为 x，则另一边长为$\frac{S}{x}$，周长为 $f(x)=2\left(x+\frac{S}{x}\right)$，下求其最小值.

由于 $f'(x)=2\left(1-\frac{S}{x^2}\right)$，令 $f'(x)=0$，得 $x=\sqrt{S}$. 由 $f''(\sqrt{S})>0$ 知，此时 $f(x)$ 有极小值. 由极值

的唯一性知，此值也为最小值. 因此，所求的矩形为以$\sqrt{S}$ 为边的正方形.

【1562】 若直角三角形的一直角边与斜边之和为常数，求具有最大面积的直角三角形.

解 设一直角边为 x，常数为 a，则另一直角边为 $\sqrt{(a-x)^2-x^2}=\sqrt{a^2-2ax}$，故直角三角形的面积为

$$S(x)=\frac{1}{2}x\sqrt{a^2-2ax}.$$

利用极值的解法得：当 $x=\frac{a}{3}$ 时，$S(x)$ 取极大值 $S(\frac{a}{3})$. 由极值的唯一性知，$S(\frac{a}{3})$ 为最大值. 此时斜边为 $a-x=\frac{2}{3}a$，它为直角边的两倍，故此三角形的两锐角分别为 30° 及 60°.

注 本题也可用 1556 题的结论求得结果. 事实上，令 $F(x)=4S^2(x)$，则 $F(x)$ 与 $S(x)$ 有相同的极值点，对 $F(x)$ 求极值可得同样的结果.

【1563】 要使容积为给定值 V 的圆柱形闭合容器有最小的表面积，其尺寸如何?

解 设容器的底半径为 x，则高为 $H=\frac{V}{\pi x^2}$，故圆柱体的表面积为

$$S(x)=2\pi x\cdot\frac{V}{\pi x^2}+2\pi x^2.$$

由于 $S'(x)=\frac{4\pi x^3-2V}{x^2}$，令 $S'(x)=0$ 得 $x=\sqrt[3]{\frac{V}{2\pi}}$. 由 $S''\left(\sqrt[3]{\frac{V}{2\pi}}\right)>0$ 知，当 $x=\sqrt[3]{\frac{V}{2\pi}}$ 时，$S(x)$ 有极小值

$$S\left(\sqrt[3]{\frac{V}{2\pi}}\right)=\sqrt[3]{54\pi V^2}.$$

由于只有一个极值，故当底半径为$\sqrt[3]{\frac{V}{2\pi}}$，高为$\frac{V}{\pi x^2}=2\sqrt[3]{\frac{V}{2\pi}}$ 时，有最小表面积 $\sqrt[3]{54\pi V^2}$.

【1564】 在不超过半圆的给定弓形内作出具有最大面积的内接矩形.

解 由图 2.146 知，不妨设圆的半径为单位长度，则

$$OA=\cos\varphi, BC=\sin\alpha, BA=\cos\alpha-\cos\varphi.$$

从而，矩形面积为

$$S(\alpha)=2BC\cdot BA=2\sin\alpha(\cos\alpha-\cos\varphi)=\sin 2\alpha-2\sin\alpha\cos\varphi.$$

$$S'(\alpha)=2\cos 2\alpha-2\cos\alpha\cos\varphi=4\cos^2\alpha-2\cos\alpha\cos\varphi-2,$$

令 $S'(\alpha)=0$，可得 $\cos\alpha=\frac{\cos\varphi+\sqrt{\cos^2\varphi+8}}{4}$. 又 $\alpha\leqslant\varphi\leqslant\frac{\pi}{2}$，故 $\cos\varphi\leqslant\cos\alpha$.

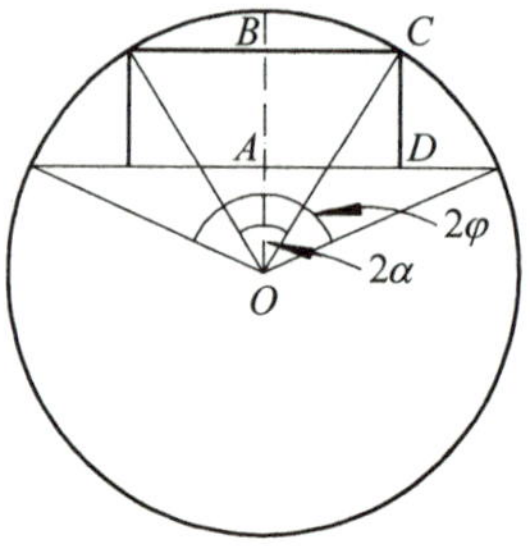

图 2.146

于是，有

$$S''(\alpha)=-4\sin 2\alpha+2\cos\varphi\sin\alpha\leqslant-4\sin 2\alpha+2\cos\alpha\sin\alpha=-3\sin 2\alpha<0.$$

这就说明 $\alpha=\arccos\frac{\cos\varphi+\sqrt{\cos^2\varphi+8}}{4}$ 是使 $S(\alpha)$ 达到极大值的点，也就是说此时弓形内所对应的内接矩形面积最大.

【1565】 在椭圆$\frac{x^2}{a^2}+\frac{y^2}{b^2}=1$ 中，作出具有最大面积而边平行于椭圆轴的内接矩形.

解 如图 2.147 所示. 点 $M(x,y)$ 在椭圆上，故有

$$\frac{x^2}{a^2}+\frac{y^2}{b^2}=1.$$

解得 $y=\frac{b}{a}\sqrt{a^2-x^2}$. 于是，由题设，求函数

$$f(x)=4x\cdot\frac{b}{a}\sqrt{a^2-x^2}$$

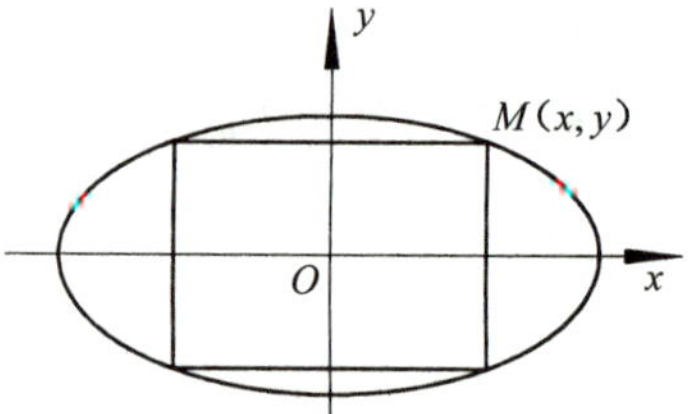

图 2.147

在$(0,a)$内的最大值，记$C=\frac{a^2}{16b^2}$，显然利用1556题的结果知$f(x)$与$F(x)=Cf^2(x)=x^2(a^2-x^2)$有相同的极值点.

由$F'(x)=4x\left(\frac{a^2}{2}-x^2\right)=0$，得$x=0$(舍)或$x=\frac{a}{\sqrt{2}}$.

因$F''\left(\frac{a}{\sqrt{2}}\right)=-4a^2<0$，故$f\left(\frac{a}{\sqrt{2}}\right)=2ab$为最大面积. 此时内接矩形的边为$\sqrt{2}a$和$\sqrt{2}b$.

【1566】 在底边为b及高为h的三角形中，作出具有最大周长的内接矩形，研究此问题有解的可能性.

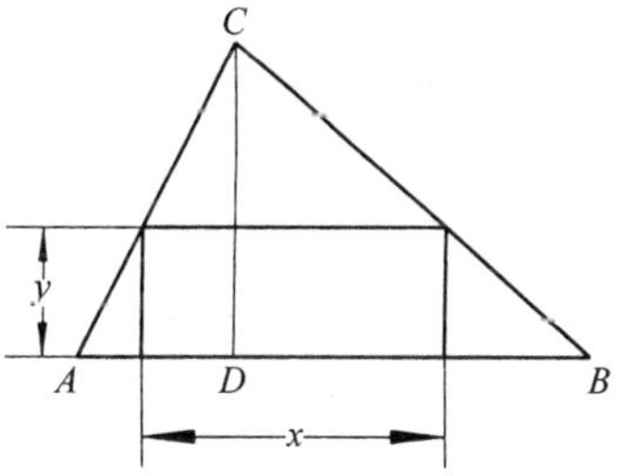

图 2.148

解 如图2.148所示. $AB=b, CD=h$.

由于$\frac{x}{b}=\frac{h-y}{h}$，故$x=\frac{b}{h}(h-y)$. 矩形的周长为

$$p=2\left[y+\frac{b}{h}(h-y)\right]=2\left[\left(1-\frac{b}{h}\right)y+b\right].$$

问题转化为：$p(y)$能否在$(0,h)$内取得最大值.

显见，当$h=b$时，周长$p=2b$为一定值.

$$p'(y)=2\left(1-\frac{b}{h}\right).$$

当$h>b$时，$p'(y)>0$，p单调增加，故当$y=h$时周长取极大值$p=2h$；

当$h<b$时，$p'(y)<0$，p单调减少，理论上当$y=0$时有周长的极大值. 但作出的内接矩形的边长为零，矛盾，故当$h<b$时作出的内接矩形有最大周长是不存在的，即此时问题无解.

【1567】 从直径为d的原木（圆柱横截面）切出横截面为矩形的梁，此矩形的底等于b，高等于h. 若梁的强度与bh^2成正比，问梁的尺寸是多少才能使其强度最大？

解 由于$b^2+h^2=d^2$，故$h^2=d^2-b^2$，由题设，只需求函数$f(b)=b(d^2-b^2)$在$(0,d)$内的最大值.

由于$f'(b)=d^2-3b^2$，令$f'(b)=0$，得$b=\frac{d}{\sqrt{3}}$，此时$h=d\sqrt{\frac{2}{3}}$.

又$f''(b)=-6b<0$，故$f(b)$是凹函数，在唯一的极值点处取得最大值.

因此，所求矩形的底为$\frac{1}{\sqrt{3}}d$，高为$\sqrt{\frac{2}{3}}d$.

【1568】 在半径为R的半球中作出具有最大体积且底为正方形的内接长方体.

解 设底边的一半为x，则$2x^2+y^2=R^2$，其中y为长方体的高. 解得$y=\sqrt{R^2-2x^2}$. 由题设，求函数$f(x)=4x^2y=4x^2\sqrt{R^2-2x^2}$在$\left(0,\frac{R}{2}\right)$内的最大值.

$$f'(x)=\frac{8x(R^2-3x^2)}{\sqrt{R^2-2x^2}},$$

令$f'(x)=0$得$x=\frac{R}{\sqrt{3}}$，此时$y=\frac{R}{\sqrt{3}}$. 经判别可知，$f\left(\frac{R}{\sqrt{3}}\right)$是最大值.

因此，所求的长方体的底、宽、高分别为$\frac{2R}{\sqrt{3}}$，$\frac{2R}{\sqrt{3}}$，$\frac{R}{\sqrt{3}}$，最大体积为$f\left(\frac{R}{\sqrt{3}}\right)=\frac{4R^3}{3\sqrt{3}}$.

【1569】 在半径为R的球内作出具有最大体积的内接圆柱体.

解 设圆柱体的底半径为r，高为$2h$，则有$r^2+h^2=R^2$，即$h=\sqrt{R^2-r^2}$. 由题设，求函数$f(r)=2\pi r^2h=2\pi r^2\sqrt{R^2-r^2}$在$(0,R)$内的最大值.

$$f'(r)=\frac{2\pi r(2R^2-3r^2)}{\sqrt{R^2-r^2}},$$

令 $f'(r)=0$ 得 $r=\sqrt{\frac{2}{3}}R$,此时 $h=\frac{R}{\sqrt{3}}$,且 $f(r)=f\left(\sqrt{\frac{2}{3}}R\right)=\frac{4\pi R^3}{3\sqrt{3}}$. 经判别可知，此值即为圆柱体体积的最大值.

【1570】 在半径为 R 的球内作出具有最大表面积的内接圆柱体.

解 如图 2.149 所示,圆柱体的表面积为

$S=2\pi(R\cos\varphi)^2+4\pi(R\cos\varphi)(R\sin\varphi)=\pi R^2(1+\cos 2\varphi)+2\pi R^2\sin 2\varphi,$

$\frac{dS}{d\varphi}=2\pi R^2(2\cos 2\varphi-\sin 2\varphi),$

由 $\frac{dS}{d\varphi}=0$ 得 $\tan 2\varphi=2$. 记其解为 $\varphi_0=\frac{1}{2}\arctan 2,\varphi_0\in\left(0,\frac{\pi}{4}\right)$. 于是

$\sin 2\varphi_0=\frac{2}{\sqrt{5}},\cos 2\varphi_0=\frac{1}{\sqrt{5}}$. 又由于

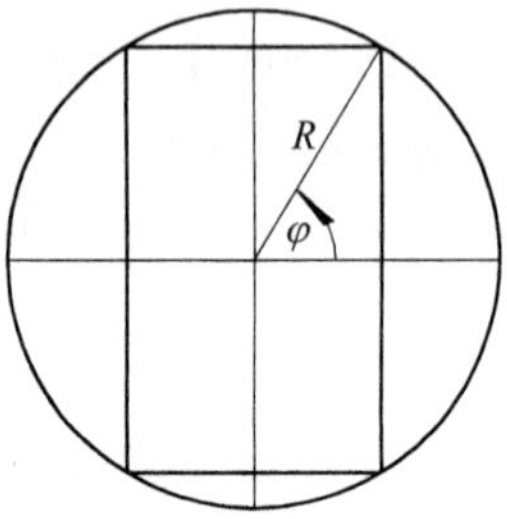

图 2.149

$$\left.\frac{d^2S}{d\varphi^2}\right|_{\varphi=\varphi_0}=-4\pi R^2(2\sin 2\varphi+\cos 2\varphi)_{\varphi=\varphi_0}$$

$$=-4\pi R^2\left(2\sin 2\varphi_0+\frac{1}{2}\sin 2\varphi_0\right)=-10\pi R^2\sin 2\varphi_0<0,$$

故此时表面积最大,且最大表面积为

$$S=\pi R^2\left(1+\frac{1}{\sqrt{5}}\right)+2\pi R^2\cdot\frac{2}{\sqrt{5}}=\pi R^2(1+\sqrt{5})\approx 0.81\times 4\pi R^2.$$

从而,球内接圆柱体的最大表面积约为球面面积的 81%.

【1571】 在已知球外作具有最小体积的外切圆锥体.

解 设外切圆锥体的底半径为 x,高为 h,已知球的半径为 R,则

$$\frac{R}{x}=\frac{h-R}{\sqrt{x^2-h^2}},\text{解得 } h=\frac{2Rx^2}{x^2-R^2}.$$

于是,外切圆锥体的体积为

$$V=\frac{1}{3}\pi x^2\cdot\frac{2Rx^2}{x^2-R^2}=\frac{2}{3}\pi R\cdot\frac{x^4}{x^2-R^2}(x>0).$$

由

$$\frac{dV}{dx}=\frac{4}{3}\pi R\cdot\frac{x^3(x^2-2R^2)}{(x^2-R^2)^2}=0,$$

得 $x=\sqrt{2}R$,经判别可知,此时体积最小,且 $V|_{x=\sqrt{2}R}=2\cdot\frac{4}{3}\pi R^3$.

所以,外切圆锥体的最小体积是球体体积的二倍.

【1572】 求母线为给定值 l 的圆锥体的最大体积.

解 设圆锥体的底半径为 r,高为 h,则 $h=\sqrt{l^2-r^2}$,其体积为 $\frac{1}{3}\pi r^2h=\frac{1}{3}\pi r^2\sqrt{l^2-r^2}$. 由题设,需求函数 $f(r)=r^4(l^2-r^2)$ 的最大值.

由于 $f'(r)=4l^2r^3-6r^5$,令 $f'(r)=0$ 得 $r=\sqrt{\frac{2}{3}}l$,此时 $h=\frac{l}{\sqrt{3}}$. 经判别可知,$f\left(\sqrt{\frac{2}{3}}l\right)$ 是最大值,

因此,所求的圆锥体的底半径为 $\sqrt{\frac{2}{3}}l$,高为 $\frac{l}{\sqrt{3}}$,体积最大值为 $f\left(\sqrt{\frac{2}{3}}l\right)=\frac{2\pi}{9\sqrt{3}}l^3$.

【1573】 在顶角为 2α、底半径为 R 的直圆锥体中作出具有最大表面积的圆柱体.

解 设 r 及 h 为圆柱体的底半径与高，H 为圆锥体的高(如图 2.150).
由题设，需求函数 $S=2\pi r^2+2\pi rh$ 的最大值. 由于

$$\frac{MN}{BD}=\frac{AN}{AD},\text{即}\frac{h}{H}=\frac{R-r}{R},\text{故 } h=\frac{R-r}{R}H,$$

其中 $H=R\cot\alpha$ 是已知常数. 于是

$$S=f(r)=2\pi\left[r^2+rH\left(1-\frac{r}{R}\right)\right](0\leqslant r\leqslant R),$$

$$f'(r)=2\pi\left(2r+H-\frac{2r}{R}H\right).$$

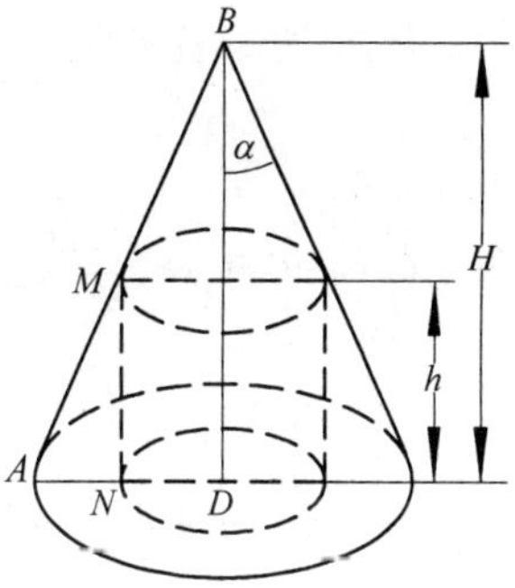

图 2.150

令 $f'(r)=0$，得 $r=\dfrac{HR}{2(H-R)}$，此值应在 0 与 R 之间，即 $H>R$ 与 $\dfrac{R}{H}=\tan\alpha<\dfrac{1}{2}$. 经判别知，此时 $f(r)$ 为最大，因此，所求的圆柱体当 $\tan\alpha<\dfrac{1}{2}$ 及 $r=\dfrac{R}{2(1-\tan\alpha)}$ 时达到最大值.

当 $\tan\alpha\geqslant\dfrac{1}{2}$，即 $H\leqslant 2R$ 时，由于

$$f'(r)=\frac{2\pi}{R}[(2R-H)r+H(R-r)]>0.$$

因此，当 $r=R$ 时，达到边界的极大值，但是，当 $r=R$ 时，显然有 $h=0$，于是，得到的解可以考虑作为一个扁平的圆柱体，它的两底都与已知圆锥的底重合，而全表面积为 $2\pi R^2$.

【1574】 求从点 $M(p,p)$ 到抛物线 $y^2=2px$ 的最短距离.

解 由题设，只需求函数

$$f(y)=(x-p)^2+(y-p)^2=x^2+2p^2-2py=\frac{y^4}{4p^2}-2py+2p^2$$

的最小值.

由于 $f'(y)=\dfrac{y^3-2p^3}{p^2}$，令 $f'(y)=0$ 得 $y=\sqrt[3]{2}\,p$，此时 $x=\dfrac{\sqrt[3]{4}}{2}p$. 经判别可知，$f(\sqrt[3]{2}\,p)$ 为最小，因此，所求的最短距离为

$$\sqrt{f(\sqrt[3]{2})}=p\sqrt{\left(\frac{\sqrt[3]{4}}{2}-1\right)^2+(\sqrt[3]{2}-1)^2}=p(\sqrt[3]{2}-1)\sqrt{\left[\frac{\sqrt[3]{4}-2}{2(\sqrt[3]{2}-1)}\right]^2+1}=p(\sqrt[3]{2}-1)\sqrt{\frac{\sqrt[3]{2}+2}{2}}.$$

【1575】 求从点 $A(2,0)$ 到圆 $x^2+y^2=1$ 的最短与最长距离.

解 显然最短距离为 1，最长距离为 3，事实上，用微分法也可求解，只需求函数

$$f(x)=(x-2)^2+y^2=5-4x$$

的最值.

由于 $f'(x)=-4<0$，故 $f(x)$ 递减，因此，当 $x=-1$ 时，有最大值 $\sqrt{f(-1)}=3$；而当 $x=1$ 时有最小值 $\sqrt{f(1)}=1$.

【1576】 求椭圆 $\dfrac{x^2}{a^2}+\dfrac{y^2}{b^2}=1(0<b<a)$ 的经过顶点 $(0,-b)$ 的最大弦.

解 由题设，只需求函数

$$x^2+(y+b)^2=x^2+y^2+2by+b^2=\left(a^2-\frac{a^2}{b^2}y^2\right)+y^2+2by+b^2$$

$$=\left(1-\frac{a^2}{b^2}\right)y^2+2by+(a^2+b^2)=f(y)$$

的最大值. 为此,先求得

$$f'(y)=2\left(1-\frac{a^2}{b^2}\right)y+2b,$$

令 $f'(y)=0$ 得 $y=\frac{b^3}{a^2-b^2}=\frac{b^3}{c^2}(c=\sqrt{a^2-b^2})$,此时

$$x^2=a^2-\frac{a^2}{b^2}\cdot\frac{b^6}{c^4}=a^2\left(1-\frac{b^4}{c^4}\right),x=\pm\frac{a}{c^2}\sqrt{c^4-b^4}=\pm\frac{a^2}{c^2}\sqrt{a^2-2b^2}\left(b\leqslant\frac{a}{\sqrt{2}}\right).$$

经判别可知,此时弦长为最大值,且其值为

$$\sqrt{a^2\left(1-\frac{b^4}{c^4}\right)+\left(\frac{b^3}{c^2}+b\right)^2}=\frac{a^2}{c},$$

此即最大弦长. 弦的一个端点为 $(0,-b)$,另一个端点为 $\left(\pm\frac{a^2}{c^2}\sqrt{a^2-2b^2},\frac{b^3}{c^2}\right)$,但仅当 $b\leqslant\frac{a}{\sqrt{2}}$ 时,$\sqrt{a^2-2b^2}$ 才有意义.

若 $b>\frac{a}{\sqrt{2}}$,则由于 $f'(y)=2\left(1-\frac{a^2}{b^2}\right)+2b>2\left(1-\frac{a^2}{b^2}\right)(-b)+2b=\frac{2a^2}{b}>0$,故当 $y=b,x=0$ 时,取得弦长的边界最大值,此时最大弦长为 $2b$.

【1577】 过椭圆 $\frac{x^2}{a^2}+\frac{y^2}{b^2}=1$ 上的点 $M(x,y)$ 引切线,使由此切线与坐标轴构成的三角形具有最小的面积.

解 切线斜率为 $k=-\frac{b^2x}{a^2y}$,于是,切线方程为 $Y-y=-\frac{b^2x}{a^2y}(X-x)$.

不失一般性,可设点 M 在第一象限. 它在两坐标轴上的截距分别为 $\frac{a^2}{x}$ 和 $\frac{b^2}{y}$. 因此,所求三角形的面积为

$$\frac{a^2b^2}{2xy}=\frac{a^3b}{2x\sqrt{a^2-x^2}}.$$

由题设,只需求函数 $f(x)=x^2(a^2-x^2)$ 的最大值. 为此,先求得

$$f'(x)=2a^2x-4x^3,$$

令 $f'(x)=0$,得 $x=\frac{a}{\sqrt{2}}$,此时 $y=\frac{b}{\sqrt{2}}$,经判别可知,$f\left(\frac{a}{\sqrt{2}}\right)$ 为最大值. 因此,所求的点为 $\left(\frac{a}{\sqrt{2}},\frac{b}{\sqrt{2}}\right)$,三角形面积的最小值为 ab.

【1578】 直径相同的圆柱体与半球体拼接在一起构成一物体,其体积为给定值 V. 要使此物体具有最小的表面积,其尺寸如何?

解 设 r 为圆柱体的底半径,h 为其高,则由题设

$$V=\frac{2}{3}\pi r^3+\pi r^2h \text{ 即 } h=\frac{V}{\pi r^2}-\frac{2}{3}r,$$

故其表面积为

$$S(r)=3\pi r^2+2\pi r\left(\frac{V}{\pi r^2}-\frac{2}{3}r\right)=\frac{5}{3}\pi r^2+\frac{2V}{r},$$

$$S'(r)=\frac{10}{3}\pi r-\frac{2V}{r^2},$$

令 $S'(r)=0$,得 $r=\sqrt[3]{\frac{3V}{5\pi}}$,此时 $h=\sqrt[3]{\frac{3V}{5\pi}}$. 经判别可知,$S\left(\sqrt[3]{\frac{3V}{5\pi}}\right)$为最小值. 因此,当 $r=h=\sqrt[3]{\frac{3V}{5\pi}}$ 时表面积最小.

【1579】 若明渠的横截面为等腰梯形,渠中流水的横截面面积为 S,水面的高为 h,问水渠侧边的倾角 φ 如何,才能使其横截面边界被水浸湿的部分具有最小的长度?

解 浸湿部分的长度 $l=a+2h\csc\varphi$,其中 a 为底边长,而截面面积为

$$S=\frac{1}{2}(2a+2h\cot\varphi)h=ah+h^2\cot\varphi.$$

故被水浸湿部分的长度为 $l=2h\csc\varphi+\frac{S}{h}-h\cot\varphi$. 由 $\frac{\mathrm{d}l}{\mathrm{d}\varphi}=-\frac{2h\cos\varphi}{\sin^2\varphi}+\frac{h}{\sin^2\varphi}=0$,得 $\cos\varphi=\frac{1}{2}$,$\varphi=60^\circ$. 因为

$$\left.\frac{\mathrm{d}^2 l}{\mathrm{d}\varphi^2}\right|_{\varphi=60^\circ}=\left.\frac{2h\sin^3\varphi-h\sin 2\varphi(1-2\cos\varphi)}{\sin^4\varphi}\right|_{\varphi=60^\circ}>0,$$

所以当 $\varphi=60^\circ$ 时,横截面被水浸湿的部分具有最小的长度.

【1580】 设封闭曲线所围面积为 S,则该曲线的周长与面积同为 S 的圆的周长之比称为封闭曲线的"弯曲度".

设等腰梯形 $ABCD(AD\,/\!/\,BC)$ 的底边 $AD=2a$,锐角 $BAD=\alpha$,问等腰梯形的形状如何,才有最小的弯曲度?

解 设腰 $AB=CD=b$,则梯形的周长为

$$l=4a+2b(1-\cos\alpha),$$

梯形的面积为

$$S=(2a-b\cos\alpha)b\sin\alpha.$$

令 $S=\pi R^2$ 得

$$R=\frac{1}{\sqrt{\pi}}\sqrt{(2a-b\cos\alpha)b\sin\alpha},$$

相应的圆周长为

$$L=2\pi R=2\sqrt{\pi(2a-b\cos\alpha)b\sin\alpha}.$$

令弯曲度为 K,则

$$K=\frac{l}{L}=\frac{2a+b(1-\cos\alpha)}{\sqrt{\pi(2a-b\cos\alpha)b\sin\alpha}}.$$

由 $\frac{\mathrm{d}K}{\mathrm{d}b}=0$,得 $b=a\sec^2\frac{\alpha}{2}$.

可以验证,当 $AB=CD=a\sec^2\frac{\alpha}{2}$ 时,具有最小的弯曲度,此时,梯形恰好外切于某圆.

【1581】 从半径为 R 的圆中应切去怎样的扇形,才能使余下的部分可卷成一漏斗,且其容积为最大?

解 设余下部分的中心角为 x,则漏斗(呈圆锥形)底的周长为 Rx,底半径为$\frac{Rx}{2\pi}$(R 为原圆的半径),其高为

$$h=\sqrt{R^2-\left(\frac{Rx}{2\pi}\right)^2}=\frac{R}{2\pi}\sqrt{4\pi^2-x^2},$$

其容积为

$$V=\frac{1}{3}\pi\left(\frac{Rx}{2\pi}\right)^2\frac{R}{2\pi}\sqrt{4\pi^2-x^2}=\frac{R^3}{24\pi^2}x^2\sqrt{4\pi^2-x^2}.$$

由题设,只需求 x 为何值时,函数 $f(x)=x^4(4\pi^2-x^2)$ 的值最大. 为此,先求得

$$f'(x)=16\pi^2x^3-6x^5,$$

令 $f'(x)=0$,要注意 $x\neq 0$,故 $x=2\pi\sqrt{\frac{2}{3}}$. 经判别可知,$f\left(2\pi\sqrt{\frac{2}{3}}\right)$最大. 因此,切去的扇形的中心角应为 $2\pi\left(1-\sqrt{\frac{2}{3}}\right)$.

【1582】 从南至北的铁路经过 B 城,某工厂 A 距此铁路的最短距离为 a km,距偏北面的 B 城所在纬线的距离为 b km. 为了从 A 到 B 运输货物最经济,从工厂修建一条专线铁路,若每吨货物沿专线铁路运输的价格是 p 元/km,而沿常规铁路为 q 元/km($p>q$),则专线应向常规铁路取怎样的角度 φ?

解 如图 2.151 所示,所需运费为

$$M=(b-a\cot\varphi)q+\sqrt{a^2+a^2\cot^2\varphi}\,p=qb-aq\cot\varphi+pa\csc\varphi.$$

由 $\frac{dM}{d\varphi}=\frac{aq}{\sin^2\varphi}-\frac{ap\cos\varphi}{\sin^2\varphi}=0$,得 $\varphi_0=\arccos\frac{q}{p}$. 又

$$\left.\frac{d^2M}{d\varphi^2}\right|_{\varphi=\varphi_0}=\frac{ap}{\sin\varphi_0}>0,$$

故当 $\arccos\frac{q}{p}\geqslant\arctan\frac{a}{b}$ 时,$\varphi_0=\arccos\frac{q}{p}$,相应运费最省;

当 $\arccos\frac{q}{p}<\arctan\frac{a}{b}$ 时,$\varphi_0=\arctan\frac{a}{b}$,运费最省.

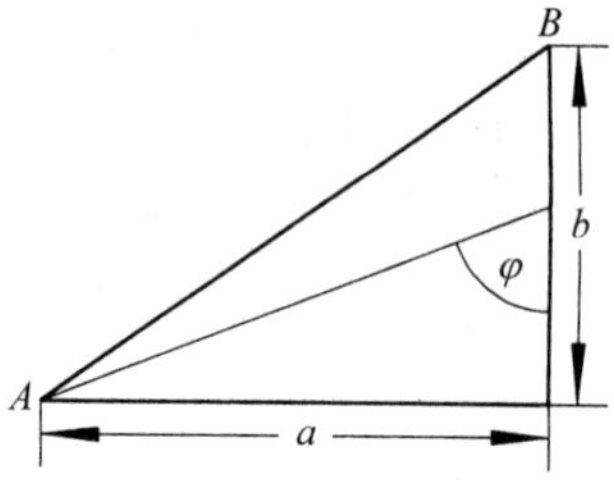

图 2.151

【1583】 两船各以恒定的速度 u 和 v 沿直线前进,两者前进方向所成的角为 θ. 若在某时刻它们到其路线交点的距离分别为 a 和 b,求两船的最小距离.

解 设两船与路线交点的距离分别为 a,b 时的时刻 $t_0=0$,则时刻为 t 时两船的距离 s 满足下式:

$$s^2=(a+ut)^2+(b+vt)^2-2(a+ut)(b+vt)\cos\theta.$$

由 $2s\frac{ds}{dt}=2(a+ut)u+2(b+vt)v-2(bu+2uvt+av)\cos\theta=0$,解得

$$t_1=-\frac{au+bv-(av+bu)\cos\theta}{u^2+v^2-2uv\cos\theta}.$$

于是,相应地有

$$\begin{aligned}s^2&=(a^2+b^2-2ab\cos\theta)+2[(au+bv)-(av+bu)\cos\theta]t_1+(u^2+v^2-2uv\cos\theta)t_1^2\\&=\frac{1}{u^2+v^2-2uv\cos\theta}\{(a^2+b^2-2ab\cos\theta)(u^2+v^2-2uv\cos\theta)-\\&\quad 2[(au+bv)-(av+bu)\cos\theta]^2+[(au+bv)-(av+bu)\cos\theta]^2\}\\&=\frac{[(av-bu)\sin\theta]^2}{u^2+v^2-2uv\cos\theta}.\end{aligned}$$

经判别可知,此时 s 最小,$s=\frac{|av-bu|\sin\theta}{\sqrt{u^2+v^2-2uv\cos\theta}}$.

又两船的最小距离也可在 $t_0=0$ 之前达到. 类似地,可求得最小距离为

$$s=\frac{|av+bu|\sin\theta}{\sqrt{u^2+v^2-2uv\cos\theta}}.$$

总之,两船间的最小距离为 $s=\frac{|av\mp bu|\sin\theta}{\sqrt{u^2+v^2-2uv\cos\theta}}$.

【1584】 在 A 与 B 两点处各有一光源，其发光强度分别为 S_1 与 S_2. 在线段 $AB=a$ 上求出最小照度的点 M.

解 设 $AM=x$，则照度

$$I=\frac{S_1}{x^2}+\frac{S_2}{(a-x)^2}.$$

由 $\frac{\mathrm{d}I}{\mathrm{d}x}=-\frac{2S_1}{x^3}+\frac{2S_2}{(a-x)^3}=0$ 得 $S_2x^3=S_1(a-x)^3$，解得 $x=a\left(1+\sqrt[3]{\frac{S_2}{S_1}}\right)^{-1}$.

经判别可知，此时照度最小.

【1585】 发光点位于半径为 R 与 $r(R>r)$ 的两互不相交的球的连心线上，并在此两球的外面，此发光点的位置如何，才能使两球表面上被照明部分之和最大？

解 设发光点离大球中心的距离为 x，两球中心的距离为 a，则由球冠面积公式推知被照明部分面积之和为

$$S=2\pi R\left(R-\frac{R^2}{x}\right)+2\pi r\left(r-\frac{r^2}{a-x}\right),$$

式中 x 应满足 $R<x\leqslant a-r$. 由

$$\frac{\mathrm{d}S}{\mathrm{d}x}=2\pi R^3\cdot\frac{1}{x^2}-2\pi r^3\cdot\frac{1}{(a-x)^2}=0,$$

得 $x=\dfrac{a}{1+\left(\frac{r}{R}\right)^{\frac{3}{2}}}$，又由 $x\leqslant a-r$ 可得 $\dfrac{R^{\frac{3}{2}}}{R^{\frac{3}{2}}+r^{\frac{3}{2}}}a\leqslant a-r$，即 $a\geqslant r+R\sqrt{\frac{R}{r}}$. 经判别可知，此时被照明面积最大.

当 $R+r<a<r+R\sqrt{\frac{R}{r}}$ 时，显然有 $x=a-r$，经判别可知，此时被照明面积也为最大.

【1586】 设圆桌面的半径为 a，应当在正对桌面中央多高的地方安置电灯，才可使桌面边缘的照度为最大？

解 如图 2.152 所示. 由物理学知，照度 I 为

$$I=I_0\,\frac{\sin\varphi}{r^2}=I_0\,\frac{\sqrt{r^2-a^2}}{r^3},$$

其中 I_0 为光源的发光强度，为常数.

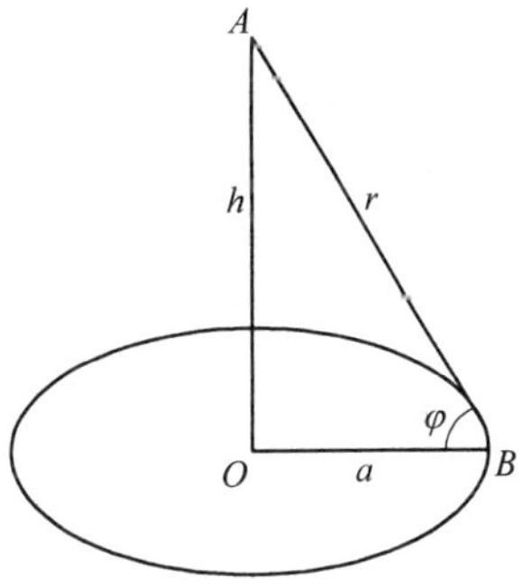

图 2.152

考虑函数 $f(r)=\frac{r^2-a^2}{r^6}=\frac{1}{r^4}-\frac{a^2}{r^6}$ 何时最大，

$$f'(r)=-\frac{4}{r^5}+\frac{6a^2}{r^7}=\frac{6a^2-4r^2}{r^7},$$

令 $f'(r)=0$，得 $r=\sqrt{\frac{3}{2}}\,a$. 经判别可知，$f\left(a\sqrt{\frac{3}{2}}\right)$ 最大. 因此，应在高 $h=\sqrt{\frac{3}{2}a^2-a^2}=\frac{a}{\sqrt{2}}$ 的地方安置电灯，才可使桌面边缘上的照度为最大.

【1587】 向宽为 a 的河修建一宽为 b 的运河，两者成直角相交，可能驶进这运河的船，其最大的长度是多少？

解 如图 2.153 所示. BC 的长度为

$$l = a\csc\varphi + b\sec\varphi,$$

$$l' = \frac{b\sin^3\varphi - a\cos^3\varphi}{\cos^2\varphi\sin^2\varphi},$$

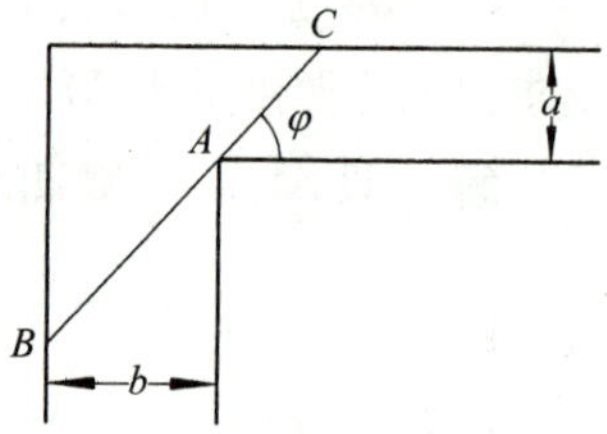

图 2.153

令 $l' = 0$ 得 $\tan\varphi_0 = \left(\frac{a}{b}\right)^{\frac{1}{3}}$ 或 $\cot\varphi_0 = \left(\frac{b}{a}\right)^{\frac{1}{3}}$，从而有

$$\csc\varphi_0 = \frac{(a^{\frac{2}{3}} + b^{\frac{2}{3}})^{\frac{1}{2}}}{a^{\frac{1}{3}}}, \sec\varphi_0 = \frac{(a^{\frac{2}{3}} + b^{\frac{2}{3}})^{\frac{1}{2}}}{b^{\frac{1}{3}}},$$

$$l''|_{\varphi=\varphi_0} = 3\left(\frac{b}{\cos\varphi_0} + \frac{a}{\sin\varphi_0}\right) > 0,$$

因此，$l|_{\varphi=\varphi_0}$ 为最小值，即船的最大长度为 $l|_{\varphi=\varphi_0} = (a^{\frac{2}{3}} + b^{\frac{2}{3}})^{\frac{3}{2}}$.

【1588】 船航行一昼夜的耗费由两部分组成：固定部分等于 a 元，变动部分与速度的立方成正比增加. 以怎样的速度 v 航行时，船航行最为经济？

解 设航行的全路程为 s，速度为 v，则总耗费为

$$Q = (a + kv^3)\frac{s}{v} = \frac{as}{v} + skv^2.$$

由 $\frac{\mathrm{d}Q}{\mathrm{d}v} = 0$ 得 $v = \sqrt[3]{\frac{a}{2k}}$. 经判别可知，此时船航行最经济.

【1589】 重量为 P 的物体位于粗糙的水平面上，需用力把物体从原位置移动. 若物体摩擦因子等于 k，问作用力对水平面的倾斜程度如何，才使所需的力最小？

解 设作用力 F 对水平面的倾角为 α，则 $F\cos\alpha = k(P - F\sin\alpha)$，即

$$F = \frac{kP}{\cos\alpha + k\sin\alpha}.$$

令 $y = \cos\alpha + k\sin\alpha$，为使 F 最小，只要使 y 最大. 由

$$y'_\alpha = -\sin\alpha + k\cos\alpha = 0 \text{ 得 } \alpha_0 = \arctan k,$$

此时 $y''_\alpha|_{\alpha=\alpha_0} = -\cos\alpha_0 - k\sin\alpha_0 = -\sqrt{1+k^2} < 0$，即当 $\alpha_0 = \arctan k$ 时，y 为最大值，从而 F 为最小值，也即此时用力最省.

【1590】 有一茶杯，其形状为半径为 a 的半球，在茶杯中放一长为 $l > 2a$ 的杆，求杆的平衡位置.

解 取球心为坐标原点. 当 $2a < l \leqslant 4a$ 时，设杆的质心的纵坐标为 y，杆对杯口所在平面的倾角为 φ，则

$$y = -\left(2a\cos\varphi - \frac{l}{2}\right)\sin\varphi \quad \left(0 < \varphi < \frac{\pi}{2}\right).$$

当杆平衡时，y 最小，为此，求 y 的极值. 由 $y'_\varphi = -4a\cos^2\varphi + \frac{l}{2}\cos\varphi + 2a = 0$ 得

$$\cos\varphi = \frac{l + \sqrt{l^2 + 128a^2}}{16a} \text{（负值不合适，舍去）}.$$

经判别可知，此时 y 取最小值，即当 $\cos\varphi = \frac{l + \sqrt{l^2 + 128a^2}}{16a}$ 时，棒取平衡位置.

当 $l > 4a$ 时，杆的质心必在半球心外，于是，此时杆失去平衡，无平衡位置.

第14节 曲线的相切、曲率圆、渐屈线(习题1591—1616)

知识点预览

序号	知识点	题目序号	所在页码
1	n 阶相切	1591—1594	P221
2	曲率圆	1595—1610	P222
3	渐屈线	1611—1616	P226

知识点1 n 阶相切

定义 对于两曲线 $y=\varphi(x)$ 及 $y=\psi(x)$,若在点 x_0 有

$$\varphi^{(k)}(x_0)=\psi^{(k)}(x_0)(k=0,1,2,\cdots,n),\varphi^{(n+1)}(x_0)\neq\psi^{(n+1)}(x_0),$$

则称这两曲线在 x_0 点 n 阶相切(从严格的意义上讲),则当 $x\to x_0$ 时有

$$\varphi(x)-\psi(x)=O^*[(x-x_0)^{n+1}].$$

习题 1591—1594 判断两曲线 n 阶相切

【1591】 选择直线 $y=kx+b$ 的参数 k 与 b,使它与曲线 $y=x^3-3x^2+2$ 二阶或更高阶相切.

解 要二阶或更高阶相切,必需使 $y''=6x-6=0$,即 $x=1$,同时在 $x=1$ 时,两个一阶导数也应相等,即 $k=3\cdot1^2-6\cdot1=-3$.

当 $x=1$ 时,代入方程 $x^3-3x^2+2-y=0$,得 $y=0$. 由于直线 $y=kx+b$ 也需通过点(1,0),故有 $0=-3\cdot1+b$,即 $b=3$.

因此,所求的直线为 $y=3(1-x)$,参数 $k=-3,b=3$.

【1592】 应当怎样选择参数 a,b 和 c,才能使抛物线 $y=ax^2+bx+c$ 在点 $x=x_0$ 与曲线 $y=e^x$ 二阶相切?

解 对于抛物线 $y=ax^2+bx+c$,在点 $x=x_0$ 有

$$y'(x_0)=2ax_0+b,y''(x_0)=2a.$$

由两曲线二阶相切,故有

$$\begin{cases}ax_0^2+bx_0+c=e^{x_0},\\2ax_0+b=e^{x_0},\\2a=e^{x_0},\end{cases}$$

解得

$$a=\frac{1}{2}e^{x_0},b=e^{x_0}(1-x_0),c=e^{x_0}\left(1-x_0+\frac{x_0^2}{2}\right).$$

【1593】 求下列曲线与 Ox 轴在点 $x=0$ 相切的阶:

(1) $y=1-\cos x$;　(2) $y=\tan x-\sin x$;　(3) $y=e^x-\left(1+x+\frac{x^2}{2}\right)$.

解　对于 Ox 轴 $y=0$,始终有 $y^{(n)}(0)=0(n\in\mathbf{N})$.

(1) $y'=\sin x, y''=\cos x$,于是 $y'(0)=0, y''(0)=1$. 因此,曲线 $y=1-\cos x$ 与 Ox 轴一阶相切.

(2) $y'=\sec^2 x-\cos x, y''=2\sec^2 x\tan x+\sin x, y'''=4\sec^2 x\tan^2 x+2\sec^4 x+\cos x$,

$$y'(0)=y''(0)=0, y'''(0)=3\neq 0.$$

因此,曲线 $y=\tan x-\sin x$ 与 Ox 轴二阶相切.

(3) $y'=e^x-1-x$, $y''=e^x-1, y'''=e^x$,于是 $y'(0)=y''(0)=0, y'''(0)=1\neq 0$.

因此,曲线 $y=e^x-\left(1+x+\frac{x^2}{2}\right)$ 与 Ox 轴二阶相切.

【1594】　证明:曲线 $y=\begin{cases}e^{-\frac{1}{x^2}}, & x\neq 0,\\ 0, & x=0\end{cases}$ 在点 $x=0$ 与 Ox 轴相切的阶为无穷大.

解　对于 Ox 轴 $y=0$,始终有 $y^{(n)}(0)=0(n\in\mathbf{N})$.

又由1203题的结果知,对于任意正整数 n,有 $y^{(n)}(0)=0$,此即证明了所给的曲线在点 $x=0$ 与 Ox 轴相切的阶为无穷大.

知识点 2　曲率圆

定义　若圆周 $(x-\xi)^2+(y-\eta)^2=R^2$ 与已知曲线 $y=f(x)$ 在点 x_0 二阶或更高阶相切,则称此圆为曲线 $y=f(x)$ 在点 x_0 的曲率圆. 这个圆的半径 $R=\frac{(1+y'^2)^{\frac{3}{2}}}{|y''|}$ 称为曲率半径,$k=\frac{1}{R}$ 称为曲率,圆心 (ξ,η) 称为曲率中心.

注　曲率圆与曲线在点 x_0 位于切线的同侧.

习题 1595—1603　求曲率半径和曲率中心

【1595】　求双曲线 $xy=1$ 在下列各点的曲率半径和曲率中心:

(1) $M(1,1)$;　(2) $N(100,0.01)$.

解　$y=\frac{1}{x}, y'=-\frac{1}{x^2}, y''=\frac{2}{x^3}$.

(1) 在点 $M(1,1)$, $y=1, y'=-1, y''=2$. 于是,曲率半径 $R=\frac{[1+(-1)^2]^{\frac{3}{2}}}{2}=\sqrt{2}$.

曲率中心 (ξ,η) 为

$$\xi=x-\frac{y'(1+y'^2)}{y''}=1-\frac{-1(1+1)}{2}=2, \eta=y+\frac{1+y'^2}{y''}=1+\frac{2}{2}=2.$$

(2) 在点 $N(100,0.01)$, $y=0.01, y'=-0.000\,1, y''=0.000\,002$. 于是,曲率半径

$$R=\frac{[1+(-0.000\,1)^2]^{\frac{3}{2}}}{0.000\,002}\approx 500\,000.$$

曲率中心 (ξ,η) 为

$$\xi=x-\frac{y'(1+y'^2)}{y''}=100-\frac{-0.000\,1[1+(-0.000\,1)^2]}{0.000\,002}\approx 150,$$

$$\eta = y + \frac{1+y'^2}{y''} = 0.01 + \frac{1+(-0.0001)^2}{0.000002} \approx 500000.$$

【求下列曲线的曲率半径(1596—1602)】

【1596】 抛物线 $y^2 = 2px$.

解 $y' = \frac{p}{y}, y'' = -\frac{p}{y^2}y' = -\frac{p^2}{y^3}$. 于是，曲率半径为

$$R = \frac{(1+y'^2)^{\frac{3}{2}}}{|y''|} = \frac{\left(1+\frac{p^2}{y^2}\right)^{\frac{3}{2}}}{\left|\frac{p^2}{y^3}\right|} = \frac{(y^2+p^2)^{\frac{3}{2}}}{p^2} = p\left(1+\frac{y^2}{p^2}\right)^{\frac{3}{2}} = p\left(1+\frac{2x}{p}\right)^{\frac{3}{2}}.$$

【1597】 椭圆 $\frac{x^2}{a^2} + \frac{y^2}{b^2} = 1$.

解 不妨设 $a > b$. 由于 $y' = -\frac{b^2x}{a^2y}, y'' = -\frac{b^4}{a^2y^3}$，于是，曲率半径为

$$R = \frac{\left(1+\frac{b^4x^2}{a^4y^2}\right)^{\frac{3}{2}}}{\frac{b^4}{a^2|y|^3}} = \frac{(a^4y^2+b^4x^2)^{\frac{3}{2}}}{a^4b^4} = \frac{(a^4b^2-a^2b^2x^2+b^4x^2)^{\frac{3}{2}}}{a^4b^4}$$

$$= \frac{a^3b^3\left(a^2-\frac{a^2-b^2}{a^2}x^2\right)^{\frac{3}{2}}}{a^4b^4} = \frac{(a^2-\varepsilon^2x^2)^{\frac{3}{2}}}{ab},$$

其中 $\varepsilon = \frac{\sqrt{a^2-b^2}}{a}$ 为椭圆的离心率.

【1598】 双曲线 $\frac{x^2}{a^2} - \frac{y^2}{b^2} = 1$.

解 由于 $y' = \frac{b^2x}{a^2y}, y'' = -\frac{b^4}{a^2y^3}$，于是，曲率半径为

$$R = \frac{\left(1+\frac{b^4x^2}{a^4y^2}\right)^{\frac{3}{2}}}{\frac{b^4}{a^2|y|^3}} = \frac{(a^4y^2+b^4x^2)^{\frac{1}{3}}}{a^4b^4} = \frac{(a^2b^2x^2-a^4b^2+b^4x^2)^{\frac{2}{2}}}{a^4b^4}$$

$$= \frac{\left(\frac{a^2+b^2}{a^2}x^2-a^2\right)^{\frac{4}{2}}}{ab} = \frac{(\varepsilon^2x^2-a^2)^{\frac{3}{2}}}{ab},$$

其中 $\varepsilon = \frac{\sqrt{a^2+b^2}}{a}$ 为双曲线的离心率.

【1599】 星形线 $x^{\frac{2}{3}} + y^{\frac{2}{3}} = a^{\frac{2}{3}}$.

解 由于 $y' = -\sqrt[3]{\frac{y}{x}}, y'' = \frac{a^{\frac{2}{3}}}{3x^{\frac{4}{3}}y^{\frac{1}{3}}}$，于是，曲率半径

$$R = \frac{\left[1+\left(\frac{y}{x}\right)^{\frac{2}{3}}\right]^{\frac{3}{2}}}{\left|\frac{a^{\frac{2}{3}}}{3x^{\frac{4}{3}}y^{\frac{1}{3}}}\right|} = \left|\frac{\frac{a}{x}}{\frac{a^{\frac{2}{3}}}{3x^{\frac{4}{3}}y^{\frac{1}{3}}}}\right| = 3|axy|^{\frac{1}{3}}.$$

【1600】 椭圆 $x = a\cos t, y = b\sin t$.

解 由于

$$\frac{dy}{dx} = \frac{b\cos t}{-a\sin t} = -\frac{b}{a}\cot t, \frac{d^2y}{dx^2} = \frac{-\frac{b}{a}\left(-\frac{1}{\sin^2 t}\right)}{-a\sin t} = -\frac{b}{a^2\sin^3 t},$$

于是，曲率半径为

$$R=\frac{\left(1+\frac{b^2\cot^2 t}{a^2}\right)^{\frac{3}{2}}}{\frac{b}{a^2|\sin t|^3}}=\frac{(a^2\sin^2 t+b^2\cos^2 t)^{\frac{3}{2}}}{ab}=\frac{a^3\left(1-\frac{a^2-b^2}{a^2}\cos^2 t\right)^{\frac{3}{2}}}{ab}=\frac{a^2}{b}(1-\varepsilon^2\cos^2 t)^{\frac{3}{2}},$$

其中 $\varepsilon=\frac{\sqrt{a^2-b^2}}{a}$ 为椭圆的离心率.

【1601】 摆线 $x=a(t-\sin t),y=a(1-\cos t)$.

解 由于 $\frac{\mathrm{d}y}{\mathrm{d}x}=\frac{a\sin t}{a(1-\cos t)}=\cot\frac{t}{2},\frac{\mathrm{d}^2y}{\mathrm{d}x^2}=\frac{-\frac{1}{2\sin^2\frac{t}{2}}}{a(1-\cos t)}=-\frac{1}{4a\sin^4\frac{t}{2}}$.

于是,曲率半径为

$$R=\frac{\left(1+\cot^2\frac{t}{2}\right)^{\frac{3}{2}}}{\frac{1}{4a\sin^4\frac{t}{2}}}=4a\left|\sin\frac{t}{2}\right|=2\sqrt{2ay}.$$

【1602】 圆的渐伸线 $x=a(\cos t+t\sin t),y=a(\sin t-t\cos t)$.

解 由于 $\frac{\mathrm{d}y}{\mathrm{d}x}=\tan t,\frac{\mathrm{d}^2y}{\mathrm{d}x^2}=\frac{1}{at\cos^2 t}$,于是,曲率半径 $R=\frac{(1+\tan^2 t)^{\frac{3}{2}}}{\frac{1}{a|t\cos^3 t|}}=a|t|$.

【1603】 证明：二次曲线 $y^2=2px-qx^2$ 的曲率半径与法线段的立方成正比.

证 曲率半径 $R=\frac{(1+y'^2)^{\frac{3}{2}}}{|y''|}$,法线段 $l=\left|y\sqrt{1+y'^2}\right|$. 故 $\frac{R}{l^3}=\frac{1}{|y^3y''|}$.

下面求 y^3y'':因为 $y^2=2px-qx^2$,故在等式两端分别对 x 求两次导数,即得

$$2yy'=2p-2qx \text{ 即 } yy'=p-qx,yy''+y'^2=-q.$$

所以有

$$y^3y''=y^2(-y'^2-q)=-(yy')^2-(2px-qx^2)q=-(p-qx)^2-(2px-qx^2)q=-p^2.$$

因此 $\frac{R}{l^3}=\frac{1}{p^2}$ 为一常数. 证毕.

习题 1604—1608 求极坐标表示的曲线的曲率半径

【1604】 写出以极坐标表示的曲线的曲率半径公式.

解 设曲线的极坐标方程为 $r=r(\varphi)$,则由 $x=r\cos\varphi,y=r\sin\varphi$ 可求得

$$\frac{\mathrm{d}y}{\mathrm{d}x}=\frac{r'\sin\varphi+r\cos\varphi}{r'\cos\varphi-r\sin\varphi},\frac{\mathrm{d}^2y}{\mathrm{d}x^2}=\frac{r^2+2r'^2-rr''}{(r'\cos\varphi-r\sin\varphi)^3},$$

其中 $r'=\frac{\mathrm{d}r}{\mathrm{d}\varphi},r''=\frac{\mathrm{d}^2r}{\mathrm{d}\varphi^2}$. 于是,曲率半径为

$$R=\frac{\left[1+\left(\frac{\mathrm{d}y}{\mathrm{d}x}\right)^2\right]^{\frac{3}{2}}}{\left|\frac{\mathrm{d}^2y}{\mathrm{d}x^2}\right|}=\frac{(r^2+r'^2)^{\frac{3}{2}}}{|r^2+2r'^2-rr''|}.$$

【求下列极坐标方程所表示的曲线的曲率半径(1605—1608)】

【1605】 阿基米德螺线 $r=a\varphi$.

解 由于 $r'=a, r''=0$，于是，曲率半径 $R=\dfrac{(a^2+r^2)^{\frac{3}{2}}}{2a^2+r^2}$.

【1606】 对数螺线 $r=ae^{m\varphi}$.

解 由于 $r'=mae^{m\varphi}=mr, r''=m^2r$，于是，曲率半径 $R=\dfrac{r^3(1+m^2)^{\frac{3}{2}}}{r^2+m^2r^2}=r\sqrt{1+m^2}$.

【1607】 心脏线 $r=a(1+\cos\varphi)$.

解 $r'=-a\sin\varphi, r''=-a\cos\varphi$. 于是，曲率半径

$$R=\frac{[a^2(1+\cos\varphi)^2+a^2\sin^2\varphi]^{\frac{3}{2}}}{a^2(1+\cos\varphi)^2+2a^2\sin^2\varphi+a^2\cos\varphi(1+\cos\varphi)}=\frac{2\sqrt{2}a^3(1+\cos\varphi)^{\frac{3}{2}}}{3a^2(1+\cos\varphi)}=\frac{2}{3}\sqrt{2ar}.$$

【1608】 双纽线 $r^2=a^2\cos 2\varphi$.

解 $r'=-\dfrac{a^2\sin 2\varphi}{r}, r''=-\dfrac{r^4+a^4}{r^3}, r^2+2r'^2-rr''=\dfrac{3a^4}{r^2}, (r^2+r'^2)^{\frac{3}{2}}=\dfrac{a^6}{r^3}$. 故曲率半径

$$R=\frac{\dfrac{a^6}{r^3}}{\dfrac{3a^4}{r^2}}=\frac{a^2}{3r}.$$

习题 1609—1610 求曲率的最值

【1609】 在曲线 $y=\ln x$ 上求曲率最大的点.

解 由于 $y'=\dfrac{1}{x}, y''=-\dfrac{1}{x^2}$，所以，曲率半径 $R=\dfrac{\left(1+\dfrac{1}{x^2}\right)^{\frac{1}{2}}}{\dfrac{1}{x^2}}=\dfrac{(1+x^2)^{\frac{3}{2}}}{|x|}$.

由题设，只需考虑函数 $f(x)=\dfrac{(1+x^2)^3}{x^2}$ 当 x 取何值时达到最小值. 由于

$$f'(x)=\frac{2(1+x^2)^2(2x^2-1)}{x^3},$$

令 $f'(x)=0$ 求得正根 $x=\dfrac{1}{\sqrt{2}}$. 当 $0<x<\dfrac{1}{\sqrt{2}}$ 时，$f'(x)<0$；当 $x>\dfrac{1}{\sqrt{2}}$ 时，$f'(x)>0$. 因此，当 $x=\dfrac{1}{\sqrt{2}}$ 时，$f(x)$ 取极小值. 又由于只有一个极小值，故也是最小值. 故当 $x=\dfrac{1}{\sqrt{2}}$ 时，曲率半径最小，也即曲率最大. 因此，所求的点为 $\left(\dfrac{1}{\sqrt{2}},-\dfrac{\ln 2}{2}\right)$.

【1610】 三次抛物线 $y=\dfrac{kx^3}{6}(0\leqslant x<+\infty, k>0)$ 的最大曲率等于 $\dfrac{1}{1\,000}$，求达到此最大曲率的点 x.

解 为方便起见，令 $c=\dfrac{k}{6}$. 因为 $y'=3cx^2, y''=6cx$，所以，曲率为

$$K=\frac{|y''|}{(1+y'^2)^{\frac{3}{2}}}=\frac{6cx}{(1+9c^2x^4)^{\frac{3}{2}}}\ (x\geqslant 0).$$

由 $\dfrac{dK}{dx}=6c\dfrac{1-45c^2x^4}{(1+9c^2x^4)^{\frac{5}{2}}}=0$，得 $x_0^4=\dfrac{1}{45c^2}$.

$$\frac{d^2K}{dx^2}=\frac{-1620c^3x^3(1-9c^2x^4)}{(1+9c^2x^4)^{\frac{7}{2}}},$$

则 $\left.\dfrac{d^2K}{dx^2}\right|_{x=x_0}<0$，又根据条件，$K(x_0)$ 为 $K(x)$ 的最大值，且有

$$K(x_0)=\frac{6c\sqrt[4]{\frac{1}{45c^2}}}{\left(1+9c^2\frac{1}{45c^2}\right)^{\frac{3}{2}}}=\frac{6\sqrt{c}\sqrt[4]{\frac{1}{45}}}{\left(\frac{6}{5}\right)^{\frac{3}{2}}}=\frac{1}{10^3},$$

解得 $c=\frac{18\sqrt{5}}{5^3\times10^6}$，从而 $x_0^2=\frac{1}{\sqrt{45}\,c}=\frac{5^2\times10^6}{54}$ 即 $x_0=\sqrt{\frac{5^2\times10^6}{54}}\approx680$，此即达到最大曲率的点.

知识点 3 渐屈线

定义 曲率圆的中心 (ξ,η)（曲率中心）

$$\xi=x-\frac{y'(1+y'^2)}{y''},\eta=y+\frac{1+y'^2}{y''}$$

的轨迹称为已知曲线 $y=f(x)$ 的渐屈线.

习题 1611—1616 求曲线的渐屈线方程

【求下列各曲线的渐屈线方程(1611—1615)】

【1611】 抛物线 $y^2=2px$.

解 由于 $y'=\frac{p}{y},y''=-\frac{p^2}{y^3}$，故曲率中心坐标为

$$\xi=x-\frac{y'(1+y'^2)}{y''}=x+\frac{\frac{p}{y}\left(1+\frac{p^2}{y^2}\right)}{\frac{p^2}{y^3}}=x+\frac{y^2+p^2}{p}=x+\frac{2px+p^2}{p}=3x+p,$$

$$\eta=y+\frac{1+y'^2}{y''}=y-\frac{1+\frac{p^2}{y^2}}{\frac{p^2}{y^3}}=-\frac{y^3}{p^2},$$

即

$$x=\frac{\xi-p}{3},y^3=-p^2\eta. \quad ①$$

由于 $y^6=8p^3x^3$，故将 ① 式代入后，消去 x 及 y，即得渐屈线方程为 $27p\eta^2=8(\xi-p)^3$.

【1612】 椭圆 $\frac{x^2}{a^2}+\frac{y^2}{b^2}=1$.

解 由于 $y'=-\frac{b^2x}{a^2y},y''=-\frac{b^4}{a^2y^3}$，故曲率中心的坐标为

$$\xi=x-\frac{y'(1+y'^2)}{y''}=x-\frac{\frac{b^2x}{a^2y}\left(1+\frac{b^4x^2}{a^4y^2}\right)}{\frac{b^4}{a^2y^3}}=x-\frac{b^2xa^2y^3(a^4y^2+b^4x^2)}{a^6y^4b^4}$$

$$=x-\frac{xa^2b^2\left(a^2-\frac{a^2-b^2}{a^2}x^2\right)}{a^4b^2}=x-\frac{x\left(a^2-\frac{c^2}{a^2}x^2\right)}{a^2}=\frac{c^2}{a^4}x^3,$$

$$\eta=y+\frac{1+y'^2}{y''}=y-\frac{1+\frac{b^4x^2}{a^4y^2}}{\frac{b^4}{a^2y^3}}=y-\frac{y(a^4y^2+b^4x^2)}{a^2b^4}=y-\frac{ya^2b^2\left(b^2+\frac{c^2}{b^2}y^2\right)}{a^2b^4}=-\frac{c^2}{b^4}y^3,$$

即 $c^2y^3=-b^4\eta, c^2x^3=a^4\xi$. 于是

$$c^{\frac{4}{3}}y^2=b^{\frac{8}{3}}\eta^{\frac{2}{3}}, c^{\frac{4}{3}}x^2=a^{\frac{3}{3}}\xi^{\frac{2}{3}},$$

将 $\frac{x^2}{a^2}=\frac{a^{\frac{2}{3}}\xi^{\frac{2}{3}}}{c^{\frac{4}{3}}}, \frac{y^2}{b^2}=\frac{b^{\frac{2}{3}}\eta^{\frac{2}{3}}}{c^{\frac{4}{3}}}$ 相加即得渐屈线方程为

$$(a\xi)^{\frac{2}{3}}+(b\eta)^{\frac{2}{3}}=c^{\frac{4}{3}}, \text{其中 } c^2=a^2-b^2.$$

【1613】 星形线 $x^{\frac{2}{3}}+y^{\frac{2}{3}}=a^{\frac{2}{3}}$.

解 由于 $y'=-\left(\frac{y}{x}\right)^{\frac{1}{3}}, y''=\frac{1}{3}a^{\frac{2}{3}}x^{-\frac{4}{3}}y^{-\frac{1}{3}}$，故曲率中心的坐标为

$$\xi=x-\frac{y'(1+y'^2)}{y''}=x+\frac{3x^{\frac{4}{3}}y^{\frac{1}{3}}y^{\frac{1}{3}}\left(1+\frac{y^{\frac{2}{3}}}{x^{\frac{2}{3}}}\right)}{a^{\frac{2}{3}}x^{\frac{1}{3}}}=x+3x^{\frac{1}{3}}y^{\frac{2}{3}},$$

$$\eta=y+\frac{1+y'^2}{y''}=y+\frac{3x^{\frac{4}{3}}y^{\frac{1}{3}}\left(1+\frac{y^{\frac{2}{3}}}{x^{\frac{2}{3}}}\right)}{a^{\frac{2}{3}}}=y+3x^{\frac{2}{3}}y^{\frac{1}{3}}.$$

于是

$$\begin{aligned}\xi+\eta&=(x+y)+3x^{\frac{4}{4}}y^{\frac{1}{3}}(x^{\frac{1}{3}}+y^{\frac{1}{3}})\\&=(x^{\frac{1}{3}}+y^{\frac{1}{3}})[(x^{\frac{2}{3}}+y^{\frac{2}{3}}-x^{\frac{1}{3}}y^{\frac{1}{3}})+3x^{\frac{1}{3}}y^{\frac{1}{3}}]=(x^{\frac{1}{3}}+y^{\frac{1}{3}})^3,\\\xi-\eta&=(x-y)-3x^{\frac{1}{3}}y^{\frac{1}{3}}(x^{\frac{1}{3}}-y^{\frac{1}{3}})\\&=(x^{\frac{1}{3}}-y^{\frac{1}{3}})[(x^{\frac{2}{3}}+y^{\frac{2}{3}}+x^{\frac{1}{3}}y^{\frac{1}{3}})-3x^{\frac{1}{3}}y^{\frac{1}{3}}]=(x^{\frac{1}{3}}-y^{\frac{1}{3}})^3,\end{aligned}$$

因此

$$(\xi+\eta)^{\frac{2}{3}}+(\xi-\eta)^{\frac{2}{3}}=(x^{\frac{1}{3}}+y^{\frac{1}{3}})^2+(x^{\frac{1}{3}}-y^{\frac{1}{3}})^2=2(x^{\frac{2}{3}}+y^{\frac{2}{3}})=2a^{\frac{2}{3}},$$

此即所求的渐屈线方程，它仍为一星形线.

【1614】 曳物线 $x=a\ln\frac{a+\sqrt{a^2-y^2}}{y}-\sqrt{a^2-y^2}$.

解 先求 y' 和 y''. 在等式 $x=a\ln\frac{a+\sqrt{a^2-y^2}}{y}-\sqrt{a^2-y^2}$ 两端分别对 x 求导，得

$$1=a\left(\frac{-1}{a+\sqrt{a^2-y^2}}\cdot\frac{yy'}{\sqrt{a^2-y^2}}-\frac{y'}{y}\right)+\frac{yy'}{\sqrt{a^2-y^2}},$$

化简得

$$y'=-\frac{y}{\sqrt{a^2-y^2}}. \qquad ①$$

再将①式两端分别对 x 求导并将①式代入，即得 $y''=\frac{a^2y}{(a^2-y^2)^2}$. 故曲率中心坐标为

$$\xi=x-\frac{y'(1+y'^2)}{y''}=x+\frac{\frac{a^2y}{(a^2-y^2)^{\frac{3}{2}}}}{\frac{a^2y}{(a^2-y^2)^2}}=x+\sqrt{a^2-y^2},$$

$$\eta=y+\frac{1+y'^2}{y''}=y+\frac{\frac{a^2}{a^2-y^2}}{\frac{a^2y}{(a^2-y^2)^2}}=\frac{a^2}{y}.$$

由于点 (x,y) 的坐标 x 和 y 适合方程

$$x+\sqrt{a^2-y^2}=a\ln\frac{a+\sqrt{a^2-y^2}}{y},$$

故

$$\xi = a\ln\frac{a+\sqrt{a^2-y^2}}{y}\text{，即}\frac{a+\sqrt{a^2-y^2}}{y} = e^{\frac{\xi}{a}}.\quad ②$$

将②式分子有理化，得

$$\frac{a^2-(a^2-y^2)}{y(a-\sqrt{a^2-y^2})} = e^{\frac{\xi}{a}}\text{，即}\frac{a-\sqrt{a^2-y^2}}{y} = e^{-\frac{\xi}{a}}.\quad ③$$

②＋③并除以2，得 $\frac{a}{y} = \mathrm{ch}\,\frac{\xi}{a}$，故得 $\eta = a\mathrm{ch}\,\frac{\xi}{a}$，此即所要求的渐屈线方程，为一悬链线.

【1615】 对数螺线 $r = ae^{m\varphi}$.

解 利用直角坐标与极坐标的互化公式来求渐屈线方程. 首先有

$$\frac{1}{2}\ln(x^2+y^2) = \ln a + m\arctan\frac{y}{x},$$

两边对 x 求导得

$$\frac{x+yy'}{x^2+y^2} = \frac{m(xy'-y)}{x^2+y^2}\text{，即 } x+yy' = m(xy'-y).\quad ①$$

由①式即得 $y' = \frac{x+my}{mx-y}$. 将①式再对 x 求导，化简得 $y'' = \frac{1+y'^2}{mx-y}$.

把 y' 及 y'' 代入曲率中心的表达式中，化简整理得

$$\xi = -my,\ \eta = mx.\quad ②$$

设 $\rho = \sqrt{\xi^2+\eta^2}$，$\psi = \arctan\frac{\eta}{\xi}$，于是，由②式得

$$\begin{cases}\xi^2+\eta^2 = m^2(x^2+y^2), & ③\\ -\dfrac{\xi}{\eta} = \dfrac{y}{x}. & ④\end{cases}$$

③式即 $\rho = mr = mae^{m\varphi}$，④式即 $-\cot\psi = \tan\varphi$ 即 $\varphi = \psi - \frac{\pi}{2}$.

因此，最后得到所求的渐屈线方程为对数螺线 $\rho = mae^{m\left(\psi-\frac{\pi}{2}\right)}$.

【1616】 证明：摆线 $x = a(t-\sin t)$，$y = a(1-\cos t)$ 的渐屈线仍为一摆线，仅其位置与已知摆线不同而已.

证 由于 $y' = \frac{dy}{dx} = \cot\frac{t}{2}$，$y'' = \frac{d^2y}{dx^2} = -\frac{1}{4a\sin^4\frac{t}{2}}$，于是

$$\xi = x - \frac{y'(1+y'^2)}{y''} = a(t-\sin t) + \frac{\cot\frac{t}{2}\cdot\left(1+\cot^2\frac{t}{2}\right)}{\dfrac{1}{4a\sin^4\frac{t}{2}}} = a(t+\sin t),$$

$$\eta = y + \frac{1+y'^2}{y''} = a(\cos t - 1),$$

令 $t-\pi = \tau$，即得

$$\xi = \pi a + a(\tau - \sin\tau),\ \eta = -2a + a(1-\cos\tau),$$

显然，此仍为摆线，只是位置与原摆线不同而已.

第15节 方程的近似解法(习题1617—1627)

知识点预览

序号	知识点	题目序号	所在页码
1	比例法(弦线法)	1617—1620	P229
2	牛顿法(切线法)	1621—1627	P232

知识点1 比例法(弦线法)

步骤 若函数 $f(x)$ 在闭区间 $[a,b]$ 上连续且 $f(a)f(b)<0$，而当 $a<x<b$ 时，$f'(x)\neq 0$，则方程 $f(x)=0$ 在区间 (a,b) 内有而且仅有一个实根 ξ. 可取下面的值作为此根的第一个近似值：$x_1=a+\delta_1$，式中 $\delta_1=-\dfrac{f(a)}{f(b)-f(a)}(b-a)$.

进而，对区间 (a,x_1) 和 (x_1,b) 中使函数 $f(x)$ 在其两端异号的那一个区间运用此方法，得到根 ξ 的第二个近似值 x_2，并不断重复此过程. 对于第 n 个近似值 x_n，有以下估计：

$$|x_n-\xi|\leqslant\frac{|f(x_n)|}{m},$$

其中 $m=\inf\limits_{a<x<b}|f'(x)|$，且 $\lim\limits_{n\to\infty}x_n=\xi$.

习题 1617—1620 利用比例法求方程的根

【利用比例法，求下列方程的根(精确到 0.001)(1617—1620)】

【1617】 $x^3-6x+2=0$.

解 设 $f(x)=x^3-6x+2$，则 $f(x)$ 在 $[0,1]$ 上连续，$f(0)=2$，$f(1)=-3$，且当 $0<x<1$ 时，$f'(x)=3x^2-6x\neq 0$. 因而，所给方程在 $(0,1)$ 内有且仅有一实根 ξ_1. 现求之，以 x_i 表示此根的第 i 个近似值，则有

$$x_1=0+\delta_1=-\frac{f(0)}{f(1)-f(0)}(1-0)=0.4;$$

又因 $f(0.4)=-0.336$，故

$$x_2=-\frac{f(0)}{f(0.4)-f(0)}(0.4-0)=0.342;$$

$f(0.342)=-0.012$，故

$$x_3=-\frac{f(0)}{f(0.342)-f(0)}(0.342-0)=0.340;$$

由于 $f(0.340)=-0.001$，$m_1=\inf\limits_{0<x<1}|f'(x)|=3$，因此，如果取 0.340 作为此根的第三个近似值，其误差为

$$|0.340-\xi_1|\leqslant\frac{|f(0.340)|}{m_1}<0.001,$$

已达到所需的精确度. 于是，所给方程在 $(0,1)$ 内的近似根为 0.340.

再求其他的根：

因为 $f(2)=-2, f(3)=11$，且当 $2<x<3$ 时，$f'(x)\neq 0$，故方程在 $(2,3)$ 内有且仅有一实根 ξ_2. 与求 ξ_1 的方法类似，依次求得其第 i 个近似值 x_i 为：

$$x_1 = 2-\frac{f(2)}{f(3)-f(2)}(3-2)=2.15;$$

$$x_2 = 2.15-\frac{f(2.15)}{f(3)-f(2.15)}(3-2.15)=2.22;$$

$$x_5 = 2.22-\frac{f(2.22)}{f(2)-f(2.22)}(3-2.22)=2.245;$$

$$x_4 = 2.245-\frac{f(2.245)}{f(3)-f(2.245)}(3-2.245)=2.256;$$

$$x_5 = 2.256-\frac{f(2.256)}{f(3)-f(2.256)}(3-2.256)=2.260;$$

$$x_6 = 2.260-\frac{f(2.260)}{f(3)-f(2.260)}(3-2.260)=2.261;$$

$$x_7 = 2.261-\frac{f(2.261)}{f(3)-f(2.261)}(3-2.261)=2.262.$$

由于 $f(2.262)=0.003, m_2=\inf\limits_{2<x<3}|f'(x)|=6$，因此，如果取 2.262 作为 ξ_2 的第七个近似值，则其误差为

$$|2.262-\xi_2|\leqslant\frac{|f(2.262)|}{m_2}<0.001,$$

已达到所需的精确度. 于是，所给方程在 $(2,3)$ 内的近似根为 2.262.

由于此方程为一个三次方程，最后必然还有一实根.

因为 $f(-2)=6, f(-3)=-7$，且当 $-3<x<-2$ 时，$f'(x)\neq 0$，故此根 ξ_3 介于 -3 和 -2 之间. 同上法依次求得其第 i 个近似值 x_i 为：

$$x_1 = -3-\frac{f(-3)}{f(-2)-f(-3)}(-2+3)=-2.461;$$

$$x_2 = -3-\frac{f(-3)}{f(-2.461)-f(-3)}(-2.461+3)=-2.574;$$

$$x_3 = -3-\frac{f(-3)}{f(-2.574)-f(-3)}(-2.574+3)=-2.596;$$

$$x_4 = -3-\frac{f(-3)}{f(-2.596)-f(-3)}(-2.596+3)=-2.601;$$

$$x_5 = -3-\frac{f(-3)}{f(-2.601)-f(-3)}(-2.601+3)=-2.602.$$

由于 $f(-2.602)=-0.004, m_3=\inf\limits_{-3<x<-2}|f'(x)|=6$，因此，如果取 -2.602 作为 ξ_3 的第五个近似值，则其误差为

$$|-2.602-\xi_3|\leqslant\frac{|f(-2.602)|}{m_3}<0.001,$$

已达到所需的精确度. 于是，所给方程的第三个根的近似值为 -2.602.

【1618】 $x^4-x-1=0$.

解 设 $f(x)=x^4-x-1$. 因 $f(1)=-1, f(2)=13$，且当 $1<x<2$ 时，$f'(x)\neq 0$，故所给方程在 $(1,2)$ 内有且仅有一实根 ξ_1，按上题的方法，依次求得该根的第 i 个近似值 x_i 为：

$$x_1=1.07, x_2=1.12, x_3=1.156, x_4=1.180, x_5=1.196,$$
$$x_6=1.205, x_7=1.217, x_8=1.220, x_9=1.221.$$

由于 $f(1.221)=0.002, m_1=\inf\limits_{1<x<2}|f'(x)|=3$，因此，如果取 1.221 作为 ξ_1 的第九个近似值，则其误差为

$$|1.221-\xi_1|\leqslant\frac{|f(1.221)|}{m_1}<0.001,$$

已达到所需的精确度.于是,所给方程在(1,2)内的近似根为1.221.

又因 $f(-1)=1, f(-0.5)=-0.4375$,且 $-1<x<-0.5$ 时,$f'(x)\neq 0$,故所给方程在 $(-1,-0.5)$ 内有且仅有一实根 ξ_2,依次求得第 i 个近似值 x_i 为:

$x_1=-0.652, x_2=-0.789, x_3=-0.706, x_4=-0.719, x_5=-0.723, x_6=-0.724.$

由于 $f(-0.724)=-0.001, m_2=\inf\limits_{-1<x<-0.5}|f'(x)|=1$,因此,如果取 -0.724 作为 ξ_2 的第六个近似值,则其误差为

$$|-0.724-\xi_2|\leqslant\frac{|f(-0.724)|}{m_2}=0.001,$$

已达到所需的精确度.于是,所给方程在 $(-1,-0.5)$ 内的近似根为 -0.724.

由于 $f'(x)=4x^3-1=0$ 只有一实根,且 $f''(x)=12x^2>0(x\neq 0)$,故所给方程仅有两个实根,其余两根为一对共轭复根.

【1619】 $x-0.1\sin x=2.$

解 设 $f(x)=x-0.1\sin x-2, f(2)=-0.091, f\left(\frac{2\pi}{3}\right)=0.0237$,当 $2<x<\frac{2\pi}{3}$ 时,$f'(x)\neq 0$,故所给方程在 $\left(2,\frac{2\pi}{3}\right)$ 内有且仅有一实根 ξ_1,依次求得其第 i 个近似值 x_i 为:

$$x_1=2.075, x_2=2.080, x_1=2.083, x_4=2.087.$$

由于 $f(2.087)=0.00003, m_1=\inf\limits_{2<x<\frac{3\pi}{2}}|f'(x)|=1-0.1\cos 2\approx 0.959$,因此,如果取 2.087 作为 ξ_1 的第四个近似值,则其误差为

$$|2.087-\xi_1|\leqslant\frac{|f(2.087)|}{m_1}<0.001,$$

已达到所需的精确度.于是,所给方程的近似根为2.087(弧度).

又方程 $x-0.1\sin x=2$ 与方程 $x-2=0.1\sin x$ 等价,而曲线 $y=x-2$ 与 $y=0.1\sin x$ 只有一个交点,因此,原方程只有一个实根.

注 因 $f'(x)=1-0.1\cos x, f''(x)=0.1\sin x>0$,故 $m_1=|f'(2)|=1-0.1\cos 2.$

【1620】 $\cos x=x^2.$

解 设 $f(x)=\cos x-x^2$,则 $f(-x)=f(x)$,故 $f(x)$ 为偶函数,因此原方程若有一根 ξ,必有另一根 $-\xi$.又曲线 $y=x^2$ 与 $y=\cos x$ 只有两个交点,故原方程有且仅有两个根 $\pm\xi$.为此,只需求一正根即可.

由于 $f\left(\frac{\pi}{4}\right)=0.09, f(1)=-0.46$,且当 $\frac{\pi}{4}<x<1$ 时,$f'(x)\neq 0$,故所给方程在 $\left(\frac{\pi}{4},1\right)$ 内有且仅有一实根 ξ,依次求得其第 i 个近似值 x_i 为:

$$x_1=0.821, x_2=0.828, x_3=0.826, x_4=0.825.$$

由于 $f(0.825)=-0.002, m=\inf\limits_{\frac{\pi}{4}<x<1}|f'(x)|=\left|f'\left(\frac{\pi}{4}\right)\right|=2.278$,因此,如果取 0.825 作为 ξ 的第四个近似值,则其误差为

$$|0.825-\xi|\leqslant\frac{|f(0.825)|}{m}<0.001,$$

已达到所需的晴确度.于是,所给方程的两个近似根为 ± 0.825.

如果注意到 $f(0.824)=0.002, f(0.825)=-0.002$,因此,取 ± 0.824 作为所给方程的两个近似根,也可保证所需的精确度.

知识点 2 牛顿法(切线法)

牛顿法求方程的根 若在闭区间$[a,b]$上$f''(x)\neq 0$,且$f(a)f''(a)>0$,则可取数值

$$\xi_1=a-\frac{f(a)}{f'(a)}$$

作为方程$f(x)=0$的根ξ的第一个近似值ξ_1.

重复利用这个方法,很快就得到趋近于根ξ的一系列近似值$\xi_n(n=1,2,\cdots)$,这些近似值的精度可根据公式$|x_n-\xi|\leqslant\frac{|f(x_n)|}{m}$来估计.

此外,为了大致确定方程的根,最好作出函数$y=f(x)$的图像.

习题 1621—1627 利用牛顿法求方程的根

【利用牛顿法求下列方程的根(精确到所指定的精度)(1621—1625)】

【1621】 $x^2+\frac{1}{x^2}=10x$(精确到10^{-3}).

解 曲线$y=x^2+\frac{1}{x^2}$与$y=10x$共有两个交点.因此,所给方程共有两个实根.

设$f(x)=x^2+\frac{1}{x^2}-10x$,则因$f(0.4)=2.41$,$f(0.5)=-0.75$,且当$0.4<x<0.5$时,$f'(x)\neq 0$,故所给方程在$(0.4,0.5)$内有且仅有一实根.又由于在$[0.4,0.5]$内,$f''(x)\neq 0$且$f(0.4)f''(0.4)>0$,故利用牛顿法求近似根时,切点应取$(0.4,f(0.4))$.依次求得其第$i$个近似值$x_i$为:

$$x_1=0.4-\frac{f(0.4)}{f'(0.4)}=0.459;$$

$$x_2=0.459-\frac{f(0.459)}{f'(0.459)}=0.471;$$

$$x_3=0.471-\frac{f(0.471)}{f'(0.471)}=0.472.$$

现估计误差:$f(0.472)=-0.013$.由于$f'(x)$在$(0.4,0.5)$内为增函数,且为负的,故

$$m=\inf_{0.4<x<0.5}|f'(x)|=|f'(0.5)|=25.$$

因此,如果取0.472作为根的近似值,则其误差为

$$|0.472-\xi|\leqslant\frac{|f(0.472)|}{m}<0.001,$$

已达到所需的精确度.于是,所给方程的一近似根为0.472.

现求第二个近似根,由于$f(10)=0.001$,故此根可能逼近10.现分别以9.9及9.99试之:

$$f(9.9)=-0.98,f(9.99)=-0.09.$$

因此,$f(9.99)f(10)<0$,加以在$(9.99,10)$内$f'(x)\neq 0$,故所给方程在$(9.99,10)$内有且仅有一个实根.又因$f(10)f''(10)>0$及$f''(x)\neq 0$,故利用牛顿法求近似根时,切点应选在$(10,f(10))$处.于是

$$x_1=10-\frac{f(10)}{f'(10)}=9.99999,$$

如果取9.999作为根的近似值,则其误差显然已达到所需的精确度.于是,所给方程的又一近似根为9.999.

【1622】 $x\lg x=1$(精确到 10^{-4}).

解 曲线 $y=\lg x$ 与 $y=\frac{1}{x}$ 只有一个交点.因此.所给方程只有一个实根.现确定其范围.

设 $f(x)=x\lg x-1$,由于 $f(2.506)=-0.0004$,$f(2.507)=0.0005$,且当 $2.506<x<2.507$ 时,$f'(x)>0$,$f''(x)>0$,故在 $(2.506,2.507)$ 内有且仅有一实根,切点选在 $(2.507,f(2.507))$.依次求得其第 i 个近似值 x_i 为:

$$x_1=2.5064,x_2=2.5062.$$

由于

$$f(2.5062)=0.00002,m=\inf_{2.506<x<2.507}|f'(x)|=|f'(2.506)|=0.84,$$

因此,如果取 2.506 2 作为根的近似值时,则其误差为

$$|2.5062-\xi|\leqslant\frac{|f(2.5062)|}{m}<0.0001,$$

已达到所需的精确度,故所求的唯一近似根为 2.506 2.

【1623】 $\cos x\operatorname{ch}x=1$(精确到 10^{-3})(两正根).

解 曲线 $y=\cos x$ 与 $y=\frac{1}{\operatorname{ch}x}$ 的交点有无穷多个,其中最小的三个正根分别记为 α,β,γ,且

$$\frac{3\pi}{2}<\alpha<2\pi,2\pi<\beta<\frac{5\pi}{2},\frac{7\pi}{2}<\gamma<4\pi.$$

现在我们将求 α 与 γ 两正根的计算方法叙述如下.设 $f(x)=\cos x\operatorname{ch}x-1$.

(1) 先求 α.

由于 $f(4.7)=-1.6812$,$f(4.8)=4.3159$,故 $4.7<\alpha<4.8$.又在 $4.7,4.8)$ 内 $f''(x)>0$,故切点应取在 $(4.8,f(4.8))$ 处,依次求得 α 的第 i 个近似值 x_i 为:

$$x_1=4.7345,x_2=4.7301.$$

本题若采用 $\frac{|f(x_n)|}{m}$ 来估计误差,由于 m 本身也需估计,而且繁琐,故现联合使用比例法与牛顿法求根的近似值.设以 x'_i 表示用比例法求出的第 i 个近似值,则有

$$x'_1=4.7-\frac{f(4.7)}{f(4.8)-f(4.7)}(4.8-4.7)=4.7280,$$

从而知 $4.7280<\alpha<4.7345$.于是

$$x'_2=4.7280-\frac{f(4.7280)}{f(4.7345)-f(4.7280)}(4.7345-4.7280)=4.7300,$$

因此 $4.7300<\alpha<4.7301$.

取 4.730 作为 α 的近似值,即可保证所需的精确度.于是,所给方程的一正根的近似值为 4.730.

(2) 再求 γ.

由于 $f\left(\frac{7\pi}{2}\right)=-1$,$f(11)\approx133$,故 $\frac{7\pi}{2}<\gamma<11$.切点取在 $(11,f(11))$ 处.分别用比例法及牛顿法求得

$$x'_1=10.9956,x_1=10.9956,$$

因而取 10.996 作为 γ 的近似值,即可保证所需的精确度.于是,所给方程的又一正根的近似值为 10.996.

【1624】 $x+e^x=0$(精确到 10^{-5}).

解 设 $f(x)=x+e^x$,则 $f'(x)=1+e^x>0$,$f''(x)=e^x>0$.

由于 $f(0)=1$,$f(-1)=\frac{1}{e}-1<0$,故在 $(-1,0)$ 内所给方程有且仅有一实根,切点选在 $(0,f(0))$ 处.依次求得此根的第 i 个近似值 x_i 为:

$$x_1=-0.5, x_2=-0.566\ 31, x_3=-0.567\ 132, x_4=-0.567\ 145,$$

由于

$$|x_4-\xi|\leqslant\frac{|f(-0.567\ 145)|}{m}=\frac{|f(-0.567\ 145)|}{1+e^{-1}}<10^{-5},$$

故取 $-0.567\ 15$ 作为根的近似值，即可保证所需的精确度.

由于曲线 $y=e^x$ 与 $y=-x$ 只有一个交点，故上述近似根 $-0.567\ 15$ 即为所给方程的唯一近似根.

【1625】 $x\text{th}\,x=1$(精确到 10^{-6}).

解 设 $f(x)=\text{th}\,x-\dfrac{1}{x}$，则因曲线 $y=\text{th}\,x$ 与 $y=\dfrac{1}{x}$ 仅有两个交点，故所给方程仅有两个实根.又因函数 $x\text{th}\,x$ 为偶函数，故方程的两实根为 $\pm\xi$.

由 $f'(x)=\dfrac{1}{\text{ch}^2x}+\dfrac{1}{x^2}>0$ 知，$f(x)$ 是增函数. 又因 $f(1)=-0.238\ 4, f(2)=0.464\ 0$，故所给方程在 $(1,2)$ 内有且仅有一实根. 又

$$f''(x)=-\frac{2\text{sh}\,x}{\text{ch}^3x}-\frac{2}{x^3}<0(x>0),$$

因此，切点应选为 $(1,f(1))$. 仍以 x_i' 及 x_i 分别表示用比例法及牛顿法求得的根的第 i 次近似值，重复使用，即得

$$x_1'=1.339, x_1=1.168, \text{故 } 1.168<\xi<1.339.$$

$$x_2'=1.203\ 2, x_2=1.198\ 9, \text{故 } 1.198\ 9<\xi<1.203\ 2.$$

$$x_3'=1.199\ 679\ 6, x_3=1.199\ 678\ 1, \text{故 } 1.199\ 678\ 1<\xi<1.199\ 679\ 6.$$

于是，取 $\pm1.199\ 678$ 作为根的近似值，即可保证所需的精确度.

【1626】 求方程 $\tan x=x$ 最小的三个正根(精确到 0.001).

解 由 $y=\tan x$ 及 $y=x$ 的图像知方程有正根，且有无穷个，只求其最小的三个正根，设

$$f(x)=\tan x-x.$$

(1) 因 $f'(x)=\tan^2x>0, f''(x)=2\tan x\sec^2x>0\left(x\in\left(\pi,\dfrac{3\pi}{2}\right)\right), f\left(\dfrac{4\pi}{3}\right)f\left(\dfrac{23\pi}{16}\right)<0$，故在区间 $\left(\dfrac{4\pi}{3},\dfrac{23\pi}{16}\right)$ 内所给方程有且仅有一实根 ξ_1，切点应选在 $\left(\dfrac{23\pi}{16},f\left(\dfrac{23\pi}{16}\right)\right)$ 处. 依次求得 ξ_1 的第 i 个近似值 x_i 为：

$$x_1=4.495\ 9, x_2=4.493\ 3.$$

由于 $|f(4.493\ 3)|=0.001\ 2, m=\inf\limits_{\frac{4\pi}{3}<x<\frac{23\pi}{16}}|f'(x)|=\tan^2\dfrac{4\pi}{3}=3$，因此，如果取 4.493 作为根 ξ_1 的近似值，则其误差为

$$|x_2-\xi_1|\leqslant\frac{|f(4.493\ 3)|}{m}<0.001,$$

已达到所需的精确度. 于是，所给方程的一最小正近似根为 4.493.

(2) 再求第二个最小正根.

因 $f\left(\dfrac{23\pi}{16}\right)<0, f\left(\dfrac{79\pi}{32}\right)>0$，故在 $\left(\dfrac{39\pi}{16},\dfrac{79\pi}{32}\right)$ 内方程有且仅有一实根 ξ_2. 又因在此区间内 $f'(x)>0$，$f''(x)>0$，故切点应选在 $\left(\dfrac{79\pi}{32},f\left(\dfrac{79\pi}{32}\right)\right)$ 处. 依次求得 ξ_2 的第 i 个近似值 x_i 为：

$$x_1=7.732\ 5, x_2=7.725\ 8, x_3=7.725\ 4,$$

由于 $|f(7.725\ 4)|=0.008\ 3, m=\inf\limits_{\frac{39\pi}{16}<x<\frac{79\pi}{32}}|f'(x)|=\tan^2\dfrac{39\pi}{16}>25$，因此，如果取7.725 作为根 ξ_2 的近

似值，则其误差为

$$|x_3-\xi_2|\leqslant\frac{|f(7.7254)|}{m}<0.001,$$

已达到所需的精确度. 于是，所给方程的第二个最小正根的近似值为 7.725.

(3) 最后求第三个最小正根.

由于 $f\left(\frac{111\pi}{32}\right)<0$，$f\left(\frac{223\pi}{64}\right)>0$，故在 $\left(\frac{111\pi}{32},\frac{223\pi}{64}\right)$ 内方程有且仅有一实根 ξ_3. 又因在此区间内 $f'(x)>0$，$f''(x)>0$，故切点应选在 $\left(\frac{223\pi}{64},f\left(\frac{223\pi}{64}\right)\right)$ 处. 依次求得 ξ_3 的第 i 个近似值 x_i 为：

$$x_1=10.9233,x_2=10.9086,x_3=10.9041.$$

由于 $|f(10.9041)|=0.014$，$m=\tan^2\frac{111\pi}{32}=102.78$. 因此，如果取 10.904 作为 ξ_3 的近似值，则其误差为

$$|x_3-\xi_3|\leqslant\frac{|f(10.9041)|}{m}<0.001,$$

已达到所需的精确度. 于是，所给方程的第三个最小正根的近似值为 10.904.

【1627】 求方程 $\cot x=\frac{1}{x}-\frac{x}{2}$ 的两个正根(精确到 10^{-3}).

解 由 $y=\cot x$ 与 $y=\frac{1}{x}-\frac{x}{2}$ 的图像知交点有无穷个，只求其最小的两个正根 ξ_1 及 ξ_2：

$$\frac{\pi}{2}<\xi_1<\pi,\frac{3\pi}{2}<\xi_2<2\pi.$$

(1) 先求 ξ_1.

设 $f(x)=\cot x-\frac{1}{x}+\frac{x}{2}$，则在所考虑的区间内

$$f'(x)=-\cot^2x-\frac{1}{2}+\frac{1}{x^2}<0,f''(x)=\frac{2\cos x}{\sin^3x}-\frac{2}{x^3}<0.$$

又因 $f(2.0708)=0.0062$，$f(2.1708)=-0.0593$，故切点应选在$(2.1708,f(2.1708))$处. 联合用比例法与牛顿法求 ξ_1. 重复应用，即得

$$x_1'=2.0803,x_1=2.0923,$$

故 $2.0803<\xi_1<2.0923$.

$$x_2'=2.0815,x_2-2.0816,$$

故取 2.081 作为 ξ_1 的近似值，即可保证所需的精确度. 于是，所给方程的一个正根的近似值为 2.081.

(2) 再求 ξ_2.

由于 $f(5.9324)=0.0648$，$f(5.9424)=-0.0169$，故 $5.9324<\xi_2<5.9424$，切点取$(5.9424,f(5.9424))$. 用比例法及牛顿法各一次，即得 $x_1'=5.9403$，$x_1=5.9404$，因此，取 5.940 作为 ξ_2 的近似值，即可保证所需的精确度. 于是，所给方程的又一个正根的近似值为 5.940.

过关检测

过关检测题

1.（2024 暨南大学）设 $f(x)=(\arctan x)^{\ln x}$，求 $f'(x)$.

2.（2024 哈尔滨工程大学）求 $f(x)=[x]\sin \pi x$ 的单侧导数，其中$[x]$表示不超过 x 的最大整数.

3.（2024 中南大学）已知 $f(x)=\begin{vmatrix} e^x & x^2 & 2 \\ 1 & 3x & 4x^2 \\ 0 & 5 & e^{2x} \end{vmatrix}$，求 $f'(x)$.

4.(2024 陕西师范大学)设 f 在闭区间$[a,b]$上有定义,且对任意的 $x,y\in[a,b]$,有

$$|f(x)-f(y)|\leqslant 2(x-y)^2,$$

证明:$f(x)$ 在$[a,b]$上为常值函数.

5.(2024 武汉大学)若 $y=\dfrac{\arcsin x}{\sqrt{1-x^2}}$,求 $y^{(2023)}(0)$.

6.(2024 湘潭大学)(1)$y=\dfrac{\sqrt{1+x^2}}{x}$,求 d^2y;(2)$I(y)=\displaystyle\int_y^{y^2}\frac{\cos xy}{x}\mathrm{d}x$,求 $I'(y)$.

7.(2024 北京交通大学)设 $f(x)$ 在$[0,2]$上连续,在$(0,2)$上可导,且 $f(0)+f(1)=2$,$f(2)=1$.证明:存在 $\xi\in(0,2)$ 使得 $f'(\xi)=0$.

8.(2024 西北工业大学) 设 $f(x)$ 在$[0,1]$上连续,在$(0,1)$上可导,且 $f(0)=0, f(1)=1$.

(1) 证明:存在互异的 $\eta_1, \eta_2 \in (0,1)$,满足$\dfrac{1}{f'(\eta_1)}+\dfrac{1}{f'(\eta_2)}=2$.

(2)a,b 为任意正实数,证明:存在互异的 $\xi_1, \xi_2 \in (0,1)$,满足$\dfrac{a}{f'(\xi_1)}+\dfrac{b}{f'(\xi_2)}=a+b$.

9.(2024 中山大学) 已知 $0<a<b<+\infty$, $f(x)$ 在$[a,b]$上可导,证明:存在 $\xi \in (a,b)$,使得

$$\frac{af(b)-bf(a)}{a-b}=f(\xi)-\xi f'(\xi).$$

10.(2024 东南大学) 设 $f(x)$ 在$[0,1]$上连续,在$(0,1)$内可导,

$$f(0)=f(1)=0, f\left(\frac{1}{2}\right)=1.$$

证明:存在 $\xi \in (0,1)$,使得 $f'(\xi)=1$.

11.(2024 上海大学)假设函数 $g(x):(0,+\infty)\to(0,+\infty)$ 可导,证明:存在趋于正无穷大的正数列 $\{x_n\}$,使得 $g'(x_n)<g(2x_n)$,$n=1,2,\cdots$.

12.(2024 西南交通大学)设函数 $f(x)$ 在区间 $[0,1]$ 上二阶可导,且 $f(0)=0$,$f(1)=1$.

(1) 证明:存在 $x_0\in(0,1)$,使得 $f'(x_0)=1$.

(2) 证明:存在 $\xi\in(0,1)$,使得 $\xi f''(\xi)+(1+\xi)f'(\xi)=1+\xi$.

13.(2024 云南大学)设函数 $f(x)$ 和 $g(x)$ 在区间 $[a,b]$ 上二阶可导,并且

$$g''(x)\neq 0,f(a)=f(b)=g(a)=g(b)=0.$$

(1) 证明:在开区间 (a,b) 内,$g(x)\neq 0$.

(2) 证明:在开区间 (a,b) 内,至少存在一点 ξ,使得 $\dfrac{f(\xi)}{g(\xi)}=\dfrac{f''(\xi)}{g''(\xi)}$.

14.(2024 南京理工大学)设 $f(x)$ 在 $\mathbf{R}$ 上二阶可导,且 $f'(0)=0$,证明:存在 $\xi\in(0,1)$,使得

$$f'(\xi)=(\xi-1)^2 f''(\xi).$$

15.(2024 天津大学)设 $f(x)$ 在 $[a,+\infty)$ 上可导,$f(a)>a$,且 $f'(x)+f(x)>1+x$,证明:$f(x)>x$.

16.(2024 北京科技大学)设 $f(x)$ 在 $[a,b]$ 上有二阶导数,且 $f^{(k)}(a)=f^{(k)}(b)=0(k=0,1)$,证明:存在 $\xi\in(a,b)$,使得 $f''(\xi)=f(\xi)$.

17.(2024 大连理工大学)设函数 $f(x)$ 在 $[0,2]$ 上存在三阶连续导数,且 $f(0)=f(1)=f(2)=0$. 证明:对任意的 $x\in(0,2)$,存在 $c\in(0,2)$,使得

$$f(x)=\frac{1}{6}x(x-1)(x-2)f'''(c). \qquad (*)$$

18.(2024 中国矿业大学(北京))求函数 $f(x)=\arctan\dfrac{1-x^2}{1+x^2}$ 的单调区间、极值、凹凸区间、拐点和渐近线.

19.(2024 中国人民大学)设 f 在$[0,2]$上二阶可导,$|f(x)|\leqslant 1$,$|f''(x)|\leqslant 1$,证明:

$$|f'(x)|\leqslant 2.$$

20.(2024 中国科学技术大学)设函数 $f(x)$ 在$[-1,1]$上二阶可导,且 $f(-1)=f(0)=0$,$f(1)=1$,证明:存在 $\xi\in(-1,1)$ 使得 $f''(\xi)=1$.

21.(2024 中国人民大学)设 $f(x)=\int_1^x e^{t^2}\mathrm{d}t$,证明:存在 $\xi,\eta\in(1,2)$,使得

$$f(\xi)=(2-\xi)e^{\xi^2} \text{ 及 } f(2)=\eta e^{\eta^2}\ln 2.$$

22.(2024 武汉大学)证明：$\dfrac{2n}{2n+1}\leqslant\dfrac{\left(1+\dfrac{1}{n}\right)^n}{\mathrm{e}}\leqslant\dfrac{2n+1}{2n+2}(n\geqslant 1)$.

23.(2024 武汉大学)设 $f(x)$ 在 $(0,+\infty)$ 上三次可导，且 $\lim\limits_{x\to+\infty}f(x)$ 与 $\lim\limits_{x\to+\infty}f'''(x)$ 均存在，证明：$\lim\limits_{x\to+\infty}f'(x)=\lim\limits_{x\to+\infty}f''(x)=\lim\limits_{x\to+\infty}f'''(x)=0$.

24.(2024 武汉大学)设 $x>0,y>0$，证明：$xy-\mathrm{e}^{x-1}\leqslant y\ln y$.

25.(2024 合肥工业大学)设函数 $f(x)$ 在 $(-\infty,+\infty)$ 上有界且 $f''(x)\geqslant 0$. 证明：$f(x)$ 为常值函数.

答案解析

1. **解** 因为 $\ln f(x)=(\ln x)(\ln\arctan x)$，等式两边关于 x 求导可得

$$\frac{f'(x)}{f(x)}=\frac{\ln\arctan x}{x}+\frac{\ln x}{(1+x^2)\arctan x}.$$

因此

$$f'(x)=(\arctan x)^{\ln x}\left[\frac{\ln\arctan x}{x}+\frac{\ln x}{(1+x^2)\arctan x}\right].$$

2. **解** 首先注意到 $f(x)=\begin{cases}n\sin\pi x, & x\in[n,n+1),\\ 0, & x=n+1\end{cases}(n\in\mathbf{Z})$.

当 $x\in(n,n+1)(n\in\mathbf{Z})$ 时，$f(x)$ 可导，且

$$f'(x)=f'_+(x)=f'_-(x)=n\pi\cos\pi x.$$

当 $x=n(n\in\mathbf{Z})$ 时，结合洛必达法则，有

$$f'_+(n)=\lim_{x\to n^+}\frac{f(x)-f(n)}{x-n}=\lim_{x\to n^+}\frac{n\sin\pi x}{x-n}=\lim_{x\to n^+}n\pi\cos\pi x=(-1)^n n\pi,$$

$$f'_-(n)=\lim_{x\to n^-}\frac{f(x)-f(n)}{x-n}=\lim_{x\to n^-}\frac{(n-1)\sin\pi x}{x-n}=\lim_{x\to n^-}(n-1)\pi\cos\pi x=(-1)^n(n-1)\pi.$$

3. **解** 根据行列式的求导公式，有

$$f'(x)=\begin{vmatrix}e^x & x^2 & 2\\ 0 & 3x & 4x^2\\ 0 & 5 & e^{2x}\end{vmatrix}+\begin{vmatrix}e^x & 2x & 2\\ 1 & 3 & 4x^2\\ 0 & 0 & e^{2x}\end{vmatrix}+\begin{vmatrix}e^x & x^2 & 0\\ 1 & 3x & 8x\\ 0 & 5 & 2e^{2x}\end{vmatrix}$$

$$=e^x(3xe^{2x}-20x^2)+e^{2x}(3e^x-2x)+(6xe^{3x}-40xe^x-2x^2e^{2x})$$

$$=3(3x+1)e^{3x}-2x(x+1)e^{2x}-20x(x+2)e^x.$$

4. **证** 根据已知，对任意的 $x,x_0\in[a,b]$，有 $|f(x)-f(x_0)|\leqslant 2(x-x_0)^2$，那么当 $x\neq x_0$ 时，也有

$$\left|\frac{f(x)-f(x_0)}{x-x_0}\right|\leqslant 2|x-x_0|.$$

现在令 $x\to x_0$，由夹逼准则可知

$$\lim_{x\to x_0}\frac{f(x)-f(x_0)}{x-x_0}=0.$$

也就是 $f'(x_0)=0$，再结合 x_0 的任意性可知 $f'(x)\equiv 0,x\in[a,b]$，因此 $f(x)$ 在$[a,b]$上为常值函数.

5. **解** 注意到 $\sqrt{1-x^2}\,y(x)=\arcsin x$，两边求导有

$$-\frac{x}{\sqrt{1-x^2}}y(x)+\sqrt{1-x^2}\,y'(x)=\frac{1}{\sqrt{1-x^2}},$$

从而

$$(1-x^2)y'(x)-xy(x)=1.$$

对上式两边求$(n-1)$阶导数，注意使用对乘积求高阶导数的 Leibniz 法则，得到

$(1-x^2)y^{(n)}(x)-2(n-1)xy^{(n-1)}(x)-2C_{n-1}^2y^{(n-2)}(x)-xy^{(n-1)}(x)-(n-1)y^{(n-2)}(x)=0.$

令 $x=0$,可以得到递推关系 $y^{(n)}(0)=(n-1)^2y^{(n-2)}(0)$,故 $y^{(2023)}(0)=(2022!!)^2$.

6. **解** (1)$y'=\dfrac{\dfrac{x}{\sqrt{1+x^2}}\cdot x-\sqrt{1+x^2}}{x^2}=\dfrac{1}{\sqrt{1+x^2}}-\dfrac{\sqrt{1+x^2}}{x^2}$,

$$y''=-\frac{x}{(1+x^2)^{\frac{3}{2}}}-\frac{\dfrac{x^2}{\sqrt{1+x^2}}-2\sqrt{1+x^2}}{x^3}=\frac{3x^2+2}{x^3(x^2+1)^{3/2}},$$

从而 $d^2y=\dfrac{3x^2+2}{x^3(x^2+1)^{3/2}}dx^2$.

(2)$I'(y)=-\displaystyle\int_y^{y^2}\sin(xy)dx+\frac{2\cos y^3-\cos y^2}{y}$

$$=\frac{\cos xy}{y}\Bigg|_y^{y^2}+\frac{2\cos y^3-\cos y^2}{y}=\frac{3\cos y^3-2\cos y^2}{y}.$$

7. **证** 因为 $f(0)+f(1)=2$,因此 $f(0)\leqslant 1\leqslant f(1)$ 或 $f(1)\leqslant 1\leqslant f(0)$,由介值定理,存在 $\eta\in[0,1]$,使得 $f(\eta)=1$,而 $f(2)=1$,且 $f(x)$ 在$(\eta,2)$上可导,由罗尔定理,存在 $\xi\in(\eta,2)\subset(0,2)$,使得 $f'(\xi)=0$.

8. **证** (1) 由于 $f(x)$ 在$[0,1]$上连续,且 $f(0)<\dfrac{1}{2}<f(1)$,由介值定理,存在 $c\in(0,1)$,使得 $f(c)=\dfrac{1}{2}$,进而由拉格朗日中值定理,存在 $\eta_1\in(0,c)$,$\eta_2\in(c,1)$,使得

$$f'(\eta_1)=\frac{f(c)-f(0)}{c-0}=\frac{1}{2c},$$

$$f'(\eta_2)=\frac{f(1)-f(c)}{1-c}=\frac{1}{2(1-c)}.$$

因此

$$\frac{1}{f'(\eta_1)}+\frac{1}{f'(\eta_2)}=2c+2(1-c)=2.$$

(2) 同(1),因为 $a,b>0$,因此 $f(0)<\dfrac{a}{a+b}<f(1)$,由介值定理,存在 $d\in(0,1)$,使得 $f(d)=\dfrac{a}{a+b}$,进而由拉格朗日中值定理,存在 $\xi_1\in(0,d)$,$\xi_2\in(d,1)$,使得

$$f'(\xi_1)=\frac{f(d)-f(0)}{d-0}=\frac{a}{(a+b)d},$$

$$f'(\xi_2)=\frac{f(1)-f(d)}{1-d}=\frac{b}{(a+b)(1-d)}.$$

因此

$$\frac{a}{f'(\xi_1)}+\frac{b}{f'(\xi_2)}=(a+b)d+(a+b)(1-d)=a+b.$$

9. **证** 记函数 $F(x)=\dfrac{f(x)}{x}$,$G(x)=\dfrac{1}{x}$,显然 $F(x)$,$G(x)$ 均在$[a,b]$上可导,$G'(x)\neq 0$,$\forall x\in[a,b]$,于是由柯西中值定理,存在 $\xi\in(a,b)$,使得

$$\frac{\frac{f(b)}{b}-\frac{f(a)}{a}}{\frac{1}{b}-\frac{1}{a}}=\frac{F(b)-F(a)}{G(b)-G(a)}=\frac{F'(\xi)}{G'(\xi)}=\frac{\frac{[\xi f'(\xi)-f(\xi)]}{\xi^2}}{-\frac{1}{\xi^2}}=f(\xi)-\xi f'(\xi).$$

化简可得$\frac{af(b)-bf(a)}{a-b}=f(\xi)-\xi f'(\xi)$.

10. **证**　根据拉格朗日中值定理,存在 $\eta_1\in\left(0,\frac{1}{2}\right)$,$\eta_2\in\left(\frac{1}{2},1\right)$,使得

$$f'(\eta_1)=\frac{f\left(\frac{1}{2}\right)-f(0)}{\frac{1}{2}-0}=2,$$

$$f'(\eta_2)=\frac{f(1)-f\left(\frac{1}{2}\right)}{1-\frac{1}{2}}=-2.$$

因此 $f'(\eta_2)<1<f'(\eta_1)$,根据导数介值定理,存在 $\xi\in(\eta_1,\eta_2)\subset(0,1)$,使得 $f'(\xi)=1$.

11. **证**　反证法. 若结论不成立,则存在 $M>1$,使得 $x\geqslant M$ 时,有 $g'(x)\geqslant g(2x)>0$,因此 g 在$[M,+\infty)$上严格递增. 任取 $x_0\geqslant M$,由拉格朗日中值定理,存在 $\xi\in(x_0,2x_0)$,使得

$$g(2x_0)-g(x_0)=g'(\xi)x_0\geqslant g(2\xi)x_0>g(2x_0)x_0>g(2x_0).$$

也就是 $g(x_0)<0$,这显然是矛盾的. 因此命题成立.

12. **证**　(1) 直接由拉格朗日中值定理可知存在 $x_0\in(0,1)$,使得

$$f'(x_0)=\frac{f(1)-f(0)}{1-0}=1.$$

(2) 构造函数 $F(x)=xe^x[f'(x)-1]$,显然 $F(0)=F(x_0)=0$,同时 $F(x)$ 在$[0,x_0]$上可导,因此由罗尔定理,存在 $\xi\in(0,x_0)\subseteq(0,1)$,使得

$$F'(\xi)=e^{\xi}[f'(\xi)-1]+\xi e^{\xi}[f'(\xi)-1]+\xi e^{\xi}f''(\xi)=0.$$

化简可得 $\xi f''(\xi)+(1+\xi)f'(\xi)=1+\xi$.

13. **证**　(1) 反证法. 若存在 $c\in(a,b)$,满足 $g(c)=0$,再结合 $g(a)=g(b)=0$,由罗尔定理,存在 $\eta_1\in(a,c)$,$\eta_2\in(c,b)$,使得 $g'(\eta_1)=g'(\eta_2)=0$. 再次使用罗尔定理,存在 $\eta\in(\eta_1,\eta_2)\subset(a,b)$,使得 $g''(\eta)=0$,与已知矛盾. 故结论成立.

(2) 构造函数 $F(x)=f'(x)g(x)-f(x)g'(x)$,显然 $F(x)$ 在$[a,b]$上可导,同时由 $f(a)=f(b)=g(a)=g(b)=0$ 可知 $F(a)=F(b)=0$,因此由罗尔定理,存在 $\xi\in(a,b)$,使得

$$F'(\xi)=f''(\xi)g(\xi)-f(\xi)g''(\xi)=0.$$

而 $g(\xi),g''(\xi)\neq0$,所以上式也等价于$\frac{f(\xi)}{g(\xi)}=\frac{f''(\xi)}{g''(\xi)}$.

14. **证**　构造函数$F(x)=\begin{cases}f'(x)e^{\frac{1}{x-1}}, & x\in[0,1),\\ 0, & x=1,\end{cases}$则 $F(x)$ 在$[0,1]$上连续,在$(0,1)$内可导,且 $F(0)=F(1)=0$,由罗尔定理,存在 $\xi\in(0,1)$,使得

$$F'(\xi)=f''(\xi)\mathrm{e}^{\frac{1}{\xi-1}}-\frac{1}{(\xi-1)^2}f'(\xi)\mathrm{e}^{\frac{1}{\xi-1}}=0,$$

化简可得 $f'(\xi)=(\xi-1)^2f''(\xi)$.

15. **证** 构造函数 $F(x)=[f(x)-x]\mathrm{e}^x$，显然 $F(x)$ 在 $[a,+\infty)$ 上可导，结合已知有

$$F'(x)=[f'(x)-1]\mathrm{e}^x+[f(x)-x]\mathrm{e}^x=[f'(x)+f(x)-1-x]\mathrm{e}^x>0.$$

因此 $F(x)$ 在 $[a,+\infty)$ 上严格递增，从而

$$F(x)\geqslant F(a)=[f(a)-a]\mathrm{e}^a>0,x\in[a,+\infty).$$

再结合 $\mathrm{e}^x>0$ 可知 $f(x)>x,x\in[a,+\infty)$.

16. **证** 构造函数 $F(x)=[f(x)-f'(x)]\mathrm{e}^x$，则 $F(x)$ 在 $[a,b]$ 上可导，同时由 $f(a)=f'(a)=f(b)=f'(b)=0$ 可知 $F(a)=F(b)=0$，由罗尔定理，存在 $\xi\in(a,b)$，使得

$$F'(\xi)=[f'(\xi)-f''(\xi)]\mathrm{e}^\xi+[f(\xi)-f'(\xi)]\mathrm{e}^\xi=0.$$

化简可得 $f''(\xi)=f(\xi)$.

17. **证** 当 $x=1$ 时，任取 $c\in(0,2)$，均有(*)式成立. 下面考虑 $x\neq1$ 的情况：记

$$k=\frac{6f(x)}{x(x-1)(x-2)}.$$

构造函数 $F(t)=f(t)-\frac{1}{6}t(t-1)(t-2)k$，那么 $F(0)=F(1)=F(2)=F(x)=0$. 为了方便，不妨设 $x\in(0,1)$，由于 $F(x)$ 在 $[0,1]$ 上三阶可导，反复使用罗尔中值定理，存在 $\xi_1\in(0,x),\xi_2\in(x,1),\xi_3\in(1,2)$，使得 $F'(\xi_1)=F'(\xi_2)=F'(\xi_3)=0$，进而可知存在 $\eta_1\in(\xi_1,\xi_2),\eta_2\in(\xi_2,\xi_3)$，使得 $F''(\eta_1)=F''(\eta_2)=0$，还存在 $c\in(\eta_1,\eta_2)\subset(0,2)$，使得 $F'''(c)=0$，也就是 $f'''(c)-k=0$，即 $k=f'''(c)$，故 $f(x)=\frac{1}{6}x(x-1)(x-2)f'''(c)$ 成立.

18. **解** 首先注意到

$$f'(x)=\frac{\frac{-2x(1+x^2)-2x(1-x^2)}{(1+x^2)^2}}{1+\left(\frac{1-x^2}{1+x^2}\right)^2}=-\frac{2x}{1+x^4}.$$

因此当 $x<0$ 时，$f'(x)>0$；当 $x>0$ 时，$f'(x)<0$. 也就是 $f(x)$ 在 $(-\infty,0)$ 上单调递增，在 $(0,+\infty)$ 上单调递减，同时 $x=0$ 为 $f(x)$ 的极大值点，且极大值为 $f(0)=\arctan 1=\frac{\pi}{4}$.

其次，由于

$$f''(x)=-\frac{2(1+x^4)-2x\cdot4x^3}{(1+x^4)^2}=\frac{2(3x^4-1)}{(1+x^4)^2}\begin{cases}>0, & x<-\frac{1}{\sqrt[4]{3}},\\ <0, & -\frac{1}{\sqrt[4]{3}}<x<\frac{1}{\sqrt[4]{3}},\\ >0, & x>\frac{1}{\sqrt[4]{3}}.\end{cases}$$

因此 $f(x)$ 在 $\left(-\infty,-\frac{1}{\sqrt[4]{3}}\right)$ 与 $\left(\frac{1}{\sqrt[4]{3}},+\infty\right)$ 上为凸函数，在 $\left(-\frac{1}{\sqrt[4]{3}},\frac{1}{\sqrt[4]{3}}\right)$ 上为凹函数.

点$\left(\pm\frac{1}{\sqrt[4]{3}},f\left(\pm\frac{1}{\sqrt[4]{3}}\right)\right)=\left(\pm\frac{1}{\sqrt[4]{3}},\frac{\pi}{12}\right)$为 $f(x)$ 的拐点.

最后,由于 $f(x)$ 在$(-\infty,+\infty)$上连续,且$\lim\limits_{x\to\infty}f(x)=\arctan(-1)=-\frac{\pi}{4}$. 因此 $f(x)$ 的渐近线为 $y=-\frac{\pi}{4}$.

19. **证** $\forall x\in[0,2]$,存在 $\xi_1,\xi_2\in[0,2]$,使得

$$f(0)=f(x)-xf'(x)+\frac{x^2}{2!}f''(\xi_1),$$

$$f(2)=f(x)+(2-x)f'(x)+\frac{(2-x)^2}{2!}f''(\xi_2),$$

两式相减,得

$$2f'(x)=f(2)-f(0)+\frac{x^2}{2}f''(\xi_1)-\frac{(2-x)^2}{2}f''(\xi_2).$$

利用绝对值不等式,得

$$2|f'(x)|\leqslant|f(2)|+|f(0)|+\frac{x^2}{2}|f''(\xi_1)|+\frac{(2-x)^2}{2}|f''(\xi_2)|$$

$$\leqslant 2+\frac{x^2+(2-x)^2}{2}\leqslant 2+\frac{[x+(2-x)]^2}{2}=4.$$

从而 $|f'(x)|\leqslant 2$,证毕.

20. **证** 令 $F(x)=f(x)-\frac{x^2+x}{2}$,则 $F(-1)=F(0)=F(1)=0$,利用两次罗尔定理知,存在 $\xi\in(-1,1)$ 使得 $F''(\xi)=0$,即 $F''(\xi)=f''(\xi)-1=0$,从而 $f''(\xi)=1$.

21. **证** 设 $F(x)=(x-2)f(x),G(x)=f(x)-\frac{f(2)}{\ln 2}\ln x$,则 $F(x),G(x)\in C^1[1,2]$,且 $F(1)=F(2)=0,G(1)=G(2)=0$,从而存在 $\xi,\eta\in(1,2)$,使得

$$F'(\xi)=f(\xi)+(\xi-2)f'(\xi)=f(\xi)+(\xi-2)e^{\xi^2}=0,$$

$$G'(\eta)=f'(\eta)-\frac{f(2)}{\eta\ln 2}=e^{\eta^2}-\frac{f(2)}{\eta\ln 2}=0.$$

从而 $f(\xi)=(2-\xi)e^{\xi^2},f(2)=\eta e^{\eta^2}\ln 2$,证毕.

22. **证** 由所证结论可等价于

$$\left(1+\frac{1}{n}\right)^n\frac{2n+2}{2n+1}\leqslant e\leqslant\frac{2n+1}{2n}\left(1+\frac{1}{n}\right)^n.$$

再两边取对数可等价于

$$n\ln\left(1+\frac{1}{n}\right)+\ln\frac{2n+2}{2n+1}\leqslant 1\leqslant n\ln\left(1+\frac{1}{n}\right)+\ln\frac{2n+2}{2n}.$$

令

$$f(x)=x\ln\left(1+\frac{1}{x}\right)+\ln\frac{2x+2}{2x+1},$$

可得

$$f'(x)=\ln\left(1+\frac{1}{x}\right)-\frac{2}{1+2x}<0,$$

即 $f(n)\leqslant\lim\limits_{t\to+\infty}f(t)=1$. 再令

$$g(x)=x\ln\left(1+\frac{1}{x}\right)+\ln\frac{2x+2}{2x},$$

则

$$g'(x)=\ln\left(1+\frac{1}{x}\right)-\frac{1}{x}<0,$$

即 $g(n)>\lim\limits_{t\to+\infty}g(t)=1$,即结论得证.

23. **证** 设 $\lim\limits_{x\to+\infty}f(x)=a$, $\lim\limits_{x\to+\infty}f'''(x)=b$. 由于 $f(x)$ 在 $(0,+\infty)$ 上存在有三阶导数,则任取 $x\in(1,+\infty)$ 泰勒展开,则有

$$f(t)=f(x)+f'(x)(t-x)+\frac{f''(x)}{2!}(t-x)^2+\frac{f'''(\xi)}{3!}(t-x)^3.$$

由于结论中不包含自变量的取值,于是取 $t=x\pm1$,

$$f(x+1)=f(x)+f'(x)+\frac{f''(x)}{2!}+\frac{f'''(\xi_1)}{3!},\qquad (*)$$

$$f(x-1)=f(x)-f'(x)+\frac{f''(x)}{2!}-\frac{f'''(\xi_2)}{3!},\qquad (**)$$

其中 $x<\xi_1<x+1$, $x-1<\xi_2<x$.

两式相加,得

$$f(x+1)+f(x-1)=2f(x)+2\frac{f''(x)}{2!}+\frac{f'''(\xi_1)}{3!}-\frac{f'''(\xi_2)}{3!}.\qquad (***)$$

由于 $\lim\limits_{x\to+\infty}f(x)$, $\lim\limits_{x\to+\infty}f'''(x)$ 存在,所以

$$\lim_{x\to+\infty}f(x+1)=\lim_{x\to+\infty}f(x-1)=\lim_{x\to+\infty}f(x),$$

$$\lim_{x\to+\infty}f'''(\xi_1)=\lim_{x\to+\infty}f'''(\xi_2)=\lim_{x\to+\infty}f'''(x).$$

对$(***)$式两端取 $x\to+\infty$ 的极限,有 $\lim\limits_{x\to+\infty}f''(x)=0$. 再对$(*)$两端取极限,得 $0=\lim\limits_{x\to\infty}f'(x)+\frac{b}{6}$,即$\lim\limits_{x\to\infty}f'(x)$ 存在,并且$\lim\limits_{x\to\infty}f'(x)=-\frac{b}{6}$. 由拉格朗日中值定理,有

$$f(x+1)-f(x)=f'(\xi),x<\xi<x+1,$$

两端取极限,则有$\lim\limits_{x\to\infty}f'(x)=-\frac{b}{6}=0$,即 $b=0$. 所以

$$\lim_{x\to+\infty}f'(x)=\lim_{x\to+\infty}f''(x)=\lim_{x\to+\infty}f'''(x)=0.$$

24. **证** 记 $f(x)=xy-e^{x-1}-y\ln y$, $x,y>0$,固定 $y\left(y>\frac{1}{e}\right)$,则

$$f'(x)=y-e^{x-1}\begin{cases}>0, & 0<x<\ln y+1,\\ <0, & x>\ln y+1.\end{cases}$$

即 $f_{\max}=f(\ln y+1)=0$,所以

$$xy-e^{x-1}\leqslant y\ln y.$$

当 $0<y\leqslant\frac{1}{e}$ 时,$f'(x)=y-e^{x-1}<0$ 恒成立,此时 $f(x)$ 在 $(0,+\infty)$ 上单调递减,从而

$$xy-\mathrm{e}^{x-1}-y\ln y<\lim_{x\to0}(xy-\mathrm{e}^{x-1}-y\ln y)=-y\ln y-\frac{1}{\mathrm{e}},$$

而当 $0<y\leqslant\frac{1}{\mathrm{e}}$ 时，$g(y)=-y\ln y$ 单调递增，故 $-y\ln y\leqslant\frac{1}{\mathrm{e}}$，即 $-y\ln y-\frac{1}{\mathrm{e}}<0$，故原结论成立.

25. **证** （反证法）假设 $f(x)$ 不是常值函数，则存在点 a 和 b 使得 $f(a)\neq f(b)$. 不妨设为 $a>b$ 且 $f(a)>f(b)$，由 $f''(x)\geqslant0$，知对于 $t>b$ 有

$$f(b)=f\left(\frac{b-a}{t-a}\cdot t+\frac{t-b}{t-a}\cdot a\right)\leqslant\frac{b-a}{t-a}f(t)+\frac{t-b}{t-a}f(a).$$

因此可得

$$f(t)\geqslant f(a)+(t-a)\frac{f(b)-f(a)}{b-a},$$

令 $t\to+\infty$ 推出与 $f(x)$ 有界是矛盾的，因此 $f(x)$ 是常值函数.